Jörg Friedrich · Der Brand

Jörg Friedrich

Der Brand

Deutschland im Bombenkrieg 1940–1945

Propyläen

Propyläen Verlag
Propyläen ist ein Verlag des Verlagshauses
Ullstein Heyne List GmbH & Co. KG

2. Auflage 2002

ISBN 3-549-07165-5

© 2002 by Ullstein Heyne List GmbH & Co. KG, München
Alle Rechte vorbehalten. Printed in Germany
Foto Vorsatz: Stuttgart, Herbst 1944
Karte hinteres Vorsatz: Rainer J. Fischer
Gesetzt aus der Janson
Satz: Pinkuin Satz und Datentechnik, Berlin
Druck und Bindung: GGP Media, Pößneck

Inhalt

Waffe

Strategie

Land

Schutz

Wir

Ich

9

Stein

Anhang

Waffe

»The Bomber comes through«
PREMIER STANLEY BALDWIN

Die Bombe findet nicht präzise zum Ziel, darum wird Ziel, was die Bombe finden kann, eine Stadt. Mit dreitausend Tonnen Sprengstoff, wie eine Bomberflotte sie lädt, ist die Stadt nicht zu ruinieren. Brandmunition jedoch stiftet einen Schaden, der sich selbst vermehrt. Dazu sind zwei Wissenschaften vonnöten, Brandstiftung und Funknavigation. Feuerwehringenieure und Elektrophysiker entwickeln in drei Jahren die Systeme, entzündliche Siedlungsstrukturen zu orten, mit Farblicht zu umranden und in Flammen zu setzen. Vollgepumpt mit Treibstoff und Bomben ist das Flugzeug, unterwegs zum Ziel, selbst das empfindlichste Ziel. Verfolgt von Flakkanonen und Abfangjägern, sind die Mannschaften mit dem Auftrag zur Massentötung fast ausschließlich damit befaßt, zu überleben.

In dem Bombenvisier einer viermotorigen ›Lancaster‹ ist eine Stadt wie Wuppertal aus sechstausend Meter Höhe nicht sichtbar. Die Bewohner haben sie abgedunkelt, ein Dunstschleier hüllt die Talmulde ein. Der Pilot überquert den langgestreckten Ort in einer Minute, die Vororte kümmern ihn wenig. Sein engeres Zielgebiet läßt ihm zehn Sekunden Zeit zum Abwurf. Wann diese Spanne eintritt, irgendwann rund zwei Stunden nach Abflug von der südenglischen Küste, könnte er ohne die zwei Kilometer tiefer vorneweg fliegenden ›Pathfinder‹ nicht wissen. Zudem kann eine Bombe nicht abgeworfen werden, wenn der Bomber das Ziel kreuzt, denn ihr Flug bildet keine Senkrechte, sondern beschreibt eine Parabel; Masseträgheit und Schwerkraft wirken entgegengesetzt auf sie ein. Wenn sie am Boden aufschlägt, ist die Maschine schon drei Kilometer fort.

Die Pathfindergruppe in ihren schnellen, von keinem deutschen Abfangjäger erreichbaren Mosquitomaschinen traf mit zweiminütiger Verspätung ein. Horchposten hatten sie eine Dreiviertelstunde zuvor an der Scheldemündung geortet, den Kurs verfolgt über Maastricht, Mönchengladbach, als um 0.40 Uhr der Rhein mit Ostkurs auf Solingen passiert wurde, kam Wuppertal als Ziel in Betracht. Im Ruhrgebiet hatten schon um 0.14 Uhr Alarmsirenen geheult, doch ohne in dieser Mainacht 1943 in Wuppertal zu beunruhigen. Den britischen Bombern war es bisher mißlungen, den mit Industrieschwaden abgedeckten Taleinschnitt der Wupper zu finden. Aus der Höhe mochte man ihre Nebel für einen See halten. So wiegte man sich in dem Rufe eines ›Luftschutzkellers des Ruhrgebietes‹. Zudem sei man eine gottesfürchtige Stadt.

Der Hauptbomberstrom war vom Weg abgekommen. Wind, Flakfeuer oder Navigationsfehler hatten ihn südwärts versetzt, und er flog Wuppertal irrig über Remscheid an. Die Mosquitos der 109. Pathfindergruppe stießen vom Sammelpunkt Rheine als erste von Norden auf Wuppertal. Im Sechsminutenabstand markierten sie den Stadtteil Barmen mit roten Leuchtbomben. Tausend Meter über dem Ziel zerlegten sich die Markierungsbomben und entließen je sechzig Leuchtkerzen, die zu Trauben niedergingen. Am Boden glühte eine jede zehn Minuten lang, sodann folgten Nachmarkierer und kennzeichneten Barmen in Grün. Nun kamen fünfundfünfzig >fire raiser< und warfen Brandstoffe in den dichten Farbenkranz. Dadurch wurde es hell. Die Zeichen waren exakt gesetzt, beiderseits des Wohnquartiers. Die Hauptbomberflotte war angewiesen, auf Rot zu zielen, soweit noch sichtbar, ansonsten auf Grün. Sie dröhnte heran in über zweihundertvierzig Kilometer Länge, zehn Kilometer Breite und drei Kilometer Tiefe. Sechshundert Maschinen entluden, rund zehn pro Minute, ihre Last.

Die erste Angriffswelle von vierundvierzig Maschinen warf nur Brandmunition. Stabbrandbomben in nie zuvor erlebter Dichte sausten herab mit wasserfallähnlichen Geräuschen, weit über 300 000 Stück in dieser Nacht. Von oben schien es, als rollten sie die Abhänge hinunter. Um 1.20 Uhr war Barmen vom Theater bis zur Adlerbrücke hermetisch vom Feuer eingeschlossen.

Die bergischen Fachwerkbauten, die winklig engen Gassen, der kaminförmig wirkende Talkessel sowie ein tückischer Wind schürten den Brand. In dem Rauch, der alles füllte, im Krachen der Minenbomben, die ganze Häuser wegrissen, dem Lärm der einstürzenden Dächer und Fassaden, der rasenden Geschwindigkeit der Flamme ließ sich nicht feststellen, was noch zu retten blieb. Die Hausgemeinschaften flohen in die Kühle der Keller, währenddessen griffen die Flammen drei, vier Stunden aus. Kilometerweit loderte Haus für Haus, teils auf den Dachböden, teils bis ins Erdgeschoß. Noch um 2.30 Uhr hatten die Brände sich nicht miteinander verbunden. In einiger Zeit erst schießen die Fackeln zur Fläche zusammen, aus der kein Entrinnen mehr ist. Dabei kommt ein Sturm zustande, der in den Ofen reißt, was sich bewegt.

Die Pathfinder waren von einem Radarimpuls nach Wuppertal gelenkt, den sie >Oboe< nannten. Das britische Bomberkommando benutzte ihn seit Jahresbeginn. Die Signale wurden in England ausgestrahlt und bedeckten knapp das Ruhrgebiet, das seit März in der Ruhrschlacht stand. Bis zu ihrem Abschluß im Juli leitete Oboe 34000 Tonnen Bomben und 18500 Flugzeuge ans Ziel. Der Markierungspilot hörte eine Tonfolge im Kopfhörer. Sie regulierte den Anflug und den Abwurf. Flog die Maschine auf Kurs, sendete die Bodenstation einen oboeähnlichen Dauerton, der bei Abweichungen auf eine Art Morsecode wechselte. Näherte sich die Staffel dem Ziel, hörte sie ein zweites Signal, eine rasche Serie von Kurz-Lang-Tönen, danach eine Folge von Kurztönen; wenn sie schwiegen, drückte der Bombenschütze den Auslöser.

In Wuppertal sind in der Frühsommernacht noch viele Leute unterwegs. Die Feuerwehr weilt in kleiner Besetzung im Dienst, die meisten Kollegen haben sich ins Wochenende verabschiedet und liegen im Grünen. Im Waldschlößchen in der Hardt ist Hochzeitsfeier, das Brautpaar vergnügt sich bei Liedern und Vorträgen, es verschiebt den Aufbruch in den Wuppertaler Hof noch eine Stunde, das ist sein Glück. Während des Tanzes verlöscht das Licht. Niemand hat den Fliegeralarm gehört, Verwirrung entsteht, und der Restaurantchef bittet alle Gäste in den Luftschutzstollen.

In Barmen wird Luise Rompf durch die Sirene wach, schlüpft in die bereitliegenden Kleider und nimmt Uli auf den Arm. Die Hausgemeinschaft rennt weinend und rufend in den Keller, die Lattenverschläge sind dort entfernt, am Gangende befindet sich ein locker geschlossenes Loch in der Wand, das zum Nachbarkeller führt. »Bevor wir den Keller erreichten, rochen wir schon das Feuer und sahen es über uns durch die Fensteröffnung des Treppenhauses in verschiedenen gelb-roten Tönen lodern.« Ehe die Bomben krachend in die Dächer einschlagen, hört man einen sirrenden Laut. Ein greises, eng aneinander geschmiegtes Paar flüstert zur Gottesmutter, eine alkoholisierte, kinderlose Frau kreischt unentwegt »verdammte Scheiße«. Luises Ehemann hat sich draußen umgesehen, Qualm drängt mit ihm durch die Tür, »wir müssen hier heraus!«

Die Engländerin Sybill Bannister, in einem anderen Keller verborgen, traut dem deutschen Gewölbe etwas zu: »so stark wie die

Krypta einer Kirche.« Die Freundin hat sich im Erdgeschoß rasch eine Jacke geholt, das ganze Treppenhaus stehe von oben bis unten in Flammen. »Wir konnten nicht begreifen, daß das Feuer sich so schnell über das vierstöckige Haus hatte ausbreiten können, selbst wenn hundert Brandbomben durch das Dachgeschoß eingedrungen wären.« Wenn das Treppenhaus zusammenbreche, sagt der Luftschutzwart, würden brennende Trümmer auf die Kellerstufen fallen, und alle Insassen kämen durch Hitze und Rauch um. Er führte die Frauen zu der kleinen Maueröffnung in den Nachbarkeller. »Es war stockdunkel, und das Loch war sehr klein. Mich faßte Entsetzen bei dem Gedanken, ich könnte in diesem schaurig engen Durchgang eingeschlossen sein.«

Zwei Mädchen wagten den Weg durch den Garten über die Mauer, es stand jedoch keine mehr an der Stelle. Da Feuer von allen Seiten kam, liefen sie in die gegenüberliegende Schwimmhalle, Flammen schlugen heraus, doch war es der einzige Weg. Dort warteten zwanzig Personen, die, von Bränden eingeschlossen, nicht mehr herauskamen und, um der Hitze auszuweichen, immer wieder in das Becken sprangen und sich nasse Kleidung um Kopf und Körper wickelten. Ringsum brannte die Halle, und die Steinfliesen waren heiß wie der Backofen.

Vom Feuer eingekreist, hatten viele Schutz in der Wupper gesucht, waren allerdings nicht gesprungen, sondern an den Mauern hinuntergerutscht. Die Ärztin Elisabeth Stark, die in der Rettungsstelle Dienst tat, wurde von den Feuerwerkern gerufen und über Strickleitern herabgelassen, um Brandverletzten aus dem Wasser zu helfen, »bei denen eine Körperhälfte eine einzige große Wundfläche darbot, in der Kleiderfetzen verklebt waren«. Dr. Stark versorgte die Wunden und gab Morphiuminjektionen gegen den Schmerz.

Luise Rompf war mit ihrer Familie in den Nachbarkeller bis zur Waschküche gekrochen. »In der Waschküche herrschte ein wüstes Stimmengewirr mit Schluchzen, Beten und lautem Schimpfen. Einem wenige Monate alten Mädchen hielt die Mutter einen nassen Lappen vors Gesicht, damit es besser atmen konnte. Ich machte das mit Uli auch, durch den beißenden Qualm wurde das Atmen immer schwerer.«

Im öffentlichen Luftschutzkeller unter der abbrennenden Fabrik in der Adolf-Hitler-Straße beunruhigt sich Ruth Adamsen der Luft wegen, auch wenn das Gewölbe standhält. »Ich fühlte mich nicht mehr sicher und überredete Mutter und Tante, mit mir die Flucht zu wagen. Zum Glück war die Allee eine sehr breite Straße.« Heiße Asche und Funken jagen über sie hinweg. Die Flammen lodern aus den Fensteröffnungen und schließen sich beidseitig »wie in einem hohen Dom« zusammen. Die vierundzwanzigjährige Ruth hält Tante Lene am Arm, die Mutter läuft mit geschlossenen Augen neben ihr her. »In Höhe Erichstraße hörten wir schreckliche Schreie aus dem Feuer. ›Helft mir, ich verbrenne!‹ Später erfuhr ich, es war Herr Döring gewesen, bei dem ich immer meine Schulhefte gekauft hatte.«

Der Rauch in der Waschküche ist für Familie Rompf das Signal zum Aufbruch, man öffnet das Loch zum dritten Keller; der Platz wird eng für drei Hausgemeinschaften. »Alle schwiegen und horchten nach draußen. Am Himmel herrschte jetzt Stille. Wir hörten nur das Knistern und Wallen der zum Himmel aufwallenden Feuersäulen ringsumher.« Die Flieger sind fort, die Insassen steigen hoch und »sehen fassungslos in den Himmel, wo sich gelbe, rote und graue Wolkengebilde wälzen«. Verirrte Kinder mit kleinen Taschen stehen herum, Menschen hasten vorüber »mit verzerrtem oder leerem Blick, manche mit abgestumpften Gesichtern«.

Auch die elf Familien der Hochzeitsfeier eilen aus dem Stollen, sieben »standen vor dem Nichts. Ich begleite meine leise vor sich hin weinende Cousine auf den Rott, wo sie ihre drei kleinen Kinder in der Obhut ihrer Nachbarin gelassen hat. Sie rannte unaufhörlich vorwärts und ließ sich auch nicht von Feuerwehrleuten zurückhalten, die auf Einsturzgefahr hinwiesen. Als sie das Haus erblickte, in dem sie wohnte, erlitt sie einen Schwächeanfall, denn es stand in Flammen. Im Keller des Nachbarhauses fanden wir aber die Kinder wohlbehalten.«

Mrs. Bannister, die nach Bombardierungsschluß ins Freie steigt, stellt fest, daß nur die Flugzeuge fort sind und der Angriff erst beginnt. »Soweit wir sehen konnten, brannte jedes Haus lichterloh. Ich versuchte, in der Mitte der Straße zu gehen, weil aus jedem Fenster Flammen züngelten und die Bäume am Rand der Bürgersteige auch brannten und ihre glühenden Zweige abwarfen. Der erhitzte aufweichende Straßenteer lähmt die Schritte.« Oft sind Kellerflüchter im Hinausrennen in aufgeweichtem Asphalt steckengeblieben und von herabfallenden Brandpartikeln entzündet worden.

Alte holzgebaute Häuser kippen jetzt um, der Qualm wird dichter und der Weg enger.»Nun war mir der Rückzug abgeschnitten, und das Feuer hatte mich eingekreist. Ich suchte mir die Stelle aus, an der die Flammen nicht so hoch reichten, nur ungefähr bis zum Knie.« Von den Verbrennungen an ihren Beinen bemerkt Mrs. Bannister nichts, auch den beißenden Qualm in Augen, Mund und Hals nicht, der sie zu ersticken beginnt.»Ich wurde nur immer mehr von einer entsetzlichen Müdigkeit übermannt.« Dem Gehirn geht der Sauerstoff verloren. Sie weiß wohl, daß dies ihr Ende wäre und das ihres Kindes, das sie im Arm trägt.

»Als meine Knie nachgaben, konnte ich Manny nicht länger halten, und er rollte mir aus den Armen. Er lag noch immer eingewickelt in der Decke, nur seine Beine guckten heraus, und sobald sie mit den Flammen in Berührung kamen, schrie er vor Schmerzen und rollte und strampelte vor mir auf dem Boden.« Der Schrei erreicht die betäubten Sinne, ein patrouillierendes Rettungsfahrzeug liest die zwei auf und liefert sie am Polizeipräsidium ab, wo rußgeschwärzte Verletzte zu ärztlicher Hilfe dirigiert werden.»Die Rettungsarbeiten schienen sehr gut organisiert zu sein.« Mrs. Bannisters Waden sind angebrannt, sie erhält »einen Verband, mit irgendeiner Flüssigkeit durchtränkt, um zu verhindern, daß die Chemikalie sich weiter ins Fleisch hineinfraß«.

Unterwegs war ihr die gerade Kante der Zerstörungen aufgefallen.»Auf der einen Seite der Linie hatte sich die Hölle aufgetan, auf der anderen Seite war eine normale Stadt, wo die Luft zwar verräuchert war und es mitten in der Nacht eine ungewöhnliche Betriebsamkeit gab, wo aber doch immerhin die Häuser aufrecht standen. Wahrlich eine Präzisionsarbeit.« Als die Bomber nach vier Wochen wiederkehrten, setzten sie an dieser Wuppertal-Barmener Kante an und zerstörten Wuppertal-Elberfeld.

Ein fauliger Geruch von Gas, Brand und Erde zog durch die Stadt. Der Rauch verdeckte die Sonne, ein orangefarbener Himmel hing über dem Tal. Dreihundert Meter von Dr. Starks Rettungsstelle entfernt lag die Klinik Fischertal. Darin waren dreißig Mütter mit Neugeborenen verbrannt. Die Häuser im Fischertal qualmten dunkelgrau, als Luise Rompf die Wiesen überquerte. »Mittelpunkt dieser Häuser war die brennende Frauenklinik, mit einem großen roten Kreuz auf dem Dach gekennzeichnet.« Einige Patientinnen hatten hinausgefunden. »Überall auf den Wiesen sah ich sie liegen, die kranken, schwangeren, gebärenden Frauen dieser Klinik.« Schwestern liefen hin und her, breiteten Decken aus, zwischen Stöhnen und Schreien klang angenehmes Geplärr der Neugeborenen.

Der neunjährige Wilfried Picard hatte von der Elberfelder Südstadt den Angriff vom Dachfenster aus beobachtet und begegnete am Morgen in Barmen »erstmals in meinem Leben dem Tod«. Nach den Erzählungen schrumpften Brandleichen auf Puppengröße, und er wunderte sich über die normale Körpergröße »einer Frau, eng am Bordstein, mit dem Gesicht auf dem Pflaster, unbekleidet und mit vollständig schwarzer Haut«. Der sechzehnjährige Praktikant Heinrich Biergann besaß durch die Lehre bei der Reichsbahn einen LKW-Führerschein und war deshalb zur Leichenbergung eingeteilt:

»Es hieß: da sechs Tote, da zwanzig Tote usw. Teilweise lagen die Leute ganz friedlich da, wie Schlafende. Sie waren an Sauerstoffmangel erstickt. Andere waren völlig verbrannt. Die verkohlten Körper maßen noch etwa fünfzig Zentimeter. Wir bargen sie in Zinkbadewannen und Waschkesseln. In einen Kessel paßten drei, in eine Wanne sieben oder acht Körper.« Schwer wurde Biergann der Anblick der Teilverbrennungen. Ein Arm etwa, der unter Schutt gelegen hatte, war nicht verkohlt. »Die normalen Brandleichen hatten nicht mehr viel mit Menschen zu tun, sie waren wie schwarze Päckchen. Hing aber ein unversehrter Körperteil dran, wurde einem plötzlich wieder bewußt, worum es sich handelte. Um diese Belastung durchzustehen, mußten wir öfter einmal einen kräftigen Schluck nehmen.«

Das eng bebaute Barmer Viertel Fischertal erlitt die schwersten

Verluste. Auf einem Grundstück der Zeughausstraße wurde eine Nachbarschaft von zweiunddreißig Personen ausgelöscht. Waren ganze Familien vernichtet, fiel die Identifizierung schwer. Die Gefallenenliste der Friedhofsverwaltung vermerkt dann:»Weiblich, blau-weißkariertes Kleid, Trauring, Gebiß fehlt, schwarze Schnürschuhe«;»weiblich, verkohlt (Torso), Unterkleid, Goldzahn«;»Junge, etwa 13 Jahre, schwarze Manchesterhose, rehbraune Joppe, Fischgrätmuster und Mädchen, verkohlt«;»zwei Schädel von Erwachsenen und zwei Kinderschädel«.

Die Wuppertal-Operation galt in England als der bisher größte Angriffserfolg.»Keine Industriestadt in Deutschland«, schrieb die *Times*,»ist zuvor so vollständig von der Landkarte wegradiert worden.« Über zehn Prozent der Flugzeuge hatten die Stadt verwechselt und südwärts Remscheid und Solingen bombardiert. Doch trafen die übrigen fünfhundert Maschinen einen Radius von fünf Kilometern um den Zielpunkt. Es dauerte Wochen, die Opfer zu bergen. Achtzig Prozent Wohnfläche waren zerstört und 3 400 Personen getötet. Das übertraf die kurz zuvor in Dortmund mit gleicher Tonnage erzielte Höchstzahl von 693 Toten um das Fünffache. Vier weitere Städte hatten in diesem Jahr mehr als zweihundert Zivilgefallene eingebüßt. München verlor in der Nacht zum 10. März 208 Personen, Duisburg am 13. Mai 272 Personen, Essen am 2. März 461 Personen und Stuttgart am 16. April 619 Personen.

In der Bevölkerung sprach sich die Heimsuchung Wuppertals rasch herum. Opferzahlen kreisten zwischen vier- und vierzigtausend, glaubhafte Pressenachrichten existierten dazu nicht. Doch spürte man, daß der Luftkrieg eine andere Gestalt annahm, und führte sie auf den Gebrauch des Feuers zurück. Früher oder später war mit dem Abwurf von Gas gerechnet worden; wie sich nun herausstellte, kam eine andere Chemie zum Zuge. Die Wende zum Brandkrieg wurde als ›Phosphorregen‹ gedeutet, ein nebensächlicher Irrtum. Die sprühenden Kaskaden der Beleuchtungs- und Markierungslichter wurden mit der Brandmasse verwechselt, eine Mixtur, worin beigemischter Phosphor das Anzünden besorgte.

Seit der Jahreswende 1942/43 drängten Forschungsstäbe im britischen Luftwaffenministerium darauf, die Vernichtungseigenschaften des Feuers fortzuentwickeln. Der mit den mühsam zu transportierenden Sprengbomben angerichtete Schaden beeindruckte den Gegner wenig. Die leichten Brennstoffe konnten in Unmengen geladen werden, und vorausgesetzt, sie trafen Ziele, erzeugten sie ein Übel, das sich selbst vermehrte. Eine Ladung von Vierpfundbrandbomben verwüstete unter Umständen mehr Fläche als tausend- und zweitausendfach gewichtigere Sprengbomben. Nur bedurfte der Angriffsgegenstand näherer Analyse. Zwei Jahre hindurch waren wahllos Thermitstäbe geworfen worden, ohne weitere Gedanken zur Feuerempfindlichkeit von Städten. Dazu fehlte den Luftkommandeuren jedes Expertenwissen.

Als Brandingenieure aus Feuerwehrdiensten hinzustießen, war eine neue Wissenschaft geboren. Der Beruf, das Feuer zu bekämpfen, und der, es anzuzünden, befaßt sich mit derselben Sache, der Brennbarkeit der Stoffe. Aus der physischen Beschaffenheit der deutschen Siedlung resultieren Art und Weise der Brandlegung. Die Bombe soll zwischen acht und dreißig Minuten am Fleck des Auftreffens brennen. Sie ist nur ein Keim. Wie er sich dehnt, der Brand springt, Hindernisse passiert, Straßenfreiflächen überquert, kilometerweit die Fläche erfaßt, ist eine Aufgabe für Mathematiker, Statistiker und Operationsauswerter.

Die Feueringenieure ermittelten die Eigenschaften deutschen Mobiliars, denn zunächst ist es der Häuserinhalt, der sich entzündet. Krempel auf Dachböden, Nahrungsvorräte, Kleider, Polster. Das Inventar wiederum steckt das Gebäude an. Feuerversicherungskarten wurden organisiert und Luftbilder stereometrisch aufbereitet, um rückzuschließen auf Brandabschnitte, Brandmauern. Das waren die Schranken, die das Feuer hemmten. Eine reichlich damit ausgerüstete Stadt wie Berlin ist schwer entzündlich. Die Brandmauern müssen erst stürzen, eine vorbereitende Aufgabe für die Minenbombe.

In gewöhnlichen Sprengbomben zersplittert der Explosionsstoff die massive Stahlhülle. Die Bruchstücke wirken auf menschliche Körper ein, es sind Geschosse von einer Rasanz, denen nur Stahlbeton, sechzig Zentimeter Ziegelwerk, Kies und Sandaufschüttungen widerstehen. Bomber Command hat von diesem Typus wenig gehalten, allerdings mehr als 800 000 Stück abgeworfen. Sie verbrauchten zuviel Metall, waren zu schwer und enthielten zuwenig Sprengstoff. Die Funktion entspricht einer Artilleriegranate, sie richtet viel Unheil in einem Schützengraben an, vermag aber, durch die Luft herbeigeschleppt, Leib und Gehäuse von siebzig Millionen Deutschen nicht besonders zu schaden.

Anders verhält es sich mit der Hochexplosiv- oder Minenbombe. Ihre Hülle ist dünnwandig, das Verhältnis zum Sprengstoff beträgt dreißig zu siebzig, er dient der Erzeugung von Druckwellen. Die Detonation setzt den hohen Sprengstoffanteil in ein gleiches Volumen Gas um, das sich unter hohem Druck ausdehnt, die umgebende Luft komprimiert und einen mit Überschallgeschwindigkeit sich fortpflanzenden Stoß erzeugt. Trifft die Druckwelle auf ein senkrecht zu ihr stehendes Hindernis wie ein Gebäude, wirft sie es zu Schutt, in weiterem Radius deckt sie Dächer ab und drückt Fensterscheiben ein. Die Standardbombe des Luftkriegs war die Viertausendpfundmine*, der ›Blockbuster‹ oder Wohnblockknacker. Die Deutschen nannten sie wegen ihrer zylindrischen Gestalt auch ›Badeöfen‹, davon wurden britischerseits 68 000 Stück abgeworfen.

Um schwere Betonkonstruktionen, Bahnanlagen, Brücken, Viadukte und Kanäle zu sprengen, wurde eine Druck- und Sprengwirkung balancierende ›Mediumcapacity Bomb‹ geschaffen. Sie fiel in mehreren Gewichtsklassen zwischen 500 und 22 000 Pfund zu einer dreiviertel Million Exemplaren. Bei Kriegsbeginn hielt Bomber Command seine Explosiv- und Hochexplosivbomben für die Hauptwaffe. Erst von 1942 an begriff man, daß mit Explosivstoffen kein Bombenkrieg zu führen ist. Sie waren ein Element, das erst verzahnt mit einem anderen, dem Brandmittel, die größte je erlebte Waffengewalt ausübte. Ihren Vernichtungserfolg steuern Mischung, Reihenfolge und Dichte von Splitter-, Minen- und Brandmunition.

---

* Im folgenden sind, der Quellenangaben wegen, die britischen Pfund und Tonnenmaße verwendet. Ein britisches Pfund entspricht 0,453 Kilogramm; eine britische Tonne 1016 Kilogramm.

1940 und 1941 hatte der Bomberpilot für seinen Abwurf zwei Begriffe, getroffen oder gefehlt. Zwei Jahre später herrschte ein anderer Krieg. Forscherstäbe studierten Bebauungskarten und Luftphotographien, trugen die Brandabschnitte farbig ein, berechneten die für die jeweiligen Städte erforderliche Komposition der Abwurfmasse, werteten Bilder der letzten Luftattacke aus und lernten daraus für die nächste. Mit dem Ausklinken der Ladung fiel auch eine Blitzlichtbombe und betätigte sich eine Kamera. Aufklärer photographierten am Folgetag, was erreicht war. Der Krieg der Strategen und Haudegen bestand immer aus Erfahrungstatsachen, Einfällen und Intuition. Die Wissenschaft fügte dem die Akribie des Labors hinzu.

Es stellte sich dabei heraus, daß Städte grundsätzlich aus der Luft abzubrennen waren, selbst die stabil aus Ziegeln errichteten deutschen. Vom Entzündungsstandpunkt wächst die Relevanz einer Stadt von außen nach innen. Den Außenring hat das 19. und 20. Jahrhundert geschaffen, er enthält Industriegelände und Siedlungen modernerer Konstruktion. Stahlträger sind verwandt, Brandabschnitte eingezogen, Räume weitläufig umbaut. Das ist der Außenring. Weiter einwärts hat die Gründerzeit in Großmetropolen unsolide Quartiere wuchern lassen, die wenig Luft enthalten, düster sind, gut Hitze absorbieren und schnell brennen. Dahinter liegt die Stadt des 18. Jahrhunderts mit ihrem rechteckigen Straßenmuster, drei- bis sechsgeschossigen Gebäuden mit gemeinsamen Trennwänden, auf Holzbalken gemauert und mit Stopfmaterial gefüllten Zwischendecken versehen. Dachfirste laufen parallel zur Straße und ineinander über. Der Stadtkern ist die Altstadt, hervorgegangen aus mittelalterlichem oder frühneuzeitlichem Bebauungsmuster. Die Straßen sind eng, verwinkelt und gewunden. Balkenrahmen halten die Häuser fest, inzwischen mit Ziegeln ausgefüllt, doch ehedem mit Lehm verkleistert, der noch in allem möglichen Flickwerk steckt. Teilungswände sind zusammengebastelt, so daß sie Feuer weiterleiten von Nachbar zu Nachbar. Die Dachgeschosse sind mit reichlich Holz unterteilt. Wo immer solche Kerne existierten, waren sie das natürliche Ziel, welches seinerseits als Anzünder für die nähere Umgebung diente.

Als die Achillesferse des erweiterten Innenbezirks wurde der

Block erkannt. Ursprünglich ein Karree von Wohnhäusern, hatte er es zu einer Mischform gebracht mit Läden und Gewerbebetrieben im Parterre. Schnell gewuchert, bemächtigten sie sich der ehemals freien Hofflächen. Vollgestopfte Warenlager, Werkstätten, gern in Holz aufgestellt, boten sich als vorzügliche Feuerbrücken dar. Die Flamme braucht Enge. Straßen, die weit schmäler sind als ihre Häuser hoch. Die Chance der Bombe, auf brennbares Gebiet zu fallen, wächst mit dem Schwinden von Freiräumen, Vorgärten, Baulücken.

Verhängnisvollerweise richtet das Haus seinen entzündlichsten Teil nach oben, wo der Bomber operiert. Das Dach mit seiner Ziegel- und Gebälkstruktur ermöglicht es, einen Brand zu legen, der nach unten wächst. Das währt lange, etwa drei Stunden pro Stockwerk. Man kann den Detonationspunkt auch tiefer legen. Die Bombe durchschlägt mit ihrem Gewicht drei, vier Decken, zündet und macht sich sodann die hölzernen Fußböden zunutze; das ist eine Sache der Zündereinstellung. Fehlt noch die Zugluft. Nachdem der Viertausendpfund-Blockbuster weit und breit die Dächer und Fenster fortgeblasen hatte, bildeten die Häuser Kamine, und die Brandstoffe regneten ein.

Ein sicheres Refugium war der deutsche Keller, entweder als Ziegelgewölbe oder als Betonguß mit Stahlträgern gebaut. Die Kellerdecke gewährte gegen Sprengkraft ausgezeichneten Schutz. Schutzlos war sie allein gegen die einströmenden Verbrennungsgase und den Sauerstoffverlust. Von diesen Haupteffekten des Brandkriegs bestand zunächst keinerlei Vorstellung.

Wohlbekannt hingegen war der Eingriff der Löschkräfte. Wo sie rechtzeitig auftraten, überwand das Feuer nirgends die Grenze des Blocks, in den es gelegt worden war. Ohne Scheitern der Feuerwehr kommt kein Flächenbrand zustande. Sie braucht Wege zur Schadensstelle und zum Wasser. Dagegen schreiten die Sprengbomben ein. Der vorn mit überschweren Köpfen und hinten mit Leitflossen versehene Typ bohrt sich tief ins Erdreich und zerreißt das Leitungsnetz. Zudem wird die Straße verkratert und unbefahrbar, allerdings nur für kurz. Wasser wäre aus Flüssen und vorsorglich aufgestellten Löschteichen zu zapfen, Schutt zu räumen. Die leichtere, stumpfe, am Boden verbleibende Splitterbombe mit Zeitzünder streckt darum den Angriff. Sie detoniert und schleudert ihre geschoßgleichen Fragmente noch Stunden, nachdem der Angreifer den Ort verlassen hat. Die Feuerverteidiger werden so lange in die Unterstände gezwungen, wenn nicht, dann aufgerieben.

Das Mischen und Kalibrieren der Abwurfmasse beschäftigte die Bombardierungsforscher unentwegt. Niemand außer ihnen wußte einen so komplizierten Vorgang zu durchdringen. Die Brenneigenschaft des Ziels in Raum und Zeit war das eine. Zum anderen wirkte das Naturgeschehen ein, Temperatur, Feuchtigkeit, Wind. Schließlich geriet alles durcheinander durch die menschliche Natur. Für die Piloten existierte keine Formel. Regelmäßig fielen unkalkulierbare Teile ihrer Ladung in nicht angegebene Orte. Es half wenig, Verhaltensvariablen in die Pläne einzuberechnen, sie variierten selten wie vorgesehen. Hilfsweise wurden die Ziele mit Masse eingedeckt, Dutzende Male angeflogen. Nach Kriegsende in Beschau genommen, hielt man das Land für >overbombed<.

Nie zuvor kannte die Kriegsgeschichte eine ganz und gar von Wissenschaftlern gelenkte Waffe wie den Brandangriff. Einsatz und Erfindung überschnitten sich. Als Technik, Gerät und Können beieinander waren, ging der Krieg zu Ende. Ohne ein erdachtes Konzept der Vernichtung wäre die Waffe so stumpf geblieben wie zu Beginn. Sie tastete sich in einem Wechsel von Versuch und Korrektur voran.

Ursprünglich waren Brände geworfen worden, um das nächtliche Zielgebiet für die Sprengbomben zu illuminieren. Vergleichende Luftbildanalyse erst ergab, daß siebentausend Tonnen Munition in Sprengstoffen dreißig Kilometer Schäden hervorriefen, in Brandstoffen jedoch hundertfünfzig Kilometer. Die Einsicht, daß eine Stadt leichter abzubrennen als zu sprengen ist, ein ausreichender Brand aber beides verlangt, festigte sich erst im Sommer 1943. Es war ein Erfahrungswert. Dem voraus ging eine Palette von Bomben, die einen funktionierten, die anderen nicht.

Ein Fehlschlag waren die winzigen Brandplättchen >Razzle< und >Decker<, ein Zelluloidstreifen mit einer Gewebeschicht, an die ein Stück weißer Phosphor geklammert war. Im Sommer 1940 warf die Royal Air Force Riesenmengen davon auf Wälder und Felder, um die deutsche Ernte zu vernichten sowie den Schwarzwald, den Thüringer Wald und die Höhen des Harzes abzubrennen. Im Sommer 1941 wurde der Versuch mit dem Fünfzigpfundkanister voll Gummi-Phosphor-Lösung wiederholt. Versuche in England waren aussichtsreich verlaufen, und Zehntausende Kanister wurden produziert, die bei Bodenaufschlag zersprangen; die gelbgraue Flüssigkeit entflammte vom Luftsauerstoff. Wie sich herausstellte, fingen die deutschen Wälder und Äcker nicht Feuer, sie waren zu grün, zu feucht, die Bombe benötigte zundertrockene Gewächse. Um den Vorrat nicht verschrotten zu müssen, kippte man ihn auf die Städte, so am 8. September 1941 auf die Berliner Bezirke Lichtenberg und Pankow. Dreißigtausend Stück fielen auf Wuppertal.

Ein großer Erfolg hingegen wurde die dunkelrote 30-Pfund-Flüssigkeitsbombe; 1940 konstruiert, 1941 hergestellt und bis 1944 in drei Millionen Exemplaren abgeworfen. Sie war dreiundachtzig Zentimeter lang, zigarrenförmig mit Leitwerk und durchlöcherte drei Stockwerke. Mittels einer kleinen Sprengung schleuderte sie sieben Pfund zähflüssige Brandmasse über eine Fläche von fünfzig mal vierzig Metern. Die Benzol-Kautschuklösung nährte ein intensives dreißigminütiges Feuer, mit Haushaltsmitteln nicht löschbar. Insbesondere Lübeck und Rostock fielen ihr zum Opfer. Der Brandstiftungsausschuß (›incendiary panel‹) im Luftfahrtministerium nahm sie dennoch Ende 1944 aus dem Einsatz, weil sie pro Pfund ihres Gewichtes nur ein Viertel der Verbrennungskraft der Stabbrandbombe besaß.

Ein nächster Versuch, diesen Vierpfünder zu übertreffen, die 30-Pfund-Flammstrahlbombe, teilte die Meinungen. Viele Kommandeure hielten sie für einen Feuerwerkskörper, der im Labortest beeindruckte, aber zu kompliziert zum Funktionieren war. Dies wegen des effektvollen Auswurfs einer fünf Meter langen und halbmeterbreiten Fontäne, die sechzig Sekunden sprühte. Ihrem Produktionsvorteil, dem Verzicht auf knappes Magnesium und Gummi, verdankte sie die 413 000fache Anwendung. Sie arbeitete mit sechs Litern Benzin und war hochgeschätzt bei den deutschen

Löschkräften, welche die zahlreichen Blindgänger in ihre Tanks kippten. Der Methangaszünder blieb unzuverlässig. Im Jahr ihrer Massenproduktion 1944 suchte man zu systematischer Erprobung nach einer unberührten Stadt und fand keine. Als das zweitbeste Objekt wurde Braunschweig gewählt. In der Nacht zum 23. April fielen 32 000 Stück auf die Stadt, doch mit unklarem Ergebnis, ähnlich die nachfolgenden Versuche mit Kiel (24. 7.), Stuttgart (24.–29. 7.), Stettin (17. 8.) und Königsberg (30. 8.). Ein durchschlagender Erfolg gelang allein mit Kaiserslautern in der Nacht zum 28. September. Sechsunddreißig Prozent der Bebauungsfläche wurden zerstört, und einhundertvierundvierzig Zivilisten, meist Frauen und Kinder, sind lebendig verbrannt. Allerdings waren auch Stabbrandbomben beigemischt, und schließlich beschloß Bomber Command, zumal nicht mehr viel zu verbrennen übriggeblieben war, das Flammstrahlmodell auszumustern und es bei der Vierpfündigen zu belassen, der perfekten Bombe dieses Krieges. Unter ihren achtzig Millionen Exemplaren wurden die deutschen Städte zu Brandruinen, nie hat eine einzelne Waffe so weitflächig vernichtet. Dresden wurde mit 650 000 Stück beworfen.

Es handelte sich um einen schmalen, fünfundfünfzig Zentimeter langen Stab mit einer Elektronhülle, eine Legierung aus Magnesium und Zink. Das achteckige Profil wurde der einfacheren Verpackung wegen gewählt. So paßten sie besser in die Schüttwannen. Die Stäbe trennten sich nach dem Abwurf leicht voneinander, gewannen durch den schlanken Querschnitt hohe Geschwindigkeit und Durchschlagskraft, folgten jedoch keiner gezielten Bahn, sondern trudelten. Ihre ballistischen Vorzüge sind im Sommer 1936 ausgetestet und im Krieg nicht verändert worden. Mitte 1942 baute man kleine Sprengladungen ein, um die Löschkräfte mit Splittern auf Distanz zu halten.

Ein einfacher Schlagbolzenzünder setzte über Zündhütchen, Zündpapier, Anfeuerungssatz und Anfeuerungspillen siebzehn Thermitpillen in Brand. Eine Stichflamme schoß hervor, der Elektronkörper zerschmolz zur weißglühenden Masse. Nach acht Minuten war sie erloschen. Im Freien bewirkte der Vorgang gar nichts; verband er sich aber mit den brennbaren Stoffen des Hauses, kamen kilometerweite Feuersbrünste zustande. Alles Verderben rührte aus der Transformation des Hauses, das die eigentliche Brandmasse für Straße und Stadt war. Der Elektron-Thermitstab holte diese Eigenschaft aus ihm heraus. Dazu benötigte er erstens direkten Zugang, den öffnete der Blockbuster, ferner Konzentration und Masse. Die Imperial Chemical Industries hatten im Verein mit der R.A.F. das Teil 1936 aus allen Höhen abwerfen lassen, es zündete immer und zerbrach nie. Im Oktober erging ein Regierungsauftrag über viereinhalb Millionen Stück, als der Krieg ausbrach, waren fünf Millionen vorrätig. Robustheit, intensives Feuer und astronomische Zahl machten den Elektron-Thermitstab im Gespann mit dem Blockbuster zu der unüberwindlichen Brandkriegswaffe. Eine fatale Wirkung trat 1944 durch eine simple Beigabe hinzu. Die Stäbe wurden nicht mehr aus Schüttbehältern von Bord gekippt, sondern in zielfähige Cluster gebündelt, die sich kurz vor Aufprall lösten. Die Belegdichte steigerte sich nun beträchtlich und machte die Feuerstürme herstellbar, die Darmstadt, Heilbronn, Pforzheim und Würzburg verschlangen. Ein über Tage gestrecktes Bombardement mit den verschiedenen Brandgemischen aus Benzin, Gummi, Kunstharz, Öl, flüssigem Asphalt, Gelees und kleinen Mengen von Metallseifen, Fettsäuren sowie etwas Phosphor entfaltete ein Zerstörungsmaß, das nur Nuklearwaffen übertreffen.

Zur Multiplikation von Bränden in einem Stadtgebiet prüften die Amerikaner die Verletzlichkeiten in Modellanalyse. Dazu bauten sie deutsche und japanische Versuchsstädte auf, um Einzelheiten zu klären. Das Prinzip, daß Zivilquartiere dem konzentrierten Brandwaffeneinsatz aus der Luft nur Blößen darboten, ließ sich unschwer erkennen. Weil es ganz und gar simpel dünkte, wurde es beschlossen. Aufwendiger war der Transport. Eine Flotte von einigen tausend Maschinen, die weiträumig und sicher ihre Tonnagen ins Ziel bringen, erfordert andere industrielle Reserven als der Thermitstab. Dennoch vermelden die 2,7 Millionen Tonnen Bomben, welche die Westverbündeten auf den europäischen Kriegsschauplatz warfen, davon 1 356 828 auf Deutschland, eine immense Produktionsschlacht. Der gesamte alliierte Apparat von Wissenschaft, Technik, Industrie und Organisation, der auf diesem

Kriegsschauplatz 1 440 000mal einen Bomber und 2 680 000mal einen Begleitjäger in die Luft hob, verdient es, der größte Militärgigant aller Zeiten zu heißen. Im Abschnitt 1944/45 umfaßte das im europäischen Luftkrieg tätige Personal über 1,8 Millionen Personen. Im britischen Bomber Command, der eigentlichen Brandkriegsflotte, flog 389 809mal eine Träger- oder Jagdmaschine einen Einsatz. Bomber Command operierte in 1481 Nächten und an 1089 Tagen. Großbritannien verausgabte eine knappe Hälfte seiner Kriegskosten auf die Luftwaffe, die USA fünfunddreißig Prozent.

Die Maschine, die Briten und Amerikanern die Luftoffensive ermöglichte, war der schwere Bomber. In England wurde daran seit 1924 gearbeitet; die eingesetzten Typen waren nahezu alle Erzeugnisse oder Konstruktionen der dreißiger Jahre. Die Aufgabe des schweren Bombers ist das Eindringen in die gegnerische Tiefe. Seine Schwere rührt aus der Traglast wie den großen Tanks, die Antrieb geben für weite Hin- und Rückstrecken. Ferner sind zur Abwehr von Jäger- und Flakbeschuß Panzerung und Bordkanonen vonnöten. Am Kriegsende wogen die zwei besten Bombenflugzeuge, die amerikanische B17 und die britische Lancaster, im beladenen Zustand fünfundzwanzig Tonnen.

Der Nachteil der Gewichtigkeit ist das niedrige Tempo, die geringe Flughöhe und die beschränkte Wendigkeit. Der Erbauer einer solchen Flotte hegt ein ihr gemäßes Kriegsbild. Er erwirbt die Kraft zur Offensive über weitest möglichem Feindgebiet, meint, sich dort zurechtzufinden, und rechnet mit wenig wirksamem Widerstand. Das heißt, er fliegt bei Tag, kann sein Ziel sehen, um es zu treffen, und mag gesehen werden, ohne getroffen zu werden. Nichts davon hat sich bewahrheitet. Doch entspricht das Bild den Luftkriegsutopien der Vorkriegszeit.

Pazifisten und Militaristen lebten gleichermaßen in dem Irrtum, »der Bomber kommt durch«, wie Premier Baldwin es formulierte. Die ›Whitley‹, die ›Hampden‹ und die ›Wellington‹, die mit drei-, vierhundert Stundenkilometern in maximal siebentausend Meter Höhe kaum eine Tonne schleppten, eigneten sich eventuell zur politischen Abschreckung, doch nicht zu der Offensive, vor der sie abschrecken sollten. Der Vorstellung nach schwebten kompakte Formationen bei dem Gegner ein und schalteten dessen Jagdmaschinen durch massiven Feuerschutz aus, den man einander leistete. Der Bordkanonier würde aus MG-Ständen in drehbaren Plexiglaswannen, -kuppeln und -türmen am Heck den Verfolger mit Doppel- oder Vielfachgeschützen und überlegener 7,7-Millimeter-Munition abschütteln.

Für den Fall, daß trotz starker Bewaffnung die schweren schwarzen Kolosse den Luftkampf nicht überstünden, wurde Bomber Command um den mittleren Bomber aufgestockt, vornehmlich die mißratene ›Blenheim‹. Weil sie kleiner war, würde die Flak sie weniger treffen, und weil sie schnell, fast schneller als ein Jäger war, brauchte sie weder Bewaffnung noch Schützen. Das Konzept unterstellte, daß keine deutschen Jäger mit fortentwickelter Geschwindigkeit erschienen. Sie erschienen aber. Am Maschinenwettlauf sollte sich, solange die Jägerwaffe operationsfähig war, nichts ändern.

Der Bomber stellte bei Tag und selbst in der Nacht ein höchst verwundbares Vehikel dar. Als Bote des Feuers war er mit seinen neuntausend Litern hochoktanigen Treibstoffs und einer Hochexplosions- und einer Brandladung, mit seiner MG-Munition, seinen Leucht- und Erkennungspatronen ein keineswegs feuerfester Apparat. Gehemmt in Schnelligkeit und Beweglichkeit, blieb ihm, einmal vom Jäger entdeckt, wenig Aussicht davonzukommen und gewiß keine Chance, im Duell zu obsiegen. Den Plan des geschlossenen Formationsflugs ließ man bis Mai 1942 unberührt, denn die Hoffnung, bei lockerem vereinzeltem Durchschlüpfen in dem Mantel der Nacht und der Weite des Himmels einfach unentdeckt und dadurch unversehrt zu bleiben, schien realistischer.

Den größten Vorsprung im Bau viermotoriger Bomber hatten die Vereinigten Staaten, eine von zwei Ozeanen umgebene Macht, welche sich dem Zivilbombardement am nachdrücklichsten widersetzte. Die Boing B17 ›Flying Fortress‹ und B24 ›Liberator‹ waren nach allen Seiten schießtüchtige, waffenstarrende Bastionen, die ab 1943 in den grauenerregenden Geschwaderblöcken von drei Stockwerken Höhe dahinzogen, welche die Briten gemieden hatten. Der Liberator trug 2,275 Tonnen Last und zwölf Insassen, bewaffnet mit zehn Maschinengewehren von zwölf Millimeter Kaliber. Die Luftfestungen flößten den deutschen Jägern gebührenden Schauder ein, dann stellten sie fest, daß deren Schußdichte sich verkraften ließ. Am schwächsten war sie bei frontalem Anflug auf die vorderste Maschine. Die eigenen Rudel mußten die Spitze in ein Gefecht verwickeln und einzelne sich in den Innenraum des Pulks einfädeln. Die Schnellbeweglichkeit und Kühnheit des Jagdfliegers versetzte den schwerfälligen Ungetümen alsdann die tödliche Wunde. Der Bomber blieb ein überempfindliches Geschöpf.

Die Amerikaner beugten sich erst nach Verlusten, die ihre Waffe auszulöschen drohten, der Einsicht, daß Krieg aus der Luft nur führt, wer den Krieg in der Luft besteht. Um mit der rohen Bombenfaust auf dem Boden zu landen, ist am Himmel eine Ultratechnologie vonnöten. Anders geht der Bomber verloren. Die Vernichtungsflotte ist nahezu ausschließlich damit befaßt, sich selbst zu retten. Das Vorhaben, eine Masse stabiler Flugzeuge zu den Deutschen hinüberzuschicken, um sie durch Bombenabwurf zur Kapitulation zu bewegen, erwies sich als technisch unmachbar. Was immer die Strategie taugen mochte, bereits der Angriffsvorgang mißlang. Als erstes mußte sich in der Luft eine überlebensfähige Waffe verankern. Sie bestand aus einem System.

Die Briten fügten den Bombern eine Lotsenflotte hinzu, die ›Pathfinder Force‹. Sie wurde ihrerseits von Radarstationen gelotst und agierte in einem Spezialgefährt, dem leichten Schnellbomber ›Mosquito‹. Die Amerikaner deckten ihre Bomberströme durch den neuartigen, unvermutet weitreichenden Begleitjäger ›Mustang‹. Den Deutschen gelangen darauf bahnbrechende Antworten, die Rakete und der Düsenjäger. Doch kam die Überlegenheit dieser Waffen nicht zum Zuge, die Industriekapazität reichte zum Masseneinsatz nicht mehr aus.

Mustang und Mosquito revidierten auf unterschiedliche Weise den Vorkriegsirrtum, daß der Bomber durchkäme. Er kam bisher doppelt nicht durch. Erstens weil er sein Ziel nicht fand und zweitens weil er auf der Suche danach abgeschossen wurde. Plump und empfindlich, der blinde Kanonier der Luftkampagne, wurde ihm nun intelligente Führung und agiler Schutz beigesellt.

Der maschinelle Krieg eröffnete am Himmel einen neuen Turnierplatz, der wieder das alte Duell von Mann zu Mann zuließ, das Kräftemessen der Jäger. Dazu bedurfte es zunächst einer Maschine, welche das konstruktive Defizit der Jagd behob, ihre Kurzatmigkeit. Vor dem Mustang war das Kampfflugzeug außerstande, genügend Treibstoff für den Weg in die Tiefe des Reiches zu tragen. Solch eine Beschwerung hätte es unbeweglicher und damit gefechtsschwächer gemacht. Erst der Rolls-Royce-Merlin-Motor vermochte ab Juni 1944, einen der deutschen Messerschmitt Bf 109 G und der Focke Wulf 190A gleichwertigen Fighter bis nach Berlin zu bringen. Fortan waren die Boings ungestört ihrem Zweck überlassen, dem Bomben aus der Luft, während die Mustangs den Krieg in der Luft ausfochten. Dies geschah am Taghimmel, er gehörte den Vereinigten Staaten. Bomber Command erschien im Schutze der Dunkelheit, die andere Schwierigkeiten aufwirft, Navigieren und Zielen.

Die britische Mosquito war ein zweimotoriger Jäger und Leichtbomber zugleich, der anfangs mit 0,8, später mit 1,8 Bombentonnen beladen auf 12 000 Meter Höhe stieg. Seine Höchstgeschwindigkeit von 635 Stundenkilometern konnte vor dem kurzen Auftritt der düsengetriebenen Me 262 von keinem deutschen Jäger übertroffen werden. Die Mosquito war überwiegend aus Holz gebaut, so daß sie kaum Radarstrahlen reflektierte und deshalb nicht zu orten war. Neben ihrer Gabe, fast ungehindert kleinere Störangriffe zu fliegen, diente sie als Schleuser des Bomberschwarms. Mit der kostbaren Radarnavigation Oboe und H2S bestückt, setzte sie beim Anflug Wendemarken in Gelblicht und zur Bombardierung Zielmarken in Rot- und Grünlicht. Die Mosquito verschaffte den schweren Bombern Orientierung in der Nacht und Sicht auf das Ziel. Verteidigen mußten sie sich allein.

Über drei Jahre, bis zum Herbst 1943, der Zeit der Berlinschlacht, benötigten die Briten, die Elementarfrage des Luftkriegs zu lösen, den Bomber in Bombardierungsposition zu bringen. 1940 erkannte man, daß ein Ziel bei Tag sichtbar, aber ein Bomber im Licht verwundbar war. Im darauffolgenden Jahr stellte sich heraus, daß der Bomber in der Nacht seltener zu finden war, doch noch seltener selbst etwas fand. Von den vierzig damals auf Hamburg geflogenen Angriffen sollten zwanzig eigentlich Lübeck und Kiel treffen. Durch ihre Küsten- und Flußnähe waren alle drei Städte die einfachsten Navigationspunkte von allen. Wenn es Glücksache ist, eine Stadt zu identifizieren, erübrigt sich die Suche nach Zielen innerhalb der Stadt. Sie war das Ziel, bestenfalls. Die meisten Bomben fielen auf offenes Gelände. 1943 und 1944 reifen Systeme aus, die Unsichtbarkeit des Ziels durch ein Muster von Farblichtern zu ersetzen. Markierungsbomben zeichnen wie ein Leuchtstift eine Fläche ins Dunkle. Die Munitionsträger entladen in diese Zeichnung hinein. Sie ist der Umriß der Vernichtung. Was innerhalb ihrer Kontur sich befinden mag, ist für den Bomber ohne Belang. Er plaziert einen Abwurf in einem Leuchtrahmen. Dieser ist anzubringen, wo das Stadtzentrum vermutet wird; das besorgen Markierer, die mit dem Bomber nichts zu tun haben, während den Bomber der Zuschnitt des Maßnahmegebiets nichts angeht. Den Markierer auch nicht, weil er nur zeichnet, aber nicht bezeichnet. Die Ziele nennt die Führung. Zwischen Führung und Markierung steht ein Vermittler, der Masterbomber. Er ist der oberste Ausführer und kreist in seiner Maschine am Dach des Markierungsvorgangs, der über den Erfolg der Mission entscheidet. Der Masterbomber in achttausend Meter Höhe synchronisiert die viertausend Meter unter ihm tätigen Markierer und Bomber über Funk.

Es gab verschiedene Techniken. Zur Eröffnung konnte der Blindmarkierer auftreten, der rote Leuchtzeichen nach Angabe des Bordradars oder der Oboestrahlen setzte. Bomber Group Nr. 5, der Eliteverband der R.A.F., begann hingegen bei den Beleuchtern, die mit intensiv strahlenden Lichtkaskaden, von den Deutschen >Tannenbäume< genannt, die Nacht aufhellten. Wenn den Ort eine Wolkenschicht die Stadt bedeckte, wurde sie mit Fallschirmflammen markiert. Nach der Grobmarkierung oder der Beleuchtung trat der Sichtmarkierer an und setzte sich großer Gefahr aus. Er tauchte bis auf zweitausend Meter Tiefe hinab und prüfte sekundenschnell, welche der rotleuchtenden Grobzeichen der Innenstadt am nächsten kamen; darauf warf er Grün und zog hoch.

Der Masterbomber prüfte die Zeichnung; erschienen sie ihm

gelungen, rief er den Hauptbomberstrom zur Rampe. Er wies ihm Lichtmuster und Farbe an. Im Minutentakt nehmen zwischen vierzig und sechzig Maschinen die Bombardierungsposition ein. Die einzelnen Wellen haben einzelne Bombensorten geladen, die in einer errechneten Reihenfolge fallen müssen. Nach sieben bis zwölf Minuten verblassen und erlöschen die Markierungsbomben. Der Nachmarkierer tritt an. Am Boden lodern jetzt Großfeuer. Sie beleuchten gut die Szene, und man kann präziser zeichnen, oder alles versinkt in Qualm, und man ist blinder als zuvor. Weht kräftiger Wind, sind die Erst- und Zweitmarkierungen weggedriftet. Der Masterbomber überwacht all dies und gibt dem Nachmarkierer die Korrekturen an. Dieser wirft eine Korrekturfarbe, die genauer sitzt als die erste oder aber ungenau im Qualm rührt. Nachdem die Leuchten aufgefrischt sind, startet die nächste Welle und so weiter.

Der Masterbomber, den seine Männer auch ›master of ceremonies‹ nennen, fällt bei den Elitegruppen gelegentlich fort; jeder dort spürt den Angriffsrhythmus selbst. Doch ist der Bombenkrieg prinzipiell zur Ungenauigkeit veranlagt, und jemand muß seinen Vollzug justieren. Nach den Abwürfen sondern Explosionen und Brände reichlich Rauch ab, die Nachmarkierung auf die verqualmte Erstmarkierung verschiebt sich, und die letztangreifende Welle demoliert irgendein unglückliches Dorf in der Gegend.

Der Bomber saust am Firmament, der Ort steht fest am Platz. Wenn die Bombe fällt, benötigt sie dreißig bis vierzig Sekunden zum Boden. Sie hat noch Beschleunigung in Richtung ihres Gefährts, das einige Sekunden vor dem Ziel ausklinkt. Doch ist die Ballistik des Bombenflugs nicht ganz beherrscht, der Wind ist einzuberechnen, darin fliegen die Brandbomben komplizierter, weil sie leichter sind. Man bündelt sie im Cluster zusammen, dennoch kurvt dieser nicht so zu Boden wie die Viertausendpfundmine. In dem Piloten wiederum steckt ein unkorrigierbarer Reflex, die Bombe um ein winziges zu früh abzuwerfen, denn nie ist sein Leben gefährdeter als in dem Geschoßhagel über dem Ziel. Die Sekundenbruchteile addieren sich von Welle zu Welle zu dem ›creep-back‹-Effekt, dem Rückstau. Die Bomber kriechen auf der

Anflugschneise kilometerweit zurück. Das läßt sich nicht ändern. Im Plan ist der Rückstau allerdings schon einbezogen und die Zielmarkierung nach vorn versetzt. Bei dem Juliangriff auf Hamburg war die Rathausumgebung markiert, damit der Rückstau den Arbeiterwohnbezirk Hammerbrook träfe. Blinde Zerstörung trachtete man auf jede erdenkliche Weise zu vermeiden.

Der Bombardierer, der Pathfinder, der Masterbomber sehen die befohlene Stadt bestenfalls als verschwommene Silhouette im Mondschein. Erkennbar ist das silberne Flußband der Elbe; es kann aber auch die Weser sein. Entladen wird in die Finsternis, punktiert von einer Schablone aus Ton- oder Lichtzeichen. Das spätere Bordradar wirft Hell-Dunkel-Kontraste auf die Röhre, die ebene Wasser- und unebene Bebauungsflächen angeben. In diese Abstraktion befördert der Bombenschütze die Ladung. Das Zielen besorgt eigentlich jemand anders; zielen und zerstören sind in unterschiedliche Hände gelegt. Das Ziel in seiner Wirklichkeit sieht niemand, doch setzt eine Division von Ökonomen, Nachrichtendienstlern und Luftbildauswertern eine Anatomie Deutschlands zusammen, »The Bombers' Baedeker«.

Im Januar 1943, kurz vor der Ruhrschlacht, hatte das Ministerium für wirtschaftliche Kriegführung einen so bezeichneten Katalog herausgegeben. Er umfaßte die deutschen Städte von über fünfzehntausend Einwohnern mit allem Inventar. Das Stadtziel umgab ein Kreis im Dreimeilenradius, zu der Zeit die kleinste Maßeinheit im Bomber Command, 4,8 Kilometer. Was produziert, gelagert und befördert, was besiedelt, versammelt, verteidigt und verschanzt war im Reich, was Rohstoffe, Kenntnisse, Kunstschätze und Heiligtümer barg, kam auf die Liste.

Zwischen der Zielliste und dem Bombenschacht war ein Kontakt erforderlich. Die Fliegerstaffeln, die in den Abendstunden ihren Horst verließen, und der Apparat, der ihnen im verschlossenen Raum kurz vor dem Start den Namen einer Stadt und die Flugroute dorthin genannt hatte, mußten durch irgendeinen Strang verbunden bleiben. Das Wichtigste aber war, daß niemand anderer als die Kontaktierenden den Kontakt wahrnehmen konnte. Wenn doch, wäre er sogleich der Leitfaden des Jägers zum Aufenthalt des Bombers und dessen sicherer Verderb. Bis zum Kriegsausbruch existierte kein Medium, das eine so beschaffene Verbindung hätte herstellen können.

Das Prinzip der Radar-Ortung fanden die Briten 1935 durch einen Zufall heraus. Im Luftfahrtministerium war ein Forschungsausschuß eingesetzt worden, der sich als erstes mit der Idee befaßte, die damals die Publikumsphantasie erhitzte, Todesstrahlen gegen eindringende Flieger. Man fand heraus, daß ein auf Flugzeuge gerichteter elektromagnetischer Impuls zwar nicht den Piloten tötete, jedoch reflektiert wurde. Die Metallhülle warf ihn zu der abstrahlenden Antenne zurück. Wenn man die Zeit maß, sie mit der Geschwindigkeit des Strahls multiplizierte, durch zwei teilte und auf den Sendewinkel bezog, dann kannte man den Punkt in der Luft, wo der Flieger weilte. Verfolgte ihn der Strahl, ließ sich sein Kurs über die Kathodenröhre auf einen Bildschirm übertragen.

Die Jägerkommandos wußten, daß sie einen im Anflug georteten Bomber mit einem herkömmlichen Schuß mühelos erledigen konnten. Die Schwierigkeit war nicht, ihn zu treffen, sondern durch Nebel, Wolken, Regen oder Nacht zu sehen. Im Sommer 1939 konzipierte man ein Bildschirmgerät, kompakt und leicht genug, es in ein Jagdflugzeug einzubauen. Dies erste Bordradar reichte viereinhalb Kilometer weit und verhalf den Briten im Frühjahr 1941 zu einer jäh steigenden Abschußquote. Die Deutschen merkten, daß ihre Bomberoffensive auf Süd- und Mittelengland scheiterte, sie bemerkten aber nicht den Grund. Hätten sie ihn gefunden, wäre die deutsche Jagdwaffe schleunigst mit eigenem Bordradar angetreten. Dergleichen wurde im Handumdrehen nachgebaut.

Der Funkstrahl, der dem Jäger die Position des Bombers verrät, verrät dem Bomber auch seine eigene. Radar hilft zielen und navigieren. Zum Zielen reflektiert es das gegnerische Objekt, zum Navigieren das eigene. Die Sendestation, die ihren Flieger anstrahlt, sagt ihm, wo er sich befindet und wohin er soll. Die Briten weigerten sich allerdings grundsätzlich, dem Gegner einen strahlengeleiteten Bomber zuzutrauen. Ein Kurzfrequenzstrahl, der von Deutschland nach England reichte, war rein technisch ausgeschlossen. Keine vorhandene Röhre konnte Wellenlängen unterhalb von fünfzig Zentimetern mit genügend Energie versorgen.

Im Frühjahr 1940 wurden aus einer abgeschossenen Wehrmachtsmaschine Dokumente geborgen, die einen ›Knickebeinstrahl‹ erwähnten. Mittels seiner lasse sich operieren von der Abenddämmerung bis zum Morgen. Fernlenkung blieb dennoch ein Ding der Unmöglichkeit, wie Henry Tizard und Lord Cherwell wußten, die zwei namhaftesten Rüstungsphysiker. Derweil arbeitete in Birmingham bereits der junge Australier M. L. E. Oliphant an einer Röhre, die noch 9,8 Zentimeter kurze Wellen versorgen konnte. Damit war das Los der deutschen Städte östlich der Weser besiegelt. Sie hatten noch eine Frist von drei Jahren.

Im Juni 1940 schöpften die Briten den Verdacht, daß womöglich doch irgendeine Funknavigation die deutschen Angriffe steuere. Abgehörte Gespräche gefangener Piloten kreisten um ein Ding in ihren Wracks, das keinesfalls zu finden sei. Man ließ noch einmal nachschauen. Der Empfänger steckte da, wo er hingehörte, im Blindlandegerät. Ursprünglich hatte Radar zu nichts anderem gedient, als Flugzeuge bei schlechtem Wetter auf die Landebahn zu lotsen.

Den Briten entschlüsselte sich nun die Systematik des sogenannten deutschen ›Blitzes‹, der Bombardierung ihrer in Süd und Mitte gelegenen Industriestädte. Der Gegner benutzte zwei Funkleitgeräte, ›Knickebein‹ und ›X‹, welch eines die pauschale Richtung, das andere die Feinorientierung bot. Das sensiblere ›X‹-Gerät war in den Maschinen einer speziell geübten Kampfgruppe 100 untergebracht, die das Ziel identifizierte, mit Leuchtmarkierung absteckte, so daß die Bombenschützen ohne langes Suchen abladen konnten. Dies war in Coventry maßstäblich gelungen, ein Angriff, den Bomber Command nicht müde wurde zu studieren.

Es kostete nahezu zwei Jahre, ehe die britischen Leitstrahlmodelle GEE und Oboe verfügbar waren, letzteres fabelhaft akkurat, ersteres grob peilend, jedoch rascher lieferbar. Beide operierten mittels mehrerer auseinandergezogener Bodenstationen, die bei GEE drei, bei Oboe zwei Strahlen sendeten. Ein Empfangsgerät an Bord verwandelte sie in ein optisches bzw. in ein akustisches Signal. So wußte der Flieger am Nachthimmel ungefähr, wo er war.

Das GEE-Gebiet reichte nicht weit. In siebentausend Meter Höhe trafen sechshundertzehn Kilometer von England entfernt die letzten Impulse ein, danach verschwand die Maschine hinter der Erdkrümmung. Die Signalstrecke mußte eine Gerade bilden. Je niedriger die Crew flog, desto eher verschluckte sie der Horizont. Immerhin vermochte man das Ruhrgebiet ausfindig zu machen, wenn auch keine einzelne Stadt dort. Als Bombenzielgerät war GEE, anders als Oboe, nicht brauchbar. Operational Research empfahl das von Kampfgruppe 100 erprobte Verfahren: GEE führte ähnlich wie Knickebein in ein grob umrissenes Gelände. In der Vollmondphase ließen sich aus sicherer Höhe noch die Konturen von Bebauung erkennen. Warf man Flammenmarkierer ab, existierte ein gewisses Ziel. Mit weiteren, feuerauslösenden Bomben beleuchtete es sich selbst und sei darauf mit Sprengmunition zu zerstören. Anfangs war der Brand nur ein Zeichen, noch nicht der Zweck. Im Februar 1942 übte Bomber Command über Wales diese Technik ein, im März zog es nach Essen.

Das Ruhrgebiet mit seiner ineinandergeschachtelten Stadtlandschaft ist ein Ziel für sich, doch ging von Essen mit den zentral gelegenen Krupp-Werken eine Faszination aus. Von Dezember 1941 bis Februar 1942 beschränkte sich Bomber Command auf dreiundvierzig Nachtangriffe, weil man auf die GEE-Ausrüstung wartete. Dann warfen sich im März und April binnen viereinhalb Wochen tausendfünfhundert Bomber auf die Ruhr, mit dem Auftrag, Essen zu zertrümmern.

Bei Vollmond ist die große, spiegelnde Fläche des Baldeneysees die erste, natürliche Markierung. Nach acht Angriffen zeigten neunzig Prozent der mechanisch geblitzten Photos Bodenprofile außerhalb Essens. Bei Krupp brannte einmal ein Feuer, ein paar Bomben hatten die nahegelegenen Bahngeleise ramponiert, das waren die einzigen Industrieschäden. Bei geringfügigen Wohnungsverlusten starben dreiundsechzig Zivilisten, und das beliebte Restaurant Blumenhof im Gruga-Park fiel zu Asche. Es diente als Fremd- und Zwangsarbeiterheim. Zudem wurden unwissentlich vierundzwanzig andere Städte bombardiert; allein der Angriff in der Nacht zum 10. März trug bitteres Leid nach Hamborn und Duisburg und tötete vierundsiebzig Personen außerhalb Essens. In GEE-geleiteten Operationen trafen fünfzig bis fünfundsiebzig Prozent der Bomben nicht die Städte, denen sie zugedacht waren. Genaueres war unmöglich zu bewerkstelligen. An der Grenze seiner Reichweite hatte GEE eine Fehlertoleranz von zehn Kilometern. Nichtsdestoweniger führten die Strahlen zu Zielen und bewiesen, daß Krieg aus der Luft Städte entzweischlagen konnte, was zu der Zeit wichtiger war als ihr Name. Es gab jetzt überhaupt eine Navigation, die hoch fliegenden Bombern einen Raum in der Nacht einzeichnete. Und sie fanden beim Rückflug England wieder.

Neben der Ruhr wurden die Nord- und Ostseestädte GEE-Gebiet. Emden, Wilhelmshaven, Bremen waren abgedeckt, Lübeck und Rostock lagen zwar außerhalb des Sechshundertkilometerbogens, doch bis dahin bestand sicheres Geleit. Von da ab markierten das Mondlicht und einprägsame Küstenformen das, was im Volke bald der ›Bomberweg‹ hieß.

Bomber Command, das GEE bereits im Mai 1941 erprobt hatte, begriff von Anbeginn die Tücke des Funkleitwesens und verzögerte den Einbau. Der Sendestrahl, der dem Flugzeug beschreibt, wo es ist, beschreibt dem Gegner, wo das Flugzeug ist. Er muß allerdings die Übertragungsfrequenz kennen. Weil Flugzeuge in großen Mengen abgeschossen wurden, allein bei dem Essen-Einsatz gingen vierundsechzig verloren, fallen alle Geräte in Feindeshand. Was nicht aus deren Analyse hervorgeht, versucht man aus den gefangenen Mannschaften herauszupressen. GEE war acht Wochen nach seinem Einsatz entschlüsselt; ein Vierteljahr später hatten die Deutschen gelernt, in das Signal einzubrechen und es zu stören. Ab August 1942 deckten sie es dermaßen zu, daß auf Reichsgebiet damit nicht mehr zu navigieren war. Im Januar 1943 präsentierten die Briten Oboe, den Wegweiser in eine neue Ruhrzertrümmerung.

Die Radarschlacht, eine eigene Front in diesem Krieg, offenbart das grenzüberwindende Naturell der Wissenschaft. Das Geisterreich der Funkleitstrahlen ist im Bombenkrieg dank beider

Seiten nahezu aus der Leere entstanden. Seither ist die Luft nicht mehr leer, sondern ein Schauplatz. Unter dem Druck von Sein oder Nichtsein einander inspirierend, bestehlend, einholend und überholend wurde letzten Endes die Luftfahrt kriegstüchtig. Nur kraft seiner Leitfähigkeit ist das fliegende Material zu der mächtigsten Waffe geworden. Alles ist Ziel, nichts ist unerreichbar. Die Wissenschaft, die sich im Vorfeld und Verlauf des Zweiten Weltkriegs zum ersten Male so konstitutiv dem Kriegswesen eingliederte, hat von vornherein bezweifelt, daß damit Erfolge möglich seien, allenfalls Vorsprünge.

Im Laufe des europäischen Luftkriegs wurden mehr Vorsprünge errungen als je zuvor, nur nicht alle auf derselben Seite. Aus ›Knickebein‹ wurde ›Oboe‹, aus ›Oboe‹ ›Würzburg‹, aus ›Würzburg‹ ›Window‹, aus ›Window‹ ›SN2‹, ausgetrickst von ›H2S‹; H2S jagen ›Naxos‹ und ›Korfu‹, schwerstens irritiert von ›Tinsel‹. Jedes Funkleitgerät, das einen Pfad zum Ziel öffnet, trifft auf ein zweites, das es darin stört, daraufhin entsteht ein drittes, das die Störung umgeht, der Gegner erbeutet es umgehend und benutzt es, den Benutzer damit aufzuspüren und so fort.

So wie die Städte das Ziel Bomber Commands waren die Bomber das Ziel der Jägerwaffe. Beide sahen in der Dunkelheit gleich schlecht. Ein Bomber ist in den Tiefen des Nachthimmels getarnt, der Jäger blickt selbst in nächster Nähe bloß in ein finsteres Loch. Deswegen übertrugen die Deutschen die Sinneswahrnehmung an den Funkleitstrahl. Zwischen Herbst 1940 und Sommer 1943 schufen sie sich einen Hunderte von Kilometern tief gestaffelten Riegel aus Radarantennen, Horchgeräten, Suchscheinwerfern und darüber patrouillierenden Jagdgeschwadern, die ›Kammhuberlinie‹. Im Prinzip sollte sie, ein alter Traum, dem Reich Unverwundbarkeit verleihen. In Umkehr der Baldwin-Devise käme kein Bomber hindurch, dafür hatte Luftwaffenchef Göring seinen Namen verpfändet. Im Gitter der Funk- und Lichtstrahlen würde der Angreifer entblößt. Die Schale der Finsternis zerplatzte, der pfeilschnelle Jäger setzte den trägen Bombentransporteur mit einem Schuß in Brand.

An der Nordseeküste, von Dänemark bis zur Scheldemündung, zog die Kammhuberlinie zunächst einen Radargürtel. Die seit

September 1940 dort postierte ›Freya‹ bestrahlte und maß Entfernungen bis zu hundertzwanzig Kilometern, lieferte aber keine Höhenangaben. Sie bot einen Überblick über alles, was sich innerhalb von achttausend Metern in der Vertikale näherte. ›Freya‹ wurde in Jahresfrist durch ›Würzburg‹ ergänzt, einen Antennenspiegel, der einen bleistiftdicken Strahl in der bis dahin unerreichten Frequenz von 560 Megahertz, das heißt 5,3 Zentimeter Wellenlänge, schickte und auffing. ›Würzburg‹ verfolgte Flugbewegungen in jeder Dimension, war indes kurzsichtig; seine 35 Kilometer Reichweite verdoppelte ab 1942 ›Würzburg-Riese‹ mit 7,5 Metern Spiegeldurchmesser. ›Freya‹ wie ›Würzburg‹ waren an Scheinwerfer gekoppelt. Was sie orteten, wurde in Licht gebadet, vorausgesetzt, es war wolkenfreie Nacht.

Die weiteste Distanz durchdrang der Funkhorchdienst, der Startvorbereitungen in fünfhundertvierzig Kilometer Entfernung erlauschte. Nacheinander nahmen die Horcher, ›Freya‹ und ›Würzburg‹ die Spur des Angreifers auf; das war die erste Schicht des Riegels. Die angefallenen Daten werden vor den Augen der Jägerleitoffiziere auf den ›Seeburgtisch‹ projiziert, eine Mattglasscheibe. Auf ihr schwimmen ein grüner und ein roter Punkt. Der rote bezeichnet den anfliegenden Bomber, der grüne einen Jäger, der in dem nächstgelegenen Nachtjagdsektor kreist. Die Nachtjagdsektoren bilden die zweite Schicht.

General Josef Kammhuber, von Göring bestallter Nachtaufseher des Reiches, hatte die Luftzone hinter der Küste in sechsunddreißig Kilometer breite Kreise geschnitten, ›Himmelbetten‹ genannt. Ein je eigener ›Würzburgspiegel‹ kontrolliert den Ärmelkanal, während der Jäger im Revier kreist und den Angreifer erwartet. Der Jägerleitoffizier verbindet auf dem ›Seeburgtisch‹ den Kurs des roten mit dem des grünen Punktes und weist seinen Piloten über Funk zu der Stelle, wo der Bomber die Suchscheinwerfer kreuzen wird. Von da an hat der Jäger drei Minuten Zeit, sein Ziel visuell zu erfassen und zu erlegen. Kommt es zu einem Luftgefecht, ist es in maximal zehn Minuten gewöhnlich zugunsten des Jägers entschieden. Verliert er die Spur, soll er sie nicht verfolgen.

Der Bomber jedoch gerät in den dritten Riegel, eine östlich

gelagerte Scheinwerferkette. Sie mißt dreißig Kilometer tief, beginnt zunächst westlich von Münster und reicht ins Ruhrgebiet. Bis zum Juli 1943 hat Kammhuber diese Schiene ausgedehnt vom Skagerrak bis zur Marne. Sie ist wiederum in Quadrate zerteilt, deren jedes drei Scheinwerferabteilungen zu je neun 150-Zentimeter-Scheinwerfern enthält. Der Hauptsuchscheinwerfer in der Mitte formt mit den umgebenden einen Lichtkegel, um 360 Grad drehbar und dreizehn Kilometer hinaufstrahlend. Seine Bewegungen lenkt ein >Würzburg-Riese<. Hinter dem sogenannten hellen Riegel wartet die helle Nachtjagd, Jägerstaffeln, die den etwa drei Minuten im Licht zu erfassenden Gegner ins Visier nehmen.

Die Kammhuberlinie, eine strategische Verteidigungsinitiative unerreichten Ausmaßes, verpaßte bei weitem die Abschirmung des Reiches. Sie fügte den Briten Verluste von vier Prozent zu, was bedeutet, daß eine Crew im Durchschnitt nach fünfundzwanzig Einsätzen abstürzte. Um die Lücken zu schließen, staffelte Kammhuber seine Barrieren in die Breite wie in die Tiefe. Jedes der rund hundert >Himmelbetten< benötigte hundert Mann Bedienung. Der >Seeburgtisch< wurde zu klein, man errichtete Planetarien des Kammhuberhimmels, Mammutgefechtsstände nahe Arnheim, in Stade, Metz, Döberitz und Schleißheim. Auf einer kolossalen Milchglaswand ragte die Reichskarte, unterlegt mit einem Netz von Quadraten zur Jägerführung. Beiderseits der Wand saßen in ansteigenden Pultreihen hier Nachrichtenhelferinnen, dort Jägerleitoffiziere. Die etwa fünfundvierzig Damen, über Telefon mit den Radarstellungen verbunden, projizierten geortete Bomberschwärme mit Lichtpunktwerfern auf die Glaswand, dazu die aktuelle Position der eigenen Maschinen. Die Offiziere auf der Gegenseite waren telefonisch an sämtliche Jagdverbände angeschlossen. Auf einer Galerie über ihnen der Einsatzleiter, die Gesamtluftlage im Auge.

Das Planetarium des Luftkriegs verstand sich allerdings nicht als Abbild der Himmelsmechanik, sondern die jagenden und bombenden Gestirne draußen waren die Realisation des Punktmusters auf der Milchglasscheibe. Der Dachbeton dieser Befehlsbunker maß 4,60 Meter Dicke und galt als bombensicher. Das

Kammhubersystem barst, allerdings nicht durch Bombenein-schlag, sondern durch den Abwurf von Millionen von Stanniol-streifen in zwei Zentimeter Breite und fünfundzwanzig Zentime-ter Länge. Damit gelang am 24. Juli 1943 der folgenreichste Hieb im ganzen Radarkrieg. Einige zehntausend Hamburger büßten ihn mit dem Leben.

Am 25. Juli 1943, kurz nach Mitternacht, stockt den Insassen des Gefechtsbunkers Stade der Atem. Die Küstenradarstrecken mel-den einen noch nie erlebten Anflug von elftausend Maschinen. Die Bildschirme sind mit unzähligen blinkenden Zackenechos be-deckt, wie ebenfalls noch nie gesehen. Der Himmel mußte über-sät sein mit Bombern von überirdischer Geschwindigkeit, wo, das konnten die ›Würzburgs‹ an den ›Himmelbetten‹, den Schein-werferriegeln und an der Flak nicht mehr angeben. Eine Wolke nicht zu identifizierender Radarechos nahm sie aus dem Gefecht. Die Jäger, die Jägerleitoffiziere, die Scheinwerferkompanien, die Flakbatterien wußten nicht mehr, wie reagieren. Mangels ›Würz-burg‹-Angaben waren sie geblendet und gelähmt.

Den Spuk bewirkten die Stanniolstreifen, von den Crews mit bloßen Händen aus den Bombenschächten geworfen. Sie bildeten Dipole, die fünfzehn Minuten wirksam blieben, doch nur auf ei-nem schmalen Frequenzband. Die Dipole maßen die halbe Wel-lenlänge des gestörten Radarstrahls. Dazu mußte man sie aller-dings kennen. Die Briten, die selbst ihre Küste vor Kriegsbeginn mit einer Radarkette gesäumt hatten, der ›home chain‹, beobach-teten seit Herbst 1940 hochinteressiert die Montagen an der Ge-genküste. ›Würzburg‹, das Rückgrat der Kammhuberlinie, wurde ausgespäht, noch bevor es in Dienst stand. Man hatte von seiner Entwicklung erfahren und war auf ein Modell erpicht. Aufklärungsphotos zeigten an einem Küstenfelsen achtzehn Kilometer nordöstlich von Le Havre eine vereinsamte Hausfas-sade, an der ein Fleck auffiel, der sich als ›Würzburgschüssel‹ ent-puppte. In einer verwegenen, gewiß der folgenschwersten Kom-mandoaktion des Krieges wurde die Schüssel abmontiert, auf die Insel geschafft und im Februar 1942 vermessen. Zur gleichen Zeit entdeckte man die phantastischen Chancen des Dipols, bezeichnenderweise in England und Deutschland zugleich. Beiden war angesichts der gräßlichen Wirkung, die ein elender Draht oder Stanniolstreifen auf die kunstvollsten Geräte ausübte, unwohl. Sein Einsatz würde sogleich den Gegner damit ausrüsten, und es wollte bedacht sein, wer daraus den größeren Nachteil zöge. Göring hatte im Januar 1943 weitere Experimente mit dieser fürchterlichen Waffe untersagt, die kein Gegenmittel übriglasse, wenn der Feind sie kennenlerne und damit zurückschlage. Das war insoweit naheliegend, als die Deutschen sich mit ihrem Radar britischer Bomberangriffe erwehrten, nur selten noch fand das Umgekehrte statt.

Die Briten besaßen einen heiklen Punkt, den sie um jeden Preis vor einem Radarkollaps schützen mußten, die anglo-amerikanische Landung in Sizilien. Nachdem man bis Mitte Juli die halbe Insel bis zur Höhe von Catania erobert hatte, gab Churchill den Dipol frei. Nun endlich konnte er auf Kammhubers Luftfestung losgelassen werden. Das Abwarten hatte zweitausendzweihundert Flugzeuge gekostet. So viele gingen zwischen Entdeckung und Einsatz des Dipols im deutschen Abwehrgürtel zugrunde. Die erste Probe rettete gleich hundert Maschinen, die bei üblicher Verlustrate über Hamburg abgeschossen worden wären. Die Kammhuberlinie aber war über Nacht entwertet und Schrott.

Die Deutschen haben nie einen Dipol-Gegenangriff geflogen, dennoch ist die Bilanz des Stanniols fragwürdig. Die Jagdflieger hielten die Kammhuberlinie für einen überzüchteten Wahn. Er legte sie an die Kette der Leitoffiziere, sperrte sie in Luftschachteln ein und war berechnet auf eine Anflugtaktik, welche die Briten längst geändert hatten. In den umständlichen >Himmelbetten< konnten nur einzelne Jäger gegen vereinzelt angreifende Bomber dirigiert werden. Das technisch wundervolle Bodenleitverfahren mobilisierte zuwenig Feuerkraft. Inzwischen rückten die Briten als geschlossene Formation von fünfhundert bis tausend Maschinen an, denen ein paar Verluste im Verteidigungsgürtel nicht sonderlich zu schaffen machten.

Anfang 1942 verfügte Bomber Command über wenig mehr als 400 Bomber, zu der im August 1943 anhebenden Berlinschlacht zogen 1670 Maschinen. Im zweiten Halbjahr 1943 traten die

Amerikaner mit 1823 operationsbereiten Flugzeugen im Juli und 2893 am Jahresende an. Solch einen Aufprall konnte Kammhubers Gürtel nicht sperren, selbst wenn er ganz Deutschland umfaßt hätte. 1943 absolvierten britische Flieger 36 000 Nacht- und amerikanische 12 000 Tageseinflüge. Die Jagdwaffe brauchte dazu eine flexiblere, das Können und die Kühnheit ihrer Flieger nutzende Abwehr. Das Dipol-Desaster erzwang einen fristlosen Wechsel. Er zahlte sich aus.

Der erste Berlinangriff der Kampagne kostete Bomber Command am 23./24. August mit 7,9 Prozent seine bisher schwerste Verlustrate. Die 8. US-Flotte verlor bei dem Doppelangriff auf Schweinfurt/Regensburg am 17. August ein Drittel der eingesetzten Flugzeuge. Den nächsten Versuch gegen Stuttgart am 6. September büßte sie mit dreizehn Prozent Verlust, den am 10. Oktober über Münster und den am 14. Oktober nochmals über Schweinfurt mit je zwanzig Prozent. Diese US-Missionen waren Tagesangriffe. Die Jäger, schreibt Lieutenant Carlyle Darling, kamen geradewegs aus der Sonne geschossen. Niemand konnte sie sehen. Andere kreisten um die B17 »wie Indianer um einen Treckwagen«.

Vor dem Start war Darling mitgeteilt worden, daß man in Deutschland die Bomben überall abladen könne, selbst auf einen Bauernhof. Zur Realität nach dem Dipol gehörte auch, daß man überall abgeschossen werden konnte. Die Abschüsse in dieser Phase der ungebundenen Jagd ließen Bomber Command zum zweiten Mal seit 1941 und die 8. US-Flotte, kaum daß sie gestartet war, nachrechnen, was ihre Waffe verkraftete. Die Amerikaner fabrizierten zwischen 1942 und 1944 76 985 Maschinen, die Briten 1943 26 263 Stück, im Folgejahr 26 461 weitere. Man kann aber nicht die hunderttausend Mann Besatzung neu produzieren, sie ausbilden und ungenügend verteidigt auf Mission schicken. Bomber Command verfügte im gesamten Krieg über 125 000 Mann fliegendes Personal und nahm 73 741 Mann Verlust durch Tod, Verwundung und Gefangenschaft hin. Das Jahr 1943 war für Bomber Command mit 14 000 Gefallenen das verlustreichste überhaupt. Dies war nach herkömmlichen Maßstäben nicht die Grenze des Hinzunehmenden, sondern ging weit darüber hinaus.

Zur Lösung des Krieges in der Luft von den Bodenfesseln hatten beide Seiten schon gegen Ende 1942 Bordradargeräte eingeführt. Das ›Lichtenstein‹ der Luftwaffe kapitulierte vor dem Dipol, das britische H2S montierten die Deutschen nach dem zweiten Einsatz aus einem abgeschossenen Wrack bei Rotterdam. Inzwischen betrug die Verfallszeit der technischen Vorsprünge im Radarkrieg rund sechs Monate. Doch blieben Geheimnisse und die Hoffnung, sich mittels einer Geheimwaffe durchzusetzen. Das dipolfeste deutsche Bordradar SN2 wurde vom Gegner nicht erkundschaftet, der unentwegt ›Lichtenstein‹ störte, das kaum noch in Gebrauch war. Die Deutschen wiederum fanden bis Januar 1944 kein Mittel gegen Oboe, das präziseste Bombenzielgerät dieser Tage, weil sie es nicht errieten. Als ihnen das Gerät aus einer Abschußmaschine bei Kleve in die Hände fiel, hatten sie in drei Tagen achtzig Störsender aufgebaut, und Oboe zielte nur noch daneben. Das fiel den Oboisten auf, und die Deutschen empfingen über die Gerätefrequenz das Lob der Kollegen: »Achtung! Achtung! You are a Schweinehund.« Darauf wurden sie stolz statt nachdenklich. Sie wußten nun, daß der Gegner wußte. Man vermutete, daß er auf das Neunzentimeterband auswich, das man für nicht störbar hielt. Doch funkten die Briten auf der alten Wellenlänge weiter, man hielt sie für Trottel und war es zufrieden. Nur war dies Signal eine falsche Fährte, Oboe wählte die kurze Frequenz und blieb funktionstüchtig.

Oboe, in den Verzweiflungswochen des Frühjahrs 1941 von A. H. Reeves und S. E. Jones in zwanzig Tagen ersonnen, erreichte eine theoretische Zielgenauigkeit von neunzig Metern. In der Praxis steigerte es die Trefferquote im Fünfkilometerradius von zwanzig auf sechzig Prozent. Das allerdings nur in einer Distanz von vierhundertfünfzig Kilometern von der Küstenstation. Soviel reichte knapp, das Ruhrgebiet abzudecken, welches bis Kriegsende in Tausenden von Anflügen dermaßen niedergewalzt war, daß es dazu eines Präzisionsgerätes nicht bedurft hätte.

Schon der Hamburgangriff im Sommer 1943 folgte einem minder präzisen, aber bodenunabhängigen Navigations- und Zielradar, dem H2S, mit der revolutionären Magnetronröhre. Das vom Gegner bei Rotterdam erbeutete Exemplar war zu Telefunken nach Berlin geschafft worden, ging dort aber in einem H2S-Bombardement zu Bruch. So dauerte es bis zur Erbeutung des nächsten Exemplares, ehe im September 1943 die Gegenarznei wirkte, der bodenstationierte Empfänger ›Korfu‹ und an Bord das ›Naxos‹. In ihrer Empfindlichkeit fingen sie die H2S-Ausstrahlungen bereits auf, wenn die Bombercrews zwanzig Minuten vor dem Start ihr Gerät aufwärmten. Ganz Westdeutschland bedeckte alsbald ein ›Korfu‹-Netz, das, zentralisiert in Berlin, die Pathfinder kontrollierte, die Vorhut des Bomberstroms.

Die Deutschen beschäftigten inzwischen fünfzehntausend Personen in der Radarschlacht, die Vorteile bald dieser, bald jener Seite eintrug, doch keiner den Durchbruch. Die Wende trat ein, als die deutsche Jägerwaffe kein Benzin und keine Flieger mehr besaß. Was den von der Bevölkerung wie Cherubime verehrten Jagdassen durch ihr Geschick und ihr Selbstopfer gelang, machten die Briten durch kuriose Ideen wett, wie die Operation ›Corona‹. Sie nutzten den politischen Umstand, daß England einen Gutteil der nazifeindlichen Emigration beherbergte, mithin Sprecher jeglicher deutscher Zungen. In den Funksprechverkehr, der etwa ›Korfu‹-Nachrichten über H2S-Schwadrone vom Boden in die Luft gab, mischten sich Stimmen ein. Sie schimpften die Leitoffiziere britische Agenten, die den Jägern falsche Kurse wiesen. Der wahre Kurs sei ein ganz verschiedener.

Die kleine Station in der Grafschaft Kent, die über einen erbeuteten deutschen Sender-Empfänger im Hochfrequenzband Geisterkurse und Umkehrbefehle ausgab, zeigte sich äußerst pfiffig. Die Kopfhörer der Piloten dröhnten von absurden Keifereien, in denen zwei Deutsche einander bezichtigten, stockverlogene Engländer zu sein. Den Jägern wurden Rückfragen eingeschärft, man wechselte Frequenzen, setzte Frauen und Dialektsprecher ein, aber nichts, was die Emigranten nicht ebenfalls aufboten. Es dauerte lange, bis die Jäger, die anderes zu beachten hatten, die Unterschiede heraushörten. Bis zum Schluß schallten ihnen die Ohren von infernalischem Piepsen, Trillern, Hitlerschallplatten und Märschen auf allen Frequenzen.

Beide Seiten hatten die Ätherwelle als Transport der Transporteure erkannt. Was Bomber und Jäger an Tod und Verderben mit sich trugen, fand einzig über die körperlosen Kanäle zum Ziel. Die H2S-Abstrahlung von Bord des Angreifers konnte der ›Naxos‹-Verteidiger als Fährte nutzen, vorausgesetzt, daß seine Wissenschaft sie lesbar machte. Eigentümlicherweise vermochte diese Wissenschaft leichter einzurichten, daß zwei winzige, in sechstausend Meter Höhe am nächtlichen Firmament dahinrasende Flugkörper sich trafen, als sichtbar zu machen, wo ein Stadtteil wie Berlin-Frohnau oder selbst eine Stadt wie Hamburg liegt. Das H2S-Bordradar tastete den Boden ab und spiegelte die Elementarmerkmale auf einer Braunschen Röhre. Wasser erschien dunkel, Land hell, eine Stadt hellglänzend. Welche Kontur sich hellglänzend abhob von welch hellem Landstreifen an welcher dunklen Wasserstelle, entnahm der Navigator aus dem Abgleich seines flimmrig bewegten Bildschirms mit einem H2S-Bodenatlas. Wenn die hier eingetragenen und dort aufleuchtenden Profile einander ähnelten, war man über der Stadt, die es heimzusuchen galt.

In Berlins neunhundert Quadratkilometern ein östliches Industriegebiet von fünfzehn Quadratkilometern zu treffen blieb auch im November 1943 noch eine Zufallssache. Als die Pathfinder in der Nacht zum 27. die Stadt suchten, war ihre Wendemarke Frohnau, die nordwestlich ausbuchtende Grenze des Bebauungsgebietes, benachbart vom Tegeler Forst. Weil die Navigatoren nervös auf die nicht loszuwerdenden Flakscheinwerfer reagierten, verpaßten sie die Buchtung, markierten infolgedessen auch kein Ziel, waren restlos desorientiert und hofften, sich neu zurechtzufinden an den großen Seenflächen der Stadt, die einen dunklen Fleck auf den Radarschirm werfen mußten. Als erst einer, dann mehrere Dunkelflecken auftauchten, klinkten sie die Leuchtmarkierungen aus. Die Photoauswertung ergab, daß man, kilometerweit vom Ziel entfernt, dennoch irgendein Industriegebiet markiert hatte. Bei dem folgenden Berlinangriff am 2. Dezember versuchten die Pathfinder, sich an den Radarechos dreier kleinerer Städte im Umkreis zu orientieren, Stendal, Rathenow und Nauen. Doch verwechselte man sie mit den recht ähnlichen Reflexen von Genthin, Potsdam und Brandenburg und markierte zweiundzwanzig Kilometer weiter südlich als angegeben.

Durch die schiere Größe der Stadt traf man immer noch Berlin. Anders am 3. März 1943, als der Masterbomber im Küstenanflug auf seinem H2S die bei Ebbe bloßliegenden Sandbänke der Elbe für den Hamburger Hafen hielt. Zudem ließ er sich von einer sechzehn Kilometer flußabwärts von den Deutschen errichteten und erleuchteten Tarnanlage irreführen. Sie sollte der Binnenalster gleichen und das Bombardement von ihr ablenken. Diese zwei Irrtümer addierten sich und wurden dem Nachbarstädtchen Wedel zum Verhängnis. Es wurde ausradiert.

Das Ausdeuten von H2S-Zeichen verlangte nach den Gaben des geborenen Navigators. Ein solcher war selten, und nicht wenige im Bomber Command behaupteten, daß die guten Besatzungen Ende 1943 bereits aufgerieben waren. Die Ruhrschlacht schon hatte tausend Flugzeuge verschlungen und fünftausend Männer dem Tod, selten der Gefangenschaft ausgeliefert. Um die Jahresmitte waren insgesamt 20000 Crew-Angehörige gefallen und 3448 Bomber nicht mehr vom Feindflug zurückgekehrt. In der Weihnachtszeit schließlich konnten die Davongekommenen sich nur schwache Chancen ausrechnen für ihr Weiterleben.

Navigatoren waren, verglichen mit ihren Kameraden, abgebrühte, sarkastische Charaktere. Im Luftkampf von explodierenden, abstürzenden Maschinen umgeben, kritzelten sie Zeit, Ort und Höhe der Flak in ihr Logbuch sowie die Treffer der feindlichen Jäger auf ihre nun verlorenen Kameraden. Eine Aluminiumkapsel in der Luft ist ein schlechter Kampfplatz, zumal für den Bomber. Gegen einen Jägerangriff, schreibt ein Navigator an seine Braut, »kann man nicht das geringste machen, außer, man fliegt bei dreißig Grad unter Null durch, der Schweiß rinnt dir vom Gesicht und friert auf den Sachen, und die krachenden Granaten schleudern das Schiff herum wie einen Korken auf stürmischer See.«

Eine Besatzung umfaßt Pilot und Kopilot, Bombenschütze, Funker, Mechaniker, zwei Bordschützen, sämtlich im Alter um die einundzwanzig Jahre. Selbst befehlshabende Offiziere sind oft noch in den Zwanzigern. Der Dienst bei der Royal Air Force erfolgt durch Gestellungsbefehl, wird im Bomber Command indes freiwillig abgeleistet. Niemand fliegt zwangsweise in Bombenmission. Der erste Pilot befehligt das Flugzeug. Er verantwortet Heimkehr oder Absturz, wenn nicht tatsächlich, dann seelisch. Es sind ihm alle Pilotenfehler gewärtig, die Maschine und Mannschaft zerschellen lassen. Der Boden kann ihn nicht kümmern, er ist ausschließlich befaßt mit dem Luftgeschehen. Wenn die Crew sich selbst zum Team erzogen, ihr Gerät erprobt und studiert hat, steigt die Chance, lebendig zu bleiben. Ausbildung und Gebet sind das einzig Hilfreiche.

Die Maschine darf sich nicht verirren, soll den Kontakt zum Flugverband halten, die Instrumente müssen beobachtet und der Nachtjäger spätestens gesehen werden, bevor er in den toten Winkel taucht und feuert. Auf engsten Raum gepreßt, übermüdet, in eintönigem Nachtanflug, der sekündlich in Todesgefahr führt oder nicht, ist die Wachsamkeit aller geboten und das Verstehen der Instrumente. Manche Piloten untersagen das Gespräch an Bord. In Bombardierungshöhe fällt die Temperatur bis auf fünfzig Grad Kälte, so daß selbst amerikanische Flieger, die geheizte Kleidung besitzen, Frostschäden erleiden. Die Beheizung der Pilotenkanzel bewirkte wenig und überhaupt nichts in den MG-Ständen.

Der Bordschütze sitzt für sechs bis elf Stunden, Arme und Beine zusammengepreßt, in einer Plexiglaskuppel und späht bewegungslos in die Nacht. Der Copilot teilt die Belastung des Piloten, beide dürfen mit den Augen die Instrumente nicht loslassen. Neben der Kälte ist die Müdigkeit ein bitterer Feind, besonders auf dem Rückflug nach dem Bombenwurf. Das tiefe Ruhebedürfnis läßt Piloten oder Bordschützen einnicken, und das Los trifft sie im Schlaf. Ein von Schüssen verletzter oder getöteter Pilot ist auszuwechseln, aber nur schwer. Durch den sehr viel höheren Innendruck des Körpers ist der Blutaustritt extrem heftig. Die Situation endet oft im Absturz.

Der Bombenschütze versieht seine Aufgabe auf dem Bauch liegend, durch das Visier auf die Markierung peilend. Während des Aufrichtens, berichtet Lieutenant Lockard von der 381. US-Bombergruppe, wurde er erwischt. »Es war wie von einem Ziegelstein ins Gesicht geschlagen; die physische Wirkung, einen Treffer mit dem Körper aufzufangen, ist etwas Ungeheuerliches. Ein Granatsplitter war durch das Kinn gesprungen, dann durch die Backe und saß hinter dem Auge fest.« Lockard fand die Luke, um abzuspringen. Viele fanden sie nicht, weil das Flugzeug im Absturz die Waagerechte verliert und trudelt. Sergeant Nixon, Bordschütze in der 199. britischen Schwadron, verglich den Treffer auf seine Maschine mit »einer Riesenhand, die uns festhielt, und man fühlte sich so geschüttelt und zerschmettert, als ob ein Mordshund eine Ratte schüttelt«. Nixon wird gegen seine MGs geschleudert, die zu schießen beginnen, sieht Flammen aus den Sicherungen schlagen, vermag seinen Fallschirm noch anzulegen und als einziger der Mannschaft die stürzende Maschine zu verlassen. Das war seine erste Mission. Bei demselben Berlinangriff vom 23. August 1943 suchte sein im Gesicht getroffener Kollege von der 158. Schwadron blutgeblendet die Luke und fand sie nicht.

Der Bordschütze, im Heck plaziert, war dem von hinten angreifenden Jäger deckungslos preisgegeben. In der zweiten Jahreshälfte 1943 hatten die Deutschen ein Abschußverfahren eingeübt, das sie ›schräge Musik‹ nannten. In einem Winkel von zehn bis zwanzig Grad waren zwei 22-Millimeter-Kanonen auf den oberen Bug der Jagdmaschine montiert, so daß der Pilot durch ein Reflexvisier aufwärts zielen und treffen konnte. Mit diesem Schußwinkel konnte er sich in den toten Winkel an der Unterseite des Bombers schieben. Wenn er dann im Hochziehen schoß, flog der Bomber in ganzer Länge durch die Geschoßgarbe.

Die Mannschaft nahm erst etwas davon wahr, wenn die Schüsse aufprallten. Der Jäger hielt gern auf den Punkt zwischen den zwei Flügelmotoren, wo die Treibstofftanks lagen. Nach wenigen Sekunden stehen sie in Flammen, der lodernde Schweif entzündet das Heck. Dem Piloten bleibt noch der Versuch, im Sturzflug sich hinabfallen zu lassen und das Feuer dadurch zu ersticken. Das kann nicht oft gelingen; ein Bomber ist ein noch weit effektiverer Brandstoff als die Stadt, die er abbrennen soll. Alle Besatzungen kennen das Orange der entflammten Lancaster, die sich verwandelt in einen Ball übereinanderrollender, eine die andere überholender Feuerwogen. Von diesen unglücklichen Kameraden am Flügel gestreift zu werden, ist eine Tücke für sich.

Die Szene, welche die Angreifer über stark geschützten Orten wie Berlin oder den Ruhrstädten empfängt, ist das Verderben im Rundum. Ein lärmender, lodernder Kessel, in dem die Flak unten, der Jäger hinten oder oben und die Kollisionsgefahr vorn die Mannschaft in Bann schlägt. Nach endlosem Anflug durch Leere und Dunkel ist der Himmel über dem Ziel mit einem Male verstopft von Maschinen, taghell von Scheinwerferkegeln, geladen mit Sperrfeuer der Flak, MG-Salven der Jäger, hinabrauschenden Bomben, Farbmarkierungen, Leuchtkerzen. Bomber haben eine starke Abneigung gegen alles, was von oben kommt. In verhangenen Nächten traf das Scheinwerferlicht der Flakbatterien von unten auf die Wolkendecke, durchdrang sie nicht, aber durchleuchtete sie. Die hellweiße Fläche nannten die Jäger ›Leichentuch‹. Erklommen sie eine Höhe oberhalb des Bomberstroms, zeichnete dieser sich schwarz dagegen ab. Die Jäger markierten das Areal mit Flammenzungen, die an Fallschirmen herabsanken. Davon ging eine Schauderwirkung aus. Die Bomber fühlten sich aufgelauert. Man wußte ihre Ankunft und erwartete sie. Die Mannschaften sagten, sie fühlten sich wie nackt auf dem Bahnhof, hoffend, ungesehen zu bleiben. »Es war, als käme man von einem dunklen Landweg auf einen strahlend erleuchteten Boulevard.« Von oben wurde scharf geschossen. Entsetzlicher als der Beschuß war anscheinend das Bezeichnetwerden.

Ähnliches gilt für die Flak. Sie richtete weniger Schaden an als die Jäger, erregte aber mehr Angst. Das 8,8-Zentimeter-Standardgeschütz schleuderte eine Granate von acht Kilogramm sechseinhalb Kilometer hoch. An ihrem Sprengpunkt zerplatzte sie in tausendfünfhundert zackige Splitter, die mit hoher Geschwindigkeit nach allen Seiten sausten. Zehn Meter vom Sprengpunkt konnte ein Flugzeug damit ausgeschaltet und auf hundertachtzig Meter schwer beschädigt werden. Ein gezielter Schuß aus einer Flakkanone war aus dem gleichen Grunde schwierig wie ein gezieltes Bombardement. Eine Granate benötigte sechs Sekunden, um einen viertausend Meter hoch befindlichen Bomber zu erreichen. Bewegte er sich etwa mit 290 Stundenkilometern, hatte er in der Granatenflugzeit fast einen halben Kilometer zurückgelegt. Aus einem Rechner am Geschütz wurde dieser Faktor zwar auf die Zieleinstellung übertragen, aber bessere Resultate holte das Sperrfeuer, welches wirkt wie das Flächenbombardieren in entgegenge-setzter Richtung. Die statistische Wahrscheinlichkeit, getroffen zu werden, liegt in beiden Fällen niedrig. Für die Flieger aber stellte das Durchqueren des Splitterhagels eine Nervenqual dar, wie die US-Luftstäbe genauestens wußten.

Die Flak behinderte die Sorgfalt des Zielens, drückte die Ge-schwader in die Höhe und drängte sie zu verfrühter Umkehr. Den Einflugkorridor hatten die Verteidiger vorausberechnet und setz-ten ihn unter eine Dauergarbe. Sich diesem Sperrfeuer auszuset-zen war die Begegnung mit einem Riesen, sagen die Teilnehmer, »der einem mit Siebenmeilenstiefeln einen Tritt in den Hintern gibt«. Allein die Druckwellen der ringsum zerknallenden Grana-ten ließen das Gefährt erzittern.

Die verteidigten Städte wie die attackierten Bomberflotten be-eindruckte die Theatralik der Flakwaffe. Ihre Darsteller waren die Scheinwerfer und Kanonen. Wie immer war es das Licht, der Leitstrahl, welcher die Todesbotschaft überbrachte. Eine Groß-batterie versammelte 1943 bis zu siebzig Scheinwerfer und hun-dertsechzig Kanonen. Der Eineinhalb-Meter-Standardscheinwer-fer reichte dreizehn Kilometer in die Höhe bei einer Lichtstärke von 1,3 Milliarden Candela. Ein solches Gerät ist für sich schon eine Waffe, weil eine davon erfaßte Maschine keinen präzisen Bombenabwurf mehr fertigbringt.

Der radargelenkte Führungsscheinwerfer ragt kerzengerade nach oben, sein Strahl schwach bläulich wegen der hohen Dichte und Geschwindigkeit, mit welcher das Licht in die Höhe sticht. Ist Kontakt zu einem Flieger hergestellt, neigt sich der Strahl ihm zu, zwanzig weitere Suchlichter folgen. Miteinander bilden sie ei-nen Kegel, auf dessen beweglicher Spitze der Bomber zu reiten scheint. In einer Stadt wie Essen können sich bis zu dreizehn sol-cher Kegel bündeln. Ein jeder erfaßt eine Maschine, also einen winzigen Anteil der Streitmacht. Der Kegelreiter wird nun von der Kanone durchbohrt oder nicht, auf das Bombardement hat dies keinen Einfluß.

Im großen ganzen erzwingen stärkere Flugverbände stärkere Flakverbände und umgekehrt. Davon ändern sich nicht die Ver-lustraten. Doch es zählte das Schauspiel; Hitler und die Gauleiter drängten immer darauf, den Jäger- und Flakschutz in die Städte zu legen. Der Bombenkrieg handelt vom Ertragen des Todes anderer. Das nächste Mal ereilt er mich. Er ist eine Vorführung, die auf innere Erlebnisse abstellt. Tote können nicht kapitulieren, nur Personen, die nicht sterben wollen. Ähnlich auch das Luftschauspiel der Flak: Die Stadtbewohner erlebten, daß kein Massaker, sondern ein Kampf stattfand, und die Flieger auch.

»Plötzlich ist dein winziger Schutzraum im Himmel, wo du dich für sicher versteckt hältst, in blendendem Licht gebadet«, schreibt Sergeant Powell von der 102. US-Schwadron. »Das Flugzeug ist gefangen wie eine Fliege im Netz und versucht sich verzweifelt herauszuwinden, bevor ihr die Kanoniere eins aufbrennen. Nicht viele haben so eine Erfassung durch Flakscheinwerfer überlebt. Die einzige Hoffnung war, fertig zu werden, bevor der Kegel kam. Ich habe so viele Male Bomber beobachtet, wie der Kegel sie festhielt und sie hilflos zusahen, wie die Granaten platzten, immer näher an die Maschinen herankamen, bis plötzlich Flammen herausschlugen und dann eine heftige Explosion.«

Den bloße Anblick der in mehreren Ringen um Berlin gestaffelten Flakscheinwerfer erinnert Lieutenant Leigh von der 156. britischen Schwadron als das »fürchterlichste Erlebnis meines ganzen Lebens«. Als Bombenschütze vorn in der Lancaster auf dem Bauch liegend, erblickt er im endlos scheinenden Endanflug die kanonenstarrende Stadt, erwartet die Anweisung des Masterbombers, der vor dem Ausklinken befehlen wird, ›straight and level‹ zu fliegen, geradeaus, ohne wegzutauchen, und in der Erwartung, in Stücke geschossen zu werden. In der Angst mag der Pilot statt dessen dem Scheinwerfer ausweichen und die vibrierende, jaulende Maschine einige tausend Meter fallen lassen. Das zerreißt ihm die Ohren, erspart ihm indes ein Los, wie es Wing Commander Burnside seinen Leuten von der 427. Schwadron über Essen zumutete. Ihre Wellingtons steuerten geradewegs in die Flakgranaten hinein, den Navigator töteten die Splitter auf der Stelle, der Funker verlor den halben Fuß, und die Ladung wurde abgeworfen.

Zeitweilig kehrte die Hälfte der Wellingtons von ihren Missionen nicht heim, weil ihr selbstdichtende Treibstofftanks fehlten, so daß sie augenblicklich in Flammen standen. Die Besatzungen solch älterer Maschinen flogen ungefähr in ihrem Sarg. Zur Zerstörung Berlins, der >Big City<, wurden noch einmal die schweren Sterlings und Halifaxe beordert, welche die für diese Stadt nötige Tonnage befördern konnten. Dementsprechend niedrig rumpelte die Halifax dahin, ohne einen Fluchtweg in die Höhe, wenn der Jäger zupackte.

In den Monaten der Berlinschlacht feilte die Jägerwaffe an ihrer neuen Taktik, der >wilden Sau< und der >zahmen Sau<. Die Jagdflieger dünkte Kammhubers Radarkunst alleweil eine ihnen wesensfremde schwarze Magie. Die Jagd ist ein Sport und der Jäger in seinem einmotorigen Vogel ein mit ihm verwachsener Einzelkämpfer. Den Bombentransporteuren, die in gepanzerten Kolonnen ihre feste Bahn zum festen Platz ziehen, die ihre Angst niederzwingen, standhalten, sich darbringen, setzt der Jäger das Können des Fechters gegenüber, Auge, Gewandtheit, Witz. Die Mühe des Bombers, das Ziel zu finden, beschwert ihn nicht. Er kennt es. Er braucht nicht einmal den Gegner zu suchen, weil er weiß, wohin dieser muß. Im Prinzip kann man ihn über dem Ziel erwarten.

Kammhuber hatte die Jägerverteidigung aus den Städten gezogen, weil die Flak nicht zwischen Freund und Feind trennt. Die Methode der >wilden Sau< teilt wieder einmal das Himmelsgewölbe in Etagen. Die untere Etage bestreicht die Flak, weil sie sowieso nicht höher reicht. Oberhalb von fünftausend Metern schweift der Jäger. Er hat mit den Flakkommandeuren die Sphären nach Zeit und Ort geschieden. Entweder drückt die Flak den Bomber hoch in die Jagd oder die Jagd ihn hinab in die Flak.

Im oberen Luftkampfraum genießt der Jäger einen natürlichen Vorteil, ist aber in der Minderzahl. Es ist kein Duell. Kurvend, tauchend, vom Scheinwerferlicht geblendet, findet er sich eingekeilt von Bombern neben und über ihm. Im Lauf der Monate wird aus der Schlacht ein Schlachten. Bei der Eröffnung der Berlinkampagne am 23. August 1943 stehen 149 gefallenen Bomberpiloten drei gefallene Jäger gegenüber. Im gesamten August verzeichnen die Deutschen zweihundertneunzig Jagdabschüsse. Ein halbes Jahr später müssen sie knapp ebenso viele Verluste hinnehmen, ohne sie ersetzen zu können. Die Jagdflieger wissen im Sommer 1943, wie die Stadt, über der sie antreten, eine Stunde später am Boden aussieht. Sie stemmen sich gegen Schwadrone, die aus Orten, deren Namen schon Glockenklang sind, Aachen, Münster, Nürnberg, Scheiterhaufen machen. Die Luftwaffe hat die ›wilde Sau‹ einer Schar von Problemexistenzen anvertraut: soziale Nieten, Disziplinarfälle, ältere Haudegen, Leute, die nichts zu verlieren haben und über der Stadt ihr letztes Gefecht liefern. Die Taktik ›zahme Sau‹ hingegen säumt die Anflugroute und den Heimweg. Die Jäger begleiten geschmeidig den Bomberstrom, fädeln sich ein, überholen ihr Opfer, kurven ein, rasen ihm frontal entgegen, schießen in der Sekundenspanne vor dem Zusammenprall und ziehen steil hoch. Spätestens mit dieser seit Januar 1944 lauernden Gefahr ist der Bomber bis auf den kurzen Moment des Abwurfs nicht mit Bombardieren, sondern mit seinem Überleben befaßt.

Bomber Command erlegte seinen Crews eine Serie von dreißig Missionen auf. Im Jahr 1943 standen die Chancen, sie heil zu beenden, eins zu sechs, im November schafften es zwanzig Prozent. Rechnerisch bedeutet eine Verlustrate von 3,3 Prozent bei dreißig Einsätzen eine Überlebenschance von Null. So wurden aus den Mannschaften Fatalisten. Man schaffte es, oder man schaffte es nicht. Dazu konnte man beitragen in der Hauptsache durch Wachbleiben, Verbindung miteinander halten, um in urplötzlich aufkommenden Gefechtslagen schnell zu reagieren. Aber ebenso hilfreich waren Talismane oder gemeinsames Urinieren gegen das Heckrad vor Abflug und bei Rückkehr, zum Dank für eine weitere Frist unter der Sonne.

Den knabenhaft dreinschauenden Aspiranten, die aus Abenteuerlust und weil es hieß, daß Bomber Command den Krieg gewinne, an ihre dreißig Touren gingen, grub sich alsbald ein ungläubiges Entsetzen in die Züge. Zum Abflug schritten hundert schweigende Männer mit zusammengepreßten Lippen, man konnte die Tour nicht hinwerfen, ohne Schwächling zu sein und die Kameraden im Stich zu lassen. Den unmittelbaren Tod vor Augen, kam kein Sinn auf für den mittelbaren Tod im Bombenschacht. Der Abwurf schürte kein Unbehagen. Den Auftrag umschloß eine Handvoll eiserner Devisen. Die Deutschen hatten in London, Birmingham, Sheffield als erste Zivilisten getötet; sie quälten die Einwohner der von ihnen besetzten Gebiete, die Bomben ersparten den Blutzoll einer Bodenoperation und verkürzten den Krieg.

Bei der Einweisung vor dem Abflug vermied man irritierende Worte. Ein Teilnehmer des Essenangriffs vom 25./26. Juli 1943 berichtete Jahre später: »Zu diesem Zeitpunkt wußten wir nicht, daß wir Zivilisten als solche bombardierten, weil uns immer ein Punktziel wie Werften, eine Gummifabrik oder eine Eisenbahnanlage gegeben wurde. Doch bei dieser Gelegenheit besagte die Einweisung, daß wir die Häuser der Arbeiter oder Wohnquartiere bombardieren sollten, und dies bewirkte eine Art von persönlichem Schock.«

Die Piloten und Navigatoren, die ein Vierteljahr zuvor bereits in ihr Logbuch eingetragen hatten, daß sie das brennende Essen zurückgelassen hätten als »einen riesigen überkochenden Topf«, dessen Glut noch aus zweihundertzwanzig Kilometer Entfernung wie ein roter Sonnenuntergang ausgesehen habe, wußten auch ohne Einweisung, was ihre Waffe am Boden ausrichtete. Nur war der Blick zurück nicht von der Erleichterung zu trennen, den viertausend schweren Flakkanonen entronnen zu sein, die Essen umgaben, welches im Gedächtnis haften blieb als die bestverteidigte Stadt überhaupt.

Manchmal stieg Unmut auf. Der 76., in Yorkshire stationierten Schwadron mißbehagte die Mission nach Wuppertal, weil Tausende von Evakuierten getroffen würden, die aus bombardierten Ruhrstädten dorthin geflohen seien. Solche Einwände wurden stets mit Hinweisen auf die militärischen Ziele beschwichtigt. Und in der Tat gab es in der Wuppertaler Textilindustrie auch zwei Werke, die Fallschirmmaterial herstellten. Der Navigator, der während einer Einweisung bemerkte: »Women and children first again«, wurde überhört, aber vernommen.

Nach ihrer Mission kehrten die Bombermannschaften zu ihren Heimatbasen zurück, in beschauliche Garnisonsstädtchen und Dörfer mit warmherzigen, den Fliegern wohlgesinnten Menschen. Ausgerechnet die Landung stellte noch einmal eine Klippe dar, die vielen zum Verhängnis wurde. Überwältigt von Müdigkeit und der erlittenen Angst, mit leeren Benzintanks, in Nebel und überfülltem Luftraum ereilte viele, nach allem Graus, bei einer schlichten Bruchlandung der Tod.

Die Grübeleien über das Geschehen überfielen nachts die Schlafsuchenden. Der Streß der Schlacht war gewichen, der Zusammenhalt der Crew bei der Mission für kurze Zeit unterbrochen, die Navigatoren, die Bombenschützen lösten sich in junge Burschen auf, die überlegten, wie es Kilometer unterhalb ihres Kampfplatzes jetzt aussah. Die Zielphotos wurden sogleich nach Ankunft ausgewertet, damit die Mannschaften, die gar nichts von dem mitbekamen, was sie erkämpften, von ihren Errungenschaften eine Vorstellung erhielten. Diese füllte sich nachts mit Empfindungen.

Die Bombermannschaften hegten Untersuchungen zufolge zu drei Vierteln keinerlei Haß gegen die deutsche Zivilbevölkerung, jedenfalls nicht mehr, als sich in den leeren Bierflaschen ausdrückte, die sie zum Zeichen der Mißachtung mit den Bomben hinabwarfen. Die fünfhundert in der Nacht vom 25. auf den 26. Juli zerfetzten und verbrannten Essener waren auch keineswegs zu abstrakt, um sie sich vorzustellen. Es war die sechste Essenoperation seit März, und die Berichte sind voll von den Brandwolken, die sechstausend Meter hinaufreichten, und dem Brandpanorama, welches das eindrucksvollste je gesehene war. Der Pathfinder, der rückblickend immer an die verbrannten Frauen, Kinder und Krankenhäuser gedacht haben will, fragt zutreffend: »Wem gegenüber hätten wir Zweifel äußern können? Hätten wir das für moralisch falsch gehalten, hätten wir das unseren Schwadronführern sagen sollen und ablehnen mitzumachen? Was wäre das Ergebnis gewesen? Kriegsgericht?«

Die Rechtsüberlegungen verlaufen im Konjunktiv und enden im Absurden. Das Kriegsgericht bestraft das Rechtsgewissen. Eine völlig akzeptable Hemmung hingegen machte der Masterbomber des Dresdenangriffs geltend, als er ein Vierteljahr zuvor den Angriff auf Freiburg leiten sollte. Er hatte an der Universität Freiburg studiert, und viele seiner Freunde wohnten um das Münster herum, das als Orientierung des Bombardements gewählt war. Das zu tun lehnte er ab, wie jedermann verstand. In Dresden war er nie gewesen, bedauerte die Zerstörung einer so schönen Stadt, führte sie aber aus, mangels persönlicher Gründe, sie nicht auszuführen.

Strategie

»Some are curable and others killable«

WINSTON CHURCHILL

Der Angriff auf die Zivilquartiere sollte den Krieg schneller been-
den; weil die Durchhaltemoral angepeilt war, hieß die Strategie
›moral bombing‹. Zivilisten sind keine militärischen Ziele; produ-
zieren sie militärischen Bedarf, wohnen sie nahe der Produktion,
verhält es sich anders. Im industrialisierten Krieg ist alle Industrie
mittelbare Kriegsindustrie; wer in dem Umkreis arbeitet und lebt,
ist Kriegsteilnehmer. Er produziert die Kampfeswaffen und den
Kampfeswillen. Das strategische Bombardement begreift den Sitz
dieser Kraftquellen als vorgelagertes Gefechtsfeld. Es ist eine Flä-
che und ein Aufenthalt. Zwischen 1940 und 1943 formt sich die
Absicht, aus der Luft Vernichtungsräume auf den Boden zu setzen,
worin Mittel und Moral der Kriegsfortsetzung nicht mehr entste-
hen. Das erweist sich als Illusion. Deutschland muß letztlich in sie-
benmonatiger Kampagne meterweise am Boden überwunden wer-
den. Zur taktischen Unterstützung des blutigen Feldzugs fällt in
dem Zeitabschnitt die weit größte Bombenmasse auf die weiteste
Fläche mit dem höchsten Menschenverlust.

Die Luftmannschaften kamen zu weit höheren Quoten ums Leben als die Angegriffenen. Von 125 000 Besatzungsangehörigen Bomber Commands fielen 55 000 oder vierundvierzig Prozent. Die Zahl der von ihnen Getöteten ist ungewiß; Angaben variieren zwischen 420 000 und 570 000; legt man den Mittelwert zugrunde, fielen von der städtischen Bevölkerung 1,5 Prozent. Ein Vergleich ist allerdings unsinnig, weil die Crews im Gefecht mit militärischen Gegnern starben, den Jägern und der Flak. Die Truppe trat an, freiwillig oder gezogen, wie es Kriegsbrauch ist. Die Ortseinwohner kämpften um ihr Überleben, aber bekämpften niemanden, waren dazu weder willens noch gerüstet, und es existierte bis dahin auch kein Kriegsbrauch, der sie einer Waffengewalt aussetzte.

Den Einsatz dieser zuvor ungebräuchlichen Waffe hat eine kleine Anzahl von Männern entschieden, jedoch nicht im Verborgenen. Die im Zweiten Weltkrieg eingesetzten Mittel wurden auf jeder Seite von Volk, Parlament und Streitkräften getragen. Alle hielten das Getane für richtig. Weder die deutsche noch die britische, noch die amerikanische Zivilbevölkerung hat den gezielten Angriff auf gegnerisches Zivil mißbilligt. Ein solches Verfahren war von aller Welt erwartet und der Selbstschutz ausgiebig trainiert worden. Keller und Gasmaske, Alarm, Verdunkelung und Feuerlöschen kannten Abermillionen Europäer als die Techniken des Ernstfalles. In der Unterhaltungsliteratur und der Militärdoktrin war er detailliert dargelegt. Deshalb erstaunt weniger, daß die zwanzig Jahre vor ihrem Ausbruch eingeübte Hölle sich schließlich öffnete, sondern wie viele Schwierigkeiten des Materials sich dem widersetzten. Das hatte man sich um vieles einfacher vorgestellt.

Die zwei ersten, von der deutschen Luftwaffe angegriffenen

Metropolen, Warschau am 25. September 1939 und Rotterdam am 14. Mai 1940, mobilisierten auf Anhieb jene Kraft, die sich so bitter an der deutschen Seite rächen sollte, das Feuer. Der Bericht des Luftflottenkommandos 4 liest sich wie eine Einweisung für Bomber Command: Die Sprengbombe ist die Wegbereiterin der Brandbombe. Sie zwingt die Bevölkerung in die Keller, während über ihren Köpfen die Häuser brennen. Werden sie nicht herausgeholt, ereilt sie der Erstickungstod. »Moralische Widerstandskraft durch die unmittelbar erlebten Eindrücke völlig gebrochen.« Die Wasserversorgung mit dem ersten Schlag eliminieren! »Brandbomben nicht tropfenweise, sondern in Massen«, so daß eine große Zahl von Ausgangsbränden entsteht, denen die Abwehr nicht mehr gewachsen ist.

In Rotterdam schlossen die Feuer sich binnen vier Tagen zu einem Flächenbrandgebiet zusammen. Die winkelige, holzgesättigte Altstadtstruktur hatte sich ohne eine einzige Brandbombe durch Explosionen entzündet und wirkte nunmehr selbsttätig wie eine fortgesetzte Feuerbrücke. Erschrocken und überrumpelt, wagte die Bevölkerung nicht einzugreifen, die Feuerwehrkräfte wiederum zählten zuwenig Mann und Mittel.

Die Luftstrategen lernten aus den zwei Fällen die Brandeigenschaften von Wohnungsquartieren kennen, aber nicht den Bombenkrieg. Beide Städte waren im Zuge von Bodenoperationen terrorisiert worden, um die Kapitulation eines bereits niedergekämpften Gegners zu erzwingen. Früher hätte man sie eingeschlossen und mit Artillerie zerhämmert, wie Moltke 1870 Paris. Das strategische Bombardement ist etwas völlig anderes, es will aus der Luft den ganzen Krieg gewinnen.

An der Schwelle des Konzepts steht Winston Churchill. Als seinerzeitiger Rüstungsminister hatte er für 1919 einen Tausendbomberangriff auf Berlin vorgesehen. Wenn 1918 die deutsche Westfront gehalten hätte, wäre dort eine neue, die kriegsentscheidende Front eröffnet worden. Dies schrieb er 1925, offenbar erleichtert, daß sie nicht notwendig geworden war. »Die Schlacht von 1919 wurde nicht geschlagen, aber ihre Ideen lebten weiter.« Die Idee habe schlechterdings in der Bereitschaft bestanden, die Zivilisation zu Staub zu zerstampfen. »Zum ersten Mal bietet sich einer Gruppe gesitteter Menschen die Möglichkeit, die andere Gruppe zu vollständiger Hilflosigkeit zu verdammen.« Hilflosigkeit meint das schutzlos der Bombe Preisgegebensein. »Vielleicht wird es sich das nächste Mal darum handeln, Frauen und Kinder und die Zivilbevölkerung überhaupt zu töten.« Die im Ersten Weltkrieg dazu unternommenen Versuche zeigten keineswegs die Möglichkeit, sondern die Unmöglichkeit, etwas Ähnliches zu erreichen. Deutsche Zeppeline hatten am 19. Januar 1915 an der Küste von Norfolk dort, wo sie Lichteransammlungen wahrnahmen, Sprengstoffe abgeworfen. Dabei töteten sie zwei Männer, zwei Frauen und verletzten sechzehn weitere Personen. Im Verlauf des Jahres kehrten sie neunzehnmal wieder und töteten insgesamt 498 Zivilisten und 58 Militärs. London wurde das erste Mal in der Nacht zum 31. Mai getroffen und verzeichnete sieben Todesopfer. 1917/18 setzten zweimotorige ›Gothas‹ und viermotorige ›Riesen‹ die Angriffe fort und erzielten 836 Tote sowie 1994 Verletzte. Die Hälfte der bei Tageslicht gestarteten Maschinen hatte London nicht gefunden, jede fünfte der angekommenen wurde abgeschossen. Die britische Vergeltung hatte es 1918 auf 746 deutsche Tote und 1843 Verletzte gebracht. All das blieb im Bruchteilbereich der jährlichen Verkehrsopfer. Weit harmloser noch waren Churchills Ergebnisse, als er in der Nacht zum 26. August 1940 seinen langgehegten Berlinplan verwirklichte.

Weil er keine tausend Bomber besaß, schickte er fünfzig ›Hampdens‹ und ›Wellingtons‹. Sie stießen auf starken Gegenwind, verbrauchten mehr Benzin als vorgesehen, so stürzten drei Maschinen ab, drei weitere fielen beim Rückflug in die Nordsee. Damit waren zehn Prozent des Expeditionskorps verloren. Die Deutschen büßten eine hölzerne Laube ein, die in dem Vorort Rosenthal zu Bruch ging, dazu zwei Leichtverletzte. Churchill persönlich hatte die Operation als schweren Angriff bei Bomber Command bestellt.

Der Anlaß war eine Bagatelle, die im Tagebuch von Churchills Privatsekretär Colville zwei Zeilen beansprucht. »Montag, 26. August. London wurde Sonnabendnacht von einem einzelnen deutschen Flugzeug bombardiert.« Später stellte sich heraus, daß es zwölf Verirrte waren, die den Anweisungen Hitlers und Görings zuwider ein paar Bomben auf Docks abluden und dabei nur »ganz geringen Schaden« anrichteten. So meldete es die *Times* am Montag. »Zur Vergeltung«, notiert Colville, »haben wir 89 Maschinen nach Berlin geschickt.« In dem Vermerk Bomber Commands heißt es zu dem telefonischen Auftrag Churchills: »Er verlangte, daß wir vollständig vorbereitet seien, und hoffte, daß wir angemessene Mittel in der Tasche hätten. Er war der Meinung, daß es nicht richtig sei, diese Aufgabe mit geringen Kräften anzugehen, und war gegen die Verabreichung von Nadelstichen.«

Cyrill Newall, der Stabschef der R.A.F., hatte eine solche Operation nicht im Programm, zumal das Wetter sich schlecht eignete. Es war ohnehin ein Angriff vorbereitet, auf Leipzig. Newall befahl, es dabei zu belassen, mit der Maßgabe, »das wahllose Bombardieren der Zivilbevölkerung« zu meiden. Arthur Harris, der Vizechef Bomber Commands, bewegte indes Newall, dem Wunsch des Premiers zu entsprechen. Es liege die einzigartige Möglichkeit zur Vergeltung vor, die so schnell nicht wiederkehre. Neunhundert Kilometer entfernt, in Berlin, wurde sie kaum wahrgenommen.

»Feindliche Flugzeuge über Berlin«, heißt es in Goebbels' Tagebuch. »Einige Stunden Luftalarm. Wir beobachten die große Flakkanonade. Ein majestätisches Schauspiel.« Ansonsten macht er sich in dieser Montagnacht Gedanken um die amerikanischen Präsidentschaftswahlen im November. »Amerika schwankt zwischen Resignation und kriegerischer Intervention. Ist Roosevelt erst einmal wiedergewählt, dann werden die USA bestimmt in den Krieg eintreten.« Das Wichtigere ist einstweilen aber das Wetter. »Vielleicht wird es jetzt doch endgültig besser und gibt unserer Luftwaffe die so heißersehnte Gelegenheit zum Großangriff.«

Es ist die Zeit der Entscheidungsschlacht. Frankreich hat am 22. Juni kapituliert, England mußte vom Kontinent fliehen, seine Heeresrüstung an den Kanalhäfen zurücklassen, nur die waffenlose Truppe konnte noch evakuiert werden. Doch Churchill lehnt Frieden mit Hitler ab, seine letzten Waffen sind die Flotten, die zur See und die der Luft. Die Deutschen beschließen, auf der Insel zu landen, und bombardieren dazu die Küstenverteidigung,

Häfen, Flugplätze, Fliegerhorste. Daran kann nur Fighter Command sie hindern, die britische Jagdwaffe. Sie kann, wie Churchill ihr zuruft, den Krieg nicht gewinnen, aber sie kann ihn verlieren. Würde sie vom Angreifer verschlissen, bliebe der Marine nur noch die Flucht auf die Meere. England läge wehrlos. Die Deutschen, die landen wollten, ohne Landungsfahrzeuge zu besitzen, könnten mit der Fähre übersetzen. Für den Fall schwört Churchill, die britischen Strände mit Senfgas aufzuweichen.

Im Verlauf der Augustschlacht nahm die Luftwaffe den Briten nahezu doppelt so viele Maschinen ab, wie sie selbst verlor, wußte aber die erbitterte Gegenwehr nicht zu brechen. Die Verluste trafen beide Seiten in der Substanz, zehrten allerdings bei den Briten den einzigen Schutz auf, der ihnen geblieben war. An diesem Scheitelpunkt des Krieges fällt der Beschluß, den Strategischen Luftkrieg zu eröffnen, die Neuzeit liefert sich einem unüberschaubaren, nicht zu beherrschenden Verhängnis aus. Es gewinnt weiter Fahrt, niemand weiß es einzuholen und zu bändigen. Die Wende im Sommer 1940 suchte nicht eine Streitmacht gegen die andere, sondern gegen ein Zivilquartier, eine Stadt. Im Unterschied zu Warschau und Rotterdam war dies keine Maßnahme im Krieg, sondern der Hebel zum Sieg, die Strategie. Sie stand längst auf dem Papier, aber das war alles. Die strategische Waffe war eine Vorstellung, keiner besaß sie. Auf das Papier folgte der politische Entschluß, nur das dazu taugliche Mittel brauchte noch Jahre.

Auf den ersten vollindustrialisierten Krieg, den von 1914 bis 1918, setzte ein allgemeines Nachdenken über die militärische Zukunft ein. Das Gemetzel an der belgisch-französischen Westfront sollte sich nicht wiederholen. Die Frontkämpfer waren jahrgangsweise verblutet an der Kapazität beider Seiten, im Hinterland grenzenlose Mengen an Maschinengewehren, Artilleriegeschützen und -geschossen zu fertigen. Militärische Stärke beruhte nicht länger auf militärischen Fähigkeiten von Offizier und Mann, sondern auf der Kraft der Industrie, ihnen bessere und zahlreichere Waffen anzuliefern. Erst recht der Zukunftskrieg würde sich nicht am Kriegsschauplatz entscheiden, sondern weit dahinter, in der Produktionsschlacht und den Behausungen der

Produzenten. Air-Marshall Hugh Trenchard, der Vater der Royal Air Force, hatte das 1928 unübertrefflich dargelegt: »Streitkräfte anzugreifen bedeutet, den Gegner an seiner stärksten Stelle anzugreifen. Andererseits läßt sich mit einem Angriff auf die Quellen, die diese Streitkräfte versorgen, eine unendlich größere Wirkung erzielen. Greift man einen Tag lang die Flugplätze des Feindes an, könnten vielleicht fünfzig Flugzeuge zerstört werden, während ein moderner Industriestaat aber hundert pro Tag produziert. Die Produktion übertrifft bei weitem jegliche Zerstörung, die wir vielleicht in der vorderen Kampfzone erzielen können. Durch einen Angriff auf die gegnerischen Fabriken hingegen läßt sich die Produktion in wesentlich größerem Maß verringern.«

Ist die militärische Produktion erst militärisches Ziel, ist bald alle Produktion militärisch. Was geht in das Flugzeug ein, was gar nicht in der Flugzeugfabrik fabriziert wird: Walzblech, Kugellager, Gummi, Schmieröl, Anzeigeninstrumente und in all dies Facharbeit. Kurz das, was eine Stadt beherbergt und wozu sie existiert. Trenchard hat, um die Wirksamkeit seiner Waffe nicht gleich wieder zu halbieren, ihre Ziele umfassend definiert, nämlich »alle Objekte, die wirksam zur Zerstörung der gegnerischen Mittel des Angriffs beitragen und seine Entschlossenheit zum Kampf verringern«.

Widerstandsmittel und Kampfentschlossenheit zu zerstören heißt, den Krieg im Vorfeld zu gewinnen. Das Instrument, in das Vorfeld unwiderstehlich einzudringen, ist der Bomber. Bomber, Stadt und Krieg sind seither unzertrennlich. Kriegführen heißt vornehmlich Städte bombardieren. Das besagt die sogenannte Trenchard-Doktrin, der Daseinsgrund der Royal Air Force.

Das Doktrinäre an der Doktrin war ihre stillschweigende Voraussetzung, die Premier Baldwin, ein Pazifist, in den erschrockenen Satz faßte, »Der Bomber kommt durch«, der des Gegners. Diese einprägsamste Parole des Dreißiger-Jahre-Appeasement nahm die Luftkriegsstrategen beim Wort, und Militaristen wie Antimilitaristen trafen sich im selben Irrtum. Denn alles, was durchwill, trifft seit jeher auf etwas, das aufhält.

Als Bomber Command den Strategischen Luftkrieg eröffnen

sollte, stellte sich als erstes heraus, daß es keineswegs durchkam. Darum wurde der Strategische Luftkrieg nicht eröffnet von seinem Doktrinär und Propheten, sondern von demjenigen, der am leichtesten durchkam, Görings Luftwaffe. Ohne Doktrin, ohne Strategie noch Plan, einzig aus dem Grunde, daß sie an einem Ort stand, der es ihr erlaubte, die französische Kanalküste. Von dort aus hub im September ein Bombardement der Städte Süd- und Mittelenglands an, das bis zum März 1941 30 000 Personen tötete. Eine Schwelle der Neuzeit ward überschritten, hinter die bisher kein Weg zurückführte. Es hat mit der politischen Mechanik, die diesen Schritt auslöste, eine eigentümliche Bewandtnis.

Als Goebbels am 26. August, dem Morgen nach Churchills gescheiterter Vergeltung, die Stimmungslage prüfte, fand er »ganz Berlin in Aufruhr«, denn man hatte vier Stunden Luftalarm durchgemacht. Zum Glück außer »zwei Brandbomben« fast kein Schaden. »Dafür aber 1500 Bomben auf England!« Es koche eine »kolossale Wut auf die Engländer«. Da die Deutschen solchen Störangriffen mit geringschätzigem Phlegma begegneten, sind die Wutanfälle im Partei- und Regierungspersonal ausgebrochen, und zwar künstlich. Denn Goebbels selbst ist hochzufrieden, »nun ist Berlin auch mitten im Kriegsgeschehen, und das ist gut so«. Churchill, ebenso stark an der Berliner Front interessiert, drängt Stabschef Newall zum zweiten Versuch. Jetzt, wo die britische Hauptstadt angegriffen werde – es ging nach wie vor um die zwölf Versprengten von Sonnabendnacht – »will ich, daß Sie sie hart treffen. Und Berlin ist der Ort, um sie zu treffen.«

In der Nacht zum Donnerstag wird der Görlitzer Bahnhof in Berlin-Kreuzberg getroffen, und zehn Personen sterben. Zwei Nächte später erreichen einige Maschinen die Siemensstadt. Goebbels notiert kopfschüttelnd, daß niemand sich veranlaßt sah, in den Luftschutzkeller zu gehen, wie vom Führer angeordnet. Hitler war ebenfalls nicht im Keller, aber »will in der Zeit, da Berlin bombardiert wird, auch selbst hier sein. Er ist richtig geladen.« Zwischen Sonnabend und Dienstag fällt ein Entschluß. »Der Luftkrieg wird vielleicht Ende dieser Woche in sein verschärftes Stadium eintreten. Dann geht es auf London los.« Weil davon auszugehen ist, daß Churchill antwortet, »sind in der Reichskanzlei schon die kostbaren Gemälde in Sicherheit gebracht worden. Ich glaube nicht, daß die Engländer das lange aushalten.« Am Donnerstag, dem 5. September, ist noch nichts geschehen. »Der Führer legt sich im Augenblick noch Reserve auf. Wie lange noch?« Das Volk rechnet mit dem Sieg im Herbst. »Dauert der Krieg den Winter über an, dann werden wir Amerikas Kriegseintritt fast todsicher erleben. Roosevelt ist ein Judenknecht.« An dem Tag redet Hitler im Sportpalast vom Bombenkrieg. Er währe nun ein Vierteljahr, und zwar des Nachts, weil kein Engländer im Hellen über den Kanal gelange. Die Bomben fielen wahllos und planlos auf zivile Wohnviertel, auf Bahnhöfe und Dörfer. Wo ein Licht leuchte, werde eine Bombe abgeworfen. Man habe dies eingesteckt, in der Hoffnung, daß dieser Unfug aufhöre. Das sei als Schwäche mißverstanden worden. Jetzt werde Nacht für Nacht die Antwort erteilt. »Und wenn die britische Luftwaffe zwei- oder drei- oder viertausend Kilogramm Bomben wirft, dann werfen wir jetzt in einer Nacht 150000, 180000, 230000, 300000, 400000, eine Million Kilogramm. Wenn sie erklären, sie werden unsere Städte in großem Ausmaß angreifen – wir werden ihre Städte ausradieren. Wir werden diesen Nachtpiraten das Handwerk legen, so wahr uns Gott helfe. Es wird die Stunde kommen, da einer von uns beiden bricht, und das wird nicht das nationalsozialistische Deutschland sein.«

Das Zerbrechen der Durchhaltemoral durch Städteausradieren atmet die blanke Trenchard-Doktrin. Die deutschen Luftstreitkräfte waren auf eine solche Strategie gar nicht zugeschnitten, sie waren eine taktische Waffe zur Bodenunterstützung, brachen den motorisierten Heeresverbänden Bahn und hielten den Landkrieg beweglich. Einen strategischen Bomber, der die Fläche der Insel abdeckte, gepanzert und bewaffnet, haben sie nie besessen. Nur weil man von den kanalnahen Flugplätzen startete, langte der Arm bis zur Gegenküste, gedeckt durch Jagdmaschinen. Vom Reichsgebiet aus hätte Hitler kaum eine Stadt erreicht. So wie die Würfel aber gefallen waren, stand ihm eine Offensivwaffe zu Gebote, die auf beschränkte Distanz Trenchards Traum realisieren konnte. Niemand sonst war dazu imstande; es ließ sich machen, darum wurde es gemacht.

Eine Tausendflugzeugflotte, dreihundert Bomber begleitet von Jägern, brauste in zwei Etagen von vier- und sechstausend Metern Höhe im engen Verbund Richtung London. Von Calais aus brauchte man kaum Zeit. Es war der Nachmittag des 7. September, als Ziele hatte Göring die Docks sowie die Innenstadt ausgegeben. ›Loge‹ hieß das Codewort, wie der Feuergott in Wagners *Rheingold*. Das Bombardement verschob sich und kam im engbesiedelten Ostbezirk nieder. Dreihundert Zivilisten starben, und 1300 Schwerverletzte blieben zurück. Großbrände erhellten die Nacht, als die Flotte zurückkehrte und noch einmal bis zum Morgengrauen bombte. Die britische Regierung vermeinte die Invasion nahen und ließ die Kirchenglocken läuten. Tatsächlich aber rückte die Invasion in der dichten Angriffsfolge der nächsten Tage immer weiter in die Kulissen zurück. Hitler gewann Geschmack an seinem Luftkrieg und erzählte Raeder, dem Marinechef, das sei Strategie. Womöglich komme man ohne Schiffe aus und suche die Entscheidung nun aus der Luft.

Wie der deutsche Militärattaché aus Washington kabelte, beurteilte man im dortigen Kriegsministerium die britischen Chancen düster. Der Zusammenbruch zeichne sich ab. Die Moral sei arg lädiert, die Bombenwirkung in London gleiche einem Erdbeben. Ebendas hatte Göring vor Angriffsbeginn bezweifelt. »Glauben Sie«, hatte er Jeschonnek gefragt, seinen Stabschef, »daß Deutschland aufgeben würde, wenn Berlin in Ruinen liegt?« Jeschonnek glaubte etwas anderes, daß die britische Moral weit brüchiger sei als die deutsche. »Da irren Sie sich aber«, entgegnete Göring, den erst die fabelhaften Anfangsergebnisse überzeugten, daß England bis Ende September kapitulationsreif wäre. Hitler war unschlüssig. Als Goebbels ihn im Kreise seiner Generäle anspricht, »ob England kapituliere?« – er selbst sagt vorlaut ›ja‹, »die Militärs teilen meinen Standpunkt; das hält eine Achtmillionenstadt nicht lange aus« –, bleibt Hitler einsilbig. Der Führer kann sich noch nicht entscheiden.

Am Tag danach stellen sich auch Goebbels naheliegende Fragen. Die Briten fliegen weiter ins Reich. »Hauptangriffsziel ist und bleibt Berlin. Und für uns London. Daraus bestimmt sich vorläufig die militärische Lage.« Sie ist gerade zwei Wochen alt und britischerseits eigentlich paradox:»Uns anzugreifen an einer Stelle, wo sie selbst so außerordentlich verwundbar sind!« Berlin in sicherer Ferne, London geradezu in Sichtnähe. Dafür muß ein Grund bestehen.

Die Luftschlacht Fighter Command gegen Jägerwaffe verlief wackelig genug, wozu brauchte Churchill eine zweite Front in den Hauptstädten? Goebbels in seiner Naivität antwortet:»Die Engländer machen Fehler über Fehler.« Deutschland hingegen frohlockt. Die Blätter titeln:»London brennt an allen Ecken«,»Tod und Verderben in London«,»Vergeltungsangriffe auf London bei Tag und Nacht fortgesetzt«. Goebbels notiert:»Londoner Kreise erklären, die Stadt werde nun zum Höhlendasein zurückkehren.« Die Stadt erlebe»nach und nach ein Karthagoschicksal«. Arm und reich schlügen sich um den Luftschutzraum in den U-Bahnhöfen:»Entsetzte Schreie in der Weltöffentlichkeit. Aber das hilft nun nichts mehr.«

Vom 9. September an griffen nun in 57 Nächten jeweils rund hundertsechzig Bomber London an und oft zur Tagzeit obendrein. Am 15. September büßten die Deutschen ein Viertel der eingesetzten Bomber ein, am 27. September schossen zwanzig R.A.F.-Jäger 47 Maschinen ab. Göring wies im Oktober Jägerpiloten an, auf Jagdbomber umzuschulen, die den Scheinwerfern und Flakgeschützen in größere Höhen auswichen. Mangels ausreichender Traglast und Präzision minderte dies allerdings die Bombenwirkung. Am 14. November ließ Göring Plymouth, Portsmouth und Southampton an der Küste und die Städte weiter nördlich bis nach Liverpool hin anfliegen. Den schlimmsten Schaden erlitt Coventry.»Da ist eine Stadt wirklich ausradiert worden«, schrieb Goebbels.»Es ist nur noch eine Ruine.«

Von 328 000 Einwohnern starben 568, dies entspricht in etwa der Relation von Dortmund, das von 537 000 Einwohnern am 5. Mai 1943 693 unter den Bomben verlor. Die Zahl sollte sich bis Kriegsende verzehnfachen, hat aber so und so keine Gedächtnisspur hinterlassen. Coventry war 1940 indes ein Fanal.»Dieser Fall erregt in der ganzen Welt ungeheures Aufsehen«, bemerkt Goebbels,»in USA ist man sehr bestürzt.« In der deutschen Bevölkerung wird das Geschehen nüchterner begutachtet. Man studiert die Photographien, die der *Völkische Beobachter* von zerstörten Straßenzügen und Gebäuden druckt, und vermerkt, wie wenig der Krieg einem bisher zugemutet hat. Die Vernichtungsbilanzen und Wehklagen der Presse werden als Propaganda behandelt. »Die lügen und wir auch.« Das Los von Warschau und Rotterdam liefert den Maßstab, und Zweifel bestehen, ob London damit vergleichbar sei.

»Die Volksgenossen sind erstaunt«, schreiben Stimmungsforscher der SS, »wie stark England im Nehmen ist.« Nirgends ernsthafte Zusammenbruchserscheinungen! Man begutachtet die Bilder der Massenquartiere in den U-Bahn-Tunneln, die Wohnungsschäden und rätselt über die eigenen Nehmerqualitäten. Das Zivil wird in die Härteprobe geschickt werden, das gilt für ausgemacht. Im Oktober zählt die Luftwaffe 1733 seit Kampfbeginn im Juli verlorene Flugzeuge, die R.A.F. 915. Ende Dezember wird die Schlacht ergebnislos abgebrochen mit 23 000 Ziviltoten, davon 14 000 in London.

Eine vorsätzliche Bombardierung ziviler Ziele ist den Luftwaffenakten nicht zu entnehmen. Es wurden Flugplätze, Flugzeugwerke, Docks, Hafenanlagen, Werften zerstört. Den Begriff des Zivilmassakers hat auch Bomber Command später nicht verwandt. Die politischen Führungen allerdings wußten, daß ihre Waffe Produktion und Produzenten, Industrie und Stadt, Industrie und Industriearbeiterkind nicht unterschied. Hitler und Göring faßten die Schlacht um England als Feuerprobe einer Nation auf; wie Hugh Trenchard vorgeschlagen und alle Welt es als Zukunftskrieg erwartet hatte. Doch obwohl ein Mordplan und ein Mord zueinander passen, sind sie keineswegs dasselbe.

Hitler hatte weder zu einem Krieg noch zu einem Bombardement Englands einen vorgefaßten Plan. Er reagierte in der ihm eigenen Weise auf Konstellationen. Die Tötung der 23 000 Briten bis Ende 1940 resultierte aus dem festgefahrenen Angriff auf die britische Jagdwaffe. Damit war auch die Invasion geplatzt, denn diese Luftgefechte sollten rasch die Bodenoperation vorbereiten. Infolgedessen musterte Hitler, da Friedensangebote nichts fruchteten, seine Rüstung und verfiel auf den Bomber, denn etwas anderes war nicht vorhanden. Doch zauderte er aus richtigem Instinkt. Wenn der Bomber versagte, war sein Handlungsrahmen erschöpft.

Eine Deutung der gleichen Lage aus britischer Warte bietet Air-Marshall Saundby, Vizechef des Bomber Command: Die Offensive gegen die Maschinen und die Bodenorganisation Fighter Commands sei miserabel für die R.A.F. gelaufen. Ende August stand man am Rande des Desasters. Die Maschinenverluste übertrafen erheblich die Neuproduktion, und man befürchtete, daß die Jägerreserven in drei weiteren Wochen solchen Verschleißkriegs erschöpft sein könnten.»Unter diesen Umständen entschied sich der Premierminister dazu, eine riskante Karte auszuspielen (›to play a bold card‹). In der Nacht des 25. August fiel eine Anzahl deutscher Bomben auf London, die ersten seit 1918, und die Regierung befahl zur Vergeltung einen schweren Berlinangriff. In der Nacht zum 26. August führten einundachtzig Maschinen Bomber Commands einen erfolgreichen Angriff auf die deutsche Hauptstadt durch, obwohl die Nacht kaum lang genug dazu war, in Dunkelheit hin- und zurückzufliegen. Das Oberkommando der Wehrmacht reagierte heftig und verlegte innerhalb von einigen Tagen den Angriffsschwerpunkt auf London und weitere Städte. Der Druck auf die Flugplätze Fighter Commands, der das britische Verteidigungssystem gefährdete, ließ nach. Wenngleich dies bedeutete, daß die Zivilbevölkerung zu leiden hatte, war es der Wendepunkt der Schlacht und verbesserte erheblich die britischen Chancen auf den Sieg.« In ähnlichem Sinne äußerte sich auch Captain Liddell Hart, seinerzeit der geachtetste Militärdenker des Landes. Das Zivil habe durch sein Martyrium die halbzerbrochenen Streitkräfte gerettet.

Das Blut der menschlichen Schutzschilde befleckte selbstverständlich denjenigen, der es vergoß, Görings Luftwaffe. Zu Ruhm gelangten die Nehmerqualitäten der Londoner, die Churchill nicht verjagten, sondern neben ihm durchhielten ohne irgendeine faßbare Siegesaussicht. Hitler stand am Kanal, war mit Rußland verbündet, und in Amerika befürworteten 7,7 Prozent der Bürger einen Kriegseintritt, über fünfmal so viele waren dagegen. Immerhin existierte eine Zwischengruppe von neunzehn Prozent, die einschreiten wollte, wenn die europäischen Demokratien nicht standhielten. Diese Fraktion war Churchills letzte Karte, sie mußte Roosevelts Wiederwahl am 5. November sichern. Der Präsident gewährte den Briten bereits Hilfe. Zur Intervention aber bedurfte es mindestens eines Stimmungswechsels.

Churchill hatte in den Tagen seiner kuriosen Berlinangriffe der letzten Augustwoche alle seine wahrhaft scharfe Munition der *Duchess of Richmond* auf den Weg gegeben, dem Dampfer, der Henry Tizard nach Washington trug. Mit ihm alle Geheimnisse und Patente, die binnen dreißig Monaten die schauerlichste Waffe schufen, die bisher je auf Menschen gerichtet wurde, die Flotte der Combined Strategic Bomber Offensive. Roosevelt erhielt als Vorschuß auf künftige Allianz die Radartechnik, die MG-Kanzeln für die B17, den Rolls-Royce-Merlin-Motor sowie die Grundlagenforschung der Physiker Peierls und Frisch. Sie hatten die kritische Masse errechnet, die mittels Spaltung des Urankerns eine Detonation bewirkte, deren Wucht ebenfalls berechnet und sehr überzeugungskräftig war. Tizard hatte sich in Belgisch-Kongo bereits um die Katanga-Minen gekümmert, die den weltgrößten Uranvorrat bargen. Die noch nicht hergestellten, doch geistig geschaffenen Waffen würden das Fegefeuer entfesseln, worin das Reich des Bösen verglühte und sich läuterte in einem.

»Ein gewaltiges Feuer in seinem eigenen Hinterhof«, schwor Churchill im Juni 1940, werde Hitlers Kontinentalreich in den Rückzug nach innen schicken. »Wir werden Deutschland zu einer Wüste machen, ja zu einer Wüste.« Alles das versicherte er den Damen bei Tisch, bevor Air-Marshall Dowding kam, Oberster Befehlshaber Fighter Commands, und ihn in die Gegenwart brachte. Die Deutschen müßten irgendeinen Leitstrahl haben, der ihre Flugzeuge zum Ziel führe.

Mit einer »Bombenübermacht«, befähigt »zu Großangriffen gegen die Deutschen«, rechnete Churchill nicht vor 1942. Bis dahin fehlte England jede Perspektive, und es war verurteilt zusammenzustehen und einzustecken. »Im letzten Krieg haben wir uns aber auch immer wieder gefragt, wie wir nun siegen könnten, und plötzlich und unerwartet haben wir den Sieg in der Tasche gehabt.« Weil er nichts Rechtes machen konnte, überlegte Churchill, ob Hitler vielleicht etwas Falsches machen könnte, »eine Invasion wagen, sich nach Osten wenden«. Im Grunde standen beide Staaten am toten Punkt, hätten den Krieg lassen sollen, warteten aber statt dessen darauf, daß der andere einen Fehler machte.

Es war ein Fehler, daß die Deutschen nach Rußland zogen, weil sie England nicht in die Knie bomben konnten, daß sie Englands Städte zerbombten, weil sie seine Jäger nicht klein bekamen, und daß sie die Jäger angriffen, weil ihr Friedensultimatum abgewiesen wurde. Hat Churchill, wie Saundby bezeugt, Hitler eine Falle gestellt und in den Bombenkrieg gelotst? Mag sein, aber darauf kommt es weniger an. Entscheidend ist, daß Deutschlands Bomberoffensive fehlschlug, indem sie die Briten zur trotzigen Schicksalsgemeinschaft verschmolz, die Bühne der Martern eröffnete, die Amerika unaufhaltsam in den Krieg sog, und daß nun die Tötungshemmung schwand. Die Ehre des Kriegers verblich, die einmal gebot, die Schutzlosen zu schützen, statt sie zu massakrieren.

Die erste Nation, an der die losgelassene Kriegsfurie der Lüfte gründlich, konsequent und bis zur Verwüstung erprobt wurde, ist die deutsche gewesen. Vermutlich wäre alles sowieso passiert. Der Bombenkrieg ist die Konsequenz des Industriezeitalters und Deutschlands Ruin die Konsequenz Hitlers. Andererseits geschieht nichts sowieso und alles in Form und Verlauf. Zwangsläufigkeiten sind Fiktionen. Im Sommer 1940 wird vieles fiktiv durchgespielt, was wäre wenn? Die Luftwaffe rätselt, ob es sie weiterbrächte, Englands Städte in Schutt zu legen, und die R.A.F.-Stäbe schlußfolgern, es bliebe eigentlich gar nichts übrig, als mit der einzig verbliebenen Offensivwaffe »die Moral eines Großteils der feindlichen Bevölkerung zu unterminieren, ihren Glauben an das Naziregime zu erschüttern und gleichzeitig mit den gleichen Bomben den Großteil der Schwerindustrie zu beseitigen und ein Stück von ihrer Ölproduktion«. Churchill teilte dies seinem Rüstungsminister Beaverbrook mit sowie den Damen beim Lunch: Es gebe gegen Hitler kein sicheres Mittel außer einem.

Man habe keine Armee auf dem Kontinent, die deutsche Militärmacht zu brechen. Wenn Hitler sich nach Osten kehre, könne man ihn dabei nicht aufhalten. »Aber es gibt eine Sache, die ihn zurückholt und niederwirft, und das ist ein absolut verwüstender Ausrottungsangriff (>exterminating attack<) durch sehr schwere Bomber von diesem Land hier gegen die Nazi-Heimat.« Das alles waren Redensarten. Von einem diesem Plan ungefähr entsprechenden Schlag war England noch drei Jahre entfernt. Die Luftwaffe sollte im Frühjahr 1941 noch weitere 18 000 Briten umbringen, ehe sie sich nach Rußland wandte. Nicht, daß es den Briten am blutigen Willen gefehlt hätte; er war mittellos. Das britische Kabinett hatte nach Churchills Amtsantritt am 11. Mai 1940 den Grundsatz des Zivilschutzes aufgehoben, die erste bombardierte deutsche Stadt war Mönchengladbach, wo fünfunddreißig Hampdens und Whitley-Bomber in der Nacht zum 12. Mai Straßen und Schienenwege bombardierten. Dabei kamen vier Zivilisten um, darunter eine dort ansässige Engländerin. Solange der Westfeldzug währte, zielte man punktuell auf Nachschubverbindungen und Fabrikanlagen, hatte aber intern klargestellt, daß Bomben auch innerhalb einer Zielfläche fallen durften. Als in der Nacht zum 16. Mai sechs Bomben auf Münster regneten, war weder eine dortige Fabrik noch die Stadt überhaupt avisiert. Zur Antwort auf Rotterdam hatte man zum ersten Mal den Rhein überquert, suchte nach sechzehn Einzelzielen zwischen Köln und Dortmund und warf schließlich überall ab, wo ein Licht auf das Vorhandensein einer Siedlung wies.

Des langen Anflugs wegen wurde der Schutz der Dunkelheit bevorzugt. Um nicht aufgelauert zu werden, wählten die Piloten individuelle Routen und erschienen in kleiner Zahl. In Mondphasen ließen sich gewisse Bodenkonturen wahrnehmen, bei Bewölkung hieß es hinabsteigen. In beiden Fällen konnte ein Punktziel erst in langwierigem Kreisen ausgemacht werden. Bis dahin hatte sich die Flak postiert und begann ihrerseits zu zielen. Eine Nachtjagdverteidigung kam mühselig und spärlich zusammen. Im Unterschied zu England lagen die rüstungsrelevanten Orte weit im Raum verstreut. Sie waren umständlich zu finden und an Ort und Stelle nur umständlich mit breitgefächerten, also dünnen Kräften zu schützen. Beide Waffen, die angreifende wie die abwehrende, taugten nicht im mindesten zu einer kriegsentscheidenden Kampagne. Zu nächtlichem Operieren verfügte Bomber Command über weniger als zweihundert Maschinen. Damit ihre Bombenlast nicht bei verfehlter Suche nach Ölraffinerien, Werften und Stahlwerken im offenem Geländer verfranste, konzentrierten sich die Einsätze ab Ende 1940 auf ein Stadtziel zumindest. So fanden denn am 17. November, drei Nächte nach Coventry, 60 von 130 abgesandten Maschinen Hamburg, entzündeten sechs Feuer, töteten zwei Personen und hinterließen 786 Obdachlose. In die Zukunft wies allein eine 134-Bomber-Expedition nach Mannheim, das bisher umfänglichste Unternehmen am 16. Dezember 1940, Codename ›Abigail Rachel‹.

Die Stadt besaß weder Industrie- noch Militäranlagen von Interesse, war pure Siedlung, deswegen schwach geschützt und als Versuchsgebiet geeignet. Dazu trug auch ihre Übersichtlichkeit bei, die berühmte quadratische Anlage. Rechtwinklig sich kreuzende Straßen, rechteckige Häuserblocks, die wiederum Quadrate einschlossen, praktisch zum Studium von Explosionsdruckwellen. An Brandstiftung war noch nicht gedacht. Das Ziel war die Innenstadt, der Befehl hieß, sie niederzulegen.

Die Eröffnungswelle von acht Wellingtons, geflogen von erfahrenem Personal, hatte ausschließlich Brandstoffe geladen. Anders als später sollten sie nur die Beleuchtung setzen, die den nachfolgenden Wellen das Sprenggebiet anzeigte. Trotz wolkenklarer Vollmondnacht verfehlten die Feuer das Zentrum, darum streuten die Explosionen in seitliche Wohnviertel, wo zwanzig Personen starben. Zu Angriffsbeginn wurde zwar der Hauptwasserstrang getroffen, doch brachen nur eine Handvoll Brände aus, darunter in dem Schmuck der Stadt, dem ehemals kurfürstlichen Schloß, 1720 begonnen, 1760 vollendet. Nach Versailler Vorbild errichtet, war es drittgrößtes Schloß im Lande, von außen und innen ein europäisches Kunstwerk.

Der an den Rittersaal grenzende westliche Mittelbau geriet in Brand. Das Feuer griff nach den kostbaren Stuckdecken des Trabantensaals und der angrenzenden Säle. Löschdienste waren zur

Stelle, nur richteten sie nichts aus. Ein plötzlicher Frost ließ das Wasser gefrieren, das in dicken Zapfen von Decken und Wänden hing. Zwei Tage währte der Brand des Dachstuhls, der, auch dank des Erscheinens der Darmstädter Feuerwehr, das Gebäude nicht verzehrte. Es hatte noch eine Frist. Am 17. April 1943 verbrannte der Westflügel mit Schloßkirche, im September ruinierten zwei Angriffe, jeder mit über sechshundert Maschinen, den Ostflügel. Von der Pracht der Räume zeugte bis zum Sommer 1944 nur noch die Kabinettsbibliothek der Kurfürstin. In der Anfangszeit erschien Bomber Command am 10. Mai 1941 wieder über Mannheim, nun mit 300 Spreng- und 6000 Brandbomben an Bord. Es erzielte 67 Tote, demolierte 24 Häuser, im dritten Anflug im August zerstörte ein Volltreffer das städtische Krankenhaus.

Im ersten Halbjahr 1941 nahm sich Bomber Command zwei klassische Rüstungsziele vor, Deutschlands Ölversorgung und seinen Schiffsbau. Dem nächtlichen Irrlichtern auf vier-, fünfstündiger Suche nach einer Abwurfstelle setzte das Luftfahrtministerium ein Ende. Es benannte neun Städte, in denen Braunkohle verflüssigt wurde, darunter Leuna, Gelsenkirchen und Magdeburg. Nach sicheren Berechnungen der wissenschaftlichen Stäbe bliebe die Kriegsmaschine des Reiches stehen, wenn achtzig Prozent der Binnenherstellung synthetischen Öls zerstört würde.

In der Nacht zum 15. Februar machten sich vierundvierzig Wellingtons auf den Weg nach Gelsenkirchen, um dort die Nordsternraffinerie ausfindig zu machen. Fünfunddreißig davon entdeckten nichts, neun meinten etwas gesehen und auch getroffen zu haben, ein Nachweis dafür existierte nicht. In Sterkrade verlor man in der folgenden Nacht zwei Maschinen, ohne den Holtenwerken etwas anzutun, in Homberg bombten vierzig Maschinen, weil die Suchscheinwerfer das Vorhandensein von Werken anzeigten, allerdings blendete das Licht und störte die Präzision des Abwurfs.

Im Bomber Command gewann man den Eindruck, daß Punktziele nur an den neun Tagen im Monat erreichbar seien, die Mondlicht bieten. Dazu müsse noch wolkenloser Himmel sein, nur zog er sich meist zu und ließ damit die Öl-Offensive scheitern. Nach entfernten Orten wie Magdeburg und Leuna brauchte man gar nicht erst aufzubrechen, und so gewöhnte man sich daran, nach Düsseldorf oder Köln zu fliegen, weil sie am nächsten lagen. Mal brannte ein dörflicher Vorort, ein andermal dreizehn Warenhäuser und zwei Rheindampfer. Damit endete die Öl-Offensive, die der U-Boot-Offensive wich.

Der britische Handelsverkehr auf dem Nordatlantik litt Anfang 1941 empfindlich unter den von norwegischen Basen operierenden deutschen U-Boot-Rudeln. Sie unter Wasser zu torpedieren war ebenso aussichtslos, wie ihre Werften aus der Luft zu zertrümmern. Deshalb befahl Churchill, beides zu versuchen, damit irgend etwas daraus resultiere. Neue Städte wurden dem Bomber Command angegeben, darunter Hamburg, Kiel, Bremen.

In Hamburg gelang es in zwei aufeinanderfolgenden Märznächten, der Blohm & Voss Werft ihre Geschäfts- und Verwaltungsräume durcheinanderzubringen, ein Holzlager und zwei auf Dock liegende U-Boote wurden ebenfalls beschädigt. Dem zweiten Schlag am 14. März fielen einundfünfzig Menschen zum Opfer, die bisherige Höchstzahl. In den zwei Nächten zum 8. und 9. April wurde mit 213 Toten in Kiel die Grenze weiter versetzt, zum ersten Mal in elf Monaten konnte Bomber Command einen Erfolg reklamieren.

Der erste Angriff währte volle fünf Stunden, beschädigte die Germania-Werft, welche die Nachtschicht heimschicken mußte und für einige Tage lahm lag. Umfassender wirkte der zweite Schlag, der mehr in den Innenstadtbereich streute, dort eine Bank, ein Museum, eine Ingenieurhochschule und die Gaswerke traf, vor allem achttausend Personen obdachlos machte und Scharen von Einwohnern erschrocken die Stadt fliehen ließ, viele davon zu Fuß. Das kam den Prognosen Trenchards schon näher. Zwar hatten die deutschen Londonangriffe sie überhaupt nicht erhärtet, aber dafür fand sich ein überzeugender Grund. Die Nervenstärke und der Humor des britischen Menschenschlags war mit der deutschen Wehleidigkeit nicht vergleichbar. Die Deutschen seien Gefangene in ihren Bunkern, schrieb der greise Trenchard im Mai 1941 an Luftstabschef Portal, »es gibt kein Scherzen in ihren Unterständen wie bei uns, kein Band, das Luftschutz und Militär vereint. Der Deutsche verbleibt passiv und ist eine leichte Beute für

Hysterie und Panik.« Auf dieser Schwachpunkt müsse man Mal um Mal einschlagen.

Die Öl- und die U-Boot-Operation hatten bewiesen, daß unter günstigen Umständen kriegswirtschaftliche Ziele angreifbar waren. Nur trat zutage, daß die Deutschen die Industrieverluste hervorragend verkraften konnten. Daran sollte sich bis Mitte 1944 nicht viel ändern. Die Schäden wuchsen ins Unermeßliche, doch ebenso die Gabe des Gegners, sie wieder auszugleichen. Ihm stand das Arbeitskräftereservoir Europas von Calais bis Kiew zu Gebote. Er konnte plündern, schinden, verschleppen, korrumpieren, organisieren, mobilisieren, kurzum, er wußte sich immer zu helfen. Selbstverständlich zehrten die Wirtschaftsverluste an seiner Kampfkraft. Das haben Verluste im Kriege so an sich.

Anders als die 1914–1918 gesammelten Erkenntnisse nahelegten, war die Kriegswirtschaft keineswegs Deutschlands Achillesferse. Die Erinnerung an 1918 aber bewahrte noch etwas anderes: die Meuterei, die Unlust, für eine ungeliebte Sache in einem fort zu sterben, den Sturz des Regimes. Am 9. Juli 1941, die Wehrmacht marschierte die dritte Woche durch Rußland, erhielt Bomber Command eine dritte Sparte von Militärzielen genannt, das Transportsystem. Der Nachschub an Kriegsmaterial mußte blokkiert werden, der zumal aus dem Ruhrgebiet ostwärts rollte. Die Ruhr war zu isolieren. Eine Kette der Zerstörung würde die Linie Hamm, Osnabrück, Soest, Schwerte, Köln, Duisburg, Düsseldorf lahmlegen. Der kurzen Mittsommernächte wegen blieb ohnehin nichts anderes übrig als der nahe Westen und, für die mondlose Nacht, die Stadtgebiete am Ufer des immer erkennbaren Rheins.

Die Direktive vom 9. Juli enthielt einen Und-Satz, der die Demontage der Verkehrswege ergänzt um noch eine Aufgabe: »… und die Moral der Zivilbevölkerung insgesamt zu zerstören, sowie die der Industriearbeiter im besonderen.« Damit war der Begriff in die Praxis eingeführt, mit dem der Krieg aus der Luft seine Gestalt annahm, ›moral bombing‹.

Wenn man so will, besteht auch die Moral aus Luft. Die Bombe unternimmt nichts gegen den Menschen, sondern gegen seine verkehrten Ansichten. Sie ist ein Gesellschaftschirurg, der krankhaftes Denken operiert. Sowie der Patient gesunde Anschauungen kundgibt, ist er von dem Operateur erlöst. Churchill hat diesen Beruf im April 1941 pointiert beschrieben:»Es gibt knapp 70 Millionen bösartige Hunnen, die einen sind heilbar und die anderen zum Schlachten (›some of whom are curable and others killable‹).« Vorausgeschickt sei, daß die fraglichen Hunnen zur selben Zeit in London Tausende Wehrloser abschlachteten. Davon abgesehen, spricht Churchill zur Sache. Denn erst die Zweisamkeit von Heilen und Schlachten macht begreiflich, wie ›moral bombing‹ verfährt:

Zunächst kann eine Bombe gar keine Moral zerstören. Sie zerstört Materie, Stein, Gestell, Körper. Ist der Körper zerstört, enthält er auch keine Moral mehr, allenfalls heilt die Moral des einen durch das Abschlachten des anderen. Letzteres währt, bis ersteres eintritt. Damit hat der eine das Schicksal des anderen in seiner Hand. Der Schlächter läßt ihm die Wahl. Welche Moral gilt, bestimmt der Herr des Verfahrens. Noch hatten die Briten keineswegs den Eindruck, es zu beherrschen, im Gegenteil.

Zur Zeit der Öl-Offensive, von Februar bis März 1941, büßten sie bei ihren Nachtflügen 26 Maschinen ein – zwischen Juli und November, der Zeit der Transportoffensive, hingegen 414 mit Besatzungen. Das bedeutete mindestens alle acht Monate den ganzen Bestand Bomber Commands zu ersetzen. Verluste sind so lange zu ertragen, wie sie einen Ertrag zeitigen. Bomber Command hingegen fügte sich tiefere Wunden zu als dem Feind.

Im August lag Regierung und Parlament ein Untersuchungsbericht vor, der Butt-Report, welcher anhand von Luftaufnahmen resümierte, daß bei idealem Wetter ein Drittel aller eingesetzten Maschinen ihr Ziel treffe. ›Ziel‹ bedeutete ein Gebiet im Umkreis von acht Kilometern um einen Punkt. Im Ruhrgebiet, der Hauptoperationszone, betrug die Trefferquote bei schlechtem Wetter zehn bis fünfzehn Prozent. In mondlosen Wochen konnten Treffer nur auf Zufall beruhen. Die Waffe war stumpf bis zur Untauglichkeit, die als einzige dem Gegner noch Schläge verabreichen konnte. Man hätte sie verschrotten können, um alsdann entblößt von jeder Wehr dazustehen. Das verbot sich. Infolgedessen blieb nur, den vernichtenden Butt-Report einmal konstruktiv zu lesen.

Bomber Command traf durchaus sein Ziel, wenn als Ziel ausgegeben wurde, was Bomber Command treffen konnte. Ein Acht-Kilometer-Kreis ist ein unnötig enges Areal. Eine Großstadt dehnt sich sehr viel weiter. Sie ist so groß, daß man mit den verfügbaren Mitteln gar nicht alle Gebäude und Bewohner in ihr treffen kann. Eine Werft muß im Prinzip zu Asche werden, sonst ist sie in höchstens zehn Tagen repariert. Solche irreale Treffgenauigkeit ist bei einer Stadt weder vonnöten noch gewünscht. Um sie total zu verwüsten, sind so hohe Aufwendungen und, da sie verteidigt ist, Verluste vonnöten, daß auch daran die Kräfte versagen. Man könnte und sollte vielleicht einen Teil vernichten, daraus zieht der andere Teil von selbst die Konsequenzen. Nach den britischen Verfügungskräften und der Doktrin war die Stadt die Bühne des ›moral bombing‹.

Am 29. September 1941 unterbreitete Portal, der als Denker renommierte Stabschef der Air Force, Churchill ein von allem Früheren abweichendes Programm. Sein Ziel war nicht länger die Hydrieranlage vom Februar und das Bahngleis vom Juli, sondern der letzte Treibstoff, der all das in Bewegung hielt, überall anzutreffen und darum zu treffen, wo immer man in Siedlungsbereichen Munition abwarf. Der Air-Force-Stab habe ausgerechnet, daß mit 4000 Bombern und einem Abwurf von monatlich 60 000 Bomben, dem Zehnfachen des Bisherigen, 43 deutsche Städte mit je über 100 000 Einwohnern zerstört werden könnten. Darin wohnten fünfzehn Millionen Zivilisten. Dadurch sei Deutschland binnen sechs Monaten in die Knie zu zwingen, allein durch »Auslöschung des Widerstandswillens der Deutschen«.

Churchill, der wiederholt eine Offensive dieser Dimension vorgeschlagen hatte, antwortete zögernd. Er schätzte Portal und wußte, daß man den also umrissenen Weg einschlagen würde, war aber zu alt und hatte schon zu viele todsichere Ideen schaurig mißlingen sehen, zumal seine eigenen, um alles darauf anzulegen, daß irgend etwas sicher funktionierte. Der gegnerische Widerstandswillen, schrieb er, sei nach den bisherigen Erfahrungen mit Bomben ebensowenig zu zerrütten wie die Produktion. Die Briten jedenfalls seien dadurch nur inspiriert und gehärtet worden. Man gewinne keine Kriege mit einem einzigen Mittel, und erst recht nicht mit Zahlenkunststücken.

Diese Skepsis erstreckt sich durch die gesamte Bomberoffensive. Man hat eine Waffe, die wie eine Keule schlägt, aber letztlich nicht trifft, läßt sie indes fortfahren und stockt sie auf, damit man nicht gar nichts tut. Portals Viertausendbomberflotte hieß, den Bestand zu vervierfachen; statt dessen riet Churchill, dessen Wirksamkeit anzuheben und im weiteren die Teilnahme der Amerikaner abzuwarten. Aus welch näherem Anlaß sie vom anderen Kontinent eine Expedition schickten, die deutsche Städte verwüstete, sorgte ihn nicht, ein jeder war recht. Die Hilfsmittel dazu hatten sie bereits vor einem Jahr in Empfang genommen, und man setzt am ehesten die Waffe ein, die man besitzt. Bomber Command etwa hielt eine stille Reserve von Mitteln bereit, teils einsatzfertig, teils halbfertig, die auf einen strategischen Entschluß warteten, wie ihn der Schreck des Butt-Reports nunmehr erzwang: Bomber, die hohe Tonnagen schnell und weit befördern konnten, Radarnavigation, die an Städte heranführte, eine Palette von Abwurfmunition, die einen flächig sich ausbreitenden Schaden erzeugte, Zielmarkierungen, die eine Zone konzentrierter Vernichtung in die Finsternis einzeichneten. Eine solche Einzeichnung hatte man 1941 nicht benötigt. Ein Punktziel muß man sichten, ob dann die Bombe oder zuvor der Markierer fällt, bleibt sich gleich. Der Markierer liniert Zonen, die ein Bombenteppich mit den Destruktivstoffen füllt.

Der Bombenwerfer, ob er ein Ziel peilt oder nicht, produziert eine Schadstelle. Grundsätzlich liefert er einen Schuß ab wie eine Kanone, nur vertikal; ob er blind schießt oder gezielt, bleibt sich gleich. Der Punkt, wo die Kanonenkugel aufprallt, ist irgendein Ziel. Es wird getroffen, hier absichtlich, dort unabsichtlich. Mit der Arbeitsteilung zwischen Pathfinder und Bomber ändert sich die Regel. Die Grammatik von Schuß und Ziel wird unbeachtlich. Der Pathfinder weist keinen Punkt, sondern umrandet einen Raum. Was in dem Raum sich befindet, wird nicht getroffen, sondern soll nicht sein und kommt von der Welt. Vernichtung ist die Verräumlichung des Todes. Das Opfer stirbt nicht seinen Tod, denn es hat keinen. Es befindet sich in einem Abschnitt, wo das Leben aufhört.

Mit der Wende 1941/42 besitzt Bomber Command auf Anhieb

nicht bloß den Willen, sondern den Grundzug der Techniken, einen Vernichtungsraum herzustellen. Das ist der Sektor einer Stadt. Die Kriegshandlung besteht darin, den Sektor in den Vernichtungszustand zu bringen. Es gelingt ganz, gar nicht oder teilweise. Wie alles im Krieg, liegt dies an einer Vielzahl von Faktoren sowie am Verhängnis. Jene kann man beeinflussen, dieses tritt ein. Bomber Command studierte sein Metier auf dem Zug von Stadt zu Stadt. Auf dem Weg von Lübeck nach Hamburg erwarb es ein Können, den Vernichtungsprozeß in Gang zu setzen, soweit er vorauszuberechnen war. Zwischen Hamburg und Darmstadt baute man auf günstige Umstände, daß die Berechnungen das Fanal hervorbrächten. Zwischen Darmstadt und Dresden erlernte man, das Fanal zu organisieren.

Im Oktober 1940, umgeben von den Feuersbrünsten Londons, hatten Churchill und Portal die Möglichkeit durchdacht, durch »maximum use of fire« Bevölkerungszentren zu zerstören. Portals Septembervorlage an Churchill war, abzüglich der Vergrößerungswünsche, vom 14. Februar 1942 an britische Strategie. In der ›Area Bombing Directive‹ des Luftfahrtministeriums an Bomber Command werden ihm die dichtestbebauten Stadtgebiete als Angriffsobjekte zugewiesen: »Es ist entschieden, daß das Hauptziel Ihrer Operation jetzt auf die Moral der gegnerischen Zivilbevölkerung gerichtet sein sollte, insbesondere die der Industriearbeiterschaft.« Weil er den Politikwechsel offenbar kristallklar formuliert wissen wollte, gab Portal dem Ministerium noch zu den Akten: »Es ist klar, daß die Zielpunkte die Siedlungsgebiete sein sollen und beispielsweise nicht Werften oder Luftfahrtindustrien. Dies muß ganz klargemacht werden ...«

Nicht ganz klargemacht wurde, wie in der Dichte der Siedlung der Angriff auf die Moral vonstatten gehen sollte. Die Erledigung dieser nicht unbedeutsamen Frage wurde Arthur Harris anvertraut, dem am 22. Februar 1942 eingestellten neuen Chef Bomber Commands. Harris schrieb nach dem Krieg, daß seine Vorgesetzten, Portal und Sinclair, ihm die Strategie, die Angriffsorte und die Angriffsmethode vorgegeben hätten. Letztere »sollte erreicht werden durch Brand, und zwar zunächst in den Ruhrstädten und dann in vierzehn anderen Großstädten«.

Harris, der ein starrsinniger und zugleich ganz dem Praktischen zugewandter Mann war, schlug eine Stadt zur Verbrennung vor, die den Erfolg garantierte: Lübeck. Erstens lag es neben dem einprägsamen Küstenprofil der Lübecker Bucht. Zweitens beheimatete es keine kriegswichtige Industrie und war darum schwach verteidigt. Drittens enthielt es einen in Fachwerk gehaltenen Altstadtkern, der leicht brannte. Das waren die Gründe für Lübecks Zerstörung: seine Lage, seine Schwäche und seine Altersschönheit.

Harris wartete den Vollmond ab und schickte in der Nacht zum Palmsonntag 234 Maschinen mit 400 Tonnen Bomben, zwei Drittel davon Brandstoffe. Der Zerstörungssektor, das verwinkelte Viertel der Kaufleute und Schiffer aus der Hansezeit, bot als Stadtinsel, von Trave und Wakenitz umflossen, ein markantes Luftbild. Bei Angriffsbeginn um 22.30 Uhr kamen wenige sichtbare Brände auf, die nur zwanzig Minuten brauchten, um sich an der Traveseite der Insel restlos voranzufressen. Sie wallten durch Lagerhäuser, Kais, Krananlagen und 1500 der historischen, hochgiebeligen Häuser ohne Brandmauern. Zuletzt loderten hundertdreißig Kilometer Straßenfront. Die zerstörten und beschädigten Häuser machten 62 Prozent aller Gebäude aus. Achthunderttausend Quadratmeter Altstadt waren ausgebrannt.

Die Löschkräfte benötigten bis zehn Uhr früh, um das Feuer einzudämmen; der 1173 von Heinrich dem Löwen begonnene Dom war nicht mehr zu retten. Um 10.30 Uhr brach der Helm des Nordturms in der Mitte durch, und um 14.00 Uhr folgte der Südturm. Zwei Glocken stürzten ab, die Pulsglocke von 1745 und die Marienglocke von 1390, und zerstörten ihre Schwester, die große Orgel von Arp Schnitger. Sprengbomben, die nahe dem Chor detonierten, erschütterten den Gewölbebogen, das Chorhaupt fiel in die Tiefe, begrub den hölzernen Hochaltar und den 1310 aufgestellten Levitenstuhl.

Erstmalig war, neben den 25 000 Stabbrandbomben, auch die 250-Pfund-Benzol-Kautschukbombe zu Werke gegangen. Harris hatte Art und Menge der Bomben aus der Analyse des deutschen Coventryangriffs gewonnen. Nun gab es einen zweiten Erfahrungswert, wie eine Stadt, die ihm »mehr wie ein Feueranzünder als eine menschliche Siedlung« erschien, reagierte, wenn sich ein Flammenteppich auf sie senkte. Von 120 000 Einwohnern ließen in der Nacht 320 ihr Leben, dies war die bisher höchste Anzahl in der britischen Offensive.

Der Angriff, von zwei Wellen getragen, hatte zwei Stunden gedauert, auch dies ein staunenswertes Ergebnis. Ein Einsatz von hundert Maschinen hatte noch im Vorjahr als kompliziertes Unternehmen gegolten und vier Stunden Zeit gekostet. Dies läßt dem Feuerlöschdienst eine Frist. Um ihn in der kritischen Phase der Brandlegung zu lähmen, mußte diese sehr kurz und sehr intensiv sein. Eine gewaltige Flotte, die in schneller Folge auf engem Raum eine kolossale Menge Bombenmunition abwirft, legt einen Brand außerhalb jeder Kontrolle.

Als Harris die ›Operation Millennium‹ seinem Stabschef Portal und Churchill zur Genehmigung vorlegte, waren sie höchst angetan. Der Ruhm, den Luftkrieg zu einer so enormen technischen Vollendung zu führen, schien das aberwitzige Risiko wert. Es sollte eine Flotte von tausend Bombern den Himmel bedecken, gesteuert von 6500 britischen Fliegern, mit 1350 Spreng- und 460 000 Brandbomben beladen. Bomber Command, das über rund vierhundert einsatzbereite Maschinen und Crews gebot, mußte für solch eine Zahl alle Reserven mustern, Marineflugzeuge erbitten, ausrangierte Gefährte ölen und die Ausbildungsabteilungen zur Front berufen. Sie flogen mit dem höchsten Risiko. Eine Havarie dieses Unternehmens beendete die ganze Zukunft der Waffe. Entweder kam es zum Triumph oder zum Desaster. Der Alp, der keinen losließ, war die Kollision. Wie navigiert solch ein Schwarm nachts, ohne ineinanderzukrachen? Die Mathematiker von Operational Research rechneten den Fall durch und kamen auf eine Kollisionschance von eins zu tausend. Niemand glaubte das, aber genauso ist es gekommen.

Das Datum bestimmte der Mond – die letzte Aprilwoche 1942. Nun mußte noch die Stadt bestimmt werden, die Wahl fiel auf Hamburg. Es war die zweitgrößte deutsche Stadt und gefiel auch der Admiralität wegen der hundert U-Boote, die dort im Jahr produziert wurden. Am 26. April begann die Vollmondperiode und schlechtes Wetter. Die Wolken hingen dicht, und man wartete drei Tage. Am 30. wurde es Zeit, und der Einsatzbefehl kam: Köln. Es trug von Natur die Markierung in sich, den alten Rhein. Die Bomber flogen von Norden an und folgten dem Strom gegen die Richtung nach Süden. Jede zweite Maschine lenkte der GEE-Strahl. Crews mit besonderem Zielfindungstalent zogen vorneweg als Angriffsführer und setzten Leuchtkörper. Für das Bombardement war die unfaßliche Spanne von neunzig Minuten befohlen; alle fünf Sekunden erschien ein Bomber über der Stadt. Die Überzahl der kleinen, leichten Brandbomben läßt Abertausende von Einzelbränden auch dann keimen, wenn ein Bruchteil nur zündet. Wenn ferner Sprengmunition verhindert, daß jemand löscht, kommt eine flächendeckende Feuersbrunst zustande.

Das ging nicht ganz auf. 12 000 Einzelbrände verschmolzen zu 1700 Großbränden. Allerdings waren die Leitungen intakt geblieben. Hundertfünfzig Feuerwehren aus Düsseldorf, Duisburg, Bonn rasten herbei, wickelten Schläuche von den Hydranten in die Hausflure, Riesenrohre tauchten in den Rhein, saugten Zigtausende Kubikmeter Wasser, Motorspritzen generierten den Druck, um es kilometerweit an die Schadensgebiete zu pumpen. Der Flächenbrand von Lübeck wollte nicht aufkommen. Köln als die modernere Stadt mit breiteren Straßen konnte sich wehren.

Die Flakbatterien mit ihren Suchscheinwerfern fügten dem Angreifer 3,9 Prozent Verlust zu, seine bisher höchste Rate, die er jedoch mit Erleichterung trug. Sie hatte sich gelohnt. Der Tausendbomberangriff war eine enorme waffentechnische Errungenschaft, zeigte er doch die Kapazität der Streitmacht. Nun erst hatte Bomber Command den Zweiflern bewiesen, daß seine Kampagne zu einem eigenen Krieg erwachsen konnte. England würde bald Kriegführender und nicht bloß Kriegsdulder mit beachtlichen Nehmerqualitäten sein. Jetzt habe man die Handschuhe ausgezogen, bemerkte Churchill, und kündigte dem Parlament an, im Laufe dieses Jahres würden alle deutschen Städte, Häfen und Zentren der Kriegsproduktion »einer Feuerprobe unterworfen werden, wie sie kein Land an Unablässigkeit, Strenge oder Umfang bisher erlebt hat«.

Wie soll man das Ergebnis in Worte fassen? Die Bomber Crews meldeten zu Hause, ab der 55. Minute habe man sich gefühlt wie über einem speienden Vulkan. Die NS-Presse raste gegen die »britischen Mordbanden, die gegen Wehrlose Krieg führen«. Das seien Bestien und keine Menschen mehr. Am Morgen, als überall noch beißender Qualm in der gesamten Stadt hing, die Augen rötete und in den Kleidern steckte, seien, wie die selbst schwer getroffene *Kölner Zeitung* schrieb, »die die Nacht überlebten und sich am Morgen die Stadt anschauten, sich bewußt gewesen, daß sie ihr altes Köln niemals wiedersehen würden«. 3300 Gebäude waren zerstört und 9500 beschädigt, kein sehr großer Schaden in einer 772 000-Einwohner-Stadt. Es brauchte denn auch insgesamt 262 Luftangriffe, bis am Ende die Altstadt zu 95 Prozent zerstört war.

Das Gesicht der Stadt mißt allerdings nicht in Prozenten. Es war entstellt durch die Beschädigung des auf die Römerzeit zurückreichenden Straßenzugs der Hohen Straße, die Zerstörung der Ostseite des Alten Marktes mit seinen Bauten aus der Spätrenaissance und den Verlust des Westbaus von St. Maria im Kapitol, auf römischem Schutt im 11. Jahrhundert auf einem Hügel am Rhein errichtet, eines der harmonischsten Bauwerke des Abendlandes. In steinernen Sarkophagen, im Chor der dreischiffigen Basilika eingemauert, ruhten die Gebeine der Elftausend Jungfrauen noch vierunddreißig Monate bis zum 2. März 1945, dem ›Ende von Köln‹. Vier Tage nach diesem 262. Angriff rückte die US-Armee ein.

Der Tausendbomberangriff forderte 480 Tote und 5000 Verletzte, welche sich überwiegend außerhalb der großen Wohnblockkeller aufgehalten hatten, die stabilen Schutz boten. Auch diese Zahlen übertrafen alle der bisherigen Kampagne, die Briten beanspruchten allerdings, 6000 Tote erzielt zu haben. Eine vierstellige Menge paßte besser zur Dimension von ›Millennium‹. Luftfahrtminister Archibald Sinclair gratulierte der Truppe mit dem Versprechen: »Der nächste Höhepunkt wird noch gewaltiger sein.« Churchill ließ dem Bomber Command öffentlich ausrichten, Köln sei die »Vorankündigung dessen, was eine deutsche Stadt nach der anderen von nun an hinnehmen muß«.

Als Rache für Köln warfen die Deutschen in der Nacht zum 1. Juni 1942 hundert Brandbomben in ein weiteres Wahrzeichen der Christenheit, den Bischofssitz Canterbury. Harris wiederholte die Millenniumtechnik Anfang Juni in Essen und Ende des Monats in Bremen, hier mit mäßigem, dort mit miserablem Erfolg. Die Wettereinflüsse, die Kinderkrankheiten der Radarnavigation und die Widersetzlichkeit der Angriffsziele machten jede Operation zum Wagnis. In den drei Tausenderangriffen gingen 777 Mann und ein Viertel des Maschinenbestandes verloren. Das Leben schwer ersetzbarer Fluginstrukteure und -schüler war einstweilen ergebnislos vergeudet. Kein Anzeichen deutete auf ein Debakel der deutschen Moral. Auch sackte die Industrieproduktion nicht in den Keller. Zwei für hocherfolgreich gehaltene Angriffe gegen Düsseldorf, das Hauptquartier der Rüstungskonzerne, änderten nichts daran, daß im zweiten Halbjahr dort die Fabrikation um 1,8 Prozent stieg. Nach der Einwirkung von über eineinhalbtausend Bombentonnen, von elfhundert Maschinen geschleppt, die das erste Mal 10,5 Prozent, das zweite Mal 7,1 Prozent Verluste hinnahmen.

Unterdessen versprach Churchill dem mißmutigen Stalin im August 1942, als die 1. deutsche Panzerarmee den Nordkaukasus erreicht hatte und die 4. Panzerarmee zur Wolga durchstieß, um seine Namensstadt zu belagern, daß er ganz Deutschland belagern werde. England hoffe »nahezu jede Wohnung in fast jeder deutschen Stadt zu zerschlagen«. »Das wäre nicht schlecht«, antwortete Stalin. Churchills wissenschaftlicher Berater, Professor Cherwell, hatte nämlich ausgerechnet, daß man mit 10 000 Bombern 22 Millionen Deutsche obdachlos machen könne. Das heißt, jeder Dritte säße auf der Straße. Dann gäbe es auch keinen Widerstandswillen mehr.

Henry Tizard, der diese irrealen Phantasien zerpflückte, gab seine Ämter zurück, nachdem ihm Defätismus nachgesagt wurde. Lord Cherwell, als Churchills Rasputin hinterrücks belächelt, konnte nur staunen, als die autoritativste Stimme der Air Force, Charles Portal, ihn im November weit übertrumpfte. Es müßten 1943 und 1944 eineinviertel Millionen Bombentonnen abgeworfen werden. Dann lägen sechs Millionen Wohnhäuser mit dementsprechend vielen Industrie- und Verwaltungsgebäuden in Trümmern. »25 Millionen Deutsche bleiben obdachlos zurück,

900 000 werden getötet und eine Million schwer verletzt.« Rohstoffe und Vorräte ließen sich nicht ersetzen, die Bauschäden nicht reparieren, soviel sage die Lebenserfahrung. Schwieriger seien jedoch die Konsequenzen für die Moral einzuschätzen, denn »sie übersteigen bei weitem alles innerhalb von menschlicher Erfahrung«. Doch könne kein Zweifel bestehen, daß sie »profound indeed« seien.

Wie sind all diese Zahlen zu verstehen? Bis zum Herbst 1942, als Portal rechnete, hatte die R.A.F. insgesamt 60 000 Tonnen Bomben abgeworfen. Bei Kriegsende wurden 657 000 Tonnen reklamiert, binnen fünf Jahren. Aus welchen Mitteln Portal eine Eineinviertel-Millionen-Tonnage in zwei Jahren schöpfen und transportieren wollte, läßt sich nicht nachvollziehen. Bomber Command verschlang, so wie es war, ein Drittel aller britischen Kriegsaufwendungen. Vielleicht resultierte der sich überschlagende Vernichtungswille dieses Offiziers von blendender Klugheit und Gestalt aus dem Fiasko seiner Streitmacht.

Im September betrug der Menschenverlust 10,6 Prozent. Die Erwartungen der Crews, ihre dreißig Einsätze zu überstehen, näherte sich gegen Null. Die Waffe der Strategischen Bomberoffensive war in ihrem Prinzip nun geschaffen. Sie funktionierte, wenn auch nicht jede Mission glückte. Ihre Zerstörungskraft wuchs zusehends, Rücksichten, die sie fesselten, waren keine mehr vorhanden. Sie war entfesselt, nur löste die Strategie der Entfesselung ihre Zusagen nicht ein. Sie stellte nur weitergehende Ansprüche. Arthur Harris bekannte: »Mit einem Instrument von nur 600 oder 700 Bombern die größte Industriemacht Europas zum völligen Erliegen zu bringen, daran vermag ich nicht zu glauben. Dreißigtausend Großbomber, und der Krieg ist morgen früh zu Ende.«

Das Verlangen nach dem apokalyptischen Schlag lag stets auf den Lippen, doch so ist die Offensive nicht gelaufen. Die Stadtlandschaft wurde abgetragen, Schicht um Schicht, und die Eigenverluste wurden ausgehalten, unerbittlich. Der Anteil von Harris war die Fortentwicklung der Destruktivität der Waffe in ihrer Tiefe. Die Bomberverluste betrugen 1943 das Fünffache des Bestandes, den Harris 1942 vorfand, doch brachte er es nie auf nur zweitausend einsetzbare Maschinen. Die Tötungsziffer hat sich von 1942 auf 1943 vervierzehnfacht. Sie stieg von 6800 auf 100 000 Zivilisten. Den Sprung in der Tödlichkeit der Waffe bewirkte Bomber Command durch den Fortschritt der Navigationsmittel. Ferne, im Süden und Osten gelegene Städte gerieten in seine Reichweite, vertraute Ballungsräume wurden besser auffindbar. Der viermotorigen Lancaster konnten mehr Bomben aufgeladen werden, die wuchtiger sprengten und intensiver brannten; das war aber nicht die Hauptsache. Harris änderte die Angriffsmethode. Der Bomberstrom und das Pathfindersystem ermöglichten die Verdichtung der Munition in Raum und Zeit. Sie verpuffte nicht mehr in Intervallen und Zwischenräumen. Der Pathfinder ersparte dem Bomber die Suche.

Er kam und warf. Harris hatte in Köln einen Takt von zwölf Bombern in einer Minute angegeben. Das wurde als hohes Risiko angesehen. In der Berlinschlacht im Herbst 1943 setzten in einer dreiviertel Stunde sechzehn Maschinen pro Minute zum Wurf an. Am Abend des 23. November 1943 von 19.58 bis 20.20 Uhr entluden 753 Lancaster, Halifaxe und Sterlings zweieinhalbtausend Bombentonnen im Minutentakt von vierunddreißig Maschinen über den Berliner Bezirken Tiergarten, Charlottenburg und Spandau. Das entspricht einer Maschine in 1,76 Sekunden. Berlin-Charlottenburg ist nicht viel kleiner als etwa Würzburg, das in der Nacht zum 17. März 1945 in siebzehn Minuten von der Welt verschwand. Dies gehörte zu den Abschiedsvorstellungen eines Virtuosen, den Harris 1942 gezüchtet hatte. Er vermochte nun treffsicher mittels elfhundert Tonnen, geworfen im 4,76-Sekunden-Takt, ein Heiligtum des europäischen Barock in Staub und Asche zu legen. Es gab keinen Krieg mehr zu gewinnen, weil er bereits gewonnen war. Es stellte eine Fingerübung dar, wie ein Stadtbild, das 1040 begonnen und siebenhundert Jahre später von Balthasar Neumann vollendet worden war, mittels 300 000 Stabbrandbomben in einer Viertelstunde erledigt ist. Dies verlangt ein Können eigener Art, und Bomber Command war stolz, nach den Stümpereien des Jahres 1941 zu solch einer Perfektion gelangt zu sein.

Der Bomberstrom in seiner Masse gewährleistete den Abwurf

in seiner Kürze. Die Pathfinder schlagen den Rahmen seiner Verdichtung. Das war die 1942 erprobte Methodik, die von 1943 bis 1945 in einen immer rasanteren Wirbel der Zerstörung mündete. Die Innovation des Bomberstroms ermöglichte zunächst den Durchbruch durch die Kammhuberlinie. In der zuvor gewählten, weit aufgelockerten, pulsierenden Einflugweise, mehr ein Einsickern, bot man der Nachtjagd zuviel Flanke. Je enger und tiefer Kammhuber seine ›Himmelbetten‹, Radarspiegel und Scheinwerferriegel spannte, desto schwieriger schlüpften die Eindringlinge durch die Maschen. Sie tasteten sich von Nachtjagdraum zu Nachtjagdraum, und mit jeder Flugstunde wuchs die Wahrscheinlichkeit, aufgegriffen zu werden. Erreichte man die Stadt, um zwei Stunden lang nach Öltanks und Bahnhöfen Ausschau zu halten, gab man sich ebenso lange den Flakrohren preis.

Dem Durchbruch von hundert kastenartigen, mehrstöckigen Formationen in je fünf Kilometer Länge, acht Kilometer Breite und drei Kilometer Tiefe hatte Kammhuber nichts entgegenzustellen. Die Jäger erwischten an den Kanten des Stroms eine Handvoll Bomber, und während sie mit ihnen fochten, rauschte die Hauptflotte durch. Während die hochfliegenden Mosquitos oberhalb der Flakzone den Abwurfsektor lichtumrandeten, schossen die ausklinkenden Bomber in voller Fahrt darüber weg und setzten sich um so kürzer den Granaten aus. Man kann Harris' Methode als Selbstschutz erklären. Man schützte sich vor den Deutschen, und wo der Markierer markiert, das weiß der Wind, der Lichter im Hinabsegeln verweht. Für Vernichtungspolitik gibt es immer andere Erklärungen.

Als die USA, dank Hitlers Kriegserklärung nun auch offiziell in den Feindseligkeiten vertreten, im Januar 1943 mit den Briten ihre Strategie festlegten, bestand sie in einer kombinierten Bomberoffensive beider Luftflotten. Die 8. US-Flotte befand sich bereits ein Vierteljahr auf britischen Basen und sammelte ihre Kräfte. Auf der Konferenz in Casablanca wird mit der Point-Blank-Direktive ein Luftkrieg entworfen, der, abgesehen von einem mit »und« beginnenden Halbsatz, auf einem Dutzend Seiten die Industrien aufzählt, die zu zerschmettern sind: die U-Boot-, die Flugzeug-, die Kugellager-, die Ölversorgungs-, die Gummi- und Reifen- sowie die militärische Transportfahrzeugindustrie. Der ›Und‹-Satz nennt zudem die »Unterminierung der Moral des deutschen Volkes bis zu einem Punkt, an dem seine Fähigkeit, bewaffneten Widerstand zu leisten, tödlich getroffen ist«. Dies steht allerdings unter Punkt 1, »Auftrag«.

Punkt 2, »Operationsziele«, spricht von »insgesamt sechsundsiebzig Präzisionszielen« der oben erwähnten Sparten. Punkt 6, »Die Leistungsfähigkeit der 8. Luftflotte«, spricht ihr die Gabe zu, »aus Höhen bis zehntausend Metern angesichts gegnerischer Flak und Jäger Präzisionsabwürfe gegen ausgewählte Punktziele durchzuführen«. Punkt 5, »Allgemeiner Operationsplan«, nennt einen Radius von dreihundert Metern, innerhalb dessen Treffergenauigkeit zu erreichen sei. Dies beschreibt in etwa die Fähigkeiten des Oboe-Bombenzielgeräts, das indes nur das Ruhrgebiet bis einschließlich Wuppertal abdeckte. Das Ruhrgebiet hatte die Casablancakonferenz als Ziel Nr. 1 verabredet. Während die Amerikaner noch übten, holte Harris im Frühjahr zur Ruhrschlacht aus.

Die Offensive gegen die ›Waffenschmiede des Reiches‹ erfaßte zwischen März und Juli 1943 einundzwanzig Großstädte. Nach dem Angriff auf Essen in der Nacht zum 13. März veröffentlichten die Londoner Blätter fünfspaltige Bilder von der zertrümmerten Krupp-Fabrik. Der Korrespondent der *Dänischen Handels- und Schiffahrtszeitung* kabelte nach Hause, daß fünfzehn riesige Werkhallen zerstört oder schwer beschädigt seien. »Die Verwaltungsgebäude sehen aus wie eine leere Bienenwabe. Die größte Gießerei erinnert an Luftaufnahmen von Pompeji.« Die Kruppsche Fabrik in Essen bedeckte ein Areal von fünfzehn Kilometer Breite und dreißig Kilometer Länge; nicht alles zusammenhängend, doch mit dem in der Point-Blank-Direktive verabredeten Dreihundertmeterradius ließ sich dort vieles zerstören.

Luftaufnahmen zeigten ein Zerstörungsgebiet von 0,6 Quadratkilometern bei Krupp sowie von zwanzig Quadratkilometern Stadt vom Hauptbahnhof nach Altenessen. Krupp wurde von 125 Spreng- und 20 000 Brandbomben getroffen. Einen Volltreffer erhielt die Zünderfabrik, deren Fertigung nach Auschwitz verlagert wurde. Panzerapparatebau 3 wurde ebenfalls zerstört, so daß die

Modelle ›Panther‹ und ›Tiger‹ für zwei Monate verschoben werden mußten. Empfindliche Verzögerungen nahm auch die Kurbelwellenfabrikation hin, die nach Schlesien geschafft wurde. Ein Pompeji mußte die Rüstungswirtschaft hier nicht einstecken, nur einen in der unendlichen Reihe von Nadelstichen. Parallel dazu die unendliche Reihe der Reparaturen. Während die Militärmaschine sich industrialisiert, militarisiert sich die Industrie. Verluste gehören zur Sache. Sie lassen sich zusammenflicken, Bataillone verlagern, Ersatzleute heranschaffen. Die Industrie stellt kein Friedensgelände mehr dar, das über Schäden lamentiert. Schäden zufügen und ausgleichen ist ein wogendes Schlachtgeschehen mit ungewissem Ausgang. Kriege, sagte Marschall Foch, der Sieger von 1918, werden mit Resten gewonnen.

Bomber Command verlor über Essen fünf Prozent, die Crews stellten mit Entsetzen gezielten Flakbeschuß bis zu einer Höhe von 7000 Metern fest. Die Flak lag diesmal mit ihren Abschüssen vor denen der Jäger, deren Focke-Wulf 190 insbesondere den schweren Wellingtons hart zu schaffen machten. Zwei davon stießen in der Luft zusammen, eine andere feuerte 750 Salven auf einen dreimal angreifenden Verfolger, ehe sie entronnen war. Geschwindigkeit war alles in dem Hexenkessel. Niemand denkt dabei an ein Punktziel gemäß Casablanca im Dreihundertmeterrund. So etwas ist pure Phantasie.

Zunächst hatten die Pathfinder gut Maß genommen und einen Zwölfkilometersektor abgesteckt, den die erste Angriffswelle auch sah. Die Nachfolgenden sahen Tausende von Metern unter sich, geblendet von Scheinwerferkegeln, die sie zu fassen suchten, einen qualmenden Glutofen und hielten, wenn sie die Ruhe hatten, da hinein. »Das ganze Duisburger Gebiet«, berichtet ein Lancasterpilot über den Angriff in der Nacht zum 27. April, »scheint von den Brandbomben in Flammen gesetzt zu sein. Die Glut war so intensiv, daß es schwierig war, irgendein Bodendetail wahrzunehmen. Wir ließen unsere Bomben fallen, als der weiße, grelle Feuerschein begann, rot zu werden, und zeigte, daß das Feuer gegriffen hatte.«

Die Präzision von Oboe war eine Herstellerangabe, die im Bombenkrieg keiner las. Mit dem Zielgerät waren einzig die Pathfinder ausgestattet. Sie hörten die Signale im Ohr, wenn der Punkt erreicht war, und ließen Behältnisse mit Lichterkerzen fallen. Bei Klarsicht landeten sie am Boden, bei bedecktem Himmel schaukelten sie an Fallschirmen in den Wolken. Das Punktziel saß gezielt allein in der Casablanca/Point-Blank-Direktive und schonte das Gewissen der Amerikaner. Gemäß Atlantik-Charta vom August 1941 führten sie einen ›Kreuzzug in Europa‹, um unterdrückte Völker zu befreien, aber nicht vom Leben. Die zwei Märzangriffe auf Essen töteten 198 und 470 Personen, letztere entsprach der bisherigen Höchstzahl. In beiden Nächten wurden 343 000 Brandbomben abgeworfen. Eine solche Masse von 1,7 Kilogramm leichten Elektron-Thermitstäben strebt schon materiell kein Punktziel an. Der Brand ist eine anders wirkende Waffe. Wenn Bomber damit beladen werden, ist eine Vernichtungsfläche beabsichtigt.

Luftfahrtminister Sinclair klärte das britische Unterhaus am 31. März über alle Definitionsfragen hinreichend auf: »Die Ziele des Bomberkommandos sind immer militärische Ziele, aber die Bombardierung militärischer Ziele bei Nacht schließt immer die Bombardierung des Gebietes ein, in dem sie liegen.« Harris hielt diese Antwort für gewunden, als habe man Grund, sich zu schämen. Die Regierung beharrte jedoch darauf, es öffentlich abzustreiten, Zivil in Massen zu töten. Andererseits behauptete sie auch nicht, rein militärische Ziele zu zerstören. Sie sagte, daß die Ziele, die sie zerstörte, militärisch seien, wie Vizepremier Clement Attlee, Labour, versicherte: »Wie in diesem Hause wiederholt festgestellt, findet die Bombardierung gegen solche Ziele statt, die vom militärischen Standpunkt aus die wirksamsten sind.«

Vom militärischen Standpunkt aus war es das Wirksamste, eine Stadt zu zerstören, mit dem, was darin lebte, arbeitete und erarbeitet wurde. Die Ruhrschlacht, das Projekt der Dreihundertmeterpräzision von Casablanca, tötete 21 000 Personen. Die Städte, denen Brandlegung widerfuhr, Düsseldorf, Krefeld, Remscheid, Wuppertal, beklagten nun alle über tausend Tote. Von den 14 000 Häusern Remscheids waren nach dem letzten Angriff der Ruhrkampagne in der Nacht zum 31. Juli 11 000 zerstört oder beschädigt. 273 Maschinen hatten diese 95 000-Einwohner-Stadt zu

83 Prozent verwüstet. Die Flakmannschaften, vom Stanniolstreifen lahmgelegt, sahen von außerhalb, wie die Stadt sich von Flammen rötete. Als die Bewohner auf das Entwarnungssignal um 22.45 Uhr aus den Kellern taumelten, erblickten sie ein Ruinenfeld, von dem sich die Vernichtung noch nicht lösen konnte. Die Brandstoffe wollten ihr Werk beenden und hüllten die Stadt in einen Feuersturm, eineinhalb Stunden nachdem Bomber Command sie verlassen hatte.

Die in der britischen Presse publizierten Berichte, etwa »Nachtbomber zerschmettern Krefeld« in der *Times* vom 13. Juni 1943, dementieren die Regierungsauskünfte über die Natur bombardierter Ziele. Die Stadt sei kilometerweit und bis 4500 Meter hoch in schwarzen Qualm gehüllt gewesen, nachdem eine dreiviertel Stunde lang fünf Viertausendpfundbomben minütlich auf sie niedergegangen seien. Der Leser erfährt schon am nächsten Tag, daß keine Ziele, sondern Städte zerkleinert werden. Innerhalb des Bomber Commands werden die Sachverhalte unverblümt behandelt: Im *Immediate Assessment of Damage*, dem gleich nach Fotoauswertung erstellten Schadensbericht, lautet die Bilanz des Krefeldangriffs in der Nacht zum 12. Juni 1943: 25 000 Wohnungen zerstört, 87 000 Personen obdachlos, 1450 Personen getötet, 850 durch Sprengbomben und 600 durch Brandbomben. Die Getöteten sind fraglos Operationserfolg. Man kalkuliert ihn etwas zu hoch, doch in der Dimension erstaunlich zutreffend. Krefeld verlor in der Nacht 1056 Personen, eine Fläche von 3,75 Quadratkilometern war geschlossenes Brandgebiet, 47 Prozent der Bebauungsfläche sind ausgebrannt.

Mit der Ruhrschlacht hatte Bomber Command seinen Daseinsgrund nachgewiesen, es war eine strategische Waffe geworden. Mit seinen Verfahren sollte bis Jahresende über ein Viertel dieses meistindustrialisierten Reichsgebietes zerstört sein. Arthur Harris sammelte von nun an Trophäen. Er klebte die Luftphotographien der Ruinenskelette in ein blaues Album, das der Regierung, dem Buckinghampalast und Josef Stalin zuging. Niemand in dem Entscheidungszirkel machte sich Illusionen über das Los der Bewohner dieser Mauern. Das geht auch aus Churchills Bonmot hervor, die Deutschen brauchten nicht in ihren Städten zu leben, sie sollten aufs Land gehen und von den Hügeln zuschauen, wie ihre Heime verbrennen.

Bomber Command büßte bei der Ruhrschlacht fünftausend Mann ein. Aber die Briten trugen dies Opfer. Es bewies, daß die Regierung mit Entschlossenheit einen Krieg führte. Publikumsumfragen hatten schon im April 1941 eine Zustimmung von dreiundfünfzig Prozent zur Bombardierung ziviler Ziele in Deutschland ergeben. Bemerkenswerter ist aber, daß achtunddreißig Prozent dies mißbilligten. Im Fortgang des Krieges schwanden die Bedenken hin. Die Londoner äußerten zu sechzig Prozent Unterstützung und zu zwanzig Prozent Ablehnung des Zivilbombardements. Dies Votum ergänzt den Komment der Regierung, die bestritt, Zivilziele anzugreifen, und ferner bestritt, daß es noch zivile Ziele gebe. Es gab nur noch Ziele, die sich militärisch lohnten oder nicht.

In dem britischen Publikum der Jahre 1943/44 öffnete sich die Schere zwischen Wissen und Bescheidwissen. Das Bescheidwissen verbucht Komplexitäten, die geschehen, aber normalerweise nicht vorkommen sollten, nötig, aber nicht richtig sind. Die Presse meldete ausgiebig den immensen Zerstörungsradius der deutschen Städte und zitierte R.A.F.-Kommuniqués, daß man die Qualmsäulen bis nach Holland sehe. Bomber Commands Einschätzungen des Tötungserfolgs wurden ausgelassen. Die Londoner waren Experten. Den Zusammenhang zwischen verbrannten Wohnungen und Bewohnern konnten sie sich denken.

Nach dem Fanal Bomber Commands im Juli 1943 kam im Herbst das Wort ›hamburgisieren‹ auf. Gleichwohl wollten neunzig Prozent der Befragten im Jahr 1944 nichts darüber wissen, daß deutsche Innenstädte bombardiert wurden. Innenstadt ist ein mehrdeutiger Name. Harris verstand ihn als die feuerverwundbarste Bausubstanz, geeignet zum Zünden. Die Massenquartiere, wo sich der Widerstandswille ballte, lagen in dem umgebenden Ring. Die Arbeiter mußten weichkochen, Näheres dazu geht nicht mehr in Worte ein. In der Zeit, wo die Menschenverluste vier- und fünfstellig werden, tauchen öffentlich keine Zahlen mehr auf. Seit den deutschen Londonangriffen wußte jeder Bescheid, wie Trümmer Personen begraben.

Der Disput der anglikanischen Kirche, so codiert wie anderswo auch, zog die letzte Verteidigungslinie des Christenmenschen. Schon 1940 hatten pazifistische Kleriker bei den Erzbischöfen von Canterbury und York angefragt, an welchem Punkt die Kirche den Krieg lieber verloren sähe anstatt gewonnen durch Methoden, die unvereinbar mit dem Christentum seien. Die Bischöfe antworteten, dies wäre der Fall bei einer Bombardierung unverteidigter Städte. Nicht zwecks Vergeltung, sondern als reguläre Politik. Da alle Städte sich mit ein paar Flakkanonen gegen Bomber Command verteidigten, war das ein belastbares Argument, doch kein ernstes. Als es ernst mit den Vernichtungsbombardements wurde, im Jahr 1943, trug Dr. Garbett, der Erzbischof von York, die von dem hl. Augustinus stammende Rechtfertigung des ›gerechten Krieges‹ vor:»Oft im Leben besteht keine eindeutige Wahl zwischen dem absolut Richtigen und Falschen. Häufig muß die Wahl getroffen werden zugunsten des Geringeren von zwei Übeln, und es ist ein geringeres Übel, das kriegsliebende Deutschland zu bombardieren, als das Leben unserer Landsleute zu opfern, die es nach Frieden verlangt, und Millionen heute in Sklaverei Gehaltener dem weiter auszusetzen.«

Die Frage, wer das kriegsliebende Deutschland personifiziere und wer diese Festlegung treffe, stellte allseits vernehmbar der Bischof von Chichester, Dr. George Bell. Dem britischen Oberhaus verkündete er unter Tumult:»Die Nazimörder in die gleiche Reihe mit dem deutschen Volk zu stellen, an dem sie sich verbrecherisch vergangen haben, heißt, die Barbarei voranzutreiben.« Das war am 11. Februar 1943. Am 9. Februar 1944 griff er, ebenfalls im Oberhaus, frontal die Unrechtsnatur der Waffe an, so wie sie 1943 hindurch geschärft worden war.»Ich verlange, daß die Regierung angegangen wird wegen ihrer Politik der Bombardierung feindlicher Städte im gegenwärtigen Umfang, insbesondere hinsichtlich von Zivilisten, die Non-Kombattanten sind, sowie von nicht-militärischen und nicht-industriellen Zielen. Ich bin mir bewußt, daß bei den Angriffen auf Zentren der Waffenindustrie und des Militärtransports der Tod von Zivilisten etwas Unvermeidliches ist, soweit er aus einer in gutem Glauben durchgeführten Militäraktion rührt. Aber es muß eine Verhältnismäßigkeit zwischen den eingesetzten Mitteln und dem erreichten Zweck bestehen. Eine ganze Stadt auszulöschen, nur weil sich in einigen Gegenden militärische und industrielle Einrichtungen befinden, negiert die Verhältnismäßigkeit. Die Alliierten stehen für etwas Größeres als Macht. Die Hauptinschrift auf unserem Banner ist ›Recht‹. Es ist von höchster Wichtigkeit, daß wir, die wir mit unseren Verbündeten die Befreier Europas sind, die Macht so nutzen, daß sie unter der Kontrolle des Rechtes steht. Es ist wegen der Bombardierung der Feindstädte, dieser Flächenbombardierung! Die Frage des schrankenlosen Bombardierens sollte für die Politik und das Handeln der Regierung von enormer Bedeutung sein.«

Was Bischof Bell für eine rechtsbedenkliche Übertreibung des Bombardierens von Rüstungszielen hielt, kannte Professor Freeman Dyson, ein Physiker im Operational Research Zentrum des Bomber Command, besser. Das ›moral bombing‹ übertrieb ja nicht das Zielen auf Rüstungskomplexe. Eine Stadt ist kein Ziel gemäß Liste der Casablanca-Konferenz. Sie ist ein Raum, in dem gewohnt, gearbeitet und gelebt wird. Und der Raum sollte so zugerichtet werden, daß sowenig wie möglich davon fortwährte. Weil das die Waffe, so wie sie 1943 komplett war, auf einen Schlag nicht fertigbrachte, wurde Köln 262mal, Essen 272mal, Düsseldorf 243mal und Duisburg 299mal traktiert. »Ich habe mich krank gefühlt«, schrieb Dyson 1984, »von dem, was ich wußte. Ich habe mich viele Male dazu entschlossen, daß ich die moralische Pflicht hatte, auf die Straße zu rennen, um dem britischen Volk zu sagen, welche Dummheiten in seinem Namen begangen wurden. Aber ich hatte nicht den Mut dazu. Ich saß bis zum Ende im Büro und kalkulierte, wie man auf die wirtschaftlichste Weise weitere 100 000 Leute ermordete.«

Dyson war zeitlebens ein Exzentriker, der einen Auftrag erledigen und zugleich als Kriegsverbrechen auffassen konnte. Ein wissenschaftlicher Normalverstand hingegen wie Professor Solly Zuckerman, Urheber des blutigen Verkehrs-Bombardements 1944/45, unterzog die Waffe, die er ersann, keiner Rechtswürdigung. Der Politiker, der es einsetzt, verantwortet das Kriegsmittel. Der Physiker realisiert eine wissenschaftliche Möglichkeit, nach der praktischen Zulässigkeit wird er gar nicht gefragt. »Ein Kriegszustand«, schrieb Zuckerman, »regt den Wissenschaftler zu großen imaginativen Aufschwüngen an.« Seine Disposition über die Welt ist plötzlich in ungeahntem Umfang erweitert. Das äußert sich schon im Vorhandensein von »Ressourcen in einem Maße, von dem man im Frieden nur träumen kann«.

In dem ansonsten stumpfen Mahlwerk der Ruhrschlacht ragt eine imaginative Spitzenleistung heraus, die nicht das eintrug, was zu hoffen stand, doch gewiß künftige Kriegsunternehmer noch anregt. Wenn man so will, ist eine Hiebwaffe die Verlängerung der Kraft des Arms und eine Schußwaffe die Verdichtung der Mechanik des Hiebs. Dies ist der Weg von der Armbrust zur Artillerie des Ersten Weltkriegs. Das Prinzip verbindet noch den Artilleristen der Westfront mit dem Faustschläger. Da steht ein Gewaltmensch am Platz und versetzt einem anderen, den er vor sich sieht oder auch nicht sieht, eine Wunde. Faust, Klinge und Projektil vertiefen sich in einem Körper. Der Körper seinerseits weicht aus oder haut, sticht oder schießt zurück. Beide Körper meinen es miteinander schlecht, sind einander Ziel und tauschen die Gewalt aus. Der Übergang zu etwas anderem ist die Gasgranate, weil sie die Luft verändert.

An sich war die Gaswaffe die am wenigsten tödliche im Ersten Weltkrieg und bewirkte nicht die gräßlichen Körperverstümmelungen der schweren Artillerie. Aber sie verursachte den größten Schauder bei der Truppe. Vielleicht ahnte sie, daß es irgendwann keine Auswege mehr geben würde. Anstelle der ehrlichen Kugel, mit der man sich von Feind zu Feind niederstreckte, trat das Untergangsprinzip. Die Atmosphäre verweigert durch Hitze, Strahlung oder Atemgift die Lebenskonditionen. Dies andere Prinzip hat der Folgekrieg beträchtlich vorangebracht.

Mit der Brandwaffe wie mit der Atomwaffe bringt die Wissenschaft des Zweiten Weltkriegs den Gedanken auf, dem Walten der allgemeinen Naturgesetze Vernichtungszustände abzugewinnen. Die Wirklichkeit ist kein Aufenthalt mehr. Aus dem Lebensraum wird eine Todeszone. Ihren Schließern hat Professor B. S. M. Blakett, der Vater des Operational Research, einen »Jupiterkomplex«

nachgesagt. Die Alliierten hätten sich als Götter gefühlt, die Blitze in die Niedertracht des Feindes schleudern. Nur Gott kann jede Plage schicken, weil er dem Recht nicht untersteht. Er ist das Recht. Das fragliche Mittel in der Ruhrschlacht zählt zu dem noch wenig erprobten Genre des Umweltkriegs. Vom Inbrandsetzen führte eine gedankliche Brücke zum Unterwassersetzen. Die Operationsforscher waren auf die Frage gestoßen, was folge, wenn der Waffenblitz auf zwei Staudämme im Ruhrtal gezielt würde. Aller Wahrscheinlichkeit nach eine moderne Sintflut, die doppelt wirkte. Erstens durch die freigesetzte Flutwelle, zweitens durch den folgenden Wassermangel im gesamten Ruhrgebiet.

Die Möhnetalsperre bildete mit der siebzehn Kilometer entfernten, im Flußgebiet der Ruhr angelegten Sorpesperre eine wasserwirtschaftliche Einheit. Beide Sperren versorgten siebzig Prozent der Ruhrindustrie mit Brauchwasser und viereinhalb Millionen Einwohner mit Trinkwasser. Größer noch war die bei Kassel gelegene Edertalsperre mit einem Inhalt von 202 Millionen Kubikmeter Wasser. Die Ökonomen im Luftfahrtministerium hatten errechnet, daß durch den Fortfall der Möhne-Sorpe-Reserven zur Zeit ihres Höchstwasserstandes, Mitte Mai, die gesamte Ruhrindustrie im Sommer stillstünde und das Zivil durch Trinkwasserentzug in größte Not geriete. Die Sprengung der Edertalsperre wiederum legte die Schiffahrt auf der Oberweser lahm, ließe den Ackerbau verdorren und überschwemmte Kassel.

Die Dämme waren, um dem Wasserdruck standzuhalten, von unvergleichlichen Maßen. An der Möhne fünfundvierzig Meter hoch und unter ihrer Oberfläche vierunddreißig Meter dick. Um den Damm zu brechen, war eine vier Tonnen schwere Minenbombe vonnöten, in der Gestalt einer Litfaßsäule. Der Explosionspunkt mußte zwanzig Meter unter der Wasseroberfläche liegen. Infolgedessen benötigte sie eine Abwurfhöhe von achtzehn Metern über Wasserspiegel, wurde kurz vor Ausklinken in eine der Flugrichtung entgegengesetzte Drehbewegung gebracht und rollte, auf dem Wasser plaziert, in flachen Sprüngen bis zur Mauer. Dabei übersprang sie elegant ein Sperrnetz. Angekommen, sollte sie senkrecht den Damm hinabrollen, durch gegenläufige Drehbewegung an ihm haften und durch einen auf die nötige Tiefe eingestellten Wasserdruckzünder detonieren.

Zum Transport der von einem als ›Prof. Jeff‹ getarnten Konstrukteur gebauten Bombe mußte eine Spezialausführung der Lancaster gebaut werden, und zwar in dreiundzwanzig Exemplaren. Um an ihrer Unterseite quer zur Flugzeugachse die Bombe zu befestigen, brauchte es eine besondere Halterung. Das Schwierigste allerdings war die Feststellung von exakt achtzehn Metern Abwurfhöhe. Die Briten errichteten auf einem Übungssee ein dem Möhnedamm ähnliches Bauwerk. In einhundertfünfundzwanzig Versuchswürfen versuchte man, den errechneten Bruchpunkt zu finden. Die besten Crews des Landes nahmen daran teil. Sie konstruierten sich selbst ein Instrument, bestehend aus zwei an Bug und Heck angebrachten, im Winkel zueinander gestellten, nach unten gerichteten Scheinwerfern. Bei achtzehn Meter Höhe trafen sich die Reflexe auf dem Wasser, blitzten auf, und die vier Tonnen rollten und hüpften über den See.

Der Angriff, dem man kriegsentscheidende Wirkung beimaß, war auf die Vollmondnacht vom 16. auf den 17. Mai 1943 datiert. Zwei Staffeln flogen über die Nordsee, die Möhne-Eder-Staffel sowie die Sorpe-Staffel. Erstere geriet vor Duisburg in Flakfeuer, verlor sich, schloß sich wieder zusammen, eine Maschine fehlte.

Im Mondlicht war der Möhnedamm aus zwei Kilometer Entfernung bereits zu sehen. Von den Uferböschungen feuerten zwölf leichte Flakgeschütze. Wing Commander Gibson trat als erster an, schoß mit 385 Stundenkilometern über die Strecke, die Mine erreichte den Damm, der Bomber übersprang die Brüstung, die Explosion schleuderte gewaltige Wassermassen in die Höhe, das Gemäuer hielt. Die zweite Maschine setzte an, löste aber die Mine zu spät, die hinter der Mauer aufkam und in der Explosion den Bomber zerriß. Die dritte und vierte Maschine plazieren die Mine genau. Wassergebirge jagen in die Luft, der Damm indes hält, auch bei dem nächsten Versuch. Der fünfte Bomber bringt einen Riß in die Mauer. Als der sechste in Angriffsstellung geht, tut sich eine Lücke auf. Die Mauer birst. Mit drei noch verbliebenen Bombern fliegt die Staffel über das Sauerland zur Edertalsperre, die kaum im nächtlichen Nebel zu erkennen ist. Der erste Anflug bereits schafft einen Riß. Mit ihrer letzten Mine schlägt die dritte Maschine eine Bresche, und der aufgestaute See rast ins Tal. Der Sorpe-Staffel bleibt der Erfolg versagt. Sie wird fast ganz dabei aufgerieben. Ihr Rest müht sich schließlich am Schwelmdamm, ebenfalls ergebnislos.

Die Talsperrenoperation gilt als das brillanteste jemals von Luftstreitkräften ausgeführte Unternehmen. So punktgenau die Exekution, so raumverheerend die Wirkung. Im Edertal wälzte sich eine Flutwelle von 160 Millionen Kubikmetern mit einer Scheitelhöhe von neun Metern in Richtung Kassel. Auf dem Weg gehen fünf Ortschaften unter, Hemfurth, Affoldern, Bergheim, Giflitz und Mehlem. Eine Rettung aus eingestürzten Häusern ist dort nicht möglich, weil es an Schlauchbooten fehlt. Am 18. Mai kommen Pioniere und tauchen in Ställen nach totem Vieh. Die Bergung nimmt pro Stück zwei Stunden in Anspruch, weil die Kadaver teils verschüttet sind, teils an unzugänglichen Stellen liegen. Affoldern beklagt die meisten Tierverluste. 40 Pferde, 250 Rinder, 290 Schweine. Am 21. Mai erfolgt die Beisetzung von dreihundert Toten, die in den Särgen erst identifiziert werden. Noch am 23. Mai birgt man in Affoldern zwei Kindsleichen und vier lebende Schweine.

Im Möhne-Ruhr-Tal werden in der ersten Stunde 9000 Kubikmeter Wasser in der Sekunde frei. Nach 36 Stunden sind 122 von 132 Millionen Kubikmeter abgeflossen. Die Flutwelle im Bereich der mittleren Ruhr erreicht einen Scheitel von zwei bis drei Metern über dem höchsten Hochwasser und begibt sich auf einen 150-Kilometer-Weg zum Rhein. Viel Vieh kommt um, der gesamte Fischbestand ist vernichtet. Acht Kilometer abwärts vom Möhnedamm liegt die Stadt Neheim-Hüsten, welche die volle Wucht der Flut trifft, darin kommen 859 Personen um. In einem Zwangsarbeiterlager nahe der Stadt sterben 750 Personen, zumeist ukrainische Landarbeiterinnen. Insgesamt ertranken in den 210 Millionen Tonnen Wasser etwa 1300 Zivilisten.

Durch das Mißlingen an der Sorpetalsperre tritt das erwartete Desaster in der Ruhrindustrie und ihrer Bevölkerung nicht ein. Dazu hätten beide Stauseen gleichzeitig auslaufen müssen. Die Überschwemmungsschäden an Häusern, Brücken, Wasser- und

Elektrizitätswerken sind teils nach Wochen, teils nach Monaten behoben. Die Edertalsperre ist bis Ende September von 20 000 Arbeitern wiederhergestellt, die Möhnetalsperre folgt. Das Potential des Umweltangriffs ist seither nicht weiter ausgelotet worden. Die USA wiederholten einen Talsperrenangriff im Koreakrieg. Das entfesselte Stauwasser schwemmte eine dünne Lehmschicht hinweg, in der die Nordkoreaner ihre Reiskulturen pflanzten. So löste man eine Hungersnot aus. Im Prinzip erforscht der Umweltangreifer den Raum nach Balancesystemen. Sie mögen natürlichen oder zivilisatorischen Ursprungs sein, bedeutsam ist allein der Baustein, der, chirurgisch entfernt, den Zusammenbruch des Ganzen bewirkt durch Flut, Hungersnot, Seuchen, Bakterien und so fort.

Neun Monate nach dem Überschwemmungsprojekt beschrieb Lord Cherwell dem Premierminister die Wirkungsweise von Milzbrandbakterien. Seit dem Winter 1943 existierte eine mit Milzbrandsporen gefüllte 1,8-Kilogramm-Bombe britischen Designs und amerikanischer Herstellung. »Ein halbes Dutzend Lancaster-Bomber könnte genug mit sich führen, um, im Falle einer gleichmäßigen Verteilung, jeden zu töten, der sich in einem Umkreis von zweieinhalb Quadratkilometern aufhält, und um dieses Gebiet danach unbewohnbar zu machen.« Churchill reagierte ohne Verzug – so löste sich die ganze leidige Zielpräzision – und ließ am 8. März 1944 eine halbe Million Milzbrandbomben in den USA bestellen. »Lassen Sie mich unbedingt wissen«, schrieb er an den Ausschuß für Bakteriologische Kriegführung, »wann sie zur Verfügung stehen. Wir sollten es als eine erste Lieferung betrachten.«

Die Bodeninvasion von 1944 schloß die Verseuchung des Invasionsgebietes aus; so erwiesen sich die sauberen Brandangriffe als brauchbarer denn Milzbrand und Flutkatastrophen. Der Vernichtungswille eilte den militärischen Notwendigkeiten meist vorweg.

Die Präzision der Talsperrenaktion bewies, daß bei gehörigem Aufwand Punktziele zentimeterscharf zu treffen waren, wenn sie nur anschließend ganze Regionen verwüsteten. Operativ ist der Plan halb gelungen durch die Bravour der Staffel, doch hätte sie nie brillieren können ohne die eklatante Abwehrpanne der Deutschen. Sie ließen den Angriff als ungestörtes Kunstfliegen zu und verteidigten unterdessen das, was sie gefährdet wähnten, die Ruhrstädte in der Ruhrschlacht. Dort waren alle Flakbatterien konzentriert. Es kann nicht alles geschützt werden. Darum setzten die Briten viel Phantasie daran, die gegnerische Abwehr in die Irre zu führen. Sie wählten gern absurde Anflugrouten, damit das Angriffsobjekt möglichst erst bei der Ankunft ersichtlich wurde. Die Verteidigung verzettelte sich in falschen Fährten. Ein Teil der Mosquitos beschäftigte sich stets mit Täuschungen. Um Berlin zu treffen, lockte man die Nachtjäger mit einer Scheinattacke auf Leipzig. Damit ihn die Jäger in der Talsperrennacht nicht störten, wählte Gibson wiederum eine minimale Verbandsstärke, die einer typischen Scheinaktion glich. Wer mit neunzehn Lancastern aufkreuzt, kann nicht viel kaputt machen.

Der Präzisionsschlag auf die Schlüsselstelle, der das System aushebelt, gefiel der 8. US-Flotte. Man hatte sich ab Mitte 1943 den deutschen Himmel geteilt, die Briten beanspruchten ihn des Nachts und die Amerikaner tagsüber. Weil ihre Maschinen höher flogen, ihre Bordschützen schwerere Kaliber verschossen, ihre Geschwaderformation groß und furchtgebietend war und ihre Gesinnung human, lehnten sie das Flächenbombardieren ab. Auf der Suche nach dem Rüstungsteil, dessen Zerstörung alle anderen Teile lahmlegte, waren die Ökonomen auf das Kugellager gestoßen. Weil die Deutschen es hauptsächlich in zwei Städten herstellten, Schweinfurth und Regensburg, waren sie auf intelligente Weise entscheidend zu treffen. Die Waffe hatte noch andere Talente, als Wohnviertel zu verwüsten.
    Der Vorstoß in den wunden Punkt erwies sich indes als Todeskommando in die bestverteidigte Stellung. Im Ergebnis, sechzehn Prozent Verlust, erwiesen sich die 1. und 4. Bombardement Wing als weitaus sensitivere Teile denn die Kugellagerindustrie. In ihrem ›blutigen Sommer‹ lernte die 8. US-Flotte durch Aderlaß, daß von allen labilen Systemen eine Bomberflotte am Himmel eines der labilsten ist. Daraus folgerten die Amerikaner, daß, bes-

ser als die verwundbarste Stelle des Gegners zu suchen, man selbst sich unverwundbar machte. Die Verwundung des Bombers ist überwiegend Schuld des Jägers. Der Jäger muß gejagt werden, seine Flugplätze, Hangars, seine Produktion und seine Treibstoffproduktion müssen aus dem Weg geschafft werden. Beherrschen die eigenen Flugzeuge unangefochten die Luft, braucht man am Boden nicht länger nach der Schlüsselindustrie zu forschen. Man kann alles bombardieren zum Steinerweichen. Der Gegner, dessen Abwehr bricht, wird Züchtigungsobjekt. Ein Ziel bringt man zur Strecke, ein Objekt ist ein Zustand. Den Zustand des Ausgeliefertseins erreichten die Deutschen vom Herbst 1944 an. Von da an fällt die dichteste Bombenmunition.

Über die Hälfte der britischen Tonnage von sechzig Monaten Luftkrieg gegen die Städte fällt in den letzten neun Monaten. In der Zeit gipfelt auch die Tödlichkeit der Waffe. Vom Beginn der Ruhrschlacht bis Jahresende 1943 tötet sie im Monatsdurchschnitt 8100 Zivilisten, vom Juli 1944 an 13 500. Dazwischen liegt die Ausschaltung der Flugzeugindustrie durch die US-Luftflotte. Das Verhältnis der dazu abgeladenen Tonnage zu der auf die Städte geworfenen beträgt eins zu zwölf. Als die Flugzeugindustrie, ein strikt militärisches Ziel, in Trümmern lag, war die Bodenlage in Deutschland zur Luft hin ein Zustand vollendeter Ohnmacht. Da hinein wirkt die britisch-amerikanische Flotte zwischen Januar und April 1945 mit 370 000 Bombentonnen, weit über ein Viertel ihrer Gesamtabwurfmenge. In der Zeit agiert sie so gut wie verlustfrei rund um die Uhr. Die Konvergenz der britischen und der amerikanischen Waffe war bereits im ersten Halbjahr 1944 gelungen, indem die Briten nicht aufhörten, Städte abzubrennen, während die Amerikaner sich zum Ziel nahmen, was dem am meisten entgegenstand, die deutsche Jägerflotte.

Die Ausschaltung der Jagdwaffe in Produktion, Fluganlagen und Maschinen verhält sich zum Bombenkrieg wie der Möhnedamm zum Ruhrtal. Die aufgestaute Vernichtungskraft wird durch die Beseitigung der Dämme, als welche die Jagdgeschwader sich der Bomberflut entgegenstemmten, fessellos. Eigentlich war es die Zerstörbarkeit des Zerstörers, welche noch die Ruhr-schlacht bremste. Die Welle, die alles unter sich begrub, kam nicht aus dem Möhnesee. Das war eine Illusion der Professoren im Luftkriegsdienst. Harris hielt dergleichen für Flausen, ›panacea targets‹, Wunderpillen. Die Angriffswellen der Lancaster und Boing 17, ohne Zahl und ohne Schranken, sollten so lange Städte in den Grund versenken, bis keine mehr übrig war. Darum ende-ten auf den letzten Metern zum Waffenstillstand Freiburg, Heil-bronn, Nürnberg, Hildesheim, Würzburg, Mainz, Paderborn, Magdeburg, Halberstadt, Worms, Pforzheim, Trier, Chemnitz, Potsdam, Dresden, Danzig und andere.

Eine von militärischen Zwecken fast entbundene, von jedem Gefechtsrisiko befreite Vernichtungswalze bearbeitete von Januar bis Mai 1945 noch einmal das Land. »Wir hatten dabei zerstörte Städte nochmals zu zerstören«, schreibt Harris, »um etwa darin wiedererstandene Industrien zu vernichten. In den meisten war längst alles Brennbare in Asche verwandelt, und dort ließen sich jetzt nur noch schwere Sprengbomben werfen, die ich für diesen Zweck rechtzeitig in reichlichen Mengen hatte bereitstellen las-sen. Denn jetzt galt es gegen Ruinenstädte zu wirken, in denen sich die Menschen in die Keller verkrochen hatten.«

Die ein Jahr zuvor noch alles beherrschende Frage, wann end-lich die Durchhaltemoral zerbreche, ob nicht doch eine Rück-kehr zu den Öl- und Verkehrszielen von 1941 weiterführe, hatte sich im März 1945 erledigt. Es gab keine Moral, kein Öl und kei-nen Verkehr mehr. Die Bodeninvasion des Reichs rückte voran, die eigene taktische Bombardements verlangte. Orte, in denen sich Widerstand verschanzt hielt, vielleicht verschanzte oder ver-schanzen könnte, wurden aus der Luft beiseite geräumt. Ferner alles, was leistungsfähige Bahnanlagen besaß. Jeder dieser Angrif-fe ist ein eigener Fall. Dies nicht immer kriegsnotwendige, aber kriegsbedingte Schleifen von Ortschaften an der Gefechtslinie unterscheidet sich nicht äußerlich, aber intentional von Harris' Resteverwüstungen. Seine Absichten machten mit den letzten Militärgefechten gemeinsame Sache, ohne zu ihnen zu gehören. Sie hatten keinen Zweck. Wozu in der Nacht zum 24. Februar 1945 Pforzheim einäschern mit einer Feuerzone von 4,5 Quadratkilometern und 20 000 Toten? Masterbomber Swales erhielt für die exakte Ausführung posthum das Viktoriakreuz verliehen.

Pforzheim zählt neben Hamburg, Kassel und Dresden zu dem Dutzend weiterer Orte, in denen der Feuersturm aufkam. Der Feuersturm vollendet das Inbrandsetzungsverfahren, konnte aber bis September 1944 nicht produziert werden, nur angestoßen. Es paarte sich darin die menschliche Vernichtungswut mit dem Vulkanismus der Natur. Atmosphärische Reaktionen übertrugen der Brandmunition eine unvorhergesehene, zügellose Angriffswut. Die Briten begrüßten diese Dreingabe wie ein Gottesurteil und versuchten sogleich eine mathematische Formel dafür aufzustellen. Es ließ sich keine finden, weil zu viele Variablen und unbekannte Größen mitwirkten.

Das allgemeine Phänomen hatte der Inspektor der kaiserlichen Fliegertruppe im Ersten Weltkrieg, Oberstleutnant Siegert, bereits 1927 dargelegt.»Gelingt es in einer Stadt«, meldet die *Berliner Illustrirte Zeitung*,»mehr Brandherde zu erzeugen, als durch die vorhandenen Feuerwehren gleichzeitig gelöscht werden können, so sind die Keime von Katastrophen gelegt. Die einzelnen Feuerherde schließen sich zusammen. Die erhitzte Atmosphäre schießt wie ein Riesenkamin nach oben. Die längs des Erdbodens nachstürzende Luft erzeugt den ›Feuersturm‹, der wiederum die kleineren Brände zur vollen Entfaltung bringt.« Die Physik dieses Kreislaufs, die Flächenbrände, die vertikal emporjagende Heißluft, der horizontal von dem Vakuum angezogene Sturm, der wiederum die Brandfläche anfacht, ist mächtiger als alle Munition. Die Opferzahlen springen in den fünfstelligen Bereich, ein Zoll, der, bei einem einzigen Abwurf, der Atombombe vorbehalten scheint. In Pforzheim kam es anders.

Im Februar 1945 weilten 65 000 Personen in der Stadt; in Nagasaki im August 1945 über 300 000 Personen. Hier tötete der Angriff 39 000 Personen, etwa jeden siebenten, in Pforzheim 20 277, fast jeden dritten. Die Siegertsche Theorie erfuhren die Pforzheimer am Platz wie folgt:

Der Soldat Wilhelm Riecker gehörte zu denen, welche die trügerische Sicherheit der Keller unter den abbrennenden Häusern fliehen.»Sie tauchten Decken und Tücher in den Wasserkübel,

schlugen sie um sich und rannten durch die Flammen zum Enz-
ufer, wo sie sich erneut mit Wasser übergossen, denn Hitze und
Funkenflug waren ungeheuer. Der Sedanplatz hatte alle Flammen
der einmündenden Straßenzüge erfaßt und mit sengender Gewalt
zur Brücke hin entweichen lassen. Sie schossen darüber weg ins
Stadtinnere, und dort stieg der Pilz steil empor, in seinen Schlauch
alle Feuer ziehend. In dieser Stunde wurde die Strahlhitze so
stark, daß sich die Menschen in den winterkalten Fluß fallen ließen.«

Die Stadt, am Zusammenfluß von Enz und Nagold gebaut, war
reich an Wasser. Darum sind viele im Feuersturm ertrunken. Die
sich dem Keller anvertrauten, kannten nicht seine Tücken.»Mein
Schwager sprang hinunter«, schreibt der Theologe Otto Riecker,
»und leuchtete mit Streichhölzern den Raum ab, an einer Wand
lehnte eine unserer Angehörigen, die beiden Hände gegen die
Mauer gestützt, das Gesicht dem Notschacht zugewendet, als lebe
sie. Ihr gegenüber ein Mann mit dem Rücken gegen die Wand und
ausgebreiteten Armen. Auf einer Bank vier Frauen, etwas vorn-
übergebeugt und die Arme verschränkt wie in friedlichem Schlafe.
Alle waren in einem Augenblick gestorben, der Luftdruck hatte sie
getötet.« Der Luftdruck war das Werk der 330 Vierzentnerminen.

Im Morgenregen suchte Professor Fritz Löffler nach dem Ge-
äder einer Ortschaft, ihren Straßen.»Wo waren noch Straßen?
Über Steine und Balken mußte man klettern und sah dann plötzlich auf einem freien Platz oder in den fensterlosen Schaufenstern
des Palastcafés die aufgetriebenen, kleiderentblößten Knochenre-
ste der Arbeitsmaiden, reihenweise verkohlt.«

Keller arbeiteten wie Krematorien.»Der gewölbte Keller war
wohlerhalten«, schreibt Hermine Lautenschlager.»Nirgends waren Türen. Keine Schränke und Kisten waren mehr da, in denen
meine Schwester ihr Bestes verstaut hatte. Auf dem Boden, vor allem an der Wand, lagen hier und da Aschenhäufchen, in der Mitte
des Kellers ein Teil eines menschlichen Rumpfes, der aussah wie
ein verkohlter Baumstumpf. Bei einem Aschenhäufchen in einer
Ecke lag eine Tasche. Sie zerfiel bei der geringsten Berührung.
Der verbogene Metallbügel und ein Schlüsselbund blieben übrig.
Es waren Tasche und Schlüssel meiner Schwester. An jenem Platz

sei sie immer bei Fliegeralarm gesessen, sagte mir mein Schwager. Später fand man dort sogar noch ein Stoffrestchen ihres Kleides.« Der Feuersturm erzeugt eine andere Atmosphäre; sie ist dem Leben dreifach feindlich. Erstens durch eine Erhitzung, die im Bereich brennender Blocks auf achthundert Grad ansteigt. Zweitens durch eine Windgeschwindigkeit von fünfzehn Metern pro Sekunde in einem Umkreis von vier Kilometern zur Heißluftsäule. Die Heftigkeit dieses Luftstroms erlaubt kein Gehen; der Passant stemmt sich, wird niedergerissen und unglücklichstenfalls in den Brandherd eingesogen. Drittens durch den Sauerstoffentzug. Die glühende, jagende Luft ist nicht mehr zu atmen, berichtet Maria Lupus. »Weil wir in der wahnsinnigen Hitze und bei dem Sauerstoffmangel buchstäblich auszudörren drohten, halfen wir uns gegenseitig, in den Kanal hinabzusteigen. Der ungeheure Feuersturm riß uns die Luft förmlich vom Mund. Der Selbsterhaltungstrieb wies uns den einzigen Weg, direkt über der Wasseroberfläche etwas Sauerstoff zum Atmen zu finden. Das Kind auf meinem Arm rührte sich nicht. Wahrscheinlich war es fast betäubt von den Gasen, die sich entwickelten. Inzwischen war auch unten im Kanal der Sauerstoffmangel größer geworden. Der dicke Rauch drang schmerzend in Augen und Lungen. Man hatte keinen Begriff mehr für die Zeit. Waren viele oder wenige Stunden vergangen? Am Fluß, der am Kanal vorbeizog, spielten sich grauenhafte Szenen ab. Verletzte, die in Todesangst aus den brennenden Häusern ins Wasser gesprungen waren, wurden angetrieben. Viele waren schon tot, andere hatten gräßliche Verbrennungen. Eine tödliche Stille herrschte.«

Für die kleine Schmuck- und Uhrenstadt waren 1551 Bombentonnen, hundert mehr als bei dem ›Millennium‹ in Köln, eine mächtige Ladung. Die 1554 Tonnen, die vier Tage später auf Mainz fielen, eine doppelt so große Stadt, töteten 1122 Personen. Zwei Jahre zuvor eine für ungeheuerlich gehaltene Zahl, nun bei konzentriertem Angriff eine Durchschnittsgröße. Doch entstand kein Feuersturm. Harris gibt dafür einen plausiblen Grund: Trümmer brennen nicht gut. In Mainz war durch die Schwerangriffe des September 1944 Platz geschaffen. Der Feuersturm benötigt Enge, intakte Städte, Häuser, vollgestopft mit Lebensrequisiten, Möbeln, Kleidung, Nahrung, Büchern. Vor allem müssen genug Dachgebälk und Dielen parat sein. Ihretwegen überschwemmten Hunderttausende von Stabbrandbomben jede angegriffene Stadt.

Weil Pforzheim klein und ohne Rüstungsrelevanz war, hatte Bomber Command es bisher wenig beschädigt. Deswegen war seine Entzündlichkeit erhalten geblieben. Die Fähigkeiten Bomber Commands, seine Brandmittel auf einer gut definierten, möglichst knappen Fläche zu plazieren, hatten die neuen Cluster seit Herbst 1944 vorangebracht. Nun brauchten sie entzündliches Material. Je kleiner und militärisch nebensächlicher ein Ort war, desto besser eignete er sich nunmehr als Ziel. Der militärische Wert Pforzheims war im Februar 1945 enorm gestiegen; er bestand ausschließlich aus seiner völligen militärischen Wertlosigkeit. Seine Attraktion waren die Blockrandbebauung, das Sandsteinmaterial, die schmalen, verzweigten Gassen im Zentrum, die dicht an dicht klebenden Häuser ohne rechte Brandabschnitte. Die Stadt war so gut wie unverteidigt, der Feuerschutz schwach. Masterbomber Swales konnte sein Bombardement unter Laborbedingungen abhalten. Es währte von 19.50 Uhr bis 20.12 Uhr. Der Orkan hob erst weit später an, zuerst mit einem starken Luftzug, dann mit dem inmitten der Glut eiskalten, stürmischen Sog, der bis 23.30 Uhr brauchte, die Stadt in Flammen zu tauchen. Es zerflossen Metalle, die einen Schmelzpunkt von 1700 Grad besitzen. Nach dem 22minütigen Wirken Swales', den im Abflug ein übriggebliebener deutscher Jäger erschoß, zerkochte Pforzheim zu Lava, als hätten die Zyklopenfäuste anderer Erdzeitalter zugeschlagen.

Churchill, Harris und Portal erfahren davon zum ersten Mal im Juli 1943, nach Hamburg. Seit zwei Jahren suchten sie, die lähmenden technischen und Finanzhindernisse der Vernichtung aus der Luft zu überwinden, addierten grämlich irreale Flugzeug-, Obdachlosen- und Totenziffern. Mit einem Schlag liefert ihnen ein undurchschaubares Zusammenspiel ihrer Waffe mit der Wucht der Elemente Zerstörungsdimensionen, wie sie zuvor nur in Papieren, doch nie am Kriegsschauplatz auftraten. Die Luftstrategen faßten die Naturgewalten als ihre logischen Verbündeten auf und bauten auf weitere Zusammenarbeit.

Einen Großteil seines Bemühens widmete Bomber Command fortan der Hamburgisierung Berlins. Berlin brannte schlecht, das Bündnis mit der Physik der Atmosphäre war unzuverlässig, kehrte jedoch außerplanmäßig im Oktober 1943 in Kassel wieder. Warum Kassel und nicht Berlin?

Bomber Command hatte seit der Ruhrschlacht ständig mit dem Anteil der Brandstoffe an der Abwurfmunition experimentiert. Die Bombardements Wuppertals Ende Mai, Aachens Mitte Juni und Remscheids Ende Juli führten bei markant höherer Branddosis zu kilometerweiten Feuersbrünsten. Auch die drei Hamburgangriffe im Juli und August variieren stark die Ladung. Laden war eine Wissenschaft für sich. Der zweite Schlag verwendet fünfmal soviel Brandmittel wie der erste; auf einen Quadratkilometer gehen 96 430 Stab- und 2733 Flüssigkeitsbomben nieder. Folglich war das Gemisch eine Bedingung des Feuersturms, ferner der Stanniolstreifen, der die Verteidigung blockierte. Auch in Hamburg bestehen Laborverhältnisse. Die Waffe entfaltet sich so, wie sie will, und nicht, wieweit es der Verteidiger zuläßt. Doch hätte all das die maßlose Zerstörung nicht bewirkt ohne das Klima. Es gilt als der Hauptverursacher.

In Pforzheim war es bitterkalt, in Hamburg hingegen so heiß und trocken wie alle zehn Jahre einmal. In der schwülen Hochsommernacht auf den 28. Juli stand die Temperatur zwischen 20 und 30 Grad. Im Zusammentreffen von Klima, Brandmischung, Verteidigungskollaps und Blockbaustruktur trat ein, was Harris' Codewort ›Gomorrha‹ der Operation unterlegte: Wie Abraham im 19. Kapitel Genesis schaute er gegen die sündige Stadt »und sah: Qualm stieg von der Erde auf wie der Qualm aus einem Schmelzofen«. Er zerschmolz zwischen vierzig- und fünfzigtausend Personen. Siebzig Prozent davon entfielen auf den Bezirk Mitte, wo die Waffe eine Tötungsquote von 5,9 Prozent erreicht. In den reinen Wohnstraßen von Hammerbrook fallen sechsunddreißig von hundert Bewohnern. Siebentausend Kinder und Jugendliche verlieren ihr Leben, zehntausend bleiben elternlos zurück.

Die engen Hinterhöfe werden zu glühenden Verliesen, die dort Gefangenen finden keinen Ausgang mehr und erwarten den Tod.

Im Zenit des Feuersturms läßt die pure Hitzestrahlung Häuser sich auf einen Schlag vom Dach bis zum Erdgeschoß wie eine Stichflamme entzünden. Die Sturmböen ziehen den Häuserkellern Sauerstoff heraus wie eine gigantische Pumpe. Sechs Stunden Feuersturm sollen zwei Milliarden Tonnen Frischluft den sieben Kilometer hohen Luftkamin emporgejagt haben. Dadurch rasten durch die Horizontale Windgeschwindigkeiten bis zu 75 Metern pro Sekunde. Darin verlieren Menschen den Stand. Metertief im Erdreich wurzelnde Bäume knickten ab, wurden in der Krone verdreht. Man hat Pappeln in die Waagerechte gebogen gesehen. Die Bergungsdienste, die später die Überreste der an Sauerstoffmangel Erstickten oder in Strahlhitze Eingeäscherten einsammeln, lassen die Trümmermassen zehn Tage abkühlen.

Wächst der Feuersturm sonst in Stunden, bildete er sich in Hamburg schon bei Angriffsmitte. Damit hatten die Feuerlöschkräfte die Schlacht verloren, weil sie nicht über die verkraterten Straßen kamen und fast kein Wasser hatten. Dem Wüten ging eine meteorologische Lage voraus, die das Stadtgebiet schon durch Sonneneinstrahlung überhitzte. Der Schlot hatte sich schon geformt, und eine geringe Zusatzerwärmung nur reichte aus, um den gigantischen Sog von Zugluft zu bewegen, die den nachschießenden Horizontalsturm zum reißenden Strom machte. Die ihm begegneten, wurden in den Schmelzofen gerissen wie die armen Seelen in die Verdammnis.

Von den meteorologischen Verhältnissen hatte weder Harris noch Bomber Command, noch sonst jemand einen Begriff. Man schrieb sich den Erfolg gut und vermeinte den Referenzangriff innezuhaben, dem die künftigen nacheiferten. Die Waffe war jetzt das, was man sich von ihr versprochen hatte. Churchills ›maximum use of fire‹ hatte in Dreijahresfrist gezündet. In dreiundvierzig Minuten war die Munition abgeladen, darauf folgten atmosphärische Reaktionen in Stärke eines Pazifikorkans, der drei Stunden raste, dann war nichts Brennbares mehr vorhanden. Untüchtig zum Selbstschutz, verzehrte die Stadt sich selber. 900 000 Personen flohen das qualmende Häusergerippe, in dem die Rattenplage das einzig Lebendige war.

Eine Waffe, die dazu führt, kann nur eine strategische sein, sie muß den Krieg entscheiden. Bewirkt sie dies nicht, dient sie fortgesetzter Massenausrottung. Nachdem Churchills Kabinett drei Jahre versichert hatte, das militärisch Nützliche zu vernichten, und nun das Ende von 40 000 Hamburger Zivilisten willkommen hieß, mußte es zu etwas dienlich sein. Man glaubte, es diente am besten als Schwelle zur Hamburgisierung Berlins. Ein vergleichbarer Schlag gegen die Hauptstadt hätte das Regime zu Fall und die Feindseligkeiten zu Ende bringen müssen. Immer unterstellt, daß die Prämisse des ›moral bombing‹ zutrifft. Harris hat bis zum Schluß seiner Tage zum Beweis dafür Hiroshima zitiert.

Überträgt man die Verlustrate von Hamburg auf das größere Berlin, wäre 109 000 Personen das Leben geraubt worden, das Eineinviertelfache der Hiroshimatoten. Da nach Hamburg noch über 340 000 Personen im Luftkrieg erlagen, wäre durch einen finalen Berlin-Schlag die Hälfte aller Bombentoten lebendig geblieben. Hätte die Hauptstadt nach einem Drei-Prozent-Verlust kapituliert? Das wäre zumindest denkbar. Die wirklichen Opfer von 1943 bis 1945 starben jedoch im Sinne des Angreifers unergiebig. Sie wurden in einem Tag und Nacht in allen Reichsteilen tätigen Mahlwerk umgebracht. Verteilt auf die sechshundert noch folgenden Tage Bombenkrieg ist die moralische Wirkung militärisch unbeachtlich. Was kümmern den Durchhaltewillen die 244 Personen, die am 5. Januar 1944 in Stettin ihr Leben ließen, was die 270 vom 12. Juni in Gelsenkirchen? Niemand erfährt davon. Die Nachricht erreicht allenfalls Recklinghausen. Aus solchen Verlusten addieren sich zwei Drittel der Summe.

Die NSDAP gewärtigte wie Harris einen Zusammenbruch nach grellen Massakern wie Hamburg. Am 1. August sagte Speer zu Hitler, noch sechs solcher Angriffe, und der Krieg sei zu Ende. Feldmarschall Milch, der Generalinspekteur der Luftwaffe, glaubte: »Wir haben den Krieg verloren! Endgültig verloren.« Der Soldat im Feld grabe sein Loch und verschwinde darin, bis der Stahlhagel aufhört. Der Feuersturm kenne kein Loch, »das, was die Heimat erleidet, das ist nicht mehr zu ertragen«. Churchills Waffe gelang es aber nicht, sechs Hamburgs zu veranstalten, sondern tausend Gelsenkirchen.

Die US-Besatzungsarmee untersuchte gleich nach Kriegsende

ausgiebig die Bombardiertenpsyche. Es ergab sich, daß der Defätismus steigt nach dem Schock der ersten Angriffserlebnisse. Ihre Kumulation indes stumpft ab, die Seele rebelliert nicht, sondern schrumpft. Apathie und Depression dominieren. Es gibt ein überwältigendes Bedürfnis nach Schlaf und gar keines, Hitler zu stürzen. Wenn je diese Chance dazu bestand, dann in einer Serie von Hamburg-Hiroshima-Schlägen. Die Nuklearbombe gleicht in der Primärwirkung durchaus dem Feuersturm. Sie tötet meist durch Verschmoren, Verkohlen, Verdampfen. »Eine Atombombe«, sagt Harris, »war nur ein Äquivalent einer bestimmten Summe von normalen Bomben.« Jedoch nur in der Summe und nicht in der Wirkung. Die angloamerikanische Waffe erreichte nach Hamburg noch fünfmal fünfstellige Totenzahlen innerhalb eines Angriffs: in Kassel, Darmstadt, Pforzheim, Dresden und Swinemünde. Die Zehntausender-Verluste beziffern aber nur ein Drittel des Gesamtverlustes.

Bomber Command verlor sein in Hamburg und der Ruhrschlacht errungenes strategisches Gewicht im folgenden Dreivierteljahr der Berlinschlacht. Berlin brannte nicht, auch wenn drei Viertel der Schäden dort Brandschäden waren. Doch konnte zu Churchills und Harris' Mißmut die Stadt nicht zu Hitlers Scheiterhaufen gemacht werden. »Es herrschte ziemliche Betroffenheit in der Royal Air Force«, schreibt der dort tätige US-Feueringenieur McElroy, »über die Gründe, daß Berlin schlechter brannte als andere deutsche Städte. Der wirkliche Grund war meiner Meinung nach, daß diese Stadt wie eine Bienenwabe in Brandabschnitte gegliedert war.« Ihr fehlte jene Innenstadtstruktur, die in mittelalterlichen Befestigungsmauern gewachsen war. Auch die Mietskaserne enthielt widerstandsfähige, stabile Hinterhöfe.

Die Statistiker im Bomber Command errechneten andere Mischungsverhältnisse und doppelte Abwurfmengen. McElroy saß über Feuerversicherungskarten deutscher Großstädte, um die Relationen erfolgloser Brandangriffe zur Brandmauerfrequenz herauszufinden. »Keiner von uns, die wir in diesem Brandkriegsgeschäft tätig waren, konnte seinen Verstand benutzen ohne irgendeine Art von statistischer Beweisführung.« Die Briten wollten die Brandunempfindlichkeit Berlins schlechterdings nicht hinnehmen. »Feuerausbreitung in deutschen Städten war Gegenstand zahlreicher Debatten, und ich versuchte sie im Februar/März 1944 erfolglos zu beenden mit Daten aus den deutschen Londonangriffen. Während dieser Periode gab es nicht ein einziges Beispiel für das Überspringen des Feuers über eine Brandmauer.« Die Vorstellung, daß die Durchhaltekraft der Brandmauer, ob in Berlin oder London, die maßgebliche war, paßte natürlich nicht in den Strategischen Bombenkrieg.

Die neunzehn Großangriffe, die zwischen August 1943 und März 1944 die Berlinschlacht darstellen, töteten 9390 Zivilisten und 2690 Flieger. Ein erstaunliches Verhältnis für eine Operation, die den Krieg entscheiden sollte. Es fehlte keineswegs an Material. 10 813 Bomber entluden 17 000 Tonnen Spreng- und 16 000 Tonnen Brandstoffe. Auf jeden Einwohner Berlins und Hamburgs entfiel eine ähnliche Abwurfmenge, rund acht Kilogramm, aber sie wirkte zu verschieden.

Am 22. Oktober 1943 vermochte Bomber Command seinen zweiten Feuersturm zu entfachen. Man war am 3. Oktober in Kassel gewesen, hatte dort die Henschel-Lokomotivwerke und ein Munitionsdepot westlich von Ihringhausen zerlegt, aber die Innenstadt verfehlt. In der kommenden Nacht wurde Frankfurts Zentrum beschädigt; das Kinderkrankenhaus Gagernstraße empfing einen Volltreffer in den Luftschutzraum, neunzig Kinder, vierzehn Schwestern und eine Ärztin starben sowie weitere 414 Zivilisten. Die 406 Maschinen erzielten Brände, doch keiner glich entfernt dem, was zehn Schwadrone mit 569 Maschinen bei dem zweiten Kasselversuch hinterließen.

Die 416 000 Brandbomben fielen dank der diesmal hochpräzisen Markierung in einer Dichte von bis zu zwei Stück pro Quadratmeter. Auf die Häuser in der Innenstadt kamen meist mehrere Stabbrandbomben und zwei Flüssigkeitsbrandbomben. Die alte Innenstadt wurde Kassel zum Verhängnis. Es war an diesem Spätherbstabend nicht heiß wie in Hamburg, wenngleich sehr trocken. Der Bomberstrom streckte sich über hundertfünfzig Kilometer Länge. Als um 20.55 Uhr die erste Welle zu bombardieren begann, überflog die letzte Welle Bonn-Koblenz. Es gelang, scharf in den avisierten Punkt zu treffen, den Martinsplatz um die Martinskirche mit der Fürstengruft.

In der Residenz der früheren Landgrafen von Hessen war ein reiches Ensemble von Fachwerkhäusern gehegt worden, aus Bürgerstolz, als Lokalbesitz sondergleichen. Genau das, was Harris suchte. Vermutlich hat der genaue und mächtige Einschlag in diesen Feueranzünder es vollbracht, daß innerhalb von fünfzehn Minuten die Innenstadt loderte. Die tief alle Geschosse aller Häuser durchschlagenden Flüssigkeitsbrandbomben legten Brände vom Dach zum Keller, die Minenbomben öffneten im Umkreis von fünfhundert Metern sämtliche Dächer und Fenster, die Flamme zog durch wie ein Ofen auf voller Zugluft. Durch Treppen und Flure war kein Durchkommen mehr. Zwar existierte ein vom Leitungssystem unabhängiger Wasservorrat in Zisternen, Löschteichen und vor allem in der Fulda, doch hat der Feuersturm erst seine Arena gebildet, ist sie undurchdringlich. Eine tausendjährige Stadt wie Kassel besteht aus Stoffen, die den Vorgang zeitlich raffen. Die Geschichtstiefe eines solchen Gebildes verkürzt das Ende. Es kommt zu rasch, um es aufzuhalten. Der Feuersturm benötigte fünfundvierzig Minuten bis zu seinem Zenit. Die Löschkräfte mit sechs Bereitschaften und zwei Drehleitern haben ihn nicht weiter behelligt. Eine Ruhrgebietsstadt mit ihren schnellen Nachbarfeuerwehren wäre nicht ganz so schutzlos geblieben. Kassel stand allein, die nächste Großstadt war hundertfünfzig Kilometer entfernt.

Im Kasselangriff starb im Innenstadtbereich jeder zehnte. Insgesamt wurden 10 000 Personen getötet. Das entspricht einer Quote von 4,42 Prozent; Hamburg verzeichnet 2,73 Prozent. Es sollte fast ein Jahr dauern, ehe in Darmstadt eine vergleichbare Personenzahl vernichtet wurde, jedoch in einer halb so großen Stadt. Von den dort Anwesenden fielen 10,6 Prozent.

Feuersturm und Flächenbrand sind eng verwandte Ereignisse, nur ist die Tödlichkeit des ersteren weit höher, und er trat seltener ein. Die Brandwaffe rief ihn am ehesten herbei in historischen Städten mittlerer Größe. Die Brände Hamburgs und Dresdens, die als Mahnmale des Bombenkriegs im Gedächtnis hafteten, sind Solitäre. Er war ein Verschleißkrieg, den eher eine Stadt wie

Braunschweig charakterisiert: ein Dutzend Großangriffe, 2905 Tote, achtzig Prozent Wohnungszerstörung in der Innenstadt, dreiunddreißig Prozent insgesamt. Die Masse der Verluste tragen 158 deutsche Mittelstädte.

Das Scheitern der Hamburgisierung Berlins verlegt den strategischen Schwerpunkt definitiv auf die Bodeninvasion des Kontinents. Einen datierten Beschluß schoben Roosevelt und Churchill seit 1942 vor sich her. Harris und Portal bilanzierten nun ihren Zivilterror. Portal unterrichtete während des alliierten Kriegsrats in Kairo und Teheran, der das beispiellose Landeprojekt von drei Millionen Mann besprach, von den Resultaten des Flächenbombardements. Auch hier waren Millionen in Marsch gesetzt worden. Bomber Command habe sechs Millionen Obdachlose geschaffen, die durch das Reich vagabundierten und allenthalben Unruhe und Mutlosigkeit verbreiteten. Den Mangel an Kleidung und beweglicher Habe könne Deutschland allein auf Kosten der Rüstung beheben. Zweifelsohne sei die deutsche Moral »auf ihrem Tiefpunkt angelangt«. Bomber Command sei auf halbem Wege so weit, daß Deutschland den Krieg mit seiner ruinierten Industrie nicht weiterführen könne.

Tatsächlich hatte die deutsche Industrie 1943 durch Bombenschäden einen Produktionsausfall von neun Prozent erlitten, doch bei insgesamt gestiegenem Ausstoß. In diesem Jahr der Ruhrschlacht war die Stahlproduktion um 6,5 Prozent gestiegen, die Kohleförderung um sieben Prozent. Die Rüstungsproduktion sollte ihre Höchstleistung in der zweiten Jahreshälfte 1944 erreichen.

Harris, der andere Prioritäten setzte, schrieb am 3. November 1943 an Churchill, daß nun neunzehn Städte »buchstäblich zerstört« seien und Deutschland nur noch belasteten. Weitere neunzehn seien schwer beschädigt, neun beschädigt. In achtunddreißig Orten habe man ein Viertel der Bebauungsflächen niedergelegt und zumal das Ruhrgebiet »erledigt«. Deutschland müsse, wenn das Programm fortgesetzt und auch Berlin vernichtet würde, notwendigerweise zusammenbrechen. Im Dezember setze Harris hinzu, daß dies bis zum 1. April dann erreichbar wäre, wenn man fünfundsiebzig Prozent aller Deutschen – in den Städten über 50 000 Einwohner – angreife. Danach herrsche »in Deutschland ein Zustand der Verwüstung, der die Kapitulation unvermeidlich macht«.

Deutschland wurde von Bomber Command und zwei US-Flotten verwüstet wie noch keine Zivilisation zuvor, es dauerte allerdings ein Jahr länger als veranschlagt. Die Kapitulation erfolgte erst, nachdem zwei Bodenoffensiven das Land von Westen und von Osten her erobert hatten. Die Verwüstung hat, als Wegbereiterin, die Okkupation äußerst erleichtert. Doch wäre Deutschland bei den obwaltenden Kräfteverhältnissen auch unverwüstet erobert worden. Das aber hätten die Eroberer mit Zusatzverlusten bezahlt.

Die amerikanische Luftwaffenführung glaubte nicht, daß halbbekleidete Obdachlose und terrorisierte Kleinstadtbewohner den Krieg entschieden, sondern die Landungsarmee. Aus der Luft mußte der Kontinent invasionsfertig gebombt werden. Daran hinderte einzig die deutsche Jagdwaffe, die 1943 mit tausend neugebauten Maschinen im Monat gefährlich angewachsen war. Ihre Flieger fochten über den Städten mit erbitterter Bravour. Den Eröffnungsangriff der Berlinschlacht am 28. August hatten sie um 222 Mann dezimiert, davon 169 tot und 53 gefangen, bei drei Eigenverlusten.

Vom 20. bis zum 25. Februar 1944 holte die US-Flotte zum geballten Schlag gegen die deutsche Luftfahrtindustrie aus, als ›Big Week‹ tagelang die Sensation der Alliiertenpresse. Mit 6000 Bomber- und 3670 Begleitjägereinsätzen warf sich die bisher größte am deutschen Himmel erschienene Streitmacht mit 20 000 Bombentonnen auf die Messerschmitt-Werke in Augsburg, die Kugellagerfertigung in Schweinfurt, Regensburg, Stuttgart und andere. Die kombinierten anglo-amerikanischen Verbände reklamierten eine Gebäudezerstörung von siebzig Prozent, zudem verlor die Luftwaffe 1500 Maschinen und 366 Piloten. Die Amerikaner nahmen tageweise Verluste von bis zu neunzehn Prozent in Kauf, das heißt eine Lebensfrist von fünf bis sechs Angriffen pro Besatzung und Bomber. Die deutschen Jäger allerdings verloren im Januar und Februar fast ein Drittel der eingesetzten Maschinen.

Die seit Januar in die Regie Albert Speers gewechselte Jäger-produktion hatte sich nach der ›Big Week‹ bereits im März wieder regeneriert. Man fertigte jetzt zweihundert Stück mehr als im Januar und verdoppelte im Juni den Stand von Februar. Das war die Spitzenleistung in diesem Krieg. Die robusten deutschen Werkzeugmaschinen hielten den Einsturz der Werkhallen überwiegend aus. Wenn der Schutt fortgeräumt war, liefen sie stur weiter. Daneben vermochte es Speer, die Flugzeugproduktion aus den Städten heraus in Höhlen, Wälder und unterirdische Stollen zu verlagern, die dem Bomber unzugänglich sind. Sein Bezugsobjekt ist die Stadt. Außerhalb ihrer verliert er die Orientierung. Eine Düsenjägermontage in den Ausläufern des Thüringer Waldes ist jenseits des Luftkriegs.

Das Unersetzliche war das Personal. Die Fliegertruppe hatte seit Kriegsbeginn 44 000 Mann verloren, darunter neuntausend Offiziere. Aus den Schulen gingen Piloten nach hundertfünfzig Flugstunden hervor; ihre Gegner hatten die doppelte Ausbildung genossen und befanden sich in siebenfacher Überzahl. Die Deutschen machten ihre Minderzahl durch eine höhere Einsatzfrequenz wett, verdrängten die Übermüdung, erlernten aber auch davon das Fliegen nicht. Die Hälfte stürzte bereits bei der hastigen Ausbildung durch resignierte Lehrer ab. Es fehlte am Training des Instrumentenflugs und der Schlechtwetterlandung. Die Piloten saßen blind in vereisten Kabinen, leichter bewaffnet als die neuen Mustangs des Gegners und ab März 1944 mehr Gejagte als Jäger.

Die Mustangs lösten sich vom starren Begleitschutz, stürzten rudelweise in den offenen Luftkampf und wagten Tiefangriffe auf Flugplätze. »Es ist soweit«, meldete der Jägerinspekteur Galland dem Morphinisten Göring, den die Piloten ›Tüte‹ nannten. »Es besteht die Gefahr des Zusammenbruchs unserer Waffe.« Von Jahresbeginn bis Mai habe die Tagjagd tausend Flugzeugführer verloren, die besten Staffelkapitäne, Kommandeure, Geschwaderkommodores. Die Lücke sei nicht mehr zu schließen. Als zudem die massierten Frühjahrsangriffe auf Hydrieranlagen wirkten und der September nur noch ein Sechstel der bisherigen Benzinration übrigließ, war die deutsche Jagd aktionsunfähig geworden. Am

Himmel stand nun nichts mehr zwischen der Bevölkerung und dem Befreier; am Boden war der Weg noch weit. Er führte die Verbündeten zunächst über das Wasser; jeder Mann, jede Waffe, jedes Gerät mußte auf Schiffe geladen und unter Beschuß angelandet werden. Die Deutschen standen an der Küste, und alles, was sie zu ihrer Verbarrikadierung benötigten, gelangte über ein breit gestaffeltes Schienen- und Straßennetz mühelos nach vorn. Das war ihr einziger Vorteil. Ansonsten hatten sie fünftausend Kilometer Küste zu decken, führten ein unerbittliches Rückzugsgefecht in Rußland, mit einem in viereinhalb Jahren zerschundenen, ausgebluteten Heer. Im Invasionsgebiet verfügten sie über hundert Jäger, gegenüber den 5400 Jägern des Gegners, der insgesamt 12 830 Flugzeuge aufbot. Die waren sein einziger Vorteil, denn sein Heer, gewaltig an Zahl, besaß nicht die mindeste Kampferfahrung, sollte aber den härtesten aller Aufträge bewältigen: aus dem Wasser heraus auf eine Landfront durchbrechen. Danach war der Gegner Meter um Meter zurückzuschieben, auf Basis einer Wassernachschublinie.

Vier Monate vor der Landung befahl Eisenhower, seine stärkste Waffe auf den Trumpf der Gegenpartei zu richten, die Rückwärtigen Verbindungen. Die sogenannte Transportoffensive der Alliierten Luftstreitkräfte, entworfen von Professor Solly Zuckerman, geschah in zwei Akten. Der Beginn im März handelt in Frankreich und Belgien, der Herbstakt handelt in Deutschland. Beide Male sind Bahnhöfe das Ziel, Rangieranlagen, rollendes Material, Straßen, Brücken, Kanäle, Flüsse. Alles das schmiegt sich gewöhnlich eng in Siedlungsgebiet, das zwangsläufig Opfer darzubringen hat. Im Deutschlandakt galt dies für selbstverständlich, ja für wünschenswert. Im Frankreichakt ging es gegen Franzosen und Belgier.

Im Alliiertenhauptquartier regte sich ein Unbehagen, Zivilpersonen töten zu müssen, die zu befreien das Kriegsmotto war. Eisenhower lagen Befürchtungen des britischen Kriegskabinetts vor, daß bis zu 40 000 Todesopfer denkbar seien und 120 000 Verletzte, Hamburger Dimensionen. Churchill ersuchte Präsident Roosevelt, auf seinen Oberbefehlshaber mäßigend einzuwirken. Roosevelt hatte immerhin zu Kriegsbeginn den Humanismus der Parteien angemahnt, ihre Luftstreitkräfte, d. h. die britischen, die französischen und die deutschen, möchten keinesfalls die Zivilbevölkerung antasten. Nachdem etwa hundertzwanzigtausend davon umgebracht waren, wandte sich der britische Premier, der dies im wesentlichen entschieden hatte, an seinen engsten Partner, daß er das »Franzosenabschlachten« unterbinde. Der Präsident antwortete, daß er die Sorgen um französische Zivilverluste teile; man solle nichts unversucht lassen, »die öffentliche Meinung Frankreichs schonend zu behandeln«, immer vorausgesetzt, daß nicht der militärische Erfolg beeinträchtigt werde. Doch wolle er nicht seinem Truppenbefehlshaber vorgreifen, zu tun, was der Invasion nutze und alliierte Verluste mindere.

Zu den Kritikern des Zuckerman-Plans zählte der Chef der US-Luftstreitkräfte in Europa, General Spaatz, dessen Verbände ihn überwiegend auszuführen hatten. Spaatz und Zuckerman hatten schon im Vorjahr die Invasion Siziliens vorbereitet, das Problem war das gleiche. Das Bombardement ebnet der Landung den Weg, die Wege des Gegners werden aus der Luft blockiert. Spaatz lobte später die »sehr kalte analytische, präzise Anwendung« der Waffe, wie der Professor sie berechnet hatte. Im modernen Krieg sei das »mathematische Genie« der beste General, und dies war der erste moderne Krieg.

Die Präzision des Angriffs auf die Hafenanlagen von Neapel am 4. April 1943 überschritt um einiges die mathematischen Toleranzen, 221 Neapolitaner wurden tödlich getroffen. Doch Zuckermans Kalkulationen erfaßten gar kein Zivil, weil er sich mit >moral bombing< nicht befaßte. Ihn kümmerten Modelle von Gütermengen, Waggonzahlen, Schiffsraum und Nachschubbedarf. Die Logistik der Deutschen Wehrmacht, das militärische Rückgrat Siziliens, mußte für eine Fronttruppe täglich 300 bis 450 Tonnen Nachschub heranführen, je nachdem, ob Infanterie- oder Panzerdivision. Zuckerman war der Gegenlogistiker, der ermittelte, wie viele Kähne, Gleise, Loks auf welcher Strecke explodieren mußten, damit die Division nicht mehr vom Fleck kam. Was dabei sonst noch liegenblieb, war nicht Gegenstand des Modells, sondern Sache von Spaatz, der im Juni frische Eindrücke gesammelt hatte über die Natur der Luftmine.

Nach einer Woche Beschlag hatte die italienische Garnison Pantelleria, eine Insel in der Straße von Messina, kapituliert, weil »die Natur des Menschen sich auf eskalierende Bombardements nicht einstellen kann«. Daraus wuchs Spaatz' Vorschlag, die Neapolitaner zu bombardieren und die Römer hinterdrein, sollte Italien nicht vorziehen zu kapitulieren. Weil die Vernichtung Roms für amerikanische Katholiken Konflikte schuf, hat Roosevelt davon abgesehen, und eine kalte Transportoffensive fand statt gegen Messina, Livorno, Reggio di Calabria und was sonst noch Verkehr leitete. Menschenopfer waren zulässig, weil Italien zum Feindvolk rechnete.

Wie sich herausstellen sollte, ist der Unterschied von Freund- und Feindvolk für das Zivilbombardement nicht maßgeblich. Der moderne Krieg weiß mit archaischen Begriffen wie Feindschaft wenig anzufangen. Sie gehörten zur politischen Propaganda, während die Militärmaßnahme der Zweckmäßigkeit folgt. Spaatz, der ein schwankender Mann war, konnte sich damit schwer abfinden. »Viele tausend Franzosen«, schrieb er nun anläßlich der Invasionsangriffe an Eisenhower, seinen Vorgesetzten, »werden in diesen Operationen getötet werden und viele Städte verwüstet. Ich fühle mich in einer gemeinsamen Verantwortung mit Ihnen und sehe mit Schrecken eine Militäroperation, die Vernichtung und Tod breit in Länder hineinträgt, die nicht unsere Feinde sind, insbesondere, wo die aus diesen Bombardements zu erzielenden Resultate noch gar nicht als ein entscheidender Faktor nachgewiesen sind.«

Zwei Tage nach diesem Schreiben, am 24. April 1944, greifen US-Bomber die Bahnanlagen von Rouen an, Bischofssitz seit dem 3. Jahrhundert, seit 912 die Hauptstadt der Normandie und Residenz ihrer Herzöge. Die Stadt, die wie keine zweite in Frankreich ein Tresor mittelalterlicher Baukunst ist, verliert das Areal zwischen der Seine und der Kathedrale Notre-Dame. Die Bomben vernichten deren gesamten Südflügel und die Rosette des nördlichen Querschiffs. Voll getroffen wird das elegante Geschöpf der Spätgotik, die kleine Kirche Saint-Vincent mit den schönsten Farbfenstern Rouens, die, rechtzeitig herausgetrennt, ohne die Räume fortleben, die sie beleuchteten. Rouen war gewarnt von einem 237-Lancaster-Angriff, der eine Woche zuvor bereits die Bahnanlagen bedacht hatte, mit viel, aber nicht genügend Erfolg. Bombardiert wird bezeichnenderweise das Palais de Justice, begonnen im Jahr 1499, mit dem schönen Salle des Pas Perdus, der Halle der Anwälte mit dem hohen Balkengewölbe. Es ist verloren. Das Haus der Diane de Poitiers geht unter, eine höchst seltene gotische Holzstruktur mit einem Fassadenschmuck im Renaissancestil, sowie der Salle des Assises, das einstige Ständeparlament aus dem Jahr 1509 mit vergoldeter Eichendecke. Vierhundert Zivilisten werden getötet.

In der Nacht zum 10. April zerstören 239 Halifaxe, Lancaster, Sterlings und Mosquitos 2124 Güterwaggons in Lille sowie die Cité des Cheminots, eine Bahnarbeitersiedlung mit freundlichen, leichtgebauten Eigenheimen. 456 Personen, meist Eisenbahner, sterben. Die Überlebenden, die in der Wucht des Angriffs ihre letzte Stunde gekommen wähnten, irren zwischen den Bombentrichtern und schreien nur »Bastards, Bastards«. In der folgenden Nacht enden 428 Belgier in Gent. Sechshundert Gebäude werden zerstört und beschädigt, darunter sieben Schulen, zwei Klöster und ein Waisenhaus. Die Nachtangriffe haben die gleiche Form wie in Deutschland mit Pathfindern, Markierungslichtern und der schreckverbreitenden Dichte.

In der Nacht zum 21. April sind 1155 britische Maschinen in den Küstendepartements unterwegs. In zwei Nächten, zwischen dem 11. und 13. Mai, bombardiert Bomber Command Löwen, wo dreißig Jahre zuvor in einem Hunnensturm, der die Welt empörte, des Kaisers Heer in eine Gruppe vermeintlicher Demonstranten schoß, wobei, absichtlich oder eher nicht, die alte Bibliothek abbrannte, deren Ersatz der Versailler Vertrag vorschrieb. Nun zerfielen fünf Blöcke der Universität sowie die Abteikirche St. Gertruden aus dem 16. Jahrhundert zu Schutt. Ihr Chorgestühl galt als die feinste Holzschnitzerei ganz Belgiens, die keine Ersatzleistungen erforderte, weil sie unersetzlich war. 160 Bürger wurden getötet.

Die Transportoffensive der Vorinvasionszeit nahm 12 000 Franzosen und Belgiern das Leben, nahezu doppelt so vielen Personen, wie Bomber Command sie 1942 im Deutschen Reich tötete. In den ersten drei Wochen der Invasion waren 7704 Soldaten auf alliierter Seite gefallen, auf der deutschen das Zehnfache. Es hat nach übereinstimmendem Urteil nie eine vollkommenere Militäroperation gegeben.

Nach dem geglückten Landeunternehmen trat der Luftkrieg über Frankreich in die Entscheidungsphase. Die Befreiung des Freundvolks vom Feindheer konnte, da die Bomberwaffe fünf Jahre nach ihrer Einführung Zivil und Militär nicht trennte, auch Freund und Feind nicht unterscheiden. Das Städtchen Contances, nordwestlich von Utha-Beach, dem Landeabschnitt des VII. US-Corps, wurde noch in der Nacht zu fünfundsechzig Prozent verbrannt, am 14. Juni rasten Feuer im Notre-Dame-Bezirk von Le Havre. Der Angriff meinte nicht die Stadt, sondern deren Hafen, wo sechzehn von siebzehn deutschen Torpedo-Booten zerstört wurden, die den britischen Nachschub bedrohten. Aus dem nämlichen Grund flogen am Folgetag 297 Lancaster, Halifaxe und Mosquitos nach Boulogne, wo leichtere deutsche Fregatten ankerten. Hafen, Umgebung und zweihundert Menschen wurden zerstört.

Ein Vierteljahr später, am 5. September, kehrte Bomber Command zurück. Die Invasionstruppe stand wegen Nachschubschwierigkeiten halb still und benötigte schnellstens Hafenkapazität. Um Le Havre herum lagen noch deutsche Igelstellungen, vom alliierten Vormarsch längst überholt, er hatte inzwischen die Mosel erreicht. Um den abgeschnittenen Verband auszuschalten, legten 313 Lancaster einen Flächenbrand in Le Havre, der 2500 Zivilisten tötete. Es kam auf sie nicht an, wie der Vergleich mit Caen lehrt, der meistheimgesuchten Stadt bei der Rückeroberung Frankreichs.

Caen nahm die Schlüsselposition im Invasionsgebiet ein. Das war so nicht vorgesehen, weil Montgomery, der britische Anführer, eigentlich am Abend der Landung dorthin gelangen wollte. Die Deutschen, welche die Invasion am Pas de Calais erwartet hatten, besaßen an dem fraglichen Tag nur einen nennenswerten Verband im Küstenstreifen zwischen Cherbourg und Le Havre, die 21. Panzerdivision. Rommel hatte sie hinter Caen postiert für den Bedarfsfall. Am 7. Juni erschien eine weitere Panzerdivision.

Der britische Versuch, die Stadt südöstlich auszuflankieren, blieb stecken. Schon die 21. Division hatte die britischen Linien am Vortag durchbrochen und fuhr zur Küste; drei Divisionen an der Stelle hätten den alliierten Landeköpfen vermutlich einigen Elan genommen. Wie die Dinge lagen, befestigten sich die Deutschen bei der Stadt, um den Zugang ins Seinebecken und nach Paris zu sperren. Während des 7. Juni setzten die Briten 467 Bomber ein, um einige deutsche Dorfstellungen nördlich Caens zu liquidieren. Aus Sorge, der bekannten Zielungenauigkeit wegen die nahe gelegenen eigenen Truppen zu treffen, rückte man den Angriffsschwerpunkt näher an die Stadt, warf 2200 Tonnen ab, beseitigte kaum Deutsche, dafür aber die nördlichen Vororte. Zwei Wochen später scheiterte der nächste Versuch schottischer Panzer und Infanterie, nach Westen durchzubrechen.

Obwohl die Deutschen über die aufgerissenen Straßen nur mühsam Verstärkung in den Raum beförderten, saßen die Alliierten inzwischen über fünf Wochen nach der Landung in der Normandie fest, konsolidierten dort allerdings die Brückenköpfe. Caen, das am ersten Tag hätte fallen sollen, hielt bis zum 18. Juli. Aus Gründen, die mit Montgomerys Eitelkeit zu tun haben mögen, beschlossen die Briten, ohne Kontakt mit Eisenhower bei Caen endlich auszubrechen. Sie sammelten drei Panzerdivisionen, die in einer nach dem Rennplatz ›Good Wood‹ benannten Operation an den Flanken vorbei Richtung Paris vorzustoßen hofften. Nichts dergleichen war je vorgesehen gewesen.

Bevor die jenseits der Orne wartenden Panzer am Morgen des 18. Juli losfuhren, war Bomber Command mit einer Armada, wie keine deutsche Stadt sie erlebt hat, mit zweitausend Bombern, gestartet, um fünf befestigte Dörfer an der Durchbruchstelle auszulöschen und im übrigen siebentausend Bombentonnen auf zweihundert Quadratkilometern zu verstreuen. So ging auch die Stadt Caen unter. Die 1082 begonnene Kirche St. Gilles mit ihrer einzigartigen Durchmischung romanischer und gotischer Elemente, drei Jahrhunderte hatten an ihr gebaut, fiel ins Nichts. St. Pierre, von dem Urbild des normannischen Kirchturms bewacht, verlor dessen Spitze, die als die makelloseste der Region galt. Ein armer

Stumpf blieb zurück, und das sechshundertjährige Gewölbe des Seitenschiffs wurde weggesprengt wie im Steinbruch. Nichts blieb von der Stadthalle im prächtigsten französischen Barock. Zwei Drittel der Häuser waren zerstört, dreitausend Leichen lagen in der Stadt. Gefangengenommene Deutsche waren durch die Tortur der Sinne erst nach vierundzwanzig Stunden vernehmungsfähig.

Selbst nach den Maßstäben des strategischen Bombens im Reich war dies ein Schwerstschaden unterhalb der Schwelle der Feuerstürme. Kein Einzelangriff auf Berlin hat solche Tödlichkeit erreicht. Nach dem Durchbruch der romanischen Gewölbe blieb Operation ›Good Wood‹ am Nachmittag in den Tiefen der deutschen Abwehr hängen. Es wurde später behauptet, daß Operation ›Cobra‹ dadurch erleichtert wurde, der Ausbruch der US-Truppen aus der Normandie am Rande der Bretagne. Das geschah am 31. Juli bei Avranches und führte zu der kolossalen Drehbewegung nach Nordosten, die geradewegs zum Rhein wies.

Im September wurden die abgeschnittenen Hafenfestungen Le Havre, Boulogne und Calais, jede nach massiven Bombenschlägen, eingenommen. Der ihren Bewohnern abverlangte Blutzoll übertrifft den Caens. Die sechstausend Zivilisten starben hier nicht auf Veranlassung Roosevelts, den Churchill unlängst beschworen hatte, von dem ›Franzosenabschlachten‹ abzusehen. Mittlerweile schlachtete Churchill um vieles ausgiebiger als jener. Seine Fürsorge für die Bürger Boulognes, Le Havres und Calais hätte er nur seinem Luftmarschall Tedder mitzuteilen brauchen, der Bomber Command an diesem Schauplatz befehligte wie in Caen. Weil aber Montgomery den Deutschen nicht Antwerpens Nordseezugang abzunehmen wußte, wo die Verbündeten ihren Nachschub anzulanden hofften, warfen sie in ihrer Furcht, steckenzubleiben und unterversorgt von den Deutschen zerrieben zu werden, alle Menschenfreundlichkeit beiseite. Sie würde, wie Roosevelt von Anfang an gewußt hatte, nicht so weit reichen, die kampfunerfahrene eigene Truppe materialärmer den Deutschen auszusetzen. Notgedrungen schlachtete man Franzosen. Es wurden dringlich Hafenstädte benötigt, und Städte durch Zivilmassaker aufzuweichen waren die Bomber längst gewöhnt.

Zwölf Monate vor den hier abgehandelten Ereignissen hatte sich Churchill mit einem Wochenendgast, dem Vertreter Australiens im Kriegskabinett, Richard Casey, einen Film angeschaut, den Bomber Command während der Ruhrschlacht aufgenommen hatte. Er zeigte das Bombardement im Vollzug, und die Linse sah, was Pilot, Navigator und Bombenschütze im Einsatz sahen. Mit einem Mal, notierte Casey in sein Tagebuch, fuhr Churchill hoch, »und er sagte mir ›Sind wir Tiere? Führen wir das zu weit?‹ Ich sagte, daß wir damit nicht angefangen hätten und daß es darum ginge, wir oder sie.«

Das ›wir‹ blieb gleich, nur das ›sie‹ nahm unaufhörlich zu. Zuerst bestand ›sie‹ aus Deutschen, dann aus Italienern, nun aus Franzosen, dazwischen aus Rumänen, Ungarn und Bulgaren. Im Winter 1943/44 entwarfen die Verbündeten Pläne, Hitlers Südostverbündete, Ungarn, Rumänien und Bulgarien, dem Luftkrieg zu unterziehen. Sofia wurde zwischen November und April 1944 von britisch-amerikanischen Verbänden nach dem deutschen Muster traktiert: Tag-Nacht-Wechsel, Zerstörung des Wassernetzes, Aufreißen der Wohnblöcke, Brandstiftung. Im April brannten die den Bahnhof umgebenden Gebiete Sofias zwei Tage lang. Viel Luftschutz gab es nicht. Sofia verlor mehrere tausend Einwohner, so wie auch Bukarest ein Eisenbahnziel.

Eisenbahnziele sind immer militärisch, liegen immer inmitten der Städte, und zwar längsgestreckt. »Unser Angriff auf die Rangierbahnhöfe in Bukarest war eine blutige Angelegenheit«, schrieb General Eaker, zeitweiliger Chef der 8. US-Flotte, am 17. April 1944 an das Pentagon. »Wir haben etwa zwölftausend Leute getötet, davon sechstausend Flüchtlinge in Zügen auf den Bahnhöfen und sechstausend Rumänen, die um diese herum lebten.« Der Achse zugehöriges Zivil und von der Achse okkupiertes Zivil starb zu vierstelligen Zahlen. Turin, Mailand, Genua, Paris, Nantes, Lille, Amsterdam erlegten keine je verschiedenen Rücksichten auf. Anfänglich steht ein militärisches- und Verkehrsziel wie die U-Boot Bunker in Lorient, an der Südküste der Bretagne. Den US-Bombern war es nicht gelungen, durch die Betonverschalung zu dringen, und General Eaker ersuchte das Pentagon um Befehle. Die Royal Air Force habe alle Restriktionen gegen deutsch okkupiertes Gebiet fallenlassen, antwortete Vizeluftfahrt-minister Lovett, »löschen Sie die Stadt aus, wie die R.A.F. es auch tut«.

Ein Ort indes blieb verschont, obwohl nicht wenige seiner Bewohner als einzige den Angriff ersehnten. Im Frühsommer 1944 war vier jüdischen Insassen des Vernichtungslagers Auschwitz die Flucht gelungen. Sie unterrichteten ihre Gemeinde in der Slowakei von den Funktionen der Gaskammer. Die Nachricht erreichte die Schweiz und am 24. Juni die Regierungen in Washington und London, verbunden mit der Bitte um Bombardierung eines Verkehrsziels, der Gleisanlagen nach Auschwitz. Dem waren die Namen von zwanzig Bahnstationen entlang dieser Gleise beigefügt. Am 27. Juni las Churchill persönlich den Bericht, und er schrieb an Außenminister Eden: »Was kann man machen? Was kann man sagen?« Eden riet, was zwei Zionistenführer, Chaim Weizmann und Moshe Schertok, ihm geraten hatten. Es war dasselbe, worum auch die Nachricht aus der Slowakei via Schweiz ersuchte: eine weitere Bahnanlage in Europa zu bombardieren. Churchill wies Eden an: »Nehmen Sie sich alles von der Air Force, was geht. Und greifen Sie auf mich zurück, wenn notwendig.« Die R.A.F. zögerte, das Leben britischer Flieger zu riskieren, »ohne einen Zweck«. Da es aber ein Bombardement auf Sicht hätte sein müssen, fiel es an die tagsüber zuständigen Amerikaner. Im Pentagon empfing John McCloy vier Anforderungen, die Auschwitzgeleise anzugreifen. Seine Antwort notierte sein Stellvertreter in den Worten »Kill this«. Es kam nicht zu diesem Verkehrsangriff und auch zu keinem Plan für diesen Verkehrsangriff.

Eine Woche nach der Landung in der Normandie, am 13. Juni, begann Hitler mit dem Abschuß der seit einem Jahr angekündigten Vergeltungswaffe. Es handelte sich um ein kleines strahlengetriebenes Flugzeug, unbemannt, mit 830 Kilogramm Sprengstoff beladen, die bei Aufprall explodierten. Die Abschußrampen an der französischen Kanalküste waren bereits im Sommer 1943 installiert, doch immer wieder von Bomber Command angegriffen worden, desgleichen das Versuchsgelände, der geheimste Ort im Reich, Peenemünde auf der Insel Usedom. Die ›V1‹ genannte

Flugbombe wurde von einer angeschrägten Katapultschiene gestartet. Ein Kolben schleuderte sie mittels chemisch erzeugten Dampfdrucks auf ihre Bahn. Hatte sie eine Geschwindigkeit von 320 Stundenkilometern erreicht, setzte ihr Antrieb ein und beförderte sie mit doppelter Geschwindigkeit in zweiundzwanzig Minuten nach London.

Der erste Start ist mühsam. Von dreiundsechzig Stellungen gelangen neun Geschosse auf den Weg, vier kommen in London an, eines erschlägt sechs Personen. Ein Ziel ist mit dieser Waffe nicht zu treffen; bei fünfzehn Kilometer Streuung schlägt sie willkürlich ein. Man feuert allerdings in den Morgen- und Nachmittagsstunden, um möglichst Menschen im Gedränge des Berufsverkehrs umzubringen. Was bereits im Londoner Winter 1940 und anschließend dreieinhalb Jahre im Reich mißlang, soll nun eintreten, Panik und Zusammenbruch! Während die Gegenseite nach Hunderttausenden ergebnislos getöteter Zivilisten und Flieger sich auf den alten, blutigen Weg der Landeroberung schickt, fallen ohne strategische oder taktische Perspektiven etwa 15 000 Personen der deutschen Rache zum Opfer.

Am Morgen des 6. Juli meldet Churchill dem Unterhaus, daß 2752 Tote zu beklagen seien. Eine Million Londoner, meist Frauen und Kinder, werden in diesem Sommer aus London evakuiert. Im September sind 25 000 Häuser zerstört. Von 8839 dorthin abgefeuerten V1 treffen siebenundzwanzig Prozent in Wohnvierteln auf und töten 5475 Personen. Die Regierung weiß, daß neben der Flugbombe eine zweite Waffe existiert. R. V. Jones mutmaßt im Kriegskabinett, daß es sich um ein Projektil von elf Tonnen Gewicht handle. Tausend davon könnten bereits existieren, ihre Marschgeschwindigkeit betrage unglaubliche 6000 Stundenkilometer. Sie benötige drei bis vier Minuten nach London.

Jones hatte das Wesentliche an Hitlers Rakete erfaßt. In Reichweite, Sprengkopf und Zielgenauigkeit unterschied sie sich kaum von der V1, wog allerdings fünfundzwanzig Tonnen und war siebzehnmal schneller. Von ihrer mobilen Rampe am Hoek van Holland erreichte sie tatsächlich in fünf Minuten die Insel; es gab dagegen keinen Schutz. Der Bomber war nicht durchgekommen, weil der Jäger ihn überholen und verletzen konnte. Die Rakete war unverletzlich, weil selbst ein Düsenjäger nur ein Sechstel ihrer Geschwindigkeit aufbrachte. Das Unvollständige an dieser Waffe war einstweilen ihre schwache Zerstörungskraft. Um eine Tonnage wie die des Hamburger Feuersturmangriffs nach London zu befördern, hätte es dreitausend V2-Raketen bedurft. Es sind auf diese Stadt aber in den sieben Monaten ihres Einsatzes nur 1359 Stück abgefeuert worden. Ihres zyklopischen Gewichtes wegen bohrte sie sich mehrere Meter tief in den Boden, zündete, so daß die Druckwelle sich nach oben und in das Erdreich fortpflanzte. Das alles hielt den Schaden, gemessen an dem in Deutschland tagtäglich Veranstalteten, im Rahmen des militärisch Bedeutungslosen. Die Vergeltungswaffe war von vornherein nicht vergeltungsfähig.

V1 und V2 töteten in Großbritannien 8938 Personen und verletzten 22 524. Dennoch wirkte die geräuschlos und unsichtbar, denn sie flog eineinhalb Kilometer in der Sekunde, einschlagende Rakete tief auf das Daseinsgefühl. Kein Alarm, kein Wegducken, kein Gebet fand statt, als am 25. November die V2 ein Woolworth-Kaufhaus im Londoner Vorort Deptford traf und hundertsechzig mittägliche Einkäufer in den Tod riß, darunter auch die Insassen eines Busses, die staubbedeckt und leblos in den Reihen saßen, vom Luftdruck entseelt. Churchill und viele Briten, insbesondere Bomberpiloten, hegten gegen die Rakete einen besonderen Ingrimm. Sie sei eine heimtückische, feige Waffe, weil aus dem Vernichtungsmittel nun jede Spur des Kampfes getilgt war. Kein Pilot saß an Bord und riskierte sein Leben.

Als Churchill durch Jones am 18. Juli die Eigenschaften der V2 erfuhr, teilte er dem Kriegskabinett mit, daß er die Vergeltungswaffe vergelten werde. »Nach Rücksprache mit Roosevelt und Stalin sei er nun bereit, den Feind im Gegenzug mit großangelegten Gasangriffen abzuschrecken, falls solch ein Kurs Gewinn verspreche.« Höhere Luftwaffenoffiziere und selbst Portal rieten zur Mäßigung. »Diese verfluchten blöden Raketen«, wie Harris sie nannte, richteten weniger Schaden an als eine einzige Bomber-Command-Mission gegen irgendeine deutsche Stadt. Churchill ließ sich nicht beirren, und vorsorglich trainierten einige Schwadrone bereits mit Gas. Air-Marshall Tedder, der den Luftabschnitt der Invasion befehligte, machte Einwände geltend. Es versprach keinen Vorteil, kurz bevor die alliierten Heere auf Reichsgebiet vorrückten, den Gaskrieg einzuleiten.

Die Mehrzahl der V2-Raketen ließ Hitler nicht nach London, sondern auf Antwerpen fliegen: 1610 Stück. Die Flugkörper, die am 13. Oktober etwa im Schlachthaus zu Antwerpen ein Dutzend Metzger töten und am 17. November zweiunddreißig Nonnen in ihrem Kloster, waren allerdings nicht der Vergeltung, sondern einer Hafenstadt gewidmet, einem Verkehrsziel. Fünfundzwanzig V2 trafen Lüttich, neunzehn Maastricht und neunzehn Paris. Belgien verzeichnete 6448 Tote und 22 524 Verwundete. Die meisten Opfer der Vergeltungswaffen erlagen nicht dem Beschuß, sondern der Herstellung. Der pharaonische Druck der Sklavenhalter in den unterirdischen Produktionsstätten des Südharzes vernichtete etwa 20 000 KZ-Häftlinge und Zwangsverschleppte durch Arbeit.

In der ersten Septemberwoche war Montgomery mit dem linken Arm des Invasionsheeres in Antwerpen eingezogen. Es hatte sich in eine britische Hälfte gespalten, die zum Niederrhein und zur Nordseeküste zog, und eine amerikanische mit Richtung auf Lothringen und die Saar. Die Verbündeten und die Deutschen hatten bisher 425 000 Mann verloren, ungefähr zu gleichen Teilen. Das entsprach den Verlusten der Verdunschlacht von 1916. Niemand hatte mit einer so raschen Preisgabe Frankreichs gerechnet; es war eine blutige Kampagne mit klarem Resultat.

Briten und Amerikaner hofften auf ein Weihnachtsfest daheim. Allerdings litt das Fortkommen unter dem Nachschub; Montgomery und Patton, die Schrittmacher des Einmarschs, konkurrierten um die Zuteilung des Treibstoffs. Die Transportstrecken fehlten. Dieselbe Streckenzerstörung, welche die deutsche Westbewegung blockierte, verlangsamte jetzt den alliierten Oststoß. Mehr als alles andere mangelte es an umschlagstarken Häfen. Am Ärmelkanal hüteten auf Hitlers Geheiß die abgeschnittenen Besatzungen von Le Havre, Boulogne und Calais den Platz. Bombardement und Einnahme haben viel zerstört, wenig gekostet und wenig genutzt. Die Verbündeten brauchten Antwerpen, weil es hundertfünfzig Kilometer nahe am Rhein liegt. Montgomery hatte zwar die Stadt erobert, doch nicht den Zugang zur See, denn dazwischen liegt die Schelde; dort standen die Deutschen. Wohl wäre es zur Versorgung des Invasionsheeres möglich gewesen, die Scheldemündung freizukämpfen, kurz vor dem Sturm auf die Reichsbefestigung, den waffenstarrenden Westwall, ein ratsames Unterfangen. Doch hatte Montgomery, ein eher bedächtiger Charakter, ein kühneres Vorhaben ersonnen.

Der Westwall endete an der niederländischen Grenze. Wenn man ihn ausflankierte, den Rhein kurz vor seiner Mündung bei Arnheim überquerte und dann südwärts schwenkte, stand man im Ruhrgebiet oder in der norddeutschen Tiefebene, wo immer man durchkam. Vorsorglich schrieb Montgomery in den Operationsbefehl M525 vom 14. September, es gelte »das Ruhrgebiet zu umzingeln und zu isolieren«, ob er es besetzen wolle, stehe dahin, »denn das Ruhrgebiet soll nur die erste Etappe unseres weiteren Vorstoßens in das Innere Deutschlands von Norden her sein«. Während die 1. US-Armee sich im Westwall bei Aachen verbiß und Pattons 3. Armee einen Brückenkopf an der Mosel bildete, nahm es Montgomery im Handstreich mit der Bastion des Reiches auf, dem Ruhrgebiet. Nach vier Jahren Bombardierung wurden dort soeben Produktionsspitzen erreicht. Die Operation hieß ›Market Garden‹.

Der Plan ließ Fallschirmtruppen ein System von Brücken einnehmen, um nachfolgenden Panzerarmeen den Korridor zu öffnen nach Westfalen. ›Market‹ bezeichnete die Rheinbrücke von Arnheim, ›Garden‹ die Brücken um den Wilhelminakanal und die Maas zwischen Eindhoven und Nijmwegen. ›Market‹ mißglückte. Die Deutschen hatten zwei fähige Generäle vor Ort, Model und Student, den Pionier der Luftlandung. Sie meisterten die Lage mit geübtem Blick. Nur die 82. und die 101. US-Fallschirmdivision, das ›Garden‹-Kommando, setzte sich am 17. September mit dem XXX. britischen Corps zwischen Maas und Waal fest. Die Brücken dort waren erobert und die Front um einen von Antwerpen bis Nijmwegen vorspringenden Keil erweitert, ein ungünstiger, an zwei Flanken bedrohter Verlauf. Die Westflanke grenzte an den Reichswald, die nächstgrößeren Städte waren das hügelige Kleve und das rechtsrheinische Emmerich, durch beide führten

Bahnlinien und Straßen nach Nordwesten, die einzigen zu jenem Keil hin.

In Kleve lebten 21 000 Menschen, es gab wenig und keinerlei rüstungsrelevante Industrie. Am Pfingstmontag 1940, kurz nach dem Hollandeinmarsch, waren hier vier Personen durch Bomben getötet worden, seither hatte der Ort Ruhe. In der Woche nach der gescheiterten Arnheim-Landung folgte ein Alarm dem anderen, tags wie nachts. Jagdbomber kreisten über Stadt und Land. Vor kurzem hatten holländische Widerstandskreise angegeben, daß im Raum Arnheim ein SS-Panzerkorps stehe, und die britischen Nachrichtenoffiziere vermuteten, daß es von einem Panzerdepot nahe Kleve versorgt werde. Am 22. und 26. September kamen Bomber, trafen das St. Antonius-Hospital, die Münze und das Stadthaus. Daraufhin machte sich ein Drittel der Bürger auf den Weg nach Mitteldeutschland. Am 7. Oktober erschienen um die Mittagszeit 351 Maschinen am Himmel, die Straßen waren menschenleer, und legten das 195 Hektar messende Stadtgebiet zu drei Viertel in Trümmer, eine Masse von achthunderttausend Kubikmetern. Genug, um eine achtzig Kilometer lange, zehn Meter breite Straße um einen Meter höher zu legen. Der Ort war unverteidigt, ein Bomber stürzte in den fünfhundertjährigen Schwanenturm der von Herzog Adolf I. errichteten Schwanenburg. Fünfhundert Personen wurden getötet, jeder dreißigste in Kleve Anwesende.

Am selben Tag ging aus selbigem Grund auch die mittelalterliche Handelsstadt Emmerich in Spreng- und Brandbomben zugrunde. 641 Zivilisten starben und 91 Soldaten. Ein ähnliches Zwillingsschicksal ereilte die beiden Städte nochmals im Februar/ März 1945 bei dem Rheinübergang der Verbündeten. Beide Orte rechnen sich zu den meistzerstörten des Weltkriegs, ein Rang, den mehrere beanspruchen und alle mit Grund. Kriegsrechtlich liegt ein vom ›moral bombing‹ zu unterscheidender Verkehrsangriff vor. Kleve und Emmerich brauchten nicht ihren Wehrwillen aufzugeben, sie mußten nur ihre militärisch nutzbaren Strecken verlieren. Im Ergebnis kam alles auf das gleiche heraus. Die Verkehrsangriffe wechselten von französischem auf deutschen Boden, wo wiederum seit Jahren Moral und Industrie in einem bombardiert wurden. Vom Standpunkt des Zivils interessieren die Angriffsabsichten weniger als die Absicht, irgendeinen Zivilschutz einzuhalten. Hamburg im Feuersturm und Kleve im Verkehrsangriff haben die gleiche Menschenverlustrate; die Stadtzerstörung ist in Hamburg mit sechsundfünfzig Prozent weitaus geringer. Selbst Aachens Bebauungsverluste sind mit zwei Dritteln niedriger, obgleich diese Stadt zwischen 1940 und 1945 über siebzig Luftangriffe erlitt und im Oktober/November 1944 eine Belagerung mit Häuserkampf von Berliner Ausmaß.

Der Aachener Korridor, die historische Pforte des westlichen Eroberers, sollte den zweiten Versuch erleben, den Riegel vor dem Reich zu sprengen. Die Chancen standen nicht übel, denn in der ersten Septemberhälfte hielten die Deutschen die hundertdreißig Kilometer lange Linie zwischen Aachen und Metz mit acht Bataillonen vor den Ardennen gedeckt. An der ganzen Westfront standen Panzerverbände einander gegenüber im Verhältnis eins zu zwanzig, die Luftflotten eins zu vierundzwanzig. Die Verbündeten genossen überdies die Zuversicht, die zwölf Wochen unaufhaltsames Vorrücken von der Atlantikküste bis zu den Vogesen verleihen.

Der Westwall, der sechshundert Kilometer lange Betonverhau aus gezahnten Panzersperren und Geschütztürmen, mit glatten Autobahnlinien zu den Rheinstädten hin, flößte, wiewohl schwach bemannt und modrig geworden, einige Beklemmungen ein. Nach Süden zu, gegenüber der französischen Grenze, verdickte sich der Wall und flocht die nahen Dörfer ein in seine Wehr. Die Häuser und öffentlichen Gebäude waren in dickem Ziegelstein gemauert, Dachgeschosse und die Belfriede der Kirchen boten Beobachtungsstände.

Montgomery setzte nach seinem Septemberfiasko bei Arnheim zurück und konsolidierte seinen Nachschub an der Scheldemündung, allerdings nicht vor dem 28. November. Patton im Süden blieb stecken am waffenstarrenden Befestigungswerk von Metz, eins der dem Preußenheer seit 1870 vertrautesten Gelände. Seine Treibstoffvorräte schwanden und zusehends auch die Energien der Truppe. Der Wunsch breitete sich aus, Atem zu holen.

Zwei Monate kam die Front nicht von der Stelle. Zwischen Montgomery und Patton standen die 9. US-Armee unter William Simpson und die 1. US-Armee unter Courtney Hodges. Dieser unternahm den dritten Versuch, sich Eingang in das Reich zu erzwingen. Als Route war der Korridor zwischen den Marschen Niederbelgiens im Norden und den unwegsamen Barrikaden der Natur im Süden vorgesehen, der Hürtgenwald, die Ardennen und die Eifel. Inmitten der Strecke lag Aachen, wo man nicht weiter verweilen wollte. Die Stadt war militärisch wertlos und überdies durch das Bombardement in den zwei Nächten zum 12. April und zum 25. Mai 1944 radikal zerstört. Der 12. April ist mit 1525 getöteten Einwohnern, darunter 212 Kindern, der schwerste der Vorinvasionsangriffe gewesen. Sechs Krankenhäuser wurden getroffen, die nun wertvoller wurden, anders als die achtzig getöteten Patienten und elf Pflegekräfte. Die für den Frankreichverkehr wichtigen Bahnhöfe Aachen-West und Rothe Erde ließen sich erst am 25. Mai zertrümmern, dazu schickte Bomber Command 442 Maschinen, die mehr einebneten als zwei Bahnhöfe. Neben 15 000 Obdachlosen und 207 Toten blieben noch einige zerstörte Dörfer zurück, darunter Eilendorf mit 52 Opfern und das alte Aachen-Burtscheid. Im südlichen Talkessel gelegen, mit der seit dem frühen Mittelalter bestehenden Reichsabtei und den warmen Quellen wurde es am 12. April auf Erdgleiche gebracht. Dabei starben die wichtigsten Luftschutzposten und ihre Botengänger, die Hitlerjungen. Das trug dazu bei, daß die Brände ungehindert die Innenstadt verzehrten. In Anbetracht der reichen Vorarbeit der Luftstreitkräfte ließ die 1. Armee die Stadt von einer Infanterie- und einer Panzerdivision nördlich umfassen, von Süden sollte das VII. Corps den Kreis schließen bei Würselen, beides innerhalb der Tiefenstaffelung des Westwalls. Anschließend würde man die Kapitulation der Stadt entgegennehmen, nach Osten dringen, den Rhein hinauf bis Bonn und über ihn hinweg gegen Düsseldorf marschieren, hin zu der Trophäe, die Montgomery entgangen war.

Am 2. Oktober begann der nördliche Zangenarm mit einem kombinierten Panzer-, Infanterie- und Jagdbomberangriff im deutschen Blitzstil. Im schwarzen Qualm der Artilleriegeschosse sahen die Flieger nicht viel, die Bomben rauschten ins Gelände, auf die Dörfer und ein paar auch auf den Westwall. Durch exzellentes Zusammenwirken der Panzer mit der Infanterie gelang es dennoch, die Geschütztürme zu umgehen, ihre Türen mit Hilfe von Pionieren und Ingenieuren zu sprengen und die Insassen ebenfalls. Die Deutschen, die hart gefochten hatten, gaben den Widerstand auf, als sie den Feind im Rücken spürten. Nur die Überwindung des Unüberwindlichen traf die Moral, hier wie überall in Deutschland. Es war der 7. Oktober, nördlich von Aachen stand die Gasse durch den Westwall offen. Dann fiel ein verhängnisvoller Entschluß.

Der Gegner war angeschlagen, sammelte mühselig Kräfte, den Westwall dichter zu bemannen, wo endlos viele Durchlässe klafften, wenn man sie denn entdeckt hätte. Einer war freigekämpft. Westphal, der seinerzeitige Stabschef dieser Front, gab später an, daß bis Mitte Oktober ein rascher Stoß durch eine Lücke an irgendeiner Stelle geradewegs zum Rhein geführt hätte, dessen Brücken noch alle intakt standen. Der Zusammenbruch wäre eingetreten, weil vom Rhein aus der Weg ins Reichsinnere nicht hätte aufgehalten werden können. Das mag so gewesen sein; der Ansicht waren fast alle Wehrmachtskommandeure. Ein Taumelnder soll keine Zeit finden, sich zu fangen, ebendies aber geschah. Die Unterbrechung des Operationsflusses erwies sich als fatal. Die Invasion stockte fünf Monate. Der Verzug kostete die Verbündeten im weiteren eine halbe von einer dreiviertel Million Verlusten im Europafeldzug, warf die deutschen Städte in einen mongolischen Luftvernichtungsorkan über alles bisher erlittene hinaus und zog die Sowjetunion, die Mitte September vor Warschau stand, nach Mittel- und Südosteuropa, mit allem Jammer, den sie zwei Generationen Menschen dort auflud.

Es gelang der 30. Infanteriedivision von Norden nicht, zu der vier Kilometer entfernt in Würselen wartenden 1. Infanteriedivision aufzuschließen. Die Lage war ungewiß. Aus der Aachener Garnison drang Widerstand. Gut möglich, daß die Deutschen sich zu einem Konterschlag aufrafften, die Nachschublinien zum Rhein hastender Divisionen abschnitten, ihnen ein Arnheim-Debakel weit größeren Umfangs bescherten, daraus frischen Elan

138

schöpften und das am Ende seines Sprits sitzende Invasionsheer in einer schulmäßigen Gegenoffensive stellte, um dessen Durchhaltemoral zu prüfen. Das sahen die Teilnehmer keineswegs für ausgeschlossen an, woher wußten sie, wozu der Feind noch imstande war? Sie machten nichts falsch, ihren aussichtsreichen Stand jetzt abzusichern. Für die 1. Armee hieß dies zurück nach Aachen und die Stadt pazifizieren.

Die Ironie der Ereignisse will, daß die Stadt Mitte September Hodges schutzlos preisgegeben war. Er hätte nur zugreifen müssen. Die lokale NSDAP war nämlich zu düsteren Schlüssen gelangt und kurzerhand desertiert. Daraufhin hatte Hitler die 246. Volksgrenadierdivision geschickt, einen Haufen von alten Männern und Knaben mit einem zusammengepfuschten Arsenal von Sturmkanonen, Artillerierohren, Panzern und dem Geheiß, die Stadt zu behaupten bis zum letzten Mann und notfalls sich ein Grab unter ihren Trümmern zu suchen. Aachen, die Residenz des Carolus Magnus, den man unter Vorbehalten doch als weltmachtsfähigen Germanen achtete, überzog ein Widerhall von Ursprüngen. Die Verteidigung von Ort und Wurzeln war denen, die sich dafür in Stücke sprengen ließen, eine heilige Sache. Hitler berührte das am wenigsten; er hat auch den letzten ukrainischen Steppenfleck bis zum Umfallen verteidigen lassen, danach den zweitletzten.

Der Stadtkommandant, Oberst Wilck, wies das am 18. Oktober ergangene Angebot zur Kapitulation von sich, drei Tage später drang ein US-Bataillon mit Panzergeschützen und Bulldozern in die Stadt, um ihre Ruinen niederzuwalzen.

Eine Gebäudeansammlung wird erobert, indem zunächst Kanonenkugeln und Mörsergranaten Wände löchern, Panzer und Leichtbomber ihre Garben dazusetzen, dann verläßt der abwartende Infanterist die Deckung. Er rennt zum Haus, wirft ein paar Handgranaten durch Türen und Fenster oder läßt seinen Flammenwerfer spucken. Sogleich nach der Explosion muß er ins Innere, seine Maschinenpistole entleeren und die Insassen anbrüllen, daß sie aufgeben sollen. So säubert er Haus um Haus. Die Verteidiger taten das Ihrige, die Eindringlinge im Rücken zu fassen, und bedienten sich dazu der Kanalisation. Sie droschen mit

Gewehrkolben und Bajonetten, stellten Fallen, überlisteten, nahmen einen Blutzoll für jedes Gebäude. Die Amerikaner krochen in die Panzer zur Deckung und funkten Artilleristen und Piloten den Sitz der gegnerischen Nester zu.

Die Wiege Europas füllte sich mit zehntausend Toten, Deutsche und Amerikaner miteinander. Wäre nicht am 21. Oktober Wilck mit 3473 Überlebenden das hirnlose Massaker leid geworden, hätten es die Gegner bis zum letzten Mann durchgehalten. Captain Dawson, der von einem höhergelegenen Posten östlich von Aachen die Bomber und Kanoniere dirigierte, mochte nicht für wahr halten, was er in der Stadt vor sich gehen sah. »Das ist das Schlimmste, was ich je erlebt habe. Niemand wird wirklich wissen, was hier passiert ist.« Der Dom und Karls Krönungsstuhl waren das einzige, das unversehrt blieb. Als der Verbindungsoffizier zum Korpsquartier, Lieutenant Col. Harrison, am 22. Oktober die Schäden auflisten sollte, notierte er in sein Tagebuch: »Wenn jede deutsche Stadt, durch die wir kommen, aussieht wie die, hat der Hunne Jahrhunderte zu tun, sein Land wieder aufzubauen.«

Die Grenzschlachten zwischen Arnheim und Metz im Herbst und Winter 1944 lehrten die Verbündeten, was sie nicht wissen konnten. Seit Napoleon hatten keine fremden Heere Deutschland passiert, zuvor allerdings ständig. Doch bestand bis dahin kein Staat dieses Namens. Das Reich existierte in der dritten Generation, es trat der erste Eroberer auf seine Schwelle. Jahrhunderte hatten Preußen, Sachsen, Bayern, Badener, Hessen als Partner Frankreichs, Englands, Schwedens, Österreichs aufeinander eingeschlagen. Es gab keinen Binnen- und keinen Außenraum. Deutschland war der Boden der allgemeinen Zwietracht. Würden die deutschen Stämme das zum zweiten Mal niederbrechende Reich gegen den Invasoren verteidigen oder gemeinsame Sache mit ihm machen? Vielleicht stieben sie auseinander, zumindest fort von Berlin. Das Rheinland konnte sich separieren, Süddeutschland ebenfalls. Womöglich aber würde nachgeholt, was 1918 vermieden wurde, und der Sieger mußte seinen Sieg sich blutig Meter für Meter vom deutschen Territorium holen. Was das Invasionsheer von 1944 in den Ortschaften des Reiches zu gewärtigen hatte, entnahm es Aachen und dem folgenden. Die dortige Volksgrenadierdivision setzte sich aus Leuten zusammen, die vier Jahre Bombenkrieg zermürbt hatten; offenbar nicht ganz. Als Courtney Hodges sein VII. Corps nach Würselen befahl, traf er auch Vorsorge für seinen rechten Flügel. Da war der Hürtgenwald, ein knapp zwanzig Quadratkilometer großes Dreieck zwischen Eschweiler, Düren und Schmidt. Schmidt ist ein Dorf oberhalb der Stauseen von Schwammenauel und der Urft. Wer Schmidt hat, hat die Stauseen, wer die Stauseen nicht hat, kann mit dem Hürtgenwald militärisch nichts anfangen. Das hatten Hodges, sein Chef Bradley und dessen Chef Eisenhower übersehen, die Deutschen nicht. Rechts vom Hürtgenwald fließt die Rur, die überqueren muß, wer vom Westen zum Rhein will. Flutet der Verteidiger danach die Staudämme, ist der Eindringling zwischen Rur und Rhein gefangen, denn das Wasser stürzt von den Seen die Rur hinab und überschwemmt die Nachschubwege. Der Angreifer verfährt sein Benzin, verschießt seine Munition, dann wird er abgeschlachtet.

Aber so ist es nicht gekommen. Denn spätestens bei einem der blutigsten Gefechte einer US-Division im Zweiten Weltkrieg, dem von Schmidt, gewahrte Hodges, daß der Gegner mit einem Hintersinn die Ortschaft nicht lassen wollte. Solange der die Dämme mit ihrer 100 Millionen Kubikmeter Füllung kontrollierte, kam die ganze 1. US-Armee nicht über die Rur. Als die Erkenntnis dämmerte, waren im Hürtgenwald so viele Soldaten gefallen, verletzt und erschöpft, daß die Kraft nicht mehr ausreichte, Schmidt einzunehmen, zumal der Winter eintrat und Hitlers Gegenoffensive. All das trug sich im Oktober und November zu und ist, aus der Warte zweier Rurstädtchen, Düren und Jülich, die unsinnige Kulisse ihres Unterganges.

Der Hürtgenwald ist düster, unwegsam, naß und nicht panzergängig. Die Tannen messen hier zwanzig, dreißig Meter, verschlingen ihre unteren Äste in Mannshöhe, Bäche und Tümpel, Schluchten und Kämme teilen das Gelände, der Oktober läßt das Wasser schwellen, es sickert durch den Morast und tropft von dem Nadeldach. Die Deutschen bewegten sich sicher im Gelände, hatten es dicht vermint und lauerten an allen Sichtpunkten. Sie fanden keine rechte Erklärung, was der Gegner hier suchte, wo er sich so kraß in Nachteil setzte. Hodges und Collins, der Kommandeur des XXVIII. Corps, hatten im Ersten Weltkrieg in der weiteren Umgebung gedient, im Argonner Wald. Hodges als Kommandeur einer MG-Kompanie, der sich im Sterben auskennt. Der Stellungskrieg schreckte beide nicht weiter; sie hielten sich von der Kampflinie fern und muteten knochig den Zwanzigjährigen zu, sich für die Säuberung dieser Einöde von den Deutschen hinzugeben. Das hatten sie auch einmal riskiert. Die Aachen-Operation, um derentwillen dies vonnöten war, löste sich in die Hürtgenwaldschlacht auf, wo die Deutschen so rüstig waren, daß man sie hier festzunageln und aufzureiben gedachte. Dennoch bildete Hodges keinen Angriffsschwerpunkt, sondern pumpte bis Mitte November, der schütteren Logistik wegen, unwirsch Ersatz für die Ausgefallenen in die Gefechte, die ewig unentschieden blieben.

Schmidt, das Niemandsland geworden war, wechselte von einer Hand in die andere. Eigentlich waren es nur vier Straßen, die sich an einem Punkt schnitten, das war die Dorfmitte. Tags patrouillierten die Amerikaner die leeren Häuser, nachts die Deutschen. Da diese die Außenpfade des Hürtgenwaldes kontrollierten, konnten sie ihre Kräfte geschmeidig verlagern. So fügten sie dem XXVIII. Corps in Schmidt und seinen nördlichen Zugängen Vossenack und Kommerscheid 6184 Mann Verluste zu.

Was sagt die Zahl von den Szenen der Panik, der Dauerfurcht vor den Tretminen, die oberhalb des Knies das Bein abrissen, von den Infanteristen, in schlammige Schützenlöcher tauchend, Tag um Tag dem Granatdonner ausgesetzt, bis sie schluchzten wie Kinder und, gelähmt, zum Essen angehalten wurden. »Es war der traurigste Anblick, der mir je untergekommen ist«, berichtet Lieutenant J. Condon über das Gefecht an der Kommerscheider Höhe vom 6. November. »Von Osten kamen Männer die Straße hinabgerannt, stießen und drängelten, warfen ihre Ausrüstungen fort, versuchten die Artillerieeinschläge und einander zu überholen. Einige im Schockzustand, andere halfen den Leichtverwundeten mitzurennen. Viele Schwerverwundete, wahrscheinlich von der Artillerie getroffen, lagen auf der Straße, da wo sie gefallen waren, und brüllten um Hilfe. Es war ein herzzerreißendes und demoralisierendes Bild.«

Man hatte die Deutschen auf den Fersen, nur nicht im Visier. An den dämmrig werdenden Tagen befanden sie sich stets in einem Schwaden an ständig derselben Stelle, im Rücken. Unter solchen Umständen wurde der Ausbruch beschlossen, heraus aus dem Wald zur Rur, wohl wissend, daß man das Westufer nicht erreichte. Hodges hatte die Briten gebeten, die Dämme aus der Luft zu sprengen. Seit der Möhnetalsperre galt Bomber Command als Spezialist in dieser Disziplin, an der Schelde hatte man jüngst die Deiche des Eilandes Walcheren gespalten und es glatt unter Wasser gesetzt. Nur im Nebel des Hürtgenwaldes war alle Kunst vergebens.

Das Versäumnis, die Talsperren in konzentriertem Angriff entweder zu erobern oder zu sprengen, wurde nach der Aachenschlacht zum nächsten Fluch. Mit einer gefluteten Rur wären nämlich die Deutschen vom Nachschub getrennt, mit intakt eroberten Dämmen wiederum die ganze Schlacht überflüssig gewesen. Die Deutschen ließen sich ja nur darauf ein, weil sie den Gegner hier in der Falle hatten. So blieb auch dieser Einmarschversuch stecken. Statt dessen ballte sich die Entschlossenheit, dies widersetzliche Land aus der Luft nochmals zu maßregeln, daß es die Okkupation duldete.

Hodges hatte mit der neugebildeten 9. Armee unter Lt. General Simpson einen Nebenmann erhalten. Beide waren im Frühjahr noch zu hohen Waffentaten berufen, der Beginn ließ davon freilich nichts erahnen. Man wollte den Wald hinter sich bringen, das Ufer besetzen, Schmidt zurückerobern, die Dämme an sich nehmen und zur Vorbereitung all dessen das Material präsentieren, das man aus den Lüften abzuladen fähig war.

Am Mittag des 16. November erschienen schwere Bomber der 8. US-Flotte am Himmel und leiteten die Operation ›Corona‹ ein. Viertausend Flugzeuge warfen an diesem Tag über zehntausend Tonnen Bomben auf die deutschen Stellungen im Hürtgenwald, die darin befindlichen Dörfer und Städte wie Eschweiler und Langerwehe, die Rurstädte Düren, Jülich und Heinsberg. Es war die

größte Bodenunterstützungsoperation der Kombinierten Luftstreitkräfte mit einem Schadensaufkommen wie 12 500 V2. Die
Hälfte der Tonnage ging auf die Rurstädte, ein Viertel davon auf
die 45 000-Seelen-Gemeinde Düren, 4600 Spreng- und 50 000
Brandbomben, für jeden Einwohner mindestens eine.
Dieser Verkehrsangriff auf die Nachschubwege zum Hürtgenwald bedachte Düren mit der gleichen Tonnage wie das vier-
zigfach kopfstärkere Hamburg. Von 9322 Gebäuden blieben dreizehn unbeschädigt. Düren, Jülich und Kleve sind die im Zweiten
Weltkrieg meistzerstörten Städte. Düren verlor 3127 Personen.
Auf Eschweiler, Weisweiler und Langerwehe gehen viertausend
Bombentonnen nieder, Jülich wurde zu siebenundneunzig Prozent vernichtet. Von 1700 Häusern waren 1400 total und 150
stark beschädigt. Die fünfhundertjährigen Glocken der Propstei-
kirche aus dem 12. Jahrhundert fand man geschmolzen in den
Trümmern auf. Nur Haupt und Gebeine der seligen Christina
hielten in einem Mauereinlaß der Christinakapelle stand, dazu die
Außenmauern der 1548 durch Alexander Pasqualini errichteten
Zitadelle. Ihretwegen war die Stadt in amerikanischen und französischen Karten als Festung verzeichnet, und die Jülicher vermuteten, daß man aus einem Irrtum heraus die einst römische
Siedlung im Rurtal, von Herzog Wilhelm dem Reichen im
16. Jahrhundert befestigt, in sechzig Minuten dem Erdboden
gleichmachte.
Die älteren Gemäuer von Jülich und Düren waren keineswegs
der Angriffszweck. Sie standen nur quer auf einer Ebene, die tote
Zone werden mußte, damit der Ausbruch aus der Hölle des Hürtgenwaldes nicht in die nächste Barrikade rannte. Jülich am östlichen Rurufer war bis nach Koslar auf der Westseite eingewoben
in Verteidigungsstellungen, Bunker, Betonblenden, Flugabwehr-
batterien, Verschanzungen, Panzerabwehrgeschütze, Minengürtel. Zehntausend Schanzer hatten hier seit September den Westwall um die Rurstellung erweitert. Sie maß fünf Kilometer Tiefe,
auch wurden Truppen am Bahnhof verladen. Die Wehranlagen
wären mangels Flugabwehr – die Amerikaner hatten nicht einen
Maschinenverlust, die Briten vier – präzise zu beseitigen gewesen.
Doch wurden Einzelheiten längst nicht mehr wahrgenommen.

Den Verbündeten stand so viel im Weg, daß Beiseiteräumen das einzig Vernünftige schien.

Die Operation nahm nach Angaben der Gemeinden Jülich und Düren Zehntausenden von Einwohnern des Rurtals und Hürtgenwaldes das Leben, eine schwer vorstellbare Dimension, immerhin müssen es äußerst viele gewesen sein.

Jülich war zum Zeitpunkt des Angriffs eine nahezu menschenleere Geisterstadt; im Schutt wurden noch dreihundert Leichen gefunden. Es gibt keine Särge, doch Papiersäcke. In den verregneten Tagen nach dem Angriff ziehen unentwegt Bauerntrecks aus den Rurdörfern über die zerfahrenen, knöcheltief aufgeweichten Straßen. Am 19. November, dem Kirchweihfest, sind alle Dorfbewohner am Westufer geflüchtet, die Kleintiere geschlachtet. Den Rindern wurde reichlich Futter vorgeworfen, die Stalltüre geöffnet, das Gebrüll der Herden, die nicht gemolken werden können, begleitet das nicht endende Gebell der deutschen Eisenbahngeschütze, die gleich erneuert sind. Die Rurfront hatte sich durch das Mammutbombardement nicht bewegt. Der Ausbruch zum Ufer kam um einen Hügel bei Stollberg näher heran, vier Dörfer unterhalb des Hamich-Kamms wurden gesäubert, am 19. November stand man drei Kilometer weiter als zuvor. Fünf waren es noch bis zum Fluß.

Die Verlorenheit des Waldgefechts blieb, die Dämmerung kam früher, die Laubbäume blätterten und deckten die Tellerminen zu, die, alle acht Schritte vergraben, an Füßen und Beinen rissen. Am 13. Dezember begann von Süden ein Angriff aus der schon in Schnee gehüllten Eifel auf Schmidt. Drei Tage zwängte man sich durch den Monschaukorridor, als zwei Stunden vor Tagesanbruch die deutsche Artillerie zu hämmern begann. Die Amerikaner bis hinauf zu Eisenhower brauchten eine Zeit, bis sie begriffen, daß dies gar nicht der Behauptung Schmidts und der Dämme diente. Das Ringen dort hatte nur abgelenkt von der Aufstellung dessen, was nun anrollte, die Ardennenoffensive.

Der Hürtgenwald hatte die 1. und 9. Armee neunzig Tage aufgehalten, 24 000 Mann Gefallene, Verwundete und Gefangene gekostet, kein Stück weitergebracht, wie schon Arnheim nicht, Aachen nicht und Metz im Süden nicht. Patton hatte die Feste

Metz Ende November um den Verlust von 2190 Mann genommen. Seine 3. Armee war in einem Vierteljahr fünfunddreißig Kilometer vorangekommen, stand noch zehn Kilometer entfernt vom Westwall und hatte seit der Landung 47 000 Mann verloren. Nun, zum Beginn der Gegenoffensive, standen die Deutschen mit einem Vorteil von drei zu eins an Mannschaften, einer Panzerüberlegenheit von zwei zu eins und einem Artillerievorteil zur Gegenoffensive bereit, die einen Einbruch bis nördlich von Sedan erreichte, ehe Mitte Januar die Front wieder ungefähr da stand, wo sie seit Anfang September verlief, an der Schwelle des Reiches.

Mitte Dezember mußten die Westverbündeten Stalin um eine Entlastungsoffensive bitten, weil der Druck ihnen über den Kopf wuchs. Stalin kam und blieb, zum späteren Ingrimm derer, die jetzt zweifelten, wie sie ohne ihn fertig würden. Außerdem steigerte im folgenden, zwischen Februar und April, der Bombenkrieg nochmals seine Grauenhaftigkeit. Nachdem die Verbündeten zur Bodenoffensive gezwungen waren, weil der Luftkrieg zu keiner Entscheidung führte, radikalisierten sie nun den Luftkrieg, weil die Bodenoffensive unentschieden blieb.

Daß nach viereinhalbjähriger Tortur Industrie und Moral dazu hinlangten, eine Westfront aus dem Nichts aufzustellen, ließ Henry Arnold, den Oberbefehlshaber der US-Luftflotte, ratlos: »Ich weiß keine Antwort.« Entweder hege man zu optimistische Vorstellungen davon, was Bombenangriffe erreichten, »oder wir haben uns ungeheuer geirrt bei der Einschätzung der Zerstörungswirkung auf die deutsche Kriegsmaschinerie«. Man besitze nun eine Überlegenheit von fünf zu eins und wisse noch immer nicht, wie überlegen man denn werden müsse. »Wir sind vielleicht nicht imstande, Deutschland durch Luftangriffe zur Kapitulation zu nötigen. Andererseits scheinen mir mit dieser ungeheuren Schlagkraft weit bessere und entscheidendere Resultate erzielbar als bisher.« Er hoffe nur – im Januar –, »daß ein Schimmer, ein Licht sich ergeben könnte, das uns helfen könnte, diesen Krieg schneller zu beenden«.

Das will sagen, schneller als die Verluste dramatisch wurden; die Ardennenschlacht kostete die USA 81 000 Mann, davon 19 000 Tote, die Hälfte davon im Januar. Eisenhower reagierte nervös und ersuchte Washington, alle in den USA verfügbaren Mannschaften an die Reichsgrenze zu schicken, so als kippten die Kräfteverhältnisse. Sie kippten jedoch an anderer Stelle. Stalins Offensive, am Morgen des 12. Januar begonnen, stand zehn Tage später in Posen, hatte sechzigtausend Mann Wehrmacht eingekesselt und erreichte in weiteren neun Tagen, am 31. Januar, die Oder. Vier Tage später begann die Jalta-Konferenz und legte diese Linie als polnische Grenze fest. Als polnische Regierung wurden sowjetische Marionetten vereinbart.

Während die Westverbündeten in der letzten Februarwoche das versuchten, was sie bereits Ende September 1944 bei Aachen vorhatten, nämlich über die Rur zu setzen, hatte die Rote Armee die Oder überquert und die Hälfte der sechzig Kilometer nach Berlin zurückgelegt. Darin begünstigte Eisenhower sie, indem er die versammelte Kraft des deutschen Heeres niederkämpfte, während die Marschälle Schukow und Konjew eine entblößte Front vor sich sahen, bemannt meist von Veteranen und Hitlerjungen.

Die Waffe, mit der die Westmächte eine Übermacht über das gesamte Deutschland von Düren bis Dresden und von Kiel bis Würzburg behaupten konnten, war ihre überaus stattliche Bomberflotte. Sie war Anfang 1945 bis zum Zwanzigfachen der Anfang 1942 verfügbaren Maschinen gediehen, über zehntausend Stück. Nichts in der bisherigen Kriegsgeschichte glich entfernt nur der Vernichtungskapazität dieser Scharen am Himmel. Die Ratlosigkeit Henry Arnolds gründete auf Mißgeschicke, doch mißlich nur gemessen an Illusionserwartungen. Das invasionsreif gebombte Land begab sich nicht erlöst in die Hand der aufmarschierenden Invasoren. Sie hatten die volle Last einer Bodenkampagne zu tragen und weiterhin verlustreich Krieg zu führen gegen einen nicht unterwerfungsbereiten Gegner.

Die Bomberflotten, die nach der Begleitung des Frankreichzugs im September wieder über dem Reich kreuzten, realisierten bis April 1945, was die Utopisten des Luftkriegs dem Zivil angekündigt hatten. Eine durch nichts aufgehaltene Verfügung über alles, was am Boden geht und steht. Mit dem Untergang der deutschen Jägerwaffe war die eminente Verletzlichkeit des Bombers verringert; nachdem noch die Flakrohre zur Grenzsicherung von den Städten zur Front wechselten, war die Flotte immun. Der Angreifer benötigte nicht länger den Schleier der Nacht, nicht die schützende Flughöhe; er war souverän. In himmlischer Sicherheit und erdrückender Überzahl mangelte es nun wiederum an passenden Zielen, an den Großstädten der 100 000-Einwohner-Klasse. Davon waren neunundachtzig Prozent zerstört oder schwer beschädigt. Die nun rasch aufgebrauchten Reste waren militärisch so irrelevante Objekte wie der Universitätssitz Bonn.

Nach dem Standardverfahren der Kernausbrennung versank die rheinische Altstadt im Feuer von 80 000 Stabbrand-, 200 Spreng- und 50 Minenbomben. Die nun die Universität beherbergende kurfürstliche Residenz und das Rathaus, Zeugnisse des über den Rhein wirkenden französischen Rokoko, brannten, letzteres bis auf die Umfassungsmauern. Die Münsterkirche von 1070 mit den Sarkophagen der Märtyrer Cassius und Florentinus nahm schwere Schäden, am 21. Dezember setzte sich das Zerstörungswerk an den Obergaden des Langhauses fort, diesmal im Rahmen der Verkehrsangriffe. Ein praktischer Unterschied bestand kaum, außer daß bei dem Verkehrsangriff das Verkehrsziel, der Bahnhof, nicht getroffen wurde. Dafür aber 486 Zivilisten gegenüber den 313 der herkömmlichen Befeuerung im Oktober.

Die Verkehrsoffensive, wie in Sizilien und der Normandie inszeniert durch Solly Zuckerman, wurde anspruchsvoll beraten von einer Konferenz internationaler Transportfachleute und Nachrichtenoffiziere, welche erörterten, wie Deutschland in wenigen Wochen durch Herstellung einer Verkehrswüste zusammenbräche. Ähnlich errechneten die Anhänger der Öl-Offensive, wann Deutschland mangels Treibstoff stehenbliebe. Krieg ist Bewegung, Bewegung ist Öl. Der Gegner würde gelähmt sein, und wann? Im Zuge der Bodenoffensive schlug der Puls der Zeit schneller. Man konnte nicht von Antwerpen bis zur Eifel monatelang stehen und abwarten, daß die Wehrmacht liegenblieb. Der Stillstand im Herbst ließ Hitler und Stalin die Chancen für ihre Winteroffensiven. So verlor man Blut und politisches Gewicht. Nein, die Westverbündeten hatten es höchst eilig.

Ihre Luftdebatten schlossen stets mit einer Liste, darauf, sorgsam abgemischt, die Namen noch anzugreifender Städte. Wenn schlechtes Wetter einen Strich durch die Rechnung zog, wie im Herbst 1944, verzichteten die ungeduldig werdenden Amerikaner auf Öl- und Transportziele und warfen Munition, wo unten eine Stadt lag. In der Zeit der steckengebliebenen Bodeninvasion, von September bis Dezember 1944, tötete die Vereinigte Luftoffensive 107 000 Personen. Im gleichen Vorjahreszeitraum waren es 23 500 gewesen. Nominell handelte es sich um Öl-, Verkehrs- und ›Ersatzziele‹. Auch die Briten bombten weiter unter dem Codenamen ›Industrieziele‹. Eisenbahnanlagen, Rangierbahnhöfe, Lokomotivschuppen sind zwar nicht besonders feuerempfindlich, befinden sich aber zumeist im Stadtkern. Die unverändert massig abgeworfene Brandmunition belegt, daß die Zündungsabsicht fortwährte.

Die Amerikaner, die noch zwei Jahre zuvor ihre ›Präzisionsangriffe‹ nicht mit der britischen Brandstiftung verwechselt wissen wollten, hatten nun ein Heer im Feld. Seine Schonung ist eine Ethik für sich. Sie gebot den Luftstreitkräften, im Hinterland einer gestürmten Landfront den zivilen Widerstandswillen zu brechen. Das spart Blut, dies ist human, die Doktrin datiert zurück auf Billy Mitchell, den Schöpfer der US-Luftwaffe. General Spaatz hat daraus die Idee des Tieffliegerangriffs entwickelt.

Die Zivilbevölkerung wird sich ihrer Lage schneller bewußt, wenn Jagdbomber beliebige Fußgänger, Radfahrer, Bahnreisende, Bauern auf dem Acker unter MG-Beschuß nehmen. Diese als ›strafing‹ vom Herbst 1944 bis Kriegsende geübte Praxis zählte gleichfalls zur Verkehrsoffensive, weil Zivilisten außer Hause zumeist unterwegs sind, in Fahrzeugen auf Straßen und Wegen. Eine Variante davon jagte Bahnangestellte, um diesen Beruf gefährlicher zu machen. Dissidenten wie Brigadier General Charles Cabell, der Planungsdirektor des Luftwaffenstabs, äußerten ihr Mißvergnügen, »this is the same old baby killing plan of the getrich-quick psychological boys«, doch wurde das ›strafing‹ zum ständigen Brauch des späteren Luftkriegs. Man war mit der Psychologie nicht besonders reich geworden, führte dies indes darauf zurück, daß man zu ärmlich gestartet war. Der jetzigen Maschinenstärke, die USA produzierten 1944 35 000 Bomber und 38 000 Jäger, würde keine Psyche standhalten können.

Am 18. Oktober beginnt eine neue Angriffstechnik, das Rund-um-die-Uhr-Bombardieren. Die Einflüge und Abwürfe der Kombinierten Flotten messen nun nach Zigtausenden. Die Briten werfen von Mitte August bis Ende Dezember mit 72 800 einfliegenden Maschinen 265 000 Bombentonnen ab. Dabei erleiden sie ein Prozent Verlust. Die US-Flotten laden im letzten Kriegsjahr minütlich eine Tonne Bomben ab, zwischen dem 16. September und 31. Dezember 1944 insgesamt 165 000 Tonnen. 1945 bestritt Bomber Command noch weitere 62 800 Einflüge mit 180 740 Tonnen Abwurf; die US-Flotten warfen den Rekord von 278 000 Tonnen. Im Tagesdurchschnitt entspricht dies dem Dreißigfachen der Abwurfmasse von 1942.

Auf die westdeutschen Verkehrswege war schon die 1944er Tonnage gefallen, doch mußten die Reparaturen zunichte gemacht werden. Ende Januar waren fünftausend Fahrzeuge der abziehenden Ardennenarmee getroffen worden, lohnende Ziele. Die Bahnlinien vom Ruhrgebiet ostwärts blieben noch zu zerstören, und eine Handvoll Ölraffinerien wie Leuna konnte man nicht oft genug eindecken, weil sie sich immer wieder aufrafften. Für die Sintflut der Maschinen und Tonnagen reichte dies unmöglich hin.

Die Mehrzahl der Luftschwadrone hätten inmitten der Entscheidungsschlacht im Reich untätig bleiben müssen ohne das schwer zu lokalisierende, doch rundum vermutete psychologische Ziel des Widerstandswillens. Er begegnete den Verbündeten, als sie sich im Februar schließlich durch den Westwall gekämpft hatten und zum Rhein drangen, in einer physisch erlittenen, doch undurchschaubaren Gestalt. Führten sie Krieg gegen ein Restheer, gegen das letzte Aufgebot der Nazipartei oder gegen ein Volk? Das ist für ein Infanterieregiment fünf Kilometer von einem Ortseingang im Sauerland oft schwer zu erkennen.

Im März war jeder deutsche Mann zum Soldaten erklärt, trug als Volkssturmmann zusammengewürfelte Uniformteile, jedenfalls eine selbstgenähte Mütze in Wehrmachtschnitt, die ihn als Kombattanten auswies. Er war kein Partisan. Fraglich war, ob er als Heckenschütze auf eigene Veranlassung focht, auf die des Gauleiters, des nächsten Waffen-SS-Führers oder eines Offiziers. Ähnlich diffus die Zivilbevölkerung. In den Städten und Ortschaften weilten alte Leute, junge Frauen mit Kleinkindern, Fremd- und Zwangsarbeiter, Evakuierte, Soldatentrupps auf Durchzug, die selbst nicht wußten, ob sie untertauchten oder Anschluß an eine Front suchten. Dies Ensemble gab es als Einwohnerschaft wie auf Wanderschaft, fliehend vor der Front, den Bomben und den Durchhaltenazis bis zum letzten Hitlerjungen. Es war der Träger des Widerstandswillens, dem die gewaltigste Bombentonnage aller Zeiten galt. Anfang Februar brachen die Verbündeten auf zum Rhein. Im Norden stieß die zur Heeresgruppe Montgomerys zählende I. kanadische Armee zum Unterlauf auf der Linie Goch, Xanten, Wesel. Diese ›Operation veritable‹ führte ein Regiment der 5. Infanteriebrigade in Friedrichs des Großen Sommerresidenz, Schloß Moyland. Die Wehrmacht hatte die Türme als vorgeschobenen Gefechtsstand benutzt und die Kellergewölbe als idealen Granatschutz. In diesen Kellern hockten auch Familien aus benachbarten Höfen und Dörfern, um den wochenlangen Bombenteppichen zu entkommen, welche die Route der Kanadier einebneten. Das Régiment de Maissonneuves wusch und rasierte sich zum ersten Mal seit einer Woche, auch hatte es seine Freude an den Zylinderhüten, die sich in der Garderobe fanden. Man warf Möbel und Bilder aus dem Fenster, um im Schloßhof ein Feuer anzuzünden, es war noch kalt, und die Kanadier rösteten sich einen Braten, für viele die letzte Mahlzeit. Denn draußen im Wald von Moyland warteten Experten des Waldkampfes.

Simpson und Hodges hatten am 9. Februar endlich die Rurdämme in der Hand, welche die Deutschen zuvor geflutet hatten, so daß die 1. und die 9. Armee zwei Wochen warten mußten, bis das Wasser abgeflossen war und sie die Rur überquerten. Dann ging der so lange festgefahrene Krieg in brillante Bewegungskunst über. Beide Armeen schwangen sich das westliche Rheinufer hinunter, das VII. Corps besetzte am 5. März das linksrheinische Köln, Simpson suchte inzwischen eine von den Deutschen nicht gesprengte Brücke, fand keine, jedoch eine gute Furt bei Uerdingen nördlich von Krefeld. Das Ostufer war schwach befestigt, und im Hinterland ließ sich vermutlich exzellent operieren.

Montgomery, dessen Gruppe Simpson attachiert war, untersagte ihm den Triumph, denn er bereitete selbst einen pompösen Sprung über den Strom bei Wesel vor, die Operation ›Plunder‹, zu der die Weltpresse bereits geladen war. So mußte Simpson zwei Wochen abwarten, daß er an dieser Schau beteiligt wurde. Denn der Anmarsch der Kanadier geriet in Hindernisse, und die Deutschen lagen in Wesel wohlverschanzt. Höchst elegant war der fähigste Feldherr der Verbündeten, George Patton, über den Strom gelangt. Er hatte innerhalb von drei Tagen die Eifel gesäubert und mit der Spitze der 4. Panzerdivision sechsundsechzig Kilometer bis zum Westufer zurückgelegt. Er folgte dann dem Fluß in Richtung Speyer und Worms und nahm hunderttausend Gegner in Empfang, denen Hitler aufgetragen hatte, den linksrheinischen Streifen zu halten bis zum letzten Mann, anstatt, wie sie es vorgezogen hätten, das Ostufer zu befestigen. Dann fand Patton zwei verschwiegene Punkte gegenüber der Hessenaue, Nierstein und Oppenheim, dreißig Kilometer vor Frankfurt.

Seine Ingenieure bauten in Windeseile zwei Pontonbrücken, und die Truppe setzte geräuschlos über. »Don't tell anyone«, meldete Patton nach oben an Bradley, »but I'm across. There are so few Krauts around there, they don't know it yet.« Ganz anders das Jüngste Gericht, das Montgomery für die Welt über Wesel abhielt. Der ganze Marsch dorthin war schon ein Debakel nach Art des vergangenen Herbstes.

In Goch, einer Idylle an der Niers, Bauernmarkt und Eisenbahnknoten, hatten die Deutschen Panzergräben ausgehoben sowie Beton-, Stacheldraht- und Minengürtel angelegt. Goch war Festung, doch hatte Bomber Command sie nicht geschleift, sondern nur wenige Kirchtürme und Fabrikschlote zertrümmert. Aus den Fenstern wurde auf die schottischen Highlanders geschossen, der Häuserkampf vom Dach zum Keller, über Hinterhöfe, durch Mauerschlupflöcher tobte in der 10 000-Seelen-Gemeinde, ein Klein-Aachen.

Die Hochwaldschneise, die zwei bewaldeten Höhenrücken entlang der Eisenbahnlinie Goch–Xanten, wurde der 2. und 3. kanadischen Infanteriedivision zur Todesfalle. Scharfschützen hockten auf den Baumgipfeln, Panzer versanken im Schlamm, Mörser,

Granaten und Schützenminen nahmen ihren Blutzoll, es war die erste Märzwoche und der Hürtgenwald wieder da. In den Soldaten, die übermüdet und verdreckt Xanten und dem Rhein entgegenzogen, sammelte sich der Ingrimm. Im Lande des Feindes widerfuhr einem das gleiche wie an seiner Grenze, er wollte sein unabwendbares Los nicht wahrhaben, das Sterben ins Unendliche dehnen, man wünschte ihm alles Verderben der Welt an den Hals, und in Wesel sollte es ihn denn ereilen. Xanten und Wesel liegen bei dem Rheinknie an der Lippemündung einander gegenüber. Letzteres ein Handelsplatz, der seit dem Mittelalter die Waren aus dem Münsterland am Flusse umschlug, ersteres eine römische Veteranensiedlung, dann Aufenthalt des Nibelungensohns Siegfried, der nicht verbürgt ist und dennoch mächtiger unter den Seinen wirkte als der Märtyrer St. Viktor, der dem Dom seinen Namen gab, dem wundervollsten zwischen Köln und Aachen. Unter dem Zeichen des Doms und dem Laut seiner Glocken führte Xanten im süßen Licht des Rheintals ein wehmütiges Leben, allerdings zum Schluß als Hauptquartier der Ersten Fallschirmjägerarmee.

In drei Angriffen am 10., 12. und 21. Februar fielen fünfundachtzig Prozent von Xanten, wie Siegfried und Viktor in einem, der 8. US-Luftflotte zum Opfer, teils auch der Artillerie der gequälten Kanadier. Von den zweiundvierzig Gewölben der fünfschiffigen Basilika waren siebenundzwanzig eingestürzt. Das Kartäuser- wie das Agnetenkloster zerfielen, sowie zwei Bürgerhäuser, die seit der Spätgotik den Wechsel der Zeiten am Rhein durchgestanden hatten, doch nun Montgomerys Flußübergang im Weg standen.

Eisenhower und Winston Churchill selbst waren zugegen, als drei Armeen, einneinviertel Millionen Mann, sich für den Übertritt am Westufer rüsteten, mit 60 000 Tonnen Munition im Gepäck. Am 23. März sollten nachts zwei Divisionen unter Sperrfeuer übersetzen und am 24., dem Samstag vor Palmsonntag, würden vierzehntausend Fallschirmjäger über den Höhenzügen nördlich von Wesel abspringen, um die dort den Rhein kontrollierenden Geschützstellungen auszuschalten. Hatten sie den Brückenkopf konsolidiert, könnte die gesamte 1. kanadische, 2. britische und die 9. US-Armee verbunden in die industrielle Kraftquelle des Reiches vorstoßen. Der Riesenaufwand des Unternehmens schon hinderte Montgomery daran, an dem Versuch der Rheinüberquerung ein zweites Mal zu scheitern. Wie seinerzeit Kleve und Emmerich den Abbruch von ›Market Garden‹ büßten, sollten nun Wesel und Xanten verschwinden des guten Gelingens wegen. Darum wurden sie zur Sicherheit einen Monat zuvor vernichtet. Die Deutschen hatten Wesels Eignung zum Rheinübertritt schon im September 1944 erkannt, als die Briten es in Holland versuchten, und man ahnte, daß sie ein Stück weiter südlich wiederkämen. Der Ort war einer der wenigen im Rheintal, wo eine hochwasserfreie Niederterrasse bis zum Strom heranreichte und jederzeit ermöglichte, ihn zu passieren. So wurde eilig zu schanzen begonnen. Anfang 1945 avancierte der Ort zur Festung und erhielt einen Kampfkommandanten, der sich schriftlich dazu verpflichtete, standzuhalten bis zum letzten Mann.

Nach der Zerstörung Emmerichs und Kleves, der Lärm war bis hierher zu hören, senkte sich eine bedrückte Angst über Wesel. Die Behörden drängten die Bewohner zum Verlassen, das aber wurde erst Anfang Februar ernst genommen, als ›Operation veritable‹ die Schlacht am Niederrhein eröffnete. Acht Tage später, an einem sonnigen Vorfrühlingstag, erschienen hundert Lancaster über der 24 000-Seelen-Gemeinde, am Nachmittag kehrten sie wieder. Am Abend hüllte schwarzer Qualm den Ort. Es war dunkel, die aus den soliden Kellergewölben emporgestiegenen Einwohner konnten kaum die Trümmer sehen, auf denen sie ungläubig umherkletterten und versehentlich auf Leiber traten, die mit den Gespannen toter Pferde das Pflaster deckten.

Am 18. Februar startete mit 160 Maschinen der zweite Angriff, der Großteil der Bevölkerung hatte die Stadt jetzt verlassen, kehrte aber danach zurück, in dem Glauben, daß der Feind an einer erstorbenen Stadt kein Interesse mehr habe. Inmitten der Rettung von Hab und Gut gerieten sie in den dritten Angriff. Danach verdunkelte ein Meer von Asche und Staub die Sonne. Es war der schwerste Angriff, er erreichte aber hauptsächlich das Gestein und fand die wenigsten Menschen. Die bisher 562 Toten lagen draußen aufgereiht, und man beschloß, sie jetzt nicht länger den Bomben auszusetzen und nächtens zum Friedhof zu schaffen. Das erwies sich als unmöglich, und man wartete auf Vollmond, weil in der Stockfinsternis kein Transport über die trümmerüberhäuften Straßen möglich war.

»Da keine Tragbahren vorhanden waren«, berichtet der damit befaßte Polizeihauptmann, »wurden aus den Trümmern Bretter genommen, auf denen wir die Leichen mit Draht oder Bindfaden befestigten, damit sie beim Überschreiten der holprigen Trümmermassen nicht herunterfielen. Unsere Arbeit war mühsam. Da mehrere Trupps in der Dunkelheit die Leichen nicht fanden, wurde unsere Aufgabe nicht zu Ende geführt. An anderer Stelle waren die Leichen durch die wiederholten Angriffe erneut verschüttet worden und mußten erst wieder freigelegt werden.«

Die Bauern der Umgebung liehen Pferde und Wagen aus, um die Geborgenen zum Friedhof zu schaffen. Die Pferde scheuten wild, als dabei weitere Angriffe losgingen, es kostete Mühe, sie zum Friedhof zu ziehen. Die Beerdigungen fanden unter Tieffliegerbeschuß statt; mangels Särgen halfen Tücher. Vor dem Friedhofseingang warteten Karren, hochbepackt mit unkenntlich verstümmelten Toten, ein Leiterwagen voller Kinder. Am 10. März kampierten noch neunzehnhundert Personen am Ort. Das zuvor dichtbesiedelte Innenstadtgebiet am Rhein-Lippe-Winkel war menschenleer, kein Straßenzug mehr erkennbar. Sechzig Gebäude dieses wichtigsten Hafens am Niederrhein waren unbeschädigt. St. Willibord, der 1424 begonnene dreischiffige Dom, stand als löcherige Ruine in einer Schuttwüste. Die kunstvollen, vielgestaltig gegiebelten Fassaden der alten Handelshäuser am Markt lagen zu Haufen. Angesichts eines Zerstörungsgrades von siebenundneunzig Prozent zögerten die Bewohner eine Zeitlang, ob Wesel aufzugeben oder wiederzuerrichten sei.

Die höchste Anzahl an Todesopfern des alliierten Rheinübertritts mußte am 23. März, dem Datum der Operation, das wenig stromabwärts gelegene Dinslaken hinnehmen. Die Bomber hatten, um die Flanke des größten Luftlandeunternehmens aller Zeiten abzuschirmen, das ungewarnte, vollbewohnte Städtchen mit Phosphor- und Sprengbomben überschüttet. Die erste Bombenserie fiel um 9.00 Uhr morgens in von Käuferschlangen angefüllte Straßen und raffte siebenhundert Personen dahin, fast ausschließlich Frauen und Kinder. Jagdbomber verfolgten und beschossen die ostwärts in die Wälder flüchtenden Bürger.

Um 17.00 Uhr nachmittags feuerten fünfundsechzig Artilleriebataillone aus 3300 Geschützen auf Wesel und Umgebung angeblich zwei Millionen Granaten unterschiedlichen Kalibers. Am Abend, wieder unter einer Glocke schwersten Feuers, begann auf Sturmbooten und Amphibienpanzern das Landungsunternehmen, nach etwa zwei Stunden war der Widerstand niedergerungen. Am Morgen des 25. erfolgte die Luftlandung. Churchill und Eisenhower beobachteten miteinander vom Turm der Ginndericher Kirche, was Übermacht vermag. Am Mittag kletterte Churchill auf die von seinem Widersacher gesprengte Rheinbabenbrücke und blickte hinüber nach Wesel, zu der geschleiften Wacht am Rhein.

Jedem Nest in dem Belagerungskessel, der sich in einer Woche um das Ruhrgebiet schließen sollte, widerfuhr nun das nämliche Los. Überall gruben Fanatiker sich ein, Kindersoldaten und Pflichtmenschen, die niemandem zu beugen sich schworen als dem Tod. In der Realität hieß das die Selbsthingabe des Hitlerjungen mit der Panzerfaust; darin erblickten die Kommandeure, die sie ihm aushändigten, das Unüberwindliche ihrer Art. Den Schutt, den Brand, die Sprengbarkeit und Brennbarkeit alles Bestehenden nahmen sie als Nachweis des seelischen Granits. Es gab etwas nicht Kleinzukriegendes. Der Unzerbrechliche wirft sein Leben weg.

Dem folgten die wenigsten der Eingekesselten an der Ruhr, doch fehlte den Überlebenswilligen ein Mittel dagegen und der Invasionsarmee auch. Das Ziel der bedingungslosen Unterwerfung erforderte, die vorrätigen Schreckensmittel noch sechs infernalische Wochen zu verausgaben.

Am 19. März hatte Hitler seinen Verbrannte-Erde-Befehl gegeben. Alle militärischen Verkehrs-, Nachrichten-, Industrie- und Versorgungsanlagen, alle dem Feind irgendwie dienlichen Sachwerte seien zu zerstören. Das besorgte der Feind seit längerem schon selbst, insoweit lief Deutschlands Ruinierung im März/ April mit vereinten Kräften. Hitlers Nerobefehl wurde weniger durch Sprengen und Fluten realisiert, wie er dachte, als durch ein zielloses Widerstehen bizarrer Haufen. Zumindest die Feldmarschälle, an ihrer Spitze Blaskowitz, Model, Kesselring, wußten perfekt, daß sie den Gegner nicht aufhielten, ablenkten, gesprächig stimmten, sondern durch Abertausende blutiger Nadelstiche zum Einsatz seiner Materialfülle provozierten. So schafften sie es, Erde, Dorf und Stadt gründlicher zu verbrennen als alle SS-Sprengkommandos.

Gegen ihren militärischen Verstand hatten die Befehlshaber der Westfront das rechte Rheinufer unbefestigt gelassen. Der Oberbefehlshaber hatte untersagt, hinter den Fluß zu weichen, darum war dies überflüssig. Als sich die Truppen dann ungeordnet, teils ohne Ausrüstung, hinüberretteten, hatte es der Verfolger nicht schwer. Südlich von Bonn, bei Remagen, war den Pionieren die Zerstörung der Ludendorff-Eisenbahnbrücke mißlungen. Die Dynamitladung explodierte, hob die Träger, zerbrach sie aber nicht, die Brücke fiel auf die Pfeiler zurück. Alle Versuche von Tauchern, selbst von V2-Beschuß ließen Ludendorffs Stahl nicht splittern, und Courtney Hodges' 1. Armee stand am 7. März zu ihrem Staunen vor einer offenen Passage nach Hessen. Doch erging es ihm nicht anders als Simpson; immerhin durfte er am Ostufer einen Brückenkopf einrichten, nicht aber vorwärtsstoßen, ehe Montgomery seine Weseloperation vorgezeigt hatte. So sollte Hodges der erste am Ostufer sein und der letzte, ins Reichsinnere vorzustoßen.

Der Rheinabschnitt zwischen Wesel und Remagen grenzt an das Gebiet, ohne das selbst Hitler nicht Krieg führen konnte, die Ruhr. Das schlesische Industrierevier befand sich bereits in russischer Hand, und so war die Schlacht um die Ruhr der Endkampf um Deutschland. Dann blieb noch Berlin zu stürmen, doch mußten die Westverbündeten in Jalta Deutschland bis zur Elbe an Stalin abtreten und wollten dafür nicht bluten. Inzwischen hatte man einen Begriff von Häuserkampf in deutschen Städten und grauste sich genug davor, die ineinandergreifende Bebauungslandschaft zwischen Dortmund und Duisburg, Bottrop und Remscheid erobern zu müssen.

Das Ensemble von Fabrikgeländen, Bergwerken und Wohnsiedlungen stellte ein kapitales Bollwerk dar. Wer Straßenecke für Straßenecke zu erobern hat, findet in seiner Panzer- und Bomberüberlegenheit nicht allzuviel Hilfe. Trümmer sind ausgezeichnet zu verteidigen. In den Deckungen dieser Häusermeere konnte Division nach Division eingesogen und verschlissen werden, ohne daß die Gegenseite gegliederter Militärverbände, einheitlicher Kommandos, schwerer Waffen, Motorisierung und Nachschubs bedurfte. Die Bombardements der Flugzeugindustrie, der Raffinerien und Verkehrslinien hatten alles militärische Operieren lahmgelegt. Nur das, was der Häuserkrieg verlangt, MGs, Panzerfäuste, Minen, Munition, lag gestapelt im Überfluß. »Das Ruhrgebiet«, schrieb später der Oberbefehlshaber West, Feldmarschall Kesselring, »war ein Rätsel für jeden Angreifer, weil seine Widerstandsfähigkeit völlig unberechenbar war. Es sorgte für seinen eigenen Schutz.«

In der sogenannten Zweiten Ruhrschlacht waren Essen, Duisburg, Dortmund, Köln, Bochum im vergangenen Herbst noch einmal durchgepflügt worden. Am 23. und 25. November 1944 hatten zusammen achtzehnhundert Maschinen über achttausend Bombentonnen auf Essen abgeworfen, eine Stadt, in der nach Auffassung von Bomber Command bereits nichts Brennbares mehr existierte. Zur Sicherheit warf man allerdings noch einmal über eine Million Stabbrandbomben, 1482 Personen starben, darunter 225 Gefangene und Fremdarbeiter. In der Nacht zum 13. Dezember tötete Bomber Command weitere 463 Einwohner. Ein Treffer zerschlug das Gefängnis, öffnete es aber nicht, das Personal flüchtete, und auf der Männerstation wurden zweihundert Insassen in ihren Zellen verschüttet und nicht mehr lebend geborgen. Den letzten Großangriff erlitt Essen am 11. März, die Zangenarme des Ruhrkessels waren schon ausgespannt. 4660 Tonnen, die doppelte Hamburgladung, wurden abgeworfen, die 897 Menschenopfer rissen. »Mit nichts ist der Angriff am 11. März vergleichbar«, schrieb die junge Essenerin Thekla O. ein Vierteljahr später ihrer Mutter. »Daß wir ihn im Keller überstanden, ist wie eine wunderbare Fügung Gottes. Zwischen jedem Wurf waren minutenlange Pausen. Dann raste die Hölle über uns von neuem los. Niemand sagte etwas, nur ab und an fragte ich in den

Pausen, ob noch alle da seien. Weltuntergang kann nicht schlimmer sein.«

Am Folgetag wanderte der Weltuntergang nach Dortmund. Die Zweite Ruhrschlacht hatte auch hier den Boden bereitet. Die Innenstadt um den Bahnhof war nach bisherigen Begriffen nach der Nacht zum 7. November zertrümmert. Die 1148 Tote und 2451 Schwerverletzten in einer teilevakuierten Stadt mit gutausgebauten Schutzräumen bestätigten den Codenamen der Operation, ›Hurricane‹, welcher in der Nacht zum 15. Oktober tausend Menschenleben in Duisburg hinwegfegte, in der Nacht zum 5. Oktober 994 Personen in Bochum und am 5. November 1200 Personen im bergischen Solingen. Die Ruhrschlacht von Oktober bis Dezember verschlang 15 000 Todesopfer. Sie ging über in das ›Ruhrabriegelungsprogramm‹ von Januar bis Februar 1945, das die Verbindungen der Region nach außen kappte und im Inneren erwarten ließ, man werde nun sturmreif gebombt. Dazu mußte es erst März werden.

Am 12. März schafften 1108 Maschinen Bomber Commands 4158 Bombentonnen nach Dortmund und zermahlten ein Areal von einem Kilometer Breite und fünf Kilometern Länge quer durch die Innenstadt zu Pulver. Die Toten wurden nicht mehr weggeräumt, angeblich weil es zu viele waren. Von den fünf bis zehn Prozent dort erhaltenen Wohnungen waren nun sämtliche zerstört.

Den italienischen Kriegefangenen Guiseppe Barbero trifft der Angriff im STALAG VI/D bei der zerstörten Westfalenhalle in der Südstadt.»16.00 Uhr«, schreibt er in seinem Bericht aus dem Jahre 1946, »eben hat man Alarm gegeben, wir stürzen zu unserem Unterstand. Es kommen die höllischen Viermotorigen. Wir sind in einem Regen, nicht mehr von Splittern, sondern von krepierenden Bomben von einem so großen Kaliber, wie sie bisher noch nie in Dortmund abgeworfen wurden. Die Luft geht uns aus, und in derselben Zeit ersticken die Lungen, wir sind in Staub versunken. Ein Unterstand der Franzosen und Serben ist vollkommen zertrümmert. Nur noch ein Fleischhaufen, wo man nur noch Arme, Beine, abgerissene Köpfe feststellen kann. Die Russen haben von neuem die größte Zahl von Toten, ungefähr zweihundert.«

Am 21. März richtete Eisenhower einen ständig wiederholten Rundfunkaufruf an die Bewohner der Städte in Frontnähe. Die Ruhrgebietsstädte als Sitz der Kriegsindustrie würden unweigerlich zerstört. Auch die bisher bewährten Bunker könnten den Waffen der Verbündeten nicht standhalten. Dann nannte er eine Anzahl von Städten, darunter Duisburg. Diese seien »Todeszone« und zu verlassen. Drei Tage später fingen in Duisburg Tiefflieger an, Personen auf der Straße zu jagen. Am 30. März schoß Artillerie in den Ort, und der britische Rundfunk berichtete von der Stadt Münster, die völlig eingeebnet worden sei, weil sie die Kapitulation verweigert habe. Auf einer deutschen Welle wiederum wurde die Gründung der Partisanenarmee ›Werwolf‹ ausgerufen, welche Verräter hinrichte, die deutsche Städte kampflos übergäben. Am 1. April klebten Plakate gleichlautenden Inhalts an allen Wänden. Widerstand »bis zum Letzten«.

Das Letzte war an diesem Tag eingetreten, die Umfassung des größten je existenten Kessels mit dreihunderttausend Soldaten und knapp zehn Millionen Zivilisten. Was deren Haltung über die Militanz der Truppenreste, Volksstürme und Werwölfe im Häuserkampf vermochte, ist fraglich, vermutlich nichts. Doch Zivil ist schmerzempfindlich, deshalb war es der einzige Adressat der Zwangsmittel, die dem Invasionsheer Gefechtsverluste ersparen sollten. Unter dumpfem Trommelschlag schickte man eine Ansage durch den Äther, die Städte besser leer denn als Leichenfeld zu übergeben. Wohin sollten die Millionen Städter ziehen, in einem Gebiet, wo jede Lokomotive vom Tiefflieger durchsiebt wurde? Aus der Stadt heraus, in die Wälder, auf die Äcker, in die Dörfer, auf die Wanderschaft.

Der Ruhrkessel war ein Gebilde in Bewegung und aus der Bewegung. In atemverschlagenden Bögen raste Simpsons 9. Armee nach dem Rheinübertritt in Richtung Dinslaken und rückte über Hamborn, Ruhrort, Meiderich auf der Nordseite des Rhein-Herne-Kanals nach Osten. Auf der Gegenseite startete Hodges' 1. Armee aus dem Brückenkopf Remagen das Lahntal hinauf in Richtung Gießen, Marburg, Kassel. Hinter Marburg gabelte sich der Zug, der mit Panzern und Lastwagen knapp siebzig Kilometer täglich zurücklegte. Das V. Corps bog in nordöstliche Richtung ins Sauerland, Kreis Brilon, und traf Simpson bei Paderborn. Damit war das Ruhrgebiet eingekesselt von der Basis des Rheins in einer Schiene zwischen Emscherkanal im Norden und Sieg im Süden, östlich abschließend etwa auf der Linie Kahler Asten, Brilon, Paderborn. Der Kessel hatte eine Fläche von sechstausend Quadratkilometern.

In Paderborn, das den Truppenübungsplatz Sennelager und einen Fliegerhorst beherbergte, versuchten die Deutschen den Zusammenschluß der Zangenarme zu verhindern. Hitler hatte das Revier zur Festung ausgerufen, zu verteidigen bis zum letzten Mann. Er selbst war gewissermaßen der Schrittmacher der Alliierten. Nun endlich half ihnen jemand voranzukommen. Die ganze Umzingelung der Ruhr war deshalb so zügig gelungen, weil erst das linke, dann das rechte Rheinufer zu verteidigen war bis zum letzten Mann. Der Führer war der Einpeitscher eines Widerstands, der nicht widerstand, sondern jede Woche eine andere unhaltbare Linie zu halten bestimmte.

Die 15. deutsche Armee und die 5. Panzerarmee wichen nicht ins Gelände aus, sondern krallten sich in den Boden, ließen sich einkreisen. Man bezifferte die Vorräte im Kessel auf drei Wochen, ausreichend von hier bis zum Jenseits. Im Sennelager übten SS-Panzerschüler, die, als 1. und 9. US-Armee zueinander aufschlossen, fünf Kilometer außerhalb der Stadt in ihren Panthern und Tigern die waldigen Höhen des Sauerlands hinab auf die Ankömmlinge niederstürzten. Die gut ausgebildeten Waffen-SS-Schützen schossen siebzehn Sherman-Panzer ab. Schüler wie Lehrer kämpften zuletzt auf ihrem Übungsplatz, nun Schlachtfeld. Es erhitzte sie ein doppelter Groll über die Luftvorbereitungen des amerikanischen Anmarsches.

Paderborn, halb Garnison, halb Bischofssitz, war nach allen Maßstäben eine verteidigte Stadt. Die Waffen-SS-Männer hatten zur Verteidigung Brücken und Bahnanlagen gesprengt, was die Bomber nicht weiter aufhielt. Die 268 Lancaster zerstörten am Dienstag der Karwoche von 17.27 bis 17.57 Uhr die zwölfhundertjährige Stadt, so wie sie es gewohnt waren. Ihre Handschrift ist an den fünfundsiebzigtausend Brandbomben zu erkennen, welche dreitausend Einzelbrände entzündeten, die wunschgemäß

Funken sprühten und eins wurden. Nicht das Sennelager brannte, sondern der Altstadtkern. Die getroffenen Fachwerkhäuser färbten die Luft erst lehmgelb, dann, als das Feuer kam, wurde sie moorbraun und zuletzt tiefschwarz. Himmelhohe Flammen und eine einzige dicke Rauchsäule wuchsen aus dem Zentrum, in das kein Retter mehr eindringen konnte. Die Eingeschlossenen sprangen durch ein straßenfüllendes Feuermeer, um die anderen einzuholen, die lehmverkrustet zu den Paderwiesen flüchteten. Auf dies rauchüberwogte Gelände hetzten Pferde, Kühe, Schweine aus dem gleichen Instinkt. Vom Innenstadtviertel blieben hundert Meter Straße verschont, achtzig Prozent des Wohnraums brannten aus. Sechstausend Personen weilten noch in Paderborn, über fünfhundert fanden den Tod.

Das Leben wich aus der Stadt, nur wenige Unentwegte hausten in den Ruinen, deren Trümmer langsam ausglühten. Niemand war da, die umherliegenden Toten zu bergen. Die Sennetruppe erwartete draußen die Amerikaner. Die näherten sich, auf alle Zufahrtsstraßen verteilt, über die Dörfer. In Tennen und Scheunen lagen SS-Truppen, oft siebzehnjährige Rekruten, von der HJ in die Waffen-SS überführt, kaum eingekleidet, doch mit Panzerfaust. An jedem Dorfeingang wogten Gefechte, das Dörfchen Hamborn erlebte eine veritable Panzerschlacht, Ställe und Häuser brannten nieder, zwischen den Königstigern und Shermans rannten panische Rinder und Schweine herum.

In der Osternacht zog sich die SS aus Paderborn zurück. Während eine kleine Gemeinde in der Krypta des Doms die Auferstehungsmesse feiert, bestreicht MG-Feuer die Wände. »Sollen wir aufhören?« fragt der Priester vom Altar. Die Gläubigen fliehen in den Keller des Generalvikariats. Panzer drängen sternförmig in die tote Stadt, zwei jagen vor der Herz-Jesu-Kirche einen einzelnen SS-Mann, der Haken von Bombentrichter zu Bombentrichter schlägt. Den Nachmittag liefern sich Polizisten, Hitlerjungen und SS-Leute letzte Scharmützel, Jagdbomber feuern in die teils noch brennende Stadt, auf dem Flugplatz findet das letzte Panzerturnier statt. Wo Häuser bewohnt sind, flattern weiße Tücher aus dem Fenster. Um 17.00 Uhr schweigen die Waffen. Der Ruhrkessel ist zu, seine Ostflanke abgesichert.

Eisenhower beabsichtigte, das Einschließungsgebiet von Nord, Süd und Ost aus nach innen zu drücken sowie in Unterkessel aufzuteilen, bis es implodierte. Großstadtschlachten waren zu meiden. Die 9. Armee nahm sich dreizehn Tage Zeit, mit Infanterie- und Luftlandedivisionen die Städte vorsichtig zu isolieren, zuzuschnüren, dem Mann-gegen-Mann-Gefecht auszuweichen und ihre Panzer irgendwie vor den Flakkanonen zu schützen, die gegen die hohen Türme der Shermans weit wirksamer waren als gegen die Lancaster von Bomber Command. Doch sind die deutschen Brisanzunternehmen eigentümlich erstickt, wie in der Kehle steckengeblieben.

In Dortmund wurde sechs Tage gekämpft, doch um die Innenstadt nur vom 13. April abends bis zum 14. April nachmittags. In den nächtlichen Ruinen flackert ein blutiges Ringen um geborstene Wände und muffige Kellergänge auf, das mit Artillerie bis zwei Uhr bereinigt wird. Um sechs Uhr ist man im Zentrum, und zwei Bataillone kämmen bis 16.30 Uhr die Schuttgebirge durch, dann ist das Problem gelöst. In den weit ausfransenden Vororten finden absurde Duelle statt, wie der dreitägige Kampf um den Bahndamm zwischen Lütgendortmund Nord und Bövinghausen. In Huckarde marschiert ein Kindervolkssturm auf mit den Kameraden vom Reichsarbeitsdienst, um die Geleise der Emschertalbahn zu schützen. Solche Ansammlungen bricht die universelle Waffe dieser Tage, der Jagdbomber. Er klärt auch die Lage in Dortmund-Asseln, wo abgekämpfte Soldaten hastig abgefüttert werden und vor dem Weiterziehen rasch einen Baum absägen als Panzersperre. Damit das nicht wieder vorkommt, begraben die Jabos einige Dutzend Asselner unter ihren Häusern. Anderswo verfolgt die Wehrmacht weiterreichende Ziele und erbeutet Zivilanzüge, Hunderte. Castrop-Rauxel ergibt sich ohne Umstände der Großmut des Gegners, der sich revanchiert mit Schokoladen- und Zigarettengaben. In Kirchhörde geht man des Abends in Nazi-Deutschland zu Bett und wacht morgens im US-Besatzungsgebiet auf, zwischendurch waren nur kleinere Vorräte Johannisbeermost angegriffen worden. Aber in Hagen schießen noch deutsche Kanonen nach Kirchhörde hinein, allen ist unklar, worauf.

Das Koma des deutschen Heeres in seiner Waffenschmiede nimmt einen eckigen Verlauf, es gibt keine Linien mehr. Umherirrende Kompanien veranstalten in irrealen Gefilden blutige Abschiedsfeste von dem großen Gemetzel. Doch sind dies Zacken hinwegschwindender Hirnströme. Das Heer verendete. »Ich habe viele Schlachtfelder gesehen«, schreibt später der Kommandeur der 5. Panzerarmee, von Mellenthin, »doch keines wirkte so seltsam und fremd wie das riesige Industriegebiet an der Ruhr während der endgültigen Vernichtung der Heeresgruppe B.« Mellenthin hätte in den verkohlten Geisterstädten die Schlacht gern angenommen, weil sie ein so exzellentes Gelände waren. Es bestand freies Schußfeld, und dem Ortskundigen boten sich, wie im Hürtgenwald, zahllose Hinterhalte. Die Amerikaner scheuten die Ruhrstädte zu Recht, sie besaßen Stalingradqualitäten. Doch gab es keine Truppen mehr, sie auszunutzen, nur Trupps, die verrückte Gefechte um eine Brückenauffahrt inszenierten. Demgegenüber kapitulierten geschlossene Einheiten samt Befehlshabern. Jede US-Division machte Tausende von Gefangene, der 8. Infanteriedivision ergaben sich am 17. April fünfzigtausend Mann. Eine Handvoll GIs mit Karabinern eskortierte sechzehntausend Wehrmachtssoldaten. Der Zusammenbruch, immer falsch prophezeit, trat ausgerechnet an der Stelle ein, wo man den Deutschen Chancen einräumte. Nicht zu siegen, doch aussichtslos tiefe Wunden zu schlagen um jeden Preis, wie sie es seit Oktober taten. Die Strecke von Aachen nach Köln ist nicht weit, und was hatte sie gekostet!

Über den skelettierten Ruhrstädten schwelte ein brandiger Hauch der Vernichtung. Das Heer sah darin nicht den guten Kampfplatz, sondern daß längst verschwunden war, wofür es kämpfte. Diese entstellten Totenäcker flößten nicht die Idee ein, daß damit Deutschland verteidigt würde. Das ›moral bombing‹ hat am Schluß eine Moral getroffen. Außerhalb der Großstädte nahm der alliierte Luftkrieg deutsche Züge an: Der Bomber wird eine Art vertikale Artillerie, die der Panzer herbeiholt, um operative Schwierigkeiten zu lösen. Dieser Zusammenhang – Bomber klärt, Panzertruppe nimmt ein – ist nirgends enger als im Südostwinkel des Kessels, in den sauerländischen Dörfern.

Der Bombenkrieg hatte sie bis April 1945 allenfalls durch Irrgänger berührt. Hodges' 1. Armee drückte seit dem 1. April den Kessel in den Wintersportgebieten Meschede, Brilon, Winterberg ein, da hier die wahrscheinlichste Ausbruchschneise lag. Die eingeschlossenen Truppenverbände versuchten, Anschluß an das Heer draußen zu finden. Doch waren sie auch hier nicht mehr der Gegner, den sie im Dezember noch darstellten. Das reguläre Heer hatte überall im Ruhrkessel seinen Biß verloren. Es fiel auseinander, wo es konfrontiert wurde. Die Mannschaft war ausgebrannt, wußte, daß kein Mysterium Hitlers sie heraushaute, das einzige, was noch zu verteidigen blieb, war das Leben, und zwar durch Gefangengabe. In den zwei letzten Wochen des April 1945 zerging der Kampfgeist dieser monströsen Armee. Manche Befehlshaber weigerten sich, den Ersatz anzunehmen, den die hitlerschen Jugendsoldaten anboten, die Berserker der SS schämten sich nicht. Mit diesem fanatischen Rückgrat, nebst gehorsamen Volksgrenadieren und tristen Haufen ungeübten Volkssturms als Masse sowie lustlosem Heer als Fassade, ließ sich zunächst ein immer noch verderbensreicher Widerstand anbringen. Er wurde abgetragen in Hunderten wüster Gefechte in Kleinstädten und Dörfern.

Die 1. Armee begann gleich nach Kesseleinschluß auf gewundenen Pfaden die Waldhöhen des Rothaargebirges zu erklimmen. An den Dorfeingängen hallten die Panzerabwehrgranaten. Um seine Männer zu schonen, ließ Hodges die Orte tagelang unter Artillerie- und Tieffliegerbeschuß nehmen, bevor man zur Einnahme schritt. Die Verteidiger mieden das offene Gelände, um die Deckung nicht zu verlieren, und die Angreifer ebenfalls. Sie hatten die Bewegung im Walde erlernt, postierten dort ihre Geschütze und riefen, wenn Gegenbeschuß stattfand, ihre Jagdbomber heran, um die Widerstandsnester und alles, was sich dazu eignete, gewöhnlich das Dorf, unschädlich zu machen.

Die meisten Orte verfügten über alte Bergwerksstollen, Schieferbergwerke oder stabile Bier- und Eiskeller. Die Bauern machten sich diese wohnlich und ließen in den Bombardierungspausen, um zu sehen, ob die Ställe nicht brannten, um das Vieh zu füttern, Kaffee zu holen und Proviant. Sobald die Gebäude brannten, versuchten die Besitzer sie zu löschen und standen stumm neben ihrer untergehenden Habe, wenn die Hydranten kein Wasser mehr gaben, weil die Leitungen durchschlagen waren. Totes Vieh lag herum, gestürzte Masten; Kranke und Bettlägerige warteten im Feld auf Tragbahren, in Stuben zurückgebracht zu werden, die nicht mehr existierten.

Dorf nach Dorf wurde zur Geisel martialischer Kampfkommandanten, die Häuser beschlagnahmten, zur Festung erklärten und es an der Zeit fanden, die rosenkranzbetenden Hinterwäldler mit den Tatsachen des Krieges bekanntzumachen. Diese bestanden dann aus den sechzehn Jagdbombern, die das Dorf Bracht mit Bomben und Phosphor auflösten zur Beendigung der Logis einer Kompanie der SS-Division Feldherrnhalle. In den Schiefergruben ging der Sauerstoff aus. Die Menschen verkrochen sich in einen Stollen auf dem Steimel und im Rodbusch. Sie hörten das klägliche Wiehern der vierundzwanzig verbrennenden Pferde, das Brüllen der fünfzehn angeketteten Milchkühe und das Schreien der Schweine unten in dem flammenumhüllten Ort. Die Amerikaner setzten eine Nebelbank und stürmten dann mit Hunderten von Fahrzeugen vom Wollberg hinunter in die Dorfmulde.

Am 7. April war, nach dem Fall von Fredeburg, Berghausen die Schanze der deutschen Front. Die Berghausener verbargen sich im Stollen von Niederberndorf, nur der Pfarrer hielt mit acht Franziskanerinnen aus Aachen im Keller des Pfarrhauses aus, um seine kostbare Kirche mit der romanischen Apsis und den schönen Deckengemälden nicht den Flammen zu überlassen. Die Jabos waren über dem Dorf und fünfzehn Bomben reichten schon aus, um es anzuzünden. Als die Amerikaner einmarschierten, waren die alte und die neue Schule völlig zerstört, verbrannt die Vikarie, Häuser und Höfe am Boden. Die im Boden schon lagen, holte der Einschlag auf den Friedhof wieder an die Oberfläche. Nichts, was dem Jagdbomberkrieg auf die Dörfer entrann, auch Leckmart nicht, Schwartmecke nicht und das siebenjährige Mädchen Christa Laumann nicht, das, aus der Hölle von Dortmund evakuiert, in einer Stube in Oberhenneborn von einer Granate gefunden wurde. Bei Oberhenneborn büßten auch zehn Amerikaner ihr Leben ein, weil eine vagabundierende deutsche Mörserbatterie auf Sperrfeuer stellte. Nichts davon hielt den Besatzer auf, reizte ihn nur; der stundenlange Zug von Panzern, Kanonen und Mannschaftswagen würde nicht kehrtmachen nach Amerika. Am Abend des 8. April bemächtigten die Amerikaner sich des Trümmerfeldes, das einmal Meschede gewesen war, die Kreishauptstadt am Zusammenfluß von Ruhr und Henne. Am 19. Februar hatten zwanzigtausend Stabbrandbomben und zweihundertfünfzig Phosphorkanister die Siedlung abgebrannt, bis 1220 die erste und einzige im oberen Sauerland, weil hier der hl. Walburga vierhundert Jahre ein Frauenstift geweiht war. Der Stiftsbezirk, der kleine Marktplatz mit seinen verschieferten Fachwerkbauten und der gesamte Gebäudestand des Stadtkerns verließen die Welt. Als um die Mittagsstunden helle und dunkle Rauchsäulen die Stadt auf Nimmerwiedersehen dem Blick entzogen, weinten viele Mescheder, auch wenn bis auf fünfundvierzig alle am Leben blieben. Aber sie meinten ebenso wie die Pforzheimer, denen vier Tage später ein Drittel der Mitbürger abhanden kam, dies sei der Untergang der Welt. Er benötigte zehn Minuten, kehrte aber am 28. Februar wieder:

»Es war«, sagte wenig später ein Kellerinsasse, »als wenn ein fürchterlicher Wirbelsturm, ein Taifun dahergerast, ein Vulkan ausgebrochen wäre und sich das Ende der Welt genaht hätte. Wir mußten mit einem plötzlichen gewaltsamen Tode rechnen und beteten kniend.« Man zählte kurz darauf achtunddreißig Tote, bevor man sich beglückwünschte zum Überleben, und dennoch war eine Welt vorüber, in der es undenkbar gewesen war, daß Piloten aus Amerika kamen, um in der Briloner Straße mittels Explosionsdruck eine Frau in den Baum vor ihrem Haus zu schleudern, von dem sie tot heruntergeholt wurde.

Das Ende der Familie, die im verschütteten Haus in der Schützenstraße schreiend im Keller verbrannte, ohne daß ihr noch zu helfen war, wanderte von Mund zu Mund. Dies fand Parallelen allenfalls im Martyrium der hl. Walburga, und die NSDAP beanspruchte die Verbrannten bei der Trauerfeier am 5. März als Märtyrer ihrer Sache. Nur weil die Feinde nicht an den Fronten siegen könnten, wütete ihr Fliegerterror, den Kinder und Kindeskinder ihnen heimzahlen würden. Alle Mescheder wußten, daß daran kein wahres Wort war. Denn nach nur vier Wochen stellte sich heraus, daß die Feinde den Fliegerterror schickten, damit sie leichter siegen konnten. Sie drangen von Norden und Osten gleichzeitig in die Stadt, die am Vortage nochmals gründlich von Jabos bearbeitet worden war, das Militär hatte sich vorsichtig nach Remblinghausen verflüchtigt, alle Nichtsoldaten vom Jahrgang 1900 abwärts wurden zum Volkssturm ernannt. Dieser schoß einige Panzerbesatzungen entzwei, das konnte jedoch die Versöhnung von Freund und Feind nicht mehr aufhalten. Die Amerikaner waren zufrieden, daß bei dem Untergang Meschedes vieles übriggeblieben war. »Sie brieten meine gesamten Eier aus dem Keller«, berichtete ein unfreiwilliger Quartiergeber, »und tranken meinen Wein, den ich für die Rückkehr meiner drei Söhne aus dem Kriege im Keller aufbewahrt hatte.«

Im Bombenkrieg fielen im Jahr 1944 im Tagesdurchschnitt 127 Personen. Von Januar 1945 bis zur Kapitulation tötete er täglich 1023 Personen, insgesamt 130 000. Die vier letzten Monate sind der Gipfel der Kampagne. Beide Luftflotten werfen 370 000 Tonnen Munition ab, Bomber Command schickt seine Maschinen zu 72 880 Feindflügen. Die Angriffe umfassen die Begleitoperationen zum Bodenfeldzug, die Öl- und Verkehrsangriffe und die Strafaktionen. Für die Angegriffenen existiert kein praktischer Unterschied. Ein Hildesheimer und ein Würzburger wüßten nicht zu sagen, ob sie unter einem Verkehrs- oder einem Terrorbombardement liegen. Die einundzwanzig getöteten Insassen des Paderborner Altersheims konnten ihr Ende nicht abwenden, indem sie Eisenhowers Bedingungen zur Schließung des Ruhrkessels entsprachen.

Churchill beschloß Ende März, sich von der Kampagne zu entfernen. »Mir scheint nun«, schrieb er am 28. März 1945 den alliierten Stabschefs, »der Augenblick gekommen, in dem man die Frage überprüfen muß, ob deutsche Städte nur deshalb bombardiert werden sollen, um den Terror zu verstärken, auch wenn für diese Angriffe andere Vorwände gegeben werden.« Dann schlägt er die Prioritäten von 1941 vor, militärische Objekte, Hydrierwerke, Verkehrsanlagen, die immer Ziele der Kampagne gewesen waren. Eine Abkehr Churchills von sich selbst stellt allerdings seine Denunziation von »Terror und blinder Zerstörungswut« dar. Das strategische Element des ›moral bombing‹ hat Churchill umgedeutet zu einem Wesenselement seines Intimus Harris. Nach dem Dresdenangriff begann das allgemeine Abrücken von ihm, der als ›Butcher‹ und alleinhaftender Gesellschafter ein grauenumwittertes Nachleben führte. So wie Harris' Naturell als Grund der fünf Jahre hindurch gefeilten Strategie übrigblieb, verlor sich ihr Sinn und Verlauf in der Frage, ob in Dresden ungerechtfertigterweise überflüssige Gewalt angewendet wurde. Das kann vorkommen. Dresdens Opferzahl beträgt allerdings weniger als ein Drittel der 1945er Angriffe und acht Prozent des deutschen Gesamtverlustes.

Harris hat ruhig festgestellt, daß alle Beschlüsse der Bombenstrategie einvernehmlich gefaßt wurden. Denn wie sein Biograph schreibt: »Bis zu diesem Zeitpunkt hatte sich Churchill mit Nachdruck dafür eingesetzt, daß eine deutsche Stadt nach der anderen zerstört wurde.« Harris war nicht in der Position, einen Privatkrieg zu führen. Die Strategie verdankt ihm seine persönliche Verve, Einfalls- und Führungsgabe. Deswegen wurde er mit dem Kommando betraut und hat es, trotz vorübergehender Reibereien mit Portal, behauptet. Um die Vollmachten von Harris, um die Auswahl von Stadtzielen, um die Tauglichkeit des ›moral bombing‹ im allgemeinen und seine ethische Zulässigkeit im besonderen rankten sich dauernde Erörterungen. Nichts Normaleres im Krieg, als daß ein Mittel nicht taugt, schlecht funktioniert, moralisch zwiespältig scheint und krasse Charaktere sich ausleben. Das alles ist neben der Offensive her normal geprüft worden nach dem Für und Wider.

Churchill empfand Harris als abseitige, aber der Sache zuträgliche Natur. Die Bomben trafen schlecht, was sie besser hätten treffen sollen. Es war eine Bürde, Unschuldige zu vernichten, und eine ständige Sorge, ob die Bomben weiterhelfen, und wenn nicht, was es anderes gäbe? Diese Normalkontroverse hat den Zivilisationsbruch des strategischen Luftangriffs nur verflacht. Was ihn ausmacht, steht jenseits von Erörterungen. Vor dem Anblick des Geschehens in seiner Breite und Tiefe verstummt alles Räsonieren.

Fünf Tage nach Beginn der russischen Januaroffensive befreite die Zweite Weißrussische Front Warschau, das nun nach einunddreißig Jahren wieder von Moskau regiert wurde. Marschall Rokossowski teilte alsdann seine Truppen; der rechte Flügel zog das Weichselufer hoch und erreichte am 26. Januar Elbing am Westende des Kurischen Haffs. Damit war die Heeresgruppe Nord eingekesselt und Ostpreußen in einem Sack gefangen, der von der Samlandküste bis zum Haff zur Ostsee offen war und südlich bis zur Masurischen Seenplatte reichte. Für die 1850000 noch in Ostpreußen lebenden Deutschen gab es auf dem Landwege ein Entkommen über das gefrorene Haff zur Nehrung, Richtung Danzig. Den größeren Teil, etwa 400000 Personen, hat die Ostseeflotte evakuiert. Dazu eine halbe Million Soldaten.

In der letzten Februarwoche dehnte die Rote Armee sich zur pommerschen Küste aus und besetzte den Abschnitt zwischen dem Oberlauf der Weichsel und der Oder, etwa zwischen Danzig und Stettin. Bis Anfang März flüchteten Trecks den Strand entlang, viele strebten der Festung Kolberg zu, die deutsche Truppen verteidigten. Als die Stadt eingeschlossen wurde, befanden sich 80000 Menschen darin, die in den zehn folgenden Belagerungstagen eine Fähre zumindest nach Swinemünde zu ergattern suchten, dem leichtgebauten, luftigen Usedomer Badeort. Der Hafen dort barst von Flüchtlingsschiffen, lange Eisenbahnzüge warteten am Kaiserbollwerk, um die ost- und westpreußische wie die pommersche Bevölkerung außer Gefahr zu bringen. In Schulen und Waggons schlief man eine Nacht aus und hoffte auf Weiterfahrt nach Dänemark, Kiel oder nur landeinwärts.

Gertrud Thors spürte ein Gewitter in der Luft liegen. »Die Swine, der Strom, an dem ich so lange Zeit gelebt, auf dem ich Schlittschuh gelaufen und gerudert bin, lag dunkel, drohend und unheilverkündend vor mir. Die Bilder des überfüllten Hafens, die herumlagernden Flüchtlinge, die vielen Züge, an denen pflichtschuldig die Swinemünder Bürger mit Kaffeekannen und Broten herumliefen, dazu die ständige Angst vor Alarmen machten eine bedrückende Atmosphäre.«

Unter den Flüchtlingen warteten die neunhundert Überlebenden des von russischen Torpedos versenkten Evakuierungsdampffers ›Wilhelm Gustloff‹, in Kolberg an Land gezogen, sowie die mit den Strandtrecks gekommenen Frauen, von denen manche den Kadetten Wilfried Sander und seine Kameraden von der Marineartillerieschule baten, »sie doch zu erschießen«. Russen hätten sie mehrfach mißbraucht, ihre Kinder seien verlorengegangen, »sie waren total demoralisiert, nicht mehr ansprechbar. Von Tag zu Tag füllte sich Swinemünde mehr und mehr mit diesen Schicksalsträgerinnen.«

Die Kadetten beredeten sich, meinten, daß es militärisch aussichtslos sei, und beschlossen, »allein nur zum Schutz dieser Erbarmungswürdigen bis zuletzt weiterzukämpfen«. Pauline Lemke, aus dem Rheinland nach Pommern evakuiert, traf in Kinderverwundetentransporten »junge Mädchen, elf bis dreizehn Jahre alt, die nicht nur schwer verwundet, sondern auch schon vorher auf ihrem Fluchtweg von russischen Soldaten vergewaltigt worden waren. Es waren Kinder von Ost- und Westpreußen, die auf ihrer Flucht in Pommern Halt gemacht hatten.«

Die pommersche Bucht wimmelte von Schiffen aller Art. In den Frachtern hockten die Leute dichtbepackt in Ladeluken, es war kalt und stürmisch, die See kam über, durchnäßte die Kleidung, alle ersehnten die Landung in Swinemünde, wo Heizungen glühten und man sich trocknen konnte. Die komfortablere ›Winrich von Kniprode‹ von der Hamburg-Amerika-Linie blieb in der Nacht zum Montag, dem 12. März, in der Hafeneinfahrt liegen, die Kohle war ausgegangen.

Christel Bispink hatte in Kolberg das Schiff nicht besteigen wollen, »da ich dabei war, als Überlebende der ›Wilhelm Gustloff‹ bei uns an Land gebracht wurden«. Die Stalinorgeln, die Kolberg zerschossen, standen allerdings den Torpedorohren der Roten Flotte nicht nach. »Fünf Tage hielten wir zitternd im Keller aus und begaben uns dann doch in die Nähe des Hafens, der unter ständigem Feuer lag.« Russische Tiefflieger fielen über die ›Kniprode‹ her, jetzt hing sie bei unruhigem Wellengang fest, und Christel Bispink wünschte, sie hätte auf ihre Ahnungen gehört.

Auch Pfarrer Ohse aus Virchow, Hinterpommern, kam nebst weiteren viertausend Passagieren auf seinem kohlelosen Dampfer nicht von der Stelle. »Weit schweiften unsere Augen über die grünwellige Bucht, die bläulichen Hügel Usedoms und Wollins, über die zahlreichen Schiffe, die mit uns auf der Reede lagen.«

Unter Deck, Strohsack an Strohsack, warteten alte ostpreußische Bauern, Kriegsversehrte und »eine Frau, offenbar leicht geistesgestört, die immerfort drei oder vier Töne in leiser Unentwegtheit vor sich hin sang«. Rechts und links dampften kleinere Flüchtlingsschiffe auf Swinemünde zu, halb Ostpreußen lag auf dem Wasser. Was schwamm, hatte Leute geladen. Christel Bispink konnte Montag früh aufatmen, der ›Kniprode‹ war Kohle aufgeladen worden, der Riesenkasten setzte sich in Bewegung. »Sofort keimte Hoffnung auf. Aber weit gefehlt. Um zwölf Uhr wurde Alarm ausgelöst. Das Deck wurde geräumt, es waren Flugzeuge gemeldet worden mit Kurs Ostsee-Swinemünde.«

Als der Alarm der Küstenbatterie ›Plantage‹ starke einfliegende Lufteinheiten anmeldete, übt Kadett Sander mit seinem Zug Paradeschritt, weil Trauerparade angesetzt ist. »Unser vorgeschobener Beobachter auf der Insel Wollin, ein Oberleutnant, war gefallen und sollte an diesem Tag mit militärischen Ehren beigesetzt werden.« Die Batterie besetzt gleich ihre sechs Geschütze, der Befehl dazu wird aber zurückgenommen, denn die nahenden Verbände hatten sich über See geteilt und flogen jetzt wesentlich tiefer als üblich. Wenn die Bomber näher als zwanzig Kilometer heran waren, wurde das Schießen eingestellt. »Wir waren dann zu langsam, weil unsere aus dem Ersten Weltkrieg stammenden Geschütze nur per Handbetrieb gerichtet und geladen werden konnten.« Der Folgebefehl ließ die Kadetten schleunigst ihre Ein-Mann-Deckungslöcher aufsuchen, die hinter der Stellung im Park ausgehoben waren.

An den Strandstreifen grenzte ein breiter Gürtel von Kurparks, und darin lagerte die Masse der Flüchtlinge. Dies war der 8. US-Flotte wohl bewußt, deshalb hatte sie reichlich ›Baumkrepierer‹ geladen, Bomben mit Berührungszündern, die detonieren, sobald sie etwa mit Ästen in Kontakt kommen. Über keinen Fleck in Deutschland waren die Verbündeten besser informiert als über Usedom mit dem V2-Gelände Peenemünde.

Um drei Uhr in der Nacht war Hugo Leckow mit dem Treck der Gemeinde Pribbernow, Kreis Kamin, eingetroffen. Man hatte sich über Wollin durchgeschlagen und mußte die Wagen über die Swine schaffen. Dort verkehrte nur die Fähre, weil die Brücke längst zerstört war, das war ein langwieriges Geschäft. Als Leckow den Alarm hörte, band er das Pferd fest, ging zum Wagen zurück, kurz darauf heulten die Bomben nieder und hämmerten die Bordwaffen. Die Pribbernower krochen unter ihre Treckwagen. Durch den Höllenlärm bestand Gefahr, daß ihre Gespanne durchgingen und sie überrollten. So spannten die Männer die Pferde ab, hielten sie bei der Leine, stellten sich hinter die Karren und hofften, daß keine Bombensplitter kamen. »Wir beobachteten eine Bombe nach der anderen, die das Hafengebiet und die Treckkolonnen überflogen und ihre vernichtungsbringende Bombenlast abluden. Wenn es zwischen den Anflügen etwas stiller wurde, hörte man die Schreie der Verwundeten und das Gewieher der verletzten Pferde.«

Pastor Ohse hörte die Bomber laut und lauter über das Schiff dröhnen, »wir saßen alle ganz still, und ich malte mir aus, wie es sein würde, wenn jetzt gleich die Bomben auf unser Schiff herabfielen und es versenken würde«. Niemand würde je erfahren, wo er geblieben sei. »Der Krieg hat uns wieder eingeholt«, denkt Christel Bispink auf der ›Kniprode‹. »Das feindliche Geschwader donnerte über uns hinweg und lud seine tödliche Last über der Stadt und dem Hafen ab. Die lodernden Flammen und die schwarzen Rauchwolken stiegen gen Himmel. Wir kannten diesen Anblick von Kolberg.« In Wahrheit holte der Krieg sie keineswegs ein; der Kohlenmangel hatte das Schiff von der Vernichtungszone ferngehalten.

Auf Pastor Ohses Dampfer werden Schwimmwesten verteilt. »Sie reichten nur für ganz wenige Frauen und Kinder.« Der Kadett Sander im Deckungsloch sieht, wie sich die Flüchtlinge im Park auf den Boden werfen, »um nun in voller Körpergröße den Splitterwirkungen der Baumkrepierer ausgesetzt zu sein. Die Markierer hatten den Park mit den Leuchtzeichen genau abgezeichnet«, der Bombenteppich fiel darum besonders eng, »so daß es kein Entrinnen gab«.

Am Swineufer wartete im Endloswurm der Treckfahrzeuge Dietlinde Bonnlander mit den Leuten aus Fritzow, Pommern, auf die Reparatur der Brücke. Sie fütterte die Pferde, denen das Schaukeln der Pontons und die dumpfen Geräusche zu schaffen machten. Die Stadt war in Sichtweite, und durch den leichten Morgendunst konnte man die Bomben fallen sehen. Als die Tiefflieger kamen, warfen sich die Fritzower entsetzt zu Boden, weil sie diese »sinnlose Jagd auf Menschen« noch nicht kannten. Isa Berg und den Labiauern, aus Hinterpommern den Strand entlanggekommen, waren sie dauernd begegnet. Sie mähten die Flüchtlinge nieder. »Mutti schrie dann ›hinwerfen‹, und sie selbst warf sich schützend über den Jüngsten.«

Auf der Rast in Swinemünde hatte die Familie in einem Eisenbahnwaggon Schlafplätze gefunden. »Wir Kinder saßen auf dem Fußboden. Den Voralarm hörten wir noch, aber vom Bombenangriff weiß ich nichts mehr. Als ich wach wurde, war es dunkel. Leute lagen auf mir, und ich bekam keine Luft. Der Junge, der auf mir lag, sollte runtergehen, aber er stöhnte nur auf und wurde noch schwerer. Wo ich auch mit der Hand hingriff, alles war gatschig. Als sie mich hochhoben, sah ich meine Brüder dort sitzen, ihnen fehlten die Schädeldecken.«

Der zehnjährige Martin Krüger und seine Mutter warteten seit vier Stunden am Bahnhof. Sie hatten auf dem Fußweg aus Hinterpommern auf der Landstraße übernachtet und waren glücklich über ein warmes Essen in Swinemünde. Es gab Sauerkohl, und sie blieben gleich einen Tag länger. Bei der zweiten Angriffswelle bekam Martin einen Splitter ab, der ihm die linke Halsschlagader aufriß. »Seine letzten Worte waren ›Mama, was ist los?‹ Ich habe ihm gleich die Schlagader zugedrückt, aber der Blutverlust war zu groß.«

Der Treck der Pribbenower war an der Swine ebenfalls in die Tiefflieger geraten. Diese waren die Straße nach Pritter entlanggeflogen und hatten dort Menschen und Tiere angegriffen, »zwischen den umherliegenden toten Menschen und verendeten Pferden schrien die Verwundeten nach Hilfe und Wasser. Manche baten um eine Zigarette. Unsere Dorfgemeinschaft war schwer betroffen, achtzehn Tote …«

Von der ›Kniprode‹ aus macht Christel Bispink eine Beobachtung. »Zu unserem Erstaunen erblickten wir viel weniger Schiffe.

174

Daß im Hafenbereich dreizehn gesunken waren, erfuhren wir erst nach der Beendigung des Krieges.« Pastor Ohse hatte Glück und dankte dies der dichten Wolkendecke; »wie wir später erfuhren, waren wohl sämtliche Flüchtlingsdampfer im Hafen gesunken oder in schwimmende Särge verwandelt worden«. Von den großen Handelsschiffen sanken die ›Jasmund‹, ›Hilde‹, ›Ravensburg‹, ›Heiligenhafen‹, ›Tolina‹, ›Cordillera‹, die schwersten Verluste traten auf der ›Andros‹ ein. Sie war am 5. März an der Samlandküste in Pillau mit zweitausend Passagieren in See gestochen, Richtung Dänemark. Auf stürmischer Fahrt gingen Trinkwasser und Verpflegung aus, der Frachter legte am Morgen des 12. März in Swinemünde an.

Eva Jänsch aus dem eingeschlossenen Königsberg, mit Mühe über die freigekämpfte Straße nach Pillau gelangt, wähnte alles überstanden, als das Motorengeräusch der Flieger anschwoll. »Bevor wir begriffen hatten, was eigentlich los war, warfen sie ihre Bomben ab. Durch die Brandbomben brach ein Feuer aus, und nach kurzer Zeit stand der Bug des Schiffes in Rotglut.« Die Flüchtlinge waren auf zwei Laderäume verteilt. Als das Schiff brennend auseinanderbrach, wurden sie überflutet. Eine einzige hohe Leiter führte nach oben, und Hunderte stürzten auf sie zu. Sie konnte dem Gewicht nicht standhalten und brach. Die Besatzung warf Seile hinab, »aber keiner schaffte den Weg nach oben. Das Wasser drang von allen Seiten in das Schiff. Unmittelbar darauf folgte eine unheimliche Stille: die eisige Woge war über die Menschen hinweggegangen.«

Die Kadetten wurden am nächsten Tag in Gruppen eingeteilt, um die Leichen aus dem Park zu bringen. »Unter den von unserer Gruppe aufgefundenen Toten im Park war nicht ein einziger Soldat, nur Frauen, Kinder und wenige alte Männer …« In der Tat lagerten an anderer Stelle in den Parks auch Truppenverbände, die südwärts zur Oderfront sollten. Doch macht der Tiefflieger in den zehn Sekunden seiner MG-Garbe keine Unterschiede. Die Kadetten hatten verschiedene Übungen gemacht, doch noch nie eine Bombe fallen hören. Auch war das wirkliche Geschehen eines Angriffs nicht annähernd nachgestellt worden. »Zunächst war alles wie gelähmt.«

Die Verletzungen und Verstümmelungen erlaubten oft keine Identifizierungen. »Wir hatten den Auftrag, in den Kleidern der Toten nach Ausweispapieren zu suchen, ehe sie abtransportiert wurden.« Nicht identifizierbare Opfer mit brauchbarer Bekleidung wurden ausgezogen, weil unter den Flüchtlingen dringender Bedarf bestand. Als die Kadetten die Leiche einer Frau auffanden, die während des Angriffs ein Kind geboren hatte, das unverletzt, doch tot an der Nabelschnur hing, sanken ihnen die Hände herab.

Der von über tausend Maschinen, 671 Bombern und 412 Begleitjägern, mit 1609 Tonnen Munition geflogene Angriff soll nach offizieller örtlicher Zählung 23 000 Opfer gefordert haben, eine schwer nachvollziehbare Zahl. War es die Hälfte, ein Drittel? Es gibt bisher zuwenig Anhaltspunkte. Die ›Andros‹ soll 170 Personen mit in die Tiefe gerissen haben. Weitere Angaben über den Hafen existieren nicht. Namentlich bekannt sind 1667 Tote, doch wurden die meisten der Opfer nicht identifiziert. Niemand zählte sie, weil Flüchtlingstrecks nachrückten, die Überreste in Bombentrichtern verscharrt oder mit Fuhrwerken zum Massengräberfeld auf dem Hügel Golm geschafft wurden. Die Summe der Toten in Schiffen, Parks, Trecks am Swineufer, Bahnhof und Lazarettzügen mag fünfstellig sein.

Das Massaker von Swinemünde steht in den Annalen der 8. US-Flotte nicht als Massaker verzeichnet, auch nicht in den Annalen der Zeitgeschichte. Die US-Air-Force verbuchte ihn als Verkehrsangriff auf »Rangierbahnhöfe«.

Gleich nach Besetzung des Landes erstellte eine Kommission der US-Streitkräfte den *United States Strategic Bombing Survey*, die Bilanz des alliierten Luftkriegs. Man war überrascht über die Anzahl der Toten, die als Zivilverluste beispiellos seien, doch »far removed from the generally anticipated total of several millions«.

Land

Die Vernichtung geht in die Fläche, und ihre Brandspur zieht sich im Bogen von der Küste zu den Wesergebirgen, an die Ruhr, die Rheinlande hinab, erreicht 1943 den Süden und 1944 den Osten. In den Städten siedeln die Lebendigen wie die Vorangegangenen, die ihre Gehäuse hinterlassen haben, ihre Dome, Altäre, Schriften, Papiere. Sie bebildern und beschriften die Orte als Orte eines Geschehens. Vergangenheit überliefert ihre Schauplätze, darauf stehen die Gegenwärtigen und sehen sich in einer Reihe. Geschichte ist Stein, Papier und Erzählung, mithin überwiegend brennbar. Brände, Zerstörung, Raub und Massaker sind die Kreuzwege der Stadtgeschichten. Alle Städte waren zumindest einmal zerstört worden, aber nicht mit einem Mal alle. Als das 1940 bis 1945 passierte, ist eine Brücke eingebrochen zu einer Landschaft, die es nicht mehr gibt.

DER NORDEN

Der Name der Stadt Soest rührt vom Salz und bedeutet Sitz am Sod. Schon 973 wußte der Araber Ibrahim Ibn Achmed, aus seiner spanischen Heimat mit einer Gesandtschaft des Kalifen von Cordoba zu Kaiser Otto dem Großen unterwegs, von einer Burg zu berichten, bei der Salz aus Solquellen gewonnen wurde. Ibrahim nahm eine Route, die achthundert Jahre zuvor bereits Drusus kannte, als er mit seinen Legionen zur Weser marschierte. Sie war vorgezeichnet durch die westfälische Tieflandbucht und verbindet die Rheinebene mit den Siedlungsräumen der Ostgermanen.

Als Ibrahims Delegation nach Magdeburg ritt, wohnten die einst an der Weser ansässigen Langobarden längst in der Lombardei und teilten sich mit den Byzantinern Italien. Den einst östlich der Langobarden siedelnden Sachsen gehörte nun der Weserraum, dreißig Jahre hatten sie grimmig den weströmisch-fränkischen Cäsar Carolus Magnus befehdet, zuletzt sich unterworfen und christianisieren lassen, um nach dem Zerfall des Frankenreiches nun ihrerseits die römische Cäsarenwürde anzunehmen. Die Sachsenkaiser beherrschten ein Reich, ungefähr zwischen Elbe und Maas. Das äußere Schicksal des Reiches hat sich auf der West-Ost-Achse ereignet, darauf rangiert die Völkergeschichte bis heute. Die Nord-Süd-Achse grenzt an definierte Naturlinien, die Wasserkante und die Alpen, dazwischen hat die innere Geschichte des Volkes stattgefunden, das sich im Lauf der Jahrhunderte als deutsches begriff. Die meiste Zeit waren Innen- und Außengeschichte voneinander nicht unterscheidbar.

Die Route zwischen Westen und Osten, gegenwärtig die Bundesstraße 1, hieß damals Hellweg, was soviel bedeutet wie, daß er aus dem Wald gehauen wurde. Er war das physische Eigentum des Königs nebst allem, was dazugehört, Brücke und Mühle, Schmiede und Hof. Der Weg maß sechzehn Schuh breit, damit zwei Wagen einander ausweichen oder ein Reiter mit quergelegter Lanze ihn passieren konnte. Nach dem Brauch der Zeit versinnbildlichte die hochgestellte Lanze den Frieden, die waagerechte den Kampf. Der Königsweg diente dazu, das Gebiet in Schach zu halten. Die sächsischen Herrscher hielten über den Hellweg ihr sächsisches Stammland und das fränkisch-rheinische Gebiet beieinander, aus dem ihre Kultur bezogen war, die Schrift, die Gesetze, die Herrschaftsverfassung, der Gottesglaube. Auf dem Königsweg haben sich die abgesteckten Reisestaffeln erhalten. Höfe, die zu Städten wurden: Dortmund, Unna, Soest, Paderborn. Lanze und Wagen sind Ursprung der Stadt, befestigte Plätze wie Umschlagorte von Gütern. Die Gegend enthielt Eisen, Kupfer, Blei, Zinn und auch Salz, das Kaufleute mit sich nahmen gegen Wein, Gewürze, Tuche. Soester Kaufleute gelangten 1050 bis nach Kiew, und eine Fernkaufmannsgilde, die Schleswigfahrer, warb Partner im Ostseeraum bis hinüber nach Nowgorod. Mitte des 9. Jahrhunderts kommt ein vorbildliches Soester Stadtrecht auf, das in die Weite wirkt. So wird es übernommen von einer Stadt im Scheitelpunkt der Ostsee, Lübeck. Lübeck seinerseits wird das Muster eines Perlensaums von Städten, der die Mecklenburger, die Pommersche, die Danziger Bucht bis nach Königsberg einfaßt und in Reval endet. Diese Häfen haben tiefgestaffelte Verbindungen in einem Sockel von Städten, der südlich von einer Linie Breslau, Erfurt, Köln begrenzt ist. Im Westen gehört Amsterdam zu dem Bund, welcher noch Kontore im norwegischen Bergen, in Brügge und London unterhält. Er trägt den Namen Hanse, streitbare Schar, und schenkt der Alten Welt ein nord-östliches Zivilisationsgebiet, das fünfhundert Jahre, bis in seine Selbstzerstörung im Dreißigjährigen Krieg, zusammenhält. Die Verschiebung des Welthandels auf den Atlantik und das Aufkommen des Kolonialsystems entließen diese Stadtlandschaft in kleinergewirkte, gemächlichere Zeiten. Die Kühnheit und Leuchtkraft ihrer geschichtlichen Jugend hielten die Rathäuser, Dome, Stapellager, Tuchhallen, Hafenanlagen fest. Das kühle, scharfgeschnittene, gelegentlich von saturiertem Lächeln bewegte Gesicht dieser Architektur ist nach seiner dunkelgetönten Haut benannt, dem aus Ton und Lehm gebrannten Backsteinziegel. Lübeck hatte diesen Baustoff nach verheerenden Feuersbrünsten als den sichersten verbindlich gemacht. Seine Erstschöpfungen, der Lübecker Dom und die Marienkirche, vermählen die schwindelnden Sandsteinphantasien der französischen Kathedralgotik mit der nüchternen Bilanz des Ziegelgemäuers. Von der Marienkirche stammen die Nikolaikirchen in Kiel, Rostock und Stralsund ab, Nikolaus, dem Schutzheiligen der Seefahrer, zu Ehren. An der Rostocker Hauptkirche St. Marien haben drei Jahrhunderte gemauert, um sie der Ewigkeit zu weihen. Von praktischem Kaufmannsverstand sind auch die Stadtpläne gezeichnet. Markt und Hafen, die zwei wichtigsten Plätze, halten die patrizischen Handelsfamilien in Beschlag, welche die Stadt gegründet haben. Dies bringen die prunkenden Giebelfassaden, die reichgegliederten Rathäuser und Lagerhallen offenstirnig zum Ausdruck. Das zentrale Marktrechteck ist der festliche Sammelpunkt der Straßen, die zu mächtigen Toren führen. Die gewerbliche Bürgerwelt verteilt sich auf züchtig viereckige Parzellen. Hundert Städte im Ostseeraum übernehmen das Lübische, vom Hellweg gekommene Stadtrecht, das Niederdeutsche ist die Umgangssprache. Als größter Hansehafen, der auch die Kogge baut, das einmastige Kauffahrteischiff mit hundertzwanzig bis zweihundert Tonnen Ladung, verbindet Lübeck den Nord- mit dem Ostseehandel. Rücken an Rücken liegt es zu den Hamburgern, mit denen es die Landbrücke zwischen den Meeren teilt.

Die Hansesitze haben die Stadt von der Burg gelöst, der Wächterin über die fürstlichen Bodensassen. Sie treten aus der Gebundenheit von Wald und Acker, dem Bannkreis der Lanze, und empfangen aus der Weite, beherbergen den Fremden, hören seine Kunde, prüfen seine Artikel und reden vom Geschäft, über den Preis und zwecks Vertrags. Die Stadt ist das Heute, schreit nach dem Modernsten und wohnt doch in der Dauer des Steins, macht etwas Neues daraus und überliefert, was standhalten soll. Neben die ländlichen Kreisläufe, in denen sich der Austausch mit der Natur und der Wechsel der bodenverhafteten Macht vollzieht, tritt die geschichtliche Zeit, eine unruhige Gegenwart, stets unterwegs auf der Strecke von woher nach wohin. So verschränkt sich in Lübeck die helle, neuzeitliche Atlantikseite mit der mittelalterlichen Deutschordenskultur der Ostsee. Es ist der Schnittpunkt der Wege von London und Nowgorod und die erste Stadt, die Bomber Command ausradiert. Es fallen später die Hanseschwestern Rostock, Anklam, Wismar, Stralsund, Stettin, Danzig, Königsberg, und auch der Sockel verschwindet von Braunschweig, Hannover, Soest und so fort. Lübeck müsse in der Nacht vom Samstag auf Sonntag, den 29. März 1942, innerhalb von hundertvierzig Minuten fallen, war den Mannschaften der Wellingtons und Stirlings gesagt worden, weil dies ein wichtiger Seehafen sei, der die deutschen Heere in Norwegen und Rußland versorge. Lübecks berühmter Sohn Thomas Mann wandte sich aus Kalifornien über Funk an die Deutschen, um ihnen mitzuteilen, »es hat Brände gegeben in der Stadt, und lieb ist es mir nicht zu denken, daß die Marienkirche, das herrliche Renaissance-Rathaus oder das Haus der Schiffergesellschaft sollten Schaden gelitten haben. Aber ich denke an Coventry und habe nichts einzuwenden gegen die Lehre, daß alles bezahlt werden muß.« Auch Hitler war ein Anhänger dieser Lehre, und es bezahlten für Lübeck Teile des südlichen Chorflügels der Exeter-Kathedrale und Klosteranbauten der Canterbury-Kathedrale. Wie aus einem Brief Thomas Manns vom 4. Mai 1942 hervorgeht, rechnete er mit fortwährenden Zahlungen, zu leisten von »den deutschen Städten«. Wenn man bedenke, was ihnen bevorstehe – »gerechterweise, notwendigerweise, unentbehrlicherweise bevorsteht, so befällt einen dabei ein gelinder Schrecken«.

In Lübeck benötigte man sechsunddreißig Stunden, um zu gewärtigen, was zur Unterbindung des deutschen Heeresnachschubs geschehen war: »Die eigentliche Altstadt zu achtzig Prozent vernichtet, Dom, Museum, Marienkirche, Petrikirche vernichtet.« Die kriegswirtschaftlich relevanten Dornier-Flugzeugwerke hingegen waren intakt geblieben, weil der Angriff weniger der Vergeltung als der Verbesserung des in Coventry erreichten Stands der Bombentechnik diente. Die Deutschen hatten eine Vorlage geliefert, der Potential innewohnte. Als Nebenerfolg verbuchte das Londoner Luftwaffenministerium, daß die Produktion in Lübeck auf sechs, sieben Wochen beeinträchtigt und 2600 Personen getötet seien. Eine siebenfache Übertreibung, aber der Haupterfolg stimmte. Der Brandkrieg, das seit Herbst 1941 hastig vorbereitete Experiment, war führbar. Die Altstadt hatte sich weit besser gehalten, als in Lübeck zunächst angenommen, nur läßt sich der Hingang des ältesten Viertels um St. Marien mit der Mehrzahl der Giebelhäuser nicht in Prozenten rechnen.

Die nächste Station Bomber Commands, Rostock, bezahlte teurer, man gab sich ungewöhnliche Mühe und griff vier Tage hintereinander an. Von der zwischen dem 23. und 27. April geflogenen Serie führte die dritte Nacht zum Untergang des größten Teils der historischen Altstadt. Die Bombentonnage wies die verderbliche Mischung von zwei Dritteln Brandmunition auf. Sie verschlang St. Nikolai und die Petrikirche, einen geringen Teil der Universitätsbibliothek, die der ersten Universität Norddeutschlands, das Stadttheater, das Steintor, die Hautklinik. 40 000 Personen waren obdachlos. Der Seewind hatte den Flammen geholfen, trug aber nichts dazu bei, die Heinkel-Flugzeugwerke zu treffen, das Nebenziel – im Gegenteil.

Bomber Command wollte nicht vom Platz ablassen mit zwei Wahrzeichen der Backsteingotik in Trümmern und dem Intimgegner Heinkel intakt. St. Petri ragte allerdings, auf einem Hügelrücken errichtet, mit seinem 117 Meter hohen Westturm sehr viel sichtbarer in das Mondlicht. Der Turm stand dazu da, dem Seefahrer das Land zu weisen. Unter den neuen Begegnungsformen, wies alles markant Gestaltete darauf, abgewrackt zu werden.

Mit außergewöhnlicher Verbissenheit kehrte Bomber Command am 27. April wieder und erreichte nun die Werkhallen. Mit dem Verlust einer Heinkelmonatsproduktion war die Austilgung der siebenhundertjährigen Fernhandelsstadt als einem Militärziel begründet. Obwohl die Menschenverluste mit 216 Toten Lübeck noch erheblich unterschritten, schien den Rostockern die Ausbrennung der altehrwürdigen Gehäuse ein solcher Frevel, daß 150 000 Personen wild in die mecklenburgischen Kreisstädte flüchteten. Gauleiter Hildebrandt schwor Rache an den Juden und begann, ihnen die Radikalisierung des Luftkriegs anzulasten. Sie würden alsbald »ganze Flächen vergasen«, man müsse mit allen Möglichkeiten rechnen. »Es ist ein jüdischer Krieg, Churchill und Roosevelt sind nur noch Marionetten, sie werden selbst erschossen, wenn sie die jüdische Weltaufgabe nicht erfüllen wollen.« Wenn die NSDAP kein Mittel hatte, die Städtevernichtung abzuwehren, hatte sie dennoch eines, jemanden dafür büßen zu lassen.

Am 9. Oktober 1943 kam die 8. US-Flotte nach Anklam am Flußübergang der Peene, südwestlich der Pommerschen Bucht. Den Amerikanern lag einstweilen nichts am Brandkrieg, sie hatten die Flugindustrie im Visier, dicht hinter dem Anklamer Bahnhof standen die Arado-Werke. Weil die Stadt kleiner war, galt sie als ungefährdeter, und so waren viele Schulkinder Stettins dorthin evakuiert worden. Sie besaß das gitterartige Straßennetz, den rechteckigen Marktplatz der Hansesiedlung mit einem verträumten Hafen, den die Türme der Nikolai- und Marienkirche grüßten. Nun schaukelten darin hauptsächlich Fischkutter vor Anker, die Blüte seiner Seehandelstage lag fünfhundert Jahre zurück. Von nachwirkender bürgerlicher Wohlhabenheit zeugte die Schar spätgotischer und Renaissancegiebelhäuser des 16. und behäbigerer Barockdomizile des 17. Jahrhunderts, nebst sparsamen Fachwerkhäusern aus dem bescheidenen 18. Jahrhundert. Dieser Spiegel der Stadtgeschichte stand wie geputzt und ausgestellt an der Peene, der Nikolaikirche und der Wollweberstraße.

Aus 4000 m Höhe konnte der 1. und der 41. Combat Wing der 8. Flotte allenfalls St. Nikolai und St. Marien sehen, hätten die insgesamt 1070 Mann sich nicht auf die 300 Jäger konzentriert, als sie über die Nordsee, Jütland und die Ostsee den Kurs auf Stettin–Stralsund lenkten. Die Wings flogen in zehn Kilometer Abstand, hatten aber bis 11.42 Uhr aufgeschlossen, als der erste Pulk mit 57 Maschinen seine 243 Eintonnenbomben sicher auf die Arado-Werke setzte. Rasch quollen zyklopische Rauchsäulen in die Höhe, so daß die Präzisionsschützen in der zweiten Welle nicht mehr von dem kleinen Ort sahen als Qualm, immerhin mußte er darin verborgen sein. Sie warfen die 175 Ein-Tonnen-Sprengbomben und die 22 Tonnen Brandmunition in den Rauchball, dies genügte, um zwei Drittel der Bebauungsfläche, die Hälfte der

Wohn- und Geschäftshäuser sowie vierhundert Menschen auszulöschen. Der Rauch markierte genau das Innenstadt- und Hafengelände.

Da Arado zu achtzig Prozent zerstört war und die Produktion von Dornier in Neustadt-Glewe übernommen wurde, galt Anklams Zerstörung als guter Erfolg. Der letzte große Stadtbrand hatte etwa sechshundert Jahre zuvor stattgefunden, traf da im kräftigen Backstein jedoch auf einen zähen Gegner. Auch St. Marien hielt sich 1943 gut, büßte den Turmhelm und Gewölbeteile am südlichen Seitenschiff ein, rettete sich aber insgesamt aus dem Kriege. St. Nikolai, von 1300 an in über hundert Jahren errichtet, überstand ebenfalls den 9. Oktober, hatte aber nur achtzehn Monate noch zu dauern. In den Kampfhandlungen um die Stadt am 29. April 1945, eine Woche vor der Kapitulation, zerfiel alles bis auf Umfassungsmauern, Freipfeiler und Scheidbögen zu Schutt. Das Bürgerhausensemble und die Marktplatzanlage hatte die 8. Flotte unabsichtlicherweise ins Nichts gerissen.

Bis drei Wochen vor Kapitulation hatte das siebenhundertjährige Wismar den bisher elf Angriffen getrotzt. Vielleicht hatte das Schwermütige seiner Erscheinung, eine vinetahafte Geisterhaftigkeit, es wie die ewig Kranken vor dem Tode geschützt. Wismar war, auf Bierexport und Wollweberei gegründet, vom Siebenjährigen Krieg völlig ausgesogen worden. Seine drei waghalsig aufgetürmten Kirchen Nikolai, Marien und Georg überstiegen die Verhältnisse der in glutroten Steinen und Meeresfeuchtigkeit wachträumenden Stadt. St. Marien, das einen der größten Marktplätze Norddeutschlands beherrschte, war im 14. Jahrhundert nach dem Lübecker Urbild begonnen worden, die zwei folgenden Jahrhunderte setzten Seitenhallen, Kapellen, einen Mittelturm und die eine Turmdachbekrönung hinzu. Im Inneren, einer sechsrippig gewölbten Raumkette, in der sich Hochgotik und Spätgotik berührten, herrschte das steil aufragende Mittelschiff. Die kraftvollen Achteckpfeiler trugen die schlank gemauerten Obergaden, bis in der Nacht zum 15. April 1945 amerikanische Luftminen den Bau zwischen Turm und Kapellenkranz auseinanderrissen und damit den konstruktiven Plan von Werkmeister Grothe störten. So mußten die Ziegelgewölbe stürzen. Der Sturz der

Strebebögen wiederum beließ weiten Wandabschnitten der Seitenschiffe keinen Halt mehr; auch war die Zeit der seitlichen Hallenanbauten um.

Wie in allen Kirchen der norddeutschen Seestädte bedeckten Grabplatten den Boden. Zwischen den Epitaphien hatten die der Stadt verbundenen Geschlechter ihre Schiffe eingraviert, die sie zur Auferstehung fahren würden, so sicher, wie sie vormals zurück in den Schoß des Landes führten. Dort lag auch, im barocken Gepränge, der schwedische General Wrangel mit seiner Frau, in Feindesland und doch der einen Welt der christlichen Seefahrt. Der Kirchentorso St. Marien wurde später sicherheitshalber abgerissen. Auch die St.-Marien-Umgebung mit den spätmittelalterlichen Backsteingiebeln ging fort, darunter die Alte Schule, ein zierlicher, von dunkelgrünen Lasuren besetzter Schmuckkasten mit fünfzehnachsigen Längsfronten. Die zwei übrigen Kirchenriesen St. Nikolai und St. Georg, nach dem Schutzpatron der Leprösen, kamen davon.

Im Jahre 1243 erkannte Fürst Witzlaw I. von Rügen der gegenüberliegenden Stadt am Strelasund das Lübische Stadtrecht zu. Doch reüssierte sie zu gut, so daß Lübeck unter Admiral Soltwedel die Konkurrentin Stralsund 1249 überfiel und zu zerstören suchte. Das hielt ihren Aufstieg zu einer führenden Hansemacht ebensowenig auf wie der Stadtbrand von 1271. Ihr weiteres Los verstrickte sie in die ortsüblichen Kriege mit Dänemark und Schweden, welch letzteres sie 1628 zusammen mit Westpommern seinem Ostseeimperium einverleibte. Dem verdankte Stralsund den Ausbau zur Festung sowie zwei Belagerungen. Ein weiterer Brand raffte größere Teile der mittelalterlichen Kontur dahin, daraus entstanden überaus stattliche barocke Zusätze; die Festungswerke wurden 1873 abgetragen. Das Jahrhunderte während Drama hat die Resistenz des Platzes womöglich versteift, denn sein Gemäuer hielt selbst den Bombenhagel des 6. Oktobers 1944 einigermaßen durch. St. Jacob nahm Risse hin, die nördliche Pfeilerreihe verschob sich, einigen Gewölben fehlte die Stütze, und sie gaben auf. Doch ist der schlichte Baukörper aus der ersten Hälfte des 14. Jahrhunderts auch mit erschütterter Statik stehengeblieben. Eine Anzahl der bildschön ineinander verblendeten

Barock- und Backsteingiebel fiel, jedoch im Ausmaß des schon früher Zerfallenen. Es ist der Menschenverlust, der den 6. Oktober 1944 zu dem bis dahin schwersten Angriff der 8. US-Flotte machte. Eigentlich verfolgte diese in der 49 000-Einwohner-Stadt gar keine Absichten. Doch war sie als Ausweichziel notiert, hauptsächlich für den Fall, daß der Anflug der regelmäßig attackierten V2-Versuchsstation Peenemünde nicht klappte.

Am Morgen des 6. Oktober waren 447 B17-Bomber in England aufgebrochen zu dem Hydrierwerk Stettin-Pölitz, ein präzise zu treffendes Ziel. Weil Wolken es verbargen, bog man ab. Damit sie sich auch dann ihrer Bombenlast entledigten, waren den Piloten Ausweichziele beigegeben, ein Stadtgelände fanden die Radargeräte auch bei verhangenem Himmel. 146 Maschinen mit 367 Bombentonnen steuerten auf Stralsund zu. In 29 Minuten, zwischen 12.45 und 13.14 Uhr, leerten sie ihre Schächte. Tausend Stralsunder büßten dies mit dem Leben. Das Militärische dieses Vorgangs war erstens das Abladen von Bomben, zweitens das Abladen über einer gegnerischen Siedlung. Am Boden war das Ergebnis blankes Massaker. Des hohen Grundwasserspiegels wegen hatte man dort keine schützenden Betonröhren in die Tiefe legen können, und Bunker galten in Kleinstädten für entbehrlich. In der Inflation der Opferzahlen wirkt ein Tausendpersonenverlust durchschnittlich, in einer 49 000-Seelen-Stadt ist dies jedoch ein grausiger Aderlaß, der quotiert etwa der Hälfte der Hamburgverluste entspricht.

Stettin war eine der stärksten Festungen Europas; die Schweden, die Brandenburger, die Franzosen, die Russen, die Polen hatten sie belagert oder waren darin belagert worden. Ihre Geschichte war größtenteils die der Granaten gewesen, welche die Geschütze vor den Mauern auf vorberechneter Bahn einwärts schleuderten. Den lang währenden Würgegriff des Großen Kurfürsten hatte 1677 ein Drittel der Häuser nicht überstanden, keines blieb unversehrt. Russen und Polen, die ihm 1713 nacheiferten, brachten es gerade auf hundertfünfzig Häuser. Immerhin war das Stettin der Gotik und Renaissance von diesen Feldherren bis auf eine Handvoll Reliquien beseitigt worden, doch schufen Barock und Klassizismus ein neues. So erhielt die frühgotisch begonnene und im 14. Jahrhundert fertiggestellte Jacobikirche, nachdem die Brandgeschosse des Kurfürsten den Innenraum bis in die Grüfte zerwühlt hatten, ein vollendetes Barockinterieur. Ein Werk, das in Gestalt und Klang die Himmel nachahmte, war Arp Schnitgers neue Orgel. Zwanzig Jahre nachdem ein brandenburgischer Volltreffer die frühere schweigen ließ, hatte Meister Schurich aus Radeberg bei Dresden nebst fünf Gesellen den Neubau begonnen und war darüber verschieden, auf Dietrich Buxtehudes Empfehlung feilte Schnitger weiter an Pfeifen und Windlade, nahm Balthasar Held hinzu, seinen Kompagnon; am 11. Januar 1700 war Orgelweihe. Der Gruß Pastor Fabricius' an das königliche Instrument faßt die ganze Gabe Stettins wiederaufzuerstehen in den Vers:

> Die Orgel, die im Krieg
> Des Feindes Macht zerstöret,
> Hat Schurich, Schnitger, Held
> Mit hoher Kunst beehret.

Der letzte Belagerer kam durch die Lüfte. Schon 1940/41 waren die ersten Wellingtons aufgekreuzt, um sich nach Punkten umzuschauen, die eine Ladung Bomben vertrugen. Die Oderwerke AG, die Vulcan AG bauten weltberühmte Schiffe, drei hatten das Blaue Band erobert, ›Kaiser Wilhelm der Große‹ 1897, ›Deutschland‹ 1900 und ›Kaiser Wilhelm II.‹ 1906, wahrlich herausfordernde Ziele, wie auch die Hütte ›Kraft‹ und das 1940 angelaufene Pölitzer Hydrierwerk zur Flugbenzinerzeugung. Im Jahr 1943 hatte sich die Unterscheidung von Industrie- und Stadtziel überholt, und so war London am 21. April hochzufrieden, mit 339 Lancastern und Halifaxen einen fast tausend Kilometer entfernten Ort erreicht, perfekt markiert und getroffen zu haben. Der bittere Maschinenverlust von sechs Prozent hatte sich gelohnt, denn vierhunderttausend Quadratmeter Innenstadt hielt man für verwüstet. Eine übertriebene Annahme, doch 586 Personen waren definitiv tot.

Bomber Command hatte die Anflugroute über Dänemark gewählt, wo die Freiheitsbewegung das Datum als Geburtstagsgruß an Hitler auffaßte und frohlockte. Die Bomben, auf die grünen

Zielmarkierungen in der Südstadt gesetzt, ließen 276 Feuer und Flammensäulen von viertausend Meter Höhe entstehen. Die Stettiner Feuerwehr kam allein nicht damit zurecht und rief Hilfe aus Berlin. Mit List hatten britische Mosquitos hier die Einleitung eines Großangriffs vorgetäuscht, so daß Berlin Hilfe ablehnte und auf Feuer wartete, die erst vier Monate später eintreffen sollten. In dieser Nacht bewahrte die Windstille Stettin vor der gänzlichen Zerstörung. Auch der folgende Tag brachte nicht eine Brise, und so war der Stadt noch eine sechzehnmonatige Frist gegönnt. Die ruhige Zeit währte bis zur Nacht des 6. Januar 1944, den nächsten Morgen sahen 244 Personen nicht mehr, schwere Brände loderten in der Altstadt. Den Frühsommer hindurch konnten die deutschen Städte Atem holen, Bomber Command nahm an der Rückeroberung Frankreichs teil. In der Nacht zum 17. August kehrte es zurück, die Totalzertrümmerung einzuleiten. Das Los fiel auf Stettin. Vierzehn Tage später wurde ein Folgeangriff geflogen, danach war der Ort Vergangenheit. Das Innenstadtviertel zwischen dem bollwerkbewehrten Oderufer und der Peter- und Paul-Kirche, 1124 anstelle eines slawischen Heiligtums errichtet, existierte nicht mehr. 2430 von 400 000 Einwohnern ließen ihr Leben. Was der Große Kurfürst nicht getroffen hatte vom Gotikbestand, schlugen Harris' Blockbuster und Phosphorkanister entzwei.

Die edelste Backsteinkirche Pommerns, St. Jacobi, auf Pfählen ruhend, die Pfeiler schon aus dem Lot gewichen, doch von eisernen Querstreben gehalten, nahm den letzten Stoß. Das gotische Alte Rathaus mit seinen wundersam verzierten zwölf Sternengewölben des Ratsweinkellers brannte aus. Das Greifenschloß der Pommernherzöge, 1346 von Barnim II. begonnen, von Bogislaw X. um den gotisierenden Südflügel bereichert und dank Johann Friedrich von einer Renaissancekirche abgerundet, das Vorzugsziel aller Belagerer, bekam den Rest. Ein Raub der Flammen wurde die florentinisch anmutende Schloßkirche mit dem holzgeschnitzten Grabmal Bogislaws, des größten seines Geschlechts. Und des Feindes Macht machte mit der Zertrümmerung des Jacobi-Kirchenschiffs auch Arp Schnitgers Orgel für immer stumm. Eine unerklärliche Vernichtungstrunkenheit mußte schließlich am 26. März 1945 noch das alte Danzig ins Nichts reißen, das sechs Wochen später eine polnische Stadt sein würde, wie jeder wußte. Nicht eine Kirche blieb ungetroffen, St. Barbara, St. Bartholomäus, St. Johannis, St. Joseph, St. Katharina und die Birgittiner Klosterkirche litten das meiste. St. Peter und Paul, St. Elisabeth, St. Ignatius, St. Jakob, St. Trinitatis nahmen schweren Schaden. Der Krieg gegen die deutsche Gegenwart war nunmehr gewonnen. Der Krieg gegen das Wurzelreich der Vergangenheit, die das Unheil geboren hatte, blieb noch zu vollenden, verfügte indes nur über Tage, und es galt so viel zu kappen wie irgend möglich. Das ›Für-Danzig-nicht Sterben-Wollen‹ stand ruhmlos am Eingang des Krieges, am Ausgang mußte Danzig sterben zum Beweis, daß es an Militanz nicht mangelte gegen den Artushof, die Ordensmühle, das Rechtstädtische Rathaus, das Heiliggeist-Tor und das städtische Wahrzeichen, das 1444 begonnene Krantor. Die Speicherbauten auf der Speicherinsel wurden besiegt sowie das reiche Spalier der straßenweise niedergeworfenen Patrizierhäuser.

Kiel war ein militärisches Ziel. Seit 1871 Kriegshafen, stellte sein östliches Fördeufer eine Monokultur von Werftindustrien – Germania, Deutsche Werke, Howaldt –, von Lokomotiv-, Waggon-, und Apparatebau dar. Hier wurden die Kreiselkompasse von Anschütz & Co. hergestellt und verstreut noch ein paar Fische geräuchert und mariniert. Vom Südende der Förde bis nach Mönkeberg hinauf streckte sich ein zusammenhängender, rüstungsspeiender Gürtel. Klar abgegrenzt seine Außenkante, die Arbeiterwohnbezirke. Das Westufer hingegen war gänzlich anders strukturiert. Dort lag die eigentliche Stadt mit ihrem alten Kern und dem daraus entwickelten Geschäfts- und Verwaltungswesen, außerdem eine Mischindustrie. Auch lebte die Mehrzahl der Einwohner auf dieser Seite, teils in dem Geschäfts- und Verwaltungskern, meist in der umgebenden Blockbaustruktur. Die unübersehbare Förde gab dem Angreifer eine natürliche Trennung zwischen militärischem und vorwiegend zivilem Ziel zu erkennen; die wasserseits gelegene Industrie erlaubte bei einem Radar, das auf den Unterschied von Wasser und Boden reagierte, gar zwischen Werken und Werkssiedlungen zu unterscheiden. Der Charakter der Bombardierung Kiels liefert anbetrachts dessen ein getreues Abbild der Angriffszwecke. Die Werftindustrien gehörten im Frühsommer 1940 zu den bevorzugten Bombardierungsobjekten, am 20. Juli gelangen die ersten Totalschäden. Während der achtundzwanzig Operationen des Jahres 1941 bleibt das Ostufer Hauptziel; doch sinken 1942 die Angriffe um vier Fünftel. Die Nacht zum 14. Oktober kündigt die vollzogene Umorientierung an. Die nun eingesetzten Minenbomben sprengen 250 000 Quadratmeter Dachziegel und 150 000 Quadratmeter Glasfensterteile entzwei, die Abwürfe sind indes unpräzise, und viele treffen den kleinen südöstlichen Außenrandbezirk Elmschenhagen. Am 13. Dezember 1943 fliegen 1462 US-Bomber einen kombinierten Angriff auf Bremen, Hamburg und Kiel. Die Amerikaner, zerquält von den Verlusten ihrer Präzisionsbombardements, nehmen nun Zuflucht zur britischen Flächenbrandtaktik. Auf Bremen gehen innerhalb von sechzehn Mittagsminuten 689 Spreng- und 2664 Brandbomben nieder, in dem gleichen Verhältnis von eins zu drei fallen sie auch in Hamburg und Kiel. Hier ist zum ersten Mal nicht die östliche Werftenzone, sondern die Kieler Innenstadt das Ziel.

Die Amerikaner haben eine eigene Methode, die Angriffsfläche schon im Abwurf herzustellen. Aus einem Bomber fällt die Bombe theoretisch als Punkt, der an einem Punkt landet, gezielt oder nicht. Demgegenüber ist der amerikanische Bombenteppich schon im Fallen eine Fläche, die eine Fläche abdeckt. Alle Maschinen eines Verbandes klinken auf das Signal ihres Führers ihre Bomben zeitgleich aus. Solche Teppiche segelten am 13. Dezember auf das westliche Kiel; die innere Organisation der Stadt und ihre Einwohnerdichte sind das offenbare Ziel. Nach diesem, wie bei den vorangegangenen Angriffen des Jahres 1943, werden innerhalb weniger Stunden tausendweise Obdachlose in die Landkreise Schleswig, Rendsburg, Plön und Eckernförde evakuiert. Die Facharbeiterschaft hingegen ist Truppe, die aus der Produktionsschlacht nicht desertieren darf. Sie nimmt Quartier in den ostwärtigen Randgemeinden Klausdorf/Schwentine, Mönkeberg, Heikendorf. Was könnte der Grund dafür gewesen sein, daß über diesen Flecken, die keine Docks, sondern Familien beherbergten, viermotorige Bomber auftauchten und winzige Areale so akkurat verwüsteten, daß Totalschäden von fünfzig Prozent resultierten? Die Flurverwüstung in Klausdorf wies noch 1948 eintausendfünfhundert Bombentrichter von vier Meter Tiefe auf. Die Äcker ließen sich nicht bebauen, weil siebzig Prozent der Mutterbodenschicht abgesprengt war. Um der Vernichtung der Arbeiterfamilien vorzubeugen, hatten die Deutschen 1941/42 ›Finnhaussiedlungen‹ angelegt, montagegefertigte finnische Holzhäuser, die, angelehnt an die Randgemeinden, unauffällig in der Landschaft plaziert waren. Das allein hat die Menschenverluste eingedämmt. Bis Ende 1943 lag der Akzent der Bombenschäden an der industriellen Ostförde, dies wechselt 1944/45 mit der großflächigen Ausbrennung der Innenstadt. Im Endergebnis ist dies der Hauptschaden. Auch das Gegenufer weist ausgedehnte Schadensflächen auf, und zwar in den Arbeiterwohnorten. Die Schadensbilanz der beiden Seiten verhält sich etwa wie zwei zu eins.

Von den vier Hauptangriffen der letzten sechzehn Monate waren die fünfundzwanzig Minuten in der Nacht zum 24. Juli 1944 die verlustreichsten des Krieges. Die 1500 Zeitzünderbomben verzögerten tückisch die Löscharbeiten; doch schützten die dreiundvierzig klug verteilten Bunker das Leben vergleichsweise gut. Bei vierfacher Überbelegung, wie sie im Krieg zur Not geschah, war darin die halbe Bevölkerung unterzubringen.

In den insgesamt neunzig Angriffen fielen 2263 Bürger oder 0,8 Prozent. Die historische Architektur war ausgelöscht; das Zerstörungs- und Schadensgebiet bemaß sich auf achtundsiebzig Prozent der Bebauungsfläche. Fünf Millionen Kubikmeter Schutt lagen am Boden, das entspricht dreiundzwanzig Kubikmeter pro Einwohner.

Die Stadt Hamburg, von der sechsfachen Größe Kiels, lag nach dem zweihundertdreizehnten Angriff in einem achtfachen Trümmermeer. Einhundertzwölf dieser Attacken hatten 1940 und 1941 stattgefunden, und sie töteten 751 Personen. Die fünfundsechzig Attacken von 1944/45 wiederum töteten 5390 Personen. Klammert man die Feuersturmangriffe im Sommer 1943 aus der Realität aus, so wäre der Tötungserfolg der britisch-amerikanischen

Luftflotte mit 0,31 Prozent der Vorkriegseinwohner äußerst gering. Angenommen, die Sommerverluste 1943 wären im Rahmen dessen geblieben,was die gleiche Abwurfmenge im Jahr 1944 erzielte, stünde die Gesamtopferrate bei 0,57 Prozent. Auch dann wäre angesichts von 1,7 Millionen abgeworfener Bomben, für jeden Einwohner eine, der Hamburger Luftverteidigung ein Sieg zuzubilligen. Mehr ließ sich im Zweiten Weltkrieg nirgends ausrichten. Doch scheint im nachhinein das Geschehen der fünf Hamburger Luftkriegsjahre beiläufig bis auf drei Tage.

Die etwa 40 000 Gefallenen der Juliangriffe 1943 sind neben denen Dresdens, Tokios, Hiroshimas und Nagasakis Chiffren des Äußersten, was Waffengewalt der Kreatur zufügte. Nicht wegen der Ströme vergossenen Blutes, sondern der Art wegen, in der Lebewesen von der Welt getilgt wurden mit einem tödlichen Hauch. Im Brand- und Nuklearkrieg fließt wenig Blut. Hamburger Rettungsärzte berichteten, daß in die orkanartigen Heißluftströme Hunderte von Personen gerieten, die man nackt auf der Straße liegend aufgefunden habe. Die Haut sei von bräunlicher Textur gewesen, das Haar gut erhalten, die Schleimhäute des Gesichts eingetrocknet und wie verkrustet. Die vom Keller auf die Straße Flüchtenden hätten nach wenigen Schritten angehalten, sich auf den Erdboden gelegt und durch Vorhalten des Armes versucht, Schutz vor dem Einatmen der heißen Luft zu finden. Kinder seien dabei widerstandsfähiger als Erwachsene gewesen. Doktor Baniecki, der Anatom, sezierte einen solchen Körper: »Leiche eines Jünglings von schätzungsweise sechzehn Jahren. Fechterstellung des rechten Armes, völlig unbekleidet auf der Straße auf dem Rücken liegend. Die Kopfhaare versengt, die Haut der Füße verkohlt, ferner Kinn und Nasenspitze eingetrocknet und verbrannt. Oberflächliche Verkohlung auf der Streckseite der Hände. Hautfarbe rötlich bräunlich. Muskulatur des Rumpfes wie gekocht erscheinend. Zungenoberfläche trocken und bräunlich. Die Lungen gebläht, voluminös, schwer. Im rechten Herzen reichlich eingedicktes Blut. Das linke Herz leer, Leber hart, Milz zerflossen. Zwischen harter Hirnhaut und Schädeldach große Mengen eingedickter, schmierig breiiger rötlicher Massen. Schnitte durch Groß- und Kleinhirn ohne Nachweis von freien Blutungen und pathologischen Veränderungen. Auch in den Gewebsschnitten wurde der Nachweis vitaler Reaktion mit Austritt der weißen Blutzellen geführt. Beurteilung: Der Jüngling ist lebend auf der Straße verbrannt.« Der Jüngling ist aber in keinem Feuer verbrannt, das er mit mehr Glück gemieden hätte. Die Organe versagten ihren Dienst und wechselten in andere Gestalt, weil die Atmosphäre ausgetauscht war, worin Leben gedeiht. Der Feuersturm simuliert kurzfristig einen anderen Planeten, dessen Lufthülle keine Organismen zuläßt. Gas, Uranstrahlen, Bakterien oder Hitze verletzen den Körper nicht gewaltsam, sondern überstülpen ihm eine andere Atmosphäre. Die tödliche Wunde kommt gewöhnlich aus einer Richtung, in der man steht und besser nicht stünde, sie verändert nicht das Kontinuum der Welt. Vernichtung tritt ein, wenn nichts am Ort mehr sein kann. Der Jüngling in Fechterstellung ficht gegen den plötzlichen Entzug der Daseinswelt. Wie durch eine Drehtür geworfen, befanden sich zwölf Quadratmeter Hamburgs für drei Stunden in einem Saal, wo nicht das Leben stirbt, das tut es ständig, sondern erstirbt und nicht mehr weiterkann. Die Chiffren von Hamburg und Hiroshima bedeuten einen Krieg, der Gegenden von der Welt trennt.

In der Mehrzahl gingen die in Hamburg Gefallenen nicht auf Straßen zugrunde, sondern in der Nebenhölle ihrer Keller. Dort walteten teils dieselben, teils andere Gesetze der Brandchemie. Der Keller nahm nach einer Zeit die äußere Hitze auf und arbeitete wie ein Krematorium, oder er füllte sich unmerklich mit tödlichen Brenngasen. Gasvergiftungen gaben die Hamburger Behörden als die mit siebzig bis achtzig Prozent häufigste Todesursache an.

Der Feuersturm, der in den Arbeiterwohnbezirken Hammerbrook, Hamm und Borgfeld auftrat, hatte das historische Zentrum zwischen Hauptbahnhof und Rathaus wenig berührt. Es hielt sich bis zum hundertsiebenundfünfzigsten Angriff am 18. Juni 1944, den achthundert US-Bomber vortrugen, die auf die Werft Blohm & Voss zielten. Die Bomben landeten um einen Kilometer nach Norden versetzt, die 8. Flotte bombardierte aus siebentausend Meter Höhe. Einige Sekunden Verzögerung rücken ganz andere Ziele unter den Aufschlag. In diesem Fall stürzte anstelle der

Werft Gotthold Ephraim Lessing von seinem Sockel am Gänsemarkt, weitere, den Amerikanern gleichgültige Ziele wie die Jacobikirche verbrannten. Arp Schnitgers Orgel aber war teils ummauert, teils im Turmbunker geborgen und überstand selbst den Volltreffer vom 22. März 1945, der das Langhaus nach unten brachte.

Obwohl Hamburg in dreiundvierzig der vierhundert Millionen Kubikmeter Schutt zerfiel, den die Bomben Deutschland hinterließen, war das Gesicht der Stadt nicht zur Unkenntlichkeit disfiguriert wie Köln, Nürnberg, Darmstadt, Kassel, Würzburg, Düren. Das Mal, das es trägt, sind die drei Stunden des ersten wahrgenommenen Feuersturms in der Nacht zum 28. Juli, der die Exterritorialität der Vernichtung wirklich machte. Ihr Austritt aus Land und Zeit, aus dem Vertrauensschutz der Welt, daß sie nicht von einer Stunde auf die nächste keinen Lebensaufenthalt mehr bieten könnte. Seit der Strecke vom Sommer 1943 bis Sommer 1945, der Spanne zwischen Hamburg, Tokio und Hiroshima, besteht die Möglichkeit.

Tokio verzeichnet mit 83 000 Toten die höchste Opferzahl, gefallen in der Nacht zum 9. März 1945. Es besaß die fünffache Bevölkerungsdichte von Hiroshima mit seinen 80 000 Toten. Hamburg wies eine um ein Drittel höhere Bevölkerungsdichte auf als Hiroshima und eine um ein Drittel geringere Gefallenenzahl. In allen drei Städten entstanden Feuerstürme, und die meisten Opfer sind im Brand zugrunde gegangen.

Sehr viel anders als das hamburgische verlief das Luftkriegsschicksal Bremens, eine um fünfundsiebzig Prozent kleinere Stadt, doch nicht weniger angesteuertes Bombenziel. Die 173 Angriffe fallen in einer 424 000-Einwohner-Stadt anders auf. Die zwei ersten Angriffe kommen am 18. und 19. Mai 1940 jeweils kurz nach Mitternacht, 214 Bomben werden geworfen, es gibt siebzehn Tote und Schäden im Diakonissenhaus. In der Woche zwischen dem 22. und 28. Juni findet Angriff fünf bis neun statt, ein jeder quittiert mit 50 000 Schuß Flak; zehn Verletzte, ein Toter. Am 2. Juli wird das Gartenlokal Munte 1 beschädigt, am 17. Juli werden fünf am Vorvortage abgeschossene Piloten auf dem Gemeindefriedhof Aumund zu Grabe getragen; sie taten ihre Pflicht. Der neunzehnte Angriff am 9. August geht auf den Industriehafen und die Nervenklinik, aber es sind nur 66 Bomben, die einen Leichtverletzten verschulden. Das Jahr geht zu Ende mit Nr. 36 und 37, einem Sprenggruß auf den Wallerring sowie 78 Brandbomben auf Schwachhausen. 1941 beginnt mit ernsten Absichten. Nr. 39 bis 41 werfen in drei Folgetagen 15 000 Stabbrandbomben: 26 Gefallene. Vier Wochen später werden 500 Kinder wegen der Luftgefahr nach Salzburg evakuiert. Angriff Nr. 56 wirft die erste Mine, die zwanzig Personen tötet. Nr. 59 trifft mit 232 Spreng- und 3224 Brandbomben auf einen Schlag die Chirurgische-, die Frauen- und die Kinderklinik, das Pathologische Institut, die Taubstummenanstalt und die Staatsbibliothek. Der erste Angriff des Jahres 1942, die Nr. 87, trifft voll in eine Familienfeier in der Contrescarpestraße, Ecke Kohlhökerstraße: 26 Tote, 10 Schwer-, 18 Leichtverletzte. Im Juni 1942 finden Nr. 91 bis 94 mit 40 771 Brandbomben statt, im September Nr. 102 und 103 mit 37 166 dieser Art.

Nr. 92 war von Harris als ›Millennium Nr. 2‹ konzipiert, die Fortsetzung des Tausendbomberangriffs auf Köln. In der Nacht zum 26. Juni 1942 wollte er »Stadt und Hafen Bremens vernichten«. 1067 Maschinen machten sich auf den Weg. Die fünfte Gruppe, 142 Maschinen, sollte sich allein mit den Focke-Wulf-Flugzeugwerken befassen, und 20 Blenheims konzentrierten sich auf die Werft Weser AG. In 65 Minuten sollte alles vorüber sein. Der breite Weserstrom war ein guter Wegweiser, lag aber unter Wolken. Bomber Command sah dies mit Sorge, baute auf den Westwind, der das Wolkenband vor sich her stieß und den Himmel blankfegte. In der Nacht hielt jedoch mit einem Male der Wind an, Bremen lag unter dichten Wolken. Die tausend Bomber hingen allein an den GEE Strahlen. Infolgedessen fand ein Drittel der Flotte nicht die Stadt. Die Bomben trafen auf die südlichen und östlichen Wohngebiete. 572 Häuser verbrannten, 85 Tote wurden beklagt, Focke-Wulf empfing eine schwere Bombe, auch die Vulcan Werft, die Norddeutsche Hütte und die Korff-Raffinerie bekamen etwas ab. Der Verband führte 1450 Tonnen Bomben mit sich, genug, um der Stadt ein Hamburgschicksal zu bereiten, doch Wind und Wolken standen ihr zur Seite.

Die Zerstörungen wuchsen, Nr. 102, der bisher schärfste gelungene Angriff, bedeckt alle Stadtviertel und tötet 115 Personen; Nr. 103 beschädigt schwer sechs Schulen, zwei Krankenhäuser, das Kolonialmuseum und die Staatsbibliothek. Nr. 111 trifft auch ein militärisches Ziel, die Focke-Wulf Flugzeugbau GmbH: zehn Maschinen zerstört, zwölf beschädigt. Pfingstsonntag 1943 erlebt Nr. 112 mit den gewöhnlichen Treffern auf Schulen, Kirchen und das Diakonissenhaus, ein konstantes Ziel: 238 Gefallene. Nr. 117, am 26. November 1943, trifft wieder das Diakonissenhaus, des weiteren elf Schulen und die Nervenklinik: 270 Gefallene. In der Nacht zum 19. August 1944 erleidet Bremen den schwersten Angriff des Krieges, Nr. 132 mit Feuersturm. In 34 Minuten fallen 68 Minen-, 10 800 Phosphor- und 108 000 Stabbrandbomben. 49 000 Obdachlose, 1054 Tote. Nr. 138 im Oktober hat Erfolge im Industriegebiet Hastedt und Sebaldsbrück; 110 150 Brandbomben, 82 Tote. Zwischen dem 24. Februar und dem 30. März 1945 fallen Nr. 148 bis Nr. 165. Das Staatsarchiv wird bei 8000 Brandbomben auf die Stadtmitte schwer beschädigt, Vacuum-Öl ist hart getroffen, 22 Kähne sinken im Hafengebiet. Die Adolf-Hitler-Brücke wird völlig zerstört und die Mädchenoberschule Langereihe: 75 Gefallene.

Die Behörden unterbinden die Privilegierung der Getöteten. Der Erlaß vom 10. April bestimmt: »Um die gleichmäßige Behandlung aller Teile der Bevölkerung zu gewährleisten, muß daher die Verwendung von Särgen unterbleiben. Es wird erwartet, daß diejenigen Angehörigen, die dazu in der Lage sind, eine geeignete andere Umhüllung der Leiche, z. B. ein Tuch oder dergleichen liefern. Die Särge zur Beförderung der Leichen zur Grabstelle werden zur Verfügung gestellt. Die Einäscherung von Leichen muß aus Mangel an Heizmaterial eingestellt werden.«

Angriffe Nr. 168 bis 171 finden am 23. April statt, und zwar um 3.49 Uhr nachts, 11.44 Uhr vormittags, 17.15 Uhr nachmittags und 1.00 Uhr nachts. Die Bevölkerung verläßt nicht mehr die Bunker, die Stromzufuhr ist erloschen, die Zusammenballung der Menschen verbraucht den Sauerstoff, so daß offenes Licht erlischt. Vor dem Bunker herrscht Frühlingswetter, die Bunkerinsassen schnappen Luft und drängeln in die feuchtnassen Betonwürfel, wenn die Motoren zu hören sind. Der letzte Angriff, Nr. 173, geschieht am 24. April, 14.00 Uhr, und reißt neunzehn Personen in den Tod. Am 25. April rücken britische Panzer ein. Neben der Flugzeug-,Werft- und Ölindustrie sind die dichtbesiedelten Wohngebiete verlorengegangen, so die gesamte westliche Vorstadt. Die 890 000 Bomben auf Bremen töten insgesamt 3562 Bürger, Gefangene und Fremdarbeiter. Achtundfünfzig Prozent des gesamten Wohnraums verbrennen. Erst Nr. 131, am 6. Oktober 1944, bereitet der Altstadt des seit 787 verzeichneten Bischofssitzes ein Ende. Nr. 121 hatte schon das zauberhaft ornamentierte gotische Essighaus niedergeworfen, und Nr. 122, unterstützt durch Nr. 137, beseitigte die eigensinnige dreischiffige Pfeilerbasilika St. Ansgarii, begonnen 1229. Nr. 137 verbrannte auch die einschiffige Backsteinkirche in Gröpelingen mit der im Chorgewölbe in Rötel ausgeführten Darstellung des Jüngsten Gerichtes.

Bremen steht in der Anzahl der Luftangriffe etwa an zwölfter Stelle. In der Zerstörungsliste an neunter Stelle notiert das ostfriesische Emden, die westlichste der Küstenstädte und ein Musterkatalog des niederländischen Renaissancestils. Die Große Deichstraße mit noch gotisch geprägten Lagerhäusern, die Große Burgstraße und die Große Brückstraße mit den holländischen Staffelgiebeln und der prunkvolle Alte Markt aus der Frührenaissance wurden an einem einzigen Tag vernichtend geschlagen. Emden war die leichtest erreichbare Stadt für Bomber Command. Es lag auf dem Luftweg, und man sparte es auf für einen Tag wie den 6. September 1944. Man war noch nicht ganz aus Frankreich zurückgekehrt, und vor den neuerlichen Auseinandersetzungen mit der Flak- und Jägerwaffe des Reiches wärmte Bomber Command sich auf mit Küstenoperationen gegen Stettin und Königsberg, das Wing Commander J. Woodroffe, einer der geschicktesten Masterbomber der R.A.F., in der Nacht zum 30. August zu einundvierzig Prozent aus der Welt nahm. Eine Woche später versenkten 181 Lancaster und Halifaxe Emden in ein Flammenmeer, aus dem sechsundsechzig Prozent nicht mehr auftauchen sollten, darunter das prächtige Rathaus am Delft, das 1576 der Antwerpener Stadtbaumeister Laurenz Steenwinkel auf den Alten Markt gestellt hatte, das Herz Emdens. Es verbrannte.

Die Missionierung der Friesen und Sachsen hatte Karl der Große dem Angelsachsen Willehard übertragen. Dazu wurde das Bistum Bremen gegründet, und in der Tat beherrschten die Bremer Bischöfe das Land zwischen Weser und Elbe bis zur Reformationszeit. Die Weser war die Naturfestung der Sachsen. Bergrücken und Urwälder wuchsen zu ihrem Schutz. Die Front lag nach Westen hin; die Egge und der Teutoburger Wald wölbten sich gegen den Rhein. Mit den Franken hinter dem linken Ufer war der Gang der nächsten tausend Jahre auszufechten. Die Sachsen besaßen nicht die Schrift, sondern den Glauben an Saxnot, ihren Haupt- und Kriegsgott. Zu ihrem Totemtier wählten sie das Pferd, und ihre Unbezwingbarkeit raunte ihnen die Weltesche Irminsul zu. Die andere Kultur, die ihnen gründlich widerstrebte, wohnte in Kirchen und Klöstern. Sie war aufgeschrieben auf Pergament in köstlichen Farben, Linien und Bildern. Um den Streich der Axt abzuwehren, hielt Bonifatius, der Apostel, sich ein Buch über den Schädel. Die Axt durchschlug beides, war aber dennoch die schwächere Waffe. Das zeigte schon der Versuch, Bücher zu besiegen, indem man sie entzweihaut.

Die Sachsen unternahmen Ausfälle aus der Weserfestung, um Kirchen und Klöster abzubrennen, die dem Buch und seiner Verkündigung geweiht waren. Sie fürchteten die Macht des Gottes, der sich auf diesen gold-purpurn leuchtenden Blättern voll nachtschwarz gepinselter Schlangenlinien offenbarte. Diese hatten einen langen Atem und flößten denen Stetigkeit ein, die sie verstanden. Als die Franken Irminsul vernichteten, ohne daß Saxnot etwas unternahm, wußten sie, daß er nichts unternehmen konnte, sonst hätte er es getan. Grundsätzlich drängte die Sachsen nach Südwesten, weil der Raum ihnen eng wurde, und die Franken drängten nach Osten, weil mit den sprunghaften und unzuverlässigen Sachsen keine geordnete Nachbarschaft zu führen war. Als Karl die Pyrenäen überquerte, um an der entgegengesetzten Seite seines Imperiums, wo der Einfluß des Kalifats von Cordoba nagte, klare Linien herzustellen, fielen die Sachsen ihm in den Rücken. Sie hatten ihm Unterwerfung gelobt, was ein dauerhaftes Versprechen nicht sein kann.

Herzog Widukind wartete auf die richtige Gelegenheit, die

eintrat, als Karl von den Verlusten gezeichnet war, die die Mauren ihm beibrachten. Die Sachsen standen auf und hieben am Berg Süntel ein fränkisches Heer in Stücke. Einen Tagesmarsch von Bremen weserabwärts, bei ihrer Kult- und Gerichtsstätte Lugenstein nahe Verden, soll Karl 4500 sächsische Adelige zur Vergeltung enthauptet haben. Doch das ist ungeklärt. Weiterführend war die Zwangstaufe, der die übrigen Sachsen unterzogen wurden. Sie würden die Heiligtümer des Westens dann nicht mehr überfallen, wenn sie in ihnen niederknieten; eine fragliche Annahme. Saxnot war nicht ganz ausgetrieben, geisterte fort durch sein abtrünniges Land und sollte ihm in Abständen noch in die Glieder fahren.

Karl hatte das vorausgesehen. Er ließ im Sachsenland Missionsstationen gründen, Bischofssitze, welche die Treue zur Bekehrung hegten und die Niederwerfung überwachten. Dies waren Paderborn, Minden, Osnabrück, Herford, und ständig sollten weitere hinzukommen, Braunschweig, Hildesheim, Münster. Sie nahmen die Frömmigkeit des unsteten Volkes unter feste Obhut. Von 1940 an stand dessen Bekehrung erneut auf dem Panier der westlichen Mächte. Ihre alten Bischofssitze hatten das Neuheidentum nicht aufhalten können und wurden zusammen mit ihm erbarmungslos geschleift.

Paderborn war Karls Hauptstützpunkt im dreißigjährigen Sachsenkrieg, vis-à-vis der Weserfestung. An den zweihundert hier sprudelnden Quellen, die sich zur Pader verbinden, ließ er 777 die Karlsburg aufrichten, zweimal hat sie der Gegner zerstört. Es wurden immer wieder Brandschichten in der Stadt gefunden. Auf dem Fundament der karolingischen Pfalz, der Zwingburg der Sachsenbeherrschung, ließ die ottonisch-salische Pfalz sich nieder, nun trugen die Sachsen selbst die Krone des christlich abendländischen Reiches. Karl der Große hatte just in Paderborn mit Papst Leo III. die dann tausend Jahre währende Klammer zwischen nordwesteuropäischer Territorialgewalt und der Universalherrschaft Christi beschlossen. Paderborn an den Quellen des abendländischen Gedankens war lange Zeit wichtigster Aufenthaltsort der fränkischen, dann sächsischen, dann salischen Herrscher. Heinrich II. ließ Kunigunde, seine Gemahlin, hier zur Königin krönen. Alles wurde zu Stein in Domen, Pfalzen, Abteien, in deren Vernichtung und Verfall andere Steine sich fügten zum selben Gebet.

Ricarda Huch, die Paderborn vor seiner Zerstörung sah und in Worte faßte, nennt es ein verschlafenes Städtchen, in dem Feuer Mal um Mal die unermüdlich neuerstellten Werke zunichte machte. Doch mutete der Dom sie wie die Rieseneichen an, in denen die Sachsen die Stimmen ihrer Götter vernahmen. Die großen Linien der ersten Erbauer, ihr heroischer Grundriß, sei in den Boden hineingewachsen und habe mitgebaut bei allen späteren Baumeistern. »Dieselbe Größe wie der romanische Dom hat die halbgotische Jesuitenkirche mit dem stolzen Aufgang und dem Innenraum, der wie in Feuer vergoldet erscheint, hat das gotischbarocke Gymnasium und die Franziskanerkirche mit der breiten Treppenanlage und dem Brunnen. Wieviel träumerische Versunkenheit aber brütet über den Quellen, an den alten Mauern, in den engen Gassen, die zur Domfreiheit führen. Neben der Idee des allumfassenden heiligen Reiches, die sich hier Denkmale setzte, weht noch der Geist der schweigsamen Wilden, die als Herren auf ihren Höfen saßen, die ihre Götter im Sturm und im Rauschen hundertjähriger Bäume ehrten und ihr blondes Haupt nur dem selbstgewählten Herzog beugten.« Die Jesuitenkirche wurde bis auf die Hauptmauer zerstört, die Franziskanerkirche, das Jesuitenkolleg brannten aus, der Dom erhielt einen Bombenvolltreffer im Südseitenschiff, alle Dächer und Turmhelme verbrannten wie auch die Bücher, welche die erzbischöfliche Akademie zusammengetragen hatte, 70 000 von 160 000 Bänden.

Paderborn war Einsatzhafen für den Westfeldzug, vom 10. Mai 1940 an rollten bombenbeladene Flieger an die Front, und am 21. Mai kam zum ersten Mal die Gegenseite geflogen, man mochte es nicht fassen. Die Aufregung war der größte Schaden. Im Jahr 1943 heulten zweihundert Alarme, doch flogen die Bomber meist vorüber, bis auf den 16. März, als zwölf Jabos am frühen Abend auf den vollbesetzten Bahnhof zurasten und sechzehn Fünfzentnerbomben auf die Reichsbahnwerkstätten warfen. Dies kostete siebenvierzig Leben und war das Schlimmste bis zum 17. Januar 1945, als acht Wellen US-Bomber auf den Dom, die Marktkirche, den Marktplatz, den Marienplatz, die Akademie, das Gymnasium, selbst auf den Ostfriedhof einhämmerten, daß die Grabplatten, Kreuze und Gebeine in die Luft wirbelten. Der Luftdruck einer Mine zerriß eine Gruppe junger Mädchen und Frauen unter dem Missionskreuz des Domes und eine Gruppe französischer Kriegsgefangener im Kaiserhof. Man zählte 239 Tote. In langen Reihen wurden sie in der Meinolfkirche und der Herz-Jesu-Kirche nebeneinander gebettet. Das Verderben ereilte die Stadt erst am 27. März, als 276 Maschinen Bomber Commands in akkuratem Abwurf die Altstadt in weniger als fünfzehn Minuten dem Flammentod übergaben. Es sollten aus ihr keine Störaktionen hervorgehen, wenn vor ihren Toren der Ruhrkessel abgeschlossen würde. Dreitausend Brände wurden gelegt, so auch im Sanitätskeller des Altersheimes, wo die Oberin und sechs Schwestern starben. Die Brandbomben hatten sämtliche Decken und Gewölbe durchschlagen und jagten eine gelblich-blaue Stichflamme empor durch das gesamte Altersheim. Im Altersheim Westphalenhof endeten einundzwanzig Insassen und sieben Schwestern. Fast alle Schulen fielen sowie die Provinzial-Blindenanstalt und das Gerichtsgefängnis. Dreiundachtzig Prozent der Altstadt existierten nicht mehr. Die Wut der Bomben reichte bis zur südlichen Feldmark, wo sie den zweiundsiebzigjährigen Schäfer Herdes mit Schafen und Hunden zerrissen.

Das Allerheiligste konnte gerettet werden. Im Halbkreise knieten Erzbischof, Schwestern und Gläubige nieder, dankten Gott für den ihnen zuteil gewordenen Schutz und gedachten der vielen in den Kellern Verbrannten. In der Ruinenstadt wühlten die Zurückgebliebenen in den langsam erkaltenden Trümmern nach ihren Toten. Der Domvikar Dr. Schulte sorgte mit Helfern eigenhändig, daß die dreihundert Leichen unter die Erde kamen. Dies dauerte wochenlang, und die Totengräber benötigten zur Betäubung des Grauens jeder täglich einen Liter Schnaps.

An eine Flußfurt, wo sich die Handelsstraßen kreuzten, legte Karl im Jahre 800 den Bischofssitz an der Hinterpforte der Weserfestung, Minden. Der größte der Sachsenherzöge in staufischer Zeit, Heinrich der Löwe, Patron der christlichen Kaufleute des Ostseeraums, heiratete 1166 im Mindener Dom Mathilde, die

Tochter des Königs von England. Aus der Epoche war dem Dom St. Petrus und Gorgonius das festungsgleiche Westwerk geblieben, eine Gottesburg mit Bauteilen karolingischen Ursprungs. Das 13. Jahrhundert hatte anfangs das spätromanische Querhaus, gegen Ende das hochgotische Hallenlanghaus hinzugefügt, das bedeutendste seiner Zeit. Mitte des 14. Jahrhunderts war mit einem wiederum gotischen Chorpolygon der Bau vollendet. Vom 10. bis zum 12. Jahrhundert weilten oft die Sachsen- und Salierherrscher auf der dreibogigen Kaiserempore des Westwerks. Am 6. Dezember 1944 plazierte die 8. US-Flotte einen Volltreffer in den gotischen Chor, riß die Nordwand auf, so daß die Gewölbe einstürzten, und kam am 28. März 1945 noch einmal wieder. Das Langhaus war stehengeblieben und erhielt nun seinen Volltreffer, der Pfeiler und Gewölbe niederbrachte und das herzförmig filigrane Fenstermaßwerk beseitigte. Das Westwerk brannte aus. Minden war seit jeher militärisches Ziel, und so lagen auch jetzt Truppen in der Stadt. Sie warteten mit ihrem Rückzug bis sieben Tage nach der Domzerstörung, sprengten dann zwei Weserbrükken und hatten ihren Dienst getan. Nach vier Angriffen 1944 war es der Märzangriff 1945, der den Stadtkern, den Markt mit gotischem Hanse-Rathaus, den großen und kleinen Domhof sowie den Königswald in die Vergangenheit schickte.

In dreitägiger Schlacht sind die Sachsen unter Widukind und Alboin inmitten der Weserfestung bei Osnabrück vernichtend geschlagen worden. Vom Schlachtfeld an der Hase sollte ihre Bekehrung ausgehen, so wurde Osnabrück 785 Bistum und später Stadt. Karl setzte seine geistlichen Statthalter nach gesunden militärischen Erwägungen ein. Osnabrück und das Kloster Herford bildeten die Mittelachse zwischen den gebirgigen Flanken und faßten den Innenraum kirchlich zusammen. Die Bischöfe haben sich, wie auch in Bremen und Paderborn, mit dem aufkommenden Bürgertum miserabel vertragen. Nirgends lebten sie so hemmungslos in Fehde wie in Osnabrück. Die der Niederlage geschuldete Taufe, das römische Gebetbuch, die Frankenkultur blieben den Instinkten zuwider. Der Stadtname schon trägt aufsässig mit dem ›Os‹ das Göttergeschlecht der Asen im Schild, welches die Germanen verehrten. 1241 legte der Papst die Stadt in Bann. Sie verbrannte im Gegenzug das Gertrudenkloster, das auf einem Hügel stand, den einst ein heiliger Hain bedeckt hatte. Um den Papst umzustimmen, baute man das Kloster wieder auf, aber nicht aus Überzeugung. Ein Ratsherr soll ein Bild des Gekreuzigten auf offener Straße verbrannt haben. Der Klerus fürchtete, daß man ihn auszurotten gedenke, zumal als ihm der Rat im 15. Jahrhundert den Erwerb städtischer Grundrenten verbot. Nach sächsischer Weise verlangte und bekam der Rat gar eine Mitwirkung bei der Bischofswahl. Auch zwang die Bürgerschaft den Bischof, Juden den Aufenthalt in Osnabrück zu verwehren. Der Papst erklärte die Osnabrücker kollektiv zu Hussiten und gebot, die Ketzergesetze gegen sie anzuwenden, der Erzbischof von Köln legte sie in Kirchenbann. Selbstverständlich erklärten sich alle zu Protestanten. So wundert nicht, daß Osnabrück 1613 durch einen Brand verwüstet wurde, der angeblich nur die Ratsschule und ein kleines Haus verschont hat, in dem ein alter Mann unentwegt betete. Den nächsten Brand warfen gegen Kriegsende mit sechstausend Tonnen Munition die britisch-amerikanischen Schwadrone vom Himmel.

Osnabrück ist eine der meistzerstörten Städte des Bombenkriegs. Nach dem letzten Angriff am Palmsonntag 1945 lagen für fundsechzig Prozent der Gebäude in Trümmern, in der Altstadt vierundneunzig Prozent. Keines der historischen Baudenkmäler, das nicht verwüstet worden wäre. Alt-Osnabrück war mit verwinkelten Gassen, Adelshöfen, Bürgerhäusern und Giebeldächern der von Bomber Command gesuchte Scheiterhaufen, auf den der Rest der Stadt geworfen wird. Zudem war der Ort ein Verkehrsknotenpunkt erster Ordnung und beherbergte die Klöckner-Werke, die Kanonenteile, Panzer und Granathülsen herstellten. So kamen alle Erfordernisse zusammen.

Von insgesamt neunundsiebzig Angriffen lud der erste nennenswerte am 20. Juni 1942 neuntausend britische Stab- und Phosphorbrandbomben ab. Die Menschenverluste von zehn Personen waren, wie insgesamt in Osnabrück, gering, des guten Luftschutzes wegen. Die Augenzeugin hingegen sagt: »Diese Nacht, die war schon grausam. Sie war grausam, weil das alles für die Leute so neu war.« Der schwerste Angriff der ersten Kriegsjahre, der vom 6. Oktober 1942, verwandelt mit seinen elftausend Spreng- und Brandbomben ganze Straßenzüge zu Ruinenketten, von den Osnabrückern lakonisch ›Hermann-Göring-Platz‹ benannt. Auch die Industrie hat über längere Zeit Ausfälle von bis zu hundert Prozent. Die meisten Menschenverluste verzeichnet der amerikanische Tagesangriff vom 13. Mai 1944. Von den 241 Opfern fallen 101 in einen Deckungsgraben mit einer nur sechzig Zentimeter starken Betondecke. Neunundvierzig Gefangene sterben durch einen Treffer auf das Russenlager der Klöckner-Werke. Unter Kriegsgefangenen, besonders unter den russischen Fremdarbeitern, erntet der Tod besonders reichlich, so am 7. Mai 1944, als dreißig Bewohnerinnen einer Klöckner-Frauenwohnbaracke zerfetzt werden. Derselbe Angriff tötete fünfzig wegen Raummangels in die Johannisschule verlagerte Kranke des Martin-Hospitals. Ausländern ist der Zugang zu Schutzräumen untersagt, besonders als ab Ende 1944 der Andrang wächst und sie stark überbelegt werden. Allerdings sind Gefangene und Häftlinge des Konzentrationslagers Emsland zum Bunker- und Straßenbau kommandiert, daneben zur Trümmerbeseitigung.

Alt-Osnabrück geht unter im Feuerorkan, den 181 000 Brand- und 2171 Sprengbomben am 13. September 1944 binnen vierzehn Minuten entfachen. Einen Monat später werden weitere 16 000 Brand- und 2616 Sprengbomben abgeworfen, die vierundzwanzig Haftgefangenen darum das Leben rauben, weil ihre Wächter sich in Sicherheit brachten, den Häftlingen jedoch Zutritt zum Schutzraum verweigerten und sie eingeschlossen in den Zellen beließen. Der Palmsonntag-Angriff 1945 vernichtet aus strahlendem Frühlingshimmel die Reste der Alt- und Neustadt.

Der Septemberangriff 1944 setzt die Bahnhofsumgebung in Flammen, denen halb wahnsinnige Reisende und eine Anzahl erbärmlich quiekender Schweine zu entkommen suchen, ein Viehtransport wurde getroffen. Am 21. November 1944 zerbricht ein unglücklicher Zufallstreffer einen als bombensicher geltenden Erdstollen mit einer acht Meter starken Oberdecke aus Muschelkalkstein. Allerdings halbierte sich die Deckenstärke im Eingangsbereich. In diesen Eingang gelangte man durch den Heizungskeller des Kinderheims. An der schwächsten Stollenstelle, unmittelbar vor dem Eingang, schlägt eine Bombe durch und explodiert im Inneren hinter der schweren Eisentür, die verbeult weggeschleudert wird. Die 96 Stolleninsassen sind zumeist die Heimkinder mit ihren Betreuern. Nur die im Eingangsbereich Sitzenden trugen Verletzungsmerkmale. Die anderen hocken wartend da, als lebten sie; das Kohlenoxidgas hatte sie unmerklich vergiftet. Es gibt drei Eisenbahnabfuhrstellen aus dem Ruhrgebiet. Diejenige zu den Hansestädten am Meer führt über Osnabrück, einen zentralen Rangierbahnhof. Seit September 1944 kümmerten sich die alliierten Strategen um den bevorstehenden Bodeneinmarsch in das Reich und seine lufttaktische Begleitung, die Transportoffensive. Für sächsische Altertümer, heidnische Fehde, Kaiserbistümer, Bürgerrenitenz, Stadtgeschichte haben die Zielplaner sich ebensowenig interessiert wie für Altenheime und Blindenanstalten. Neben den Hau-drauf-Bombardierern, die mit Churchills Werkzeug Harris die Waffe führten, operierten Rechenhirne vom Zuschnitt Solly Zuckermans, des Erfinders der Verkehrsoffensive. Bei den Amerikanern mehr als bei den britischen Luftdoktrinären betrachteten Wirtschaftsfachleute und Techniker den Krieg recht nüchtern als modernes Unternehmen, das nicht am Schraubstock geführt wird. Das Verkehrsnetz war in den bevorstehenden Operationen die Schlagader. Öl- und Flugindustrien können vorübergehend improvisieren, doch müssen Truppen bewegt werden, um eine Front zu bilden, und munitioniert, um sie zu halten. Beides geht nicht ohne Eisenbahn. Ist diese Arterie zerschnitten, bleibt der Krieg stehen.

Die Geographie hat Deutschland von alters her drei Verkehrsachsen zugewiesen, die Meeresküste, den Rhein und den west-östlichen Landweg am Mittelgebirgsrand, wo schon der Hellweg verlief. Im Weserbergland verdichtet sich geographisch und historisch die West-Ost-Spannung. Karls Sachsenkriege und Churchills Bomberoffensive haben es beide mit einer Militärgeographie zu tun. Daran haben auch die Lancasters und Flying Fortresses nichts geändert. Das Reich wurde vom Boden her verteidigt und erobert, Bodenbewegung hängt aber vom Gelände ab. Vom Rhein-Ruhr-Gebiet als dem entscheidenden Kriegführungsraum des Reiches gehen fächerförmig Bahnstrecken über Osnabrück an die Küste, über Hannover nach Berlin und über Soest, Paderborn, Altenbeken nach Mitteldeutschland. Alle Bombardements auf diesen Fächer meinen im Herbst/Winter 1944/45 das Bahnstreckennetz. Die Dome von Minden, Paderborn, Soest, Hildesheim sind an den Bahnhöfen zugrunde gegangen. Bahnhöfe beschickten die Ost-West-Achse, welche die drei beherrschenden Industrieregionen Deutschlands miteinander verband, das Ruhrgebiet, Sachsen und Oberschlesien. Der Krieg dramatisierte diese Strecke durch die in Nordhausen/Harz verborgenen Mittelwerke, welche die V2, Flugmotoren und ab Ende 1944 den Düsenjäger Heinkel 162 herstellten. Der Nachschub für dies Schlachtfeld der Fertigungsindustrien, Erze, Koks, Kohle, rollte die West-Ost-Schiene hinauf und hinab. Desgleichen das Waffenprodukt, denn auch die Fronten schoben sich seit zweitausend Jahren an dieser Linie entlang.

Zur damaligen Zeit war die Dampflokomotive reliefabhängig, sie kam in der unruhigen Landschaft der Weserfestung nicht gut hoch, insbesondere wenn sie viel zu ziehen hatte. Um die unpäßlichen Steigungen und Neigungen an der Egge, dem Kamm östlich von Paderborn, zu überbrücken, spannen sich über das Dunetal und das Bekatal zwei Viadukte, deren größerer, der Altenbekener Viadukt, einen halben Kilometer mißt. Im Kriege leitete er täglich dreihundert Transporte und wurde infolgedessen Ende November 1944 und Ende Februar 1945 zerstört. Er war eines der wichtigsten strategischen Ziele in Deutschland, doch schwer zu treffen, weil er in einem Einschnitt lag und eine Kurve bildete. Als noch die zwei weiteren Viadukte vom Ruhrgebiet nach Mitteldeutschland, die über Bielefeld–Schildesche und über Arnsberg, aus dem Verkehr genommen wurden, verlegte die Reichsbahn sich auf Umleitungen. Eine führte über Detmold–Herford–Bielefeld/Ost, die andere über Paderborn–Hildesheim. Das war leicht vorauszusehen. Ohne Verzug wurden auch die Umleitungen bombardiert, und so endete Herford und endete Hildesheim, zwei karolingische Gründungen, letztere das Kleinod der deutschen Städtefamilie.

Am 26. November, dem Tag des großen Viaduktangriffs von

Altenbeken, erhält auch Umleitung Herford von der 8. Luftflotte einundsiebzig Bombentonnen aufgeladen, Bielefeld hundert Tonnen. Auf der Strecke Bielefeld–Herford, bei Schildesche, spannte sich der Viadukt für den Berlinverkehr, ab Anfang 1945 nahezu tägliches Bomberziel. Nach dem allierten ›Ruhrplan‹ sollte mit der Zerstörung der drei Viadukte und von sechzehn Brücken das Revier abgeriegelt werden. Die Viadukte allein trugen die Hälfte des Verkehrs. Zudem nahmen Tiefflieger rund um die Uhr Bahnhöfe, Loks, Gleise und Brückenverkehr ins Visier. So werden etwa am 27. Januar eine Lok und zwei Waggons angegriffen, während sie im Bahnhof Herford-Stedefreund stehen. Der Transport enthält 93 polnische Kriegsgefangene und fünf Bewacher. Davon werden 31 Personen getötet und 29 verletzt. Von Bielefeld aus war der Rektor Vormbrock am 7. März mit dem Zug nach Brackwede gefahren, dort fand eine Beerdigung statt. Auf dem Bahnhof Brackwede geriet er in den notorischen Tieffliegerangriff, mehrere Personen trugen Verletzungen davon, indes gelangte er wohlbehalten auf den Friedhof. Der Tiefflieger war bereits da und bombardierte den Leichenzug. Zug ist Zug. Die von dem Rektor zu begleitende Leiche konnte infolgedessen nicht angeliefert werden, weil der Leichenfahrer sich fürchtete. Erst nach Zuspruch raste er mit seinem Gast zur ewigen Ruhe. Die Angehörigen schlichen auf einem waldgeschützten Nebenpfad zum Grab. So wurde im Reich der Verkehr ein Begräbnis und das Begräbnis Verkehr.

In der Nachbarstadt Herford garnisonierten zweitausend Mann Grenadierersatzregimenter und Bataillone zur Verteidigung der Autobahn durch den Teutoburger Wald. Sie konnten schon seit Februar bei Westwind den Geschützdonner der näherrückenden Front hören. Mit der Moral war es vorbei. Nach Ansicht des Lazarettarztes bestand der Haufen zu fünfzig Prozent aus Simulanten; sie übten sich in unmännlichem Lamentieren, gepaart mit lächerlicher Rechthaberei, und hielten künstlich ihre Wunden offen. Es herrsche ein uferloser Krankheitswille. Nichtsdestoweniger nahmen sie am Ort Quartier, auch wenn sie nichts mehr verteidigten, war Herford verteidigte Stadt. Wenn damals sich noch jemand für Kriegsrecht interessiert hätte, dann hätte ihm der Verteidigungszustand ein Bombardement gestattet. Doch bombardierten die Alliierten nicht, wenn das Recht es erlaubte, sondern weil sie sich als die Rechtspartei begriffen, erlaubten sie sich Bombardements nach Gutdünken. Das Gutdünken fand heraus, daß Herford Verschiebebahnhof war, daß es eine Brücke hatte, der Weg von Bielefeld über einen Viadukt führte, und der Umweg vom Altenbekener Großviadukt den Ort kreuzte. Unter solchen Umständen konnte er nicht unversehrt bleiben. Das 790 als hochadeliges Damenstift an der Heeresfurt gegründete Herford nahm ab November 1944 schwere Luftschäden hin, am 3. März 1945 kam auf den Innenbereich des Walls das schwerste Bombardement nieder. Der dreischiffigen Münsterkirche von 1250 widerfuhren durch eine Sprengbombe an der Nordwestecke des Nordturms Luftdruckschäden, die sich durch das ganze Bauwerk fortpflanzten. Nachdem es soweit gekommen war, sah die Truppe am Ort erst recht keinen Sinn darin, sich mit den belagernden Amerikanern zu schlagen, und verteilte ihre Kasernenvorräte von Mehl und Zucker an die Leute. Der Volkssturm öffnete am 2. April in der Nacht die Panzersperren, so daß die Amerikaner am 4. April bequem einrollten. Das beschränkte die Zerstörungen auf fünfzehn Prozent, war eine militärische Courtoisie, blieb aber nicht dabei stehen. Am 3. April notierte der seinerzeitige Stadtchronist bekümmert: »In der Mönchstraße hing aus dem Hause eine weiße Fahne. Es wären mir fast die Tränen gekommen, als ich diese geschmacklose Unwürdigkeit erblickte.«

Das Bielefeld-Herforder Viadukt war bis zum 14. März allen Mühen zum Trotz noch immer nicht getroffen, erst eine neuzeitliche Methode brachte den Erfolg. Die Briten hatten eine 7,5 Meter lange Bombe entwickelt, die elf Tonnen wog. Zu Kriegsbeginn hätte man mehrere Bomber benötigt, um sie zu transportieren. Die 617. Schwadron Bomber Commands unter Schwadronführer Calder ließ an dem fraglichen Tag diese Bombe bei Bielefeld fallen. Ihre Eigenschaft war, ein Erdbeben zu erzeugen. Bei einem Versuch am Vortage in New Hampshire hatte sie, aus einer Höhe von 4,5 Kilometern abgeworfen, einen Krater von siebenunddreißig Meter Durchmesser und neun Meter Tiefe gerissen. Das Bielefelder Erdbeben brachte in der Tat fünf Viaduktpfeiler aus dem Stand und 20 000 Tonnen Mauerwerk. Bielefelds Schutt wurde noch einmal durchgeschüttelt, das Stadtinnere war bereits in dem US-Angriff vom 30. September 1944 zerbombt worden. Noch drei Wochen später wurden einige der sechshundert Toten aus den Trümmern gezogen.

Die ersten Bomben waren im Juni 1940 gefallen, verstreut wie damals üblich, und so töteten sie ein Mädchen auf dem Bauernhof Westerwinter im Ortsteil Senne II. Wenige Tage später erlegten die Bomben mehrere Personen, darunter den sechzehnjährigen Gustav Stolte, der sich für die Flieger interessierte und vom Waschkücheneingang in der Wichernstraße den Angriff beobachtete, der einen scharfkantigen Bombensplitter in seinen Leib bohrte. Tiefe Bewegung löste in Bielefeld das Bombardement aus, welches die Anstalt für geistesgestörte Kinder in Bethel traf. Der Einschlag in den Schlafsaal tötete zwölf kranke Kinder. Pastor von Bodelschwingh, der Anstaltsleiter, kämpfte um ebendie Zeit für das Leben seiner Schützlinge, das als lebensunwert von den NS-Gesundheitsbehörden ausgemerzt werden sollte. Bodelschwingh drängte die Euthanasie in seinem Asyl zurück, nicht aber Bomber Command. Dessen Bomben schlugen ein zweites Mal ein und töteten Pfleger und Kinder. Die NSDAP organisierte eine pompöse Beisetzung und geißelte den »Kindermord von Bethel«. Bielefeld verlor bei Abwurf von 4400 Tonnen Munition insgesamt 1108 Personen.

Die Einwohner Hildesheims glaubten wie die vieler deutscher Städte, daß es von den Bomben ausgenommen sein würde. Man hege am Ort große Sympathien für die Feindländer, viele ausgewanderte Deutsche hätten am amerikanischen Befreiungskrieg teilgenommen, zwischen England und Nordwestdeutschland bestünden Traditionsbeziehungen, und schließlich werde man bei Hildesheims Weltruhm als mittelalterliche Kulturstätte sich nicht daran vergreifen wollen. Nichts spricht für einen solchen Willen, denn Hildesheim war für die 8. US-Flotte ein Bahnhof mit umgebender Stadt.

Anfang November 1944 bemerkten die Einwohner kopfschüttelnd, daß tieffliegende Bomber auf Flecken wie den im Grünen träumenden Bahnhof Hönnersum hinabstießen und Maschinengewehrgarben auf die Station Derneburg an der Bahnstrecke zwischen Großdüngen und Derneburg prasselten. Man hielt dies für Notreaktionen von deutschen Jägern verfolgter Bomber. Die Not kam näher. Am Sonntag, dem 26. November, wurde das Viadukt Altenbeken angegriffen, und um die eventuellen Umleitungsstrekken gleich mit zu ramponieren, flog die 8. Flotte nach Hildesheim. Sie war an diesem Tag in großer Besetzung unterwegs mit 1818 Bombern, 3000 Tonnen Bomben und schlug eine der großen Luftschlachten des Krieges. Die Gegner waren zwei Hauptziele, die Viadukte von Altenbeken und Schildesche, eine Handvoll Ausweichziele, die Rangierbahnhöfe Hamm, Osnabrück, Gütersloh, Bielefeld, Herford, und sieben Gelegenheitsziele. Hildesheim war Gelegenheitsziel. Etliche Häuser am Alten Markt wurden getroffen, doch am meisten staunte man, daß eine Bombe soviel Kraft hatte, einen schweren Baumstumpf von zwei Meter Länge und zwei Zentner Gewicht vom Alten Markt über die Häuser weg auf den Domhof zu schleudern, genau vor das Denkmal des heiligen Bernward.

Bernward, sein dreizehnter Bischof, war der eigentliche Gründer Hildesheims. Ein Sachse von edler Geburt, ein Krieger, Künstler, Gelehrter, Arzt, stritt er zu Anfang des Jahrtausends gegen Slawen und Normannen, sammelte Kunstwerke in Italien, brachte eine Reliquie von dort mit, ein Holzstück vom Kreuz des Erlösers, und um es würdig zu betten, ließ er eine dem Erzengel Michael geweihte Kirche bauen, schuf mit eigener Hand die Tür, die sie öffnen, den Leuchter, der sie erhellen, und den Sarkophag, der ihn einst bergen würde. Dessen lateinische Inschrift zitiert das Wort der Bibel, »Ich weiß, daß mein Erlöser lebt und daß ich am Jüngsten Tag aus der Erde auferstehen werde.« Auf Bernward folgte St. Godehard, der die Todesstunde voraussagen konnte und in der Krypta des Doms begraben liegt, den Hezilo bauen ließ, sein Nachfolger. Dieser hat das Dokument Heinrichs IV. unterschrieben, welches den Papst absetzte, jedoch brachte er diesem, Gregor dem Großen zuliebe, ein Zeichen auf dem Schriftstück an, welches es ungültig machte.

Hezilo war ein höchst streitbarer Fürst, der im Dom zu Goslar mit seinen Mannen ein blutiges Gemetzel gegen die des Abtes von

Fulda abhielt, um des Rechtes wegen, neben dem Erzbischof von Mainz zu sitzen. Weil die Haudegen von der Weihe des Ortes gehemmt schienen, feuerte Hezilo sie an, nur beherzt zuzustechen, allen erteile er Absolution. Die Bischofskrieger haben das Losschlagen an das Wundervertrauen gekettet. Nicht die haushaltende, die selbstgewisse Kraft setzt sich durch. Als im 14. Jahrhundert der Bischof Gerhard die Bürger und Bauern Hildesheims gegen die dreifach übermächtige Allianz des Herzogs von Braunschweig und der Bischöfe von Magdeburg und Halberstadt schickte, schob er eine Reliquie in seinen Ärmel und schwor, daß diese Waffe mehr zähle als tausend Leute. Die Hildesheimer glaubten das auch und haben deshalb gesiegt.

Die drei andächtigen Bischofskirchen, Dom, Michael und Gocehard, das Holz, das Hildesheims Häuser rahmte, und den Kunstsinn, den Bernward am Ort heimisch machte, hat Ricarda Huch, die ihn vor seinem Untergang aufsuchte, wie folgt beschrieben: »Neben und unterhalb der Domfreiheit und ihrem in römisch-kirchlichen, wenn auch oft durchbrochenen Formen sich abspielenden Leben erwuchs in der Stille das deutsche Volk. Die Vorliebe für die vertikale Linie führt die Mauern, Pfosten, Tore und Fenster höher und höher, das Unendliche stürmend, während die romanische Kirche das geformte Symbol an die Erde bindet. Schon daß des Volkes liebstes Material das Holz war, bedingt einen tiefgreifenden Unterschied: lebendiges wohlriechendes braunes Holz, in dem die schweifende germanische Phantasie sich mit dem Schnitzmesser ergehen konnte.«

Aus Stein hingegen war das Tempelhaus, das an der Stelle der abgerissenen Synagoge errichtet worden war. Um zu Geld zu gelangen, hatte der Bischof das Judenvermögen einer Bürgerin verpfändet, welcher der Rat es abkaufte. Ausgeplündert verließen die Juden die Stadt. Das Tempelhaus hält diese Begebenheit fest, denn alle Häuser erzählen. Ricarda Huch fand dreihundert Fachwerkhäuser, die der Zerstörungswut der Zeit entkommen waren. Tatsächlich standen über siebenhundert. »Mütterlich wollen diese Häuser nicht nur beherbergen und beschützen und wärmen, sondern auch erzählen und belehren. Sie führen uns Vorgänge aus dem Alten und Neuen Testament vor. Die Elemente, die Jahreszeiten, die Musen, auch den sogenannten neun guten Helden begegnen wir, nämlich Hektor, Alexander und Cäsar als drei heidnischen, David, Gideon und Judas Makkabäus als drei biblischen, Artus, Karl dem Großen und Gottfried von Bouillon als drei christlichen.« Beklemmenderweise beendet Ricarda Huch ihren Gang durch Hildesheim mit der Erwähnung des Bahnhofs.»Wer durch die Straßen wandert, dem fällt auf, daß von 1630 an bis zum Ende des Jahrhunderts nicht gebaut wurde und daß die wenigen im Barock errichteten Häuser ärmlich sind. Die große Zeit war mit dem Dreißigjährigen Krieg vorüber. Die Häßlichkeit der Neuzeit beschränkt sich glücklicherweise hauptsächlich auf die Bahnhofsgegend ...«

Am 22. Februar 1945 um 13.30 Uhr erfolgt der erste systematische Angriff auf Hildesheim. Es ist wiederum das Datum der zweiten Operation gegen das Altenbexener Viadukt. Der Schwerpunkt liegt auf dem Güterbahnhof.»Eine wildeste Aufwühlung der zerstörten Böschungen«, schreibt Domkapitular Hermann Seeland, der Chronist,»ein Chaos von Erdmassen und Steinquadern, kahle Reste von Eisenstäben und Eisenwänden ausgebrannter, umgestürzter Eisenbahnwagen.« Die Bahnanlagen im Norden und Südosten seien das Ziel der Abwürfe gewesen,»aber sicher waren sie es nicht ausschließlich«. Er zählt die Straßen auf, die einen einzigen großen Trümmerhaufen bilden, die Lambertikirche von 1473, von der nur der Turmstumpf und Mauerreste des Langhauses erhalten blieben. Das Innere der Augustinerinnen-Klosterkirche, St. Magdalena, war ausgebrannt.»Als arg beschädigt ist die St. Michaeliskirche zu nennen. Bomben, die auf dem ehemaligen Klostergelände niederfielen und vermutlich der hier von der NSDAP eingerichteten ›Ordensburg Germania‹ gelten sollten, zerstörten große Teile des nördlichen Flügels, des östlichen Querschiffes.«

Als ›Ordensburg Germania‹ galt seit Jahren alles im Lande Stehende, das wird für Hildesheim am 22. März wahr, als Bomber Command mit 235 Maschinen und 446 Bombentonnen in achtzehn Minuten die Stadt liquidiert. So sind in einer Spanne von elf Tagen hintereinander Würzburg, Hildesheim und Paderborn in zusammen achtundfünfzig Minuten in den Boden gestampft worden.

213

Die US-Angriffe am 3., 14. und 15. März 1945 hatten sich zuvor mit dem Güterbahnhof auseinandergesetzt, einige hundert Waggons zerbeult und dabei auch die Umgebung gepflügt. Bomber Command fahndete zugleich nach unzerstörten Städten. Bis zu jenen achtzehn Minuten konnte Hildesheim dafür gelten, danach waren in den historischen Stadtteilen fünfundachtzig Prozent der Bausubstanz vernichtet. Am 22. Februar lag der Akzent auf der Neustadt, doch Bomber Command hatte feste Herangehensweisen. Eine ganz aus Holz gebaute Altstadt fiel in sein Repertoire. In undurchdringlichen Staub- und Rauchwolken sah Hermann Seeland den lichterloh brennenden Dom. Volltreffer waren im nördlichen Seitenschiff und südlichen Querschiff eingebrochen. Die Goldene Kuppel sank in die Tiefe, die Marienstatue über dem Westportal war an der Hüfte entzweigeschlagen, der Oberkörper stürzte herab. Bernwards und Hezilos Werke, die Christussäule, die Bernwardstüren und der Radleuchter waren zuvor ausgebaut worden und blieben erhalten. Doch hatte die Bombe St. Godehard gesucht und die Kryptadecke zu seinem Sarkophag durchschlagen. Bernward in seinem Standbild auf dem Domplatz blieb stehen, die alten Linden lagen zersplittert und entwurzelt um ihn herum. In das bischöfliche Palais waren die Flammen von Westen her eingedrungen und arbeiteten sich in die östliche Hälfte. Wenige Mauern noch standen von dem Konvikt, das ›Düstere Tor‹ nahm keinen mehr auf, der Trümmerhaufen davor sperrte es zu. Das Bernwardskrankenhaus hatte Glück; der südöstliche Flügel hatte Feuer gefangen, und Löschkräfte mühten sich die Nacht durch bis zum folgenden Tag, den Brand auf die zwei oberen Stockwerke zu begrenzen. Die Kranken drängten sich in den engen halbdunklen Gängen im Parterre und warteten, daß alles gutging. Denn eine Fünftonnenbombe, ein ›tall-boy‹ hatte das Hauptgebäude durchschlagen und war in einem Krankenzimmer gegenüber der Hauskapelle blind liegengeblieben. Sie konnte am folgenden Morgen entschärft werden, acht Männer trugen sie hinaus.

Von der zertrümmerten Domschenke lief Seeland zum Annenfriedhof. Bevor er die Stadt verließ, wollte er dessen Zustand kennen. »Welch furchtbare Verwüstung dieser einzig schönen, friedvollen Stätte, auf der Kaiser und Könige, Bischöfe und Gelehrte in Ehrfurcht vor der Vergangenheit weilten.« Die hohen Dächer des Kreuzgangs hatten die alten Stiftsregierungen als Kornböden genutzt. Inzwischen waren Dächer die unsichersten Orte überhaupt, so auch diese. Der Blick schwenkte zum freien Himmel, der Quelle allen Verderbens. Die Grabkreuze hatte ein Hagel niedersausender Balken und Steinquader aus der Verankerung geschleudert, die Gräber waren davon doppelt zugedeckt. Von der Annenkapelle konnte man bisher den Domturm sehen.»Keine Goldene Kuppel leuchtet jetzt im Sonnenlicht des Frühlingstages! – Heute am 24. März 1945.« Es war dies die Goldene Kuppel die Bischof Gerhard der Jungfrau zugesagt hatte, sollte sie ihm den Sieg über die Bischöfe Dietrich und Albert von Magdeburg und Halberstadt sowie Magnus, den Herzog von Braunschweig, schenken. Nun waren Braunschweig, Halberstadt, Magdeburg und Hildesheim binnen fünf Monaten allesamt im gleichen Feuer versunken.

St. Michael war aufgerissene Ruine. Sprengbomben hatten den nördlichen Kryptenumgang mit dem Gewölbe und die Empore des Querhauses weggeschlagen, konnten aber Bernwards Sarkophag nichts anhaben. Bis auf einen Winkel an der Godehardskirche sind die hölzernen Balladen des Hildesheimer Fachwerks von der Erde, einschließlich dessen, was der Name ›schönster Marktplatz der Welt‹ nicht benennen kann. Das steil aufragende Gildehaus der Fleischer, das Knochenhauerhaus, von Ludwig Dehio als monumentalstes aller Holzhäuser Deutschlands gelobt, eine Vermählung von Gotik und Renaissance, brannte ab wie Zunder. Der Dom war die meistzerstörte Kathedrale Deutschlands; an seiner Apsis hat der verbrannte tausendjährige Rosenstock bald neue Triebe geschlagen, manchen ließ das hoffen. Die 72 000-Einwohner-Stadt an einem Bahnhof wurde hinweggeräumt, weil man dachte, daß die Bahnlinie Paderborn–Hildesheim als einzige Abfuhrstrecke aus dem Ruhrgebiet militärisch notwendigerweise lahmzulegen war und die Stadt daneben eine Übung, wie sie sechsundvierzig Tage später sich nicht mehr bot, eine Ehrenrunde. Der Bahnhof nahm Totalschaden; der Menschenverlust Hildesheims beträgt 1736 Personen.

Am Karfreitag 1945, sieben Tage bevor die Amerikaner Soest besetzten, versuchten SS-Männer durch Sprengung und Brandlegung die Wewelsburg zu zerstören, die einmal ein Zufluchtsort der Paderborner Fürstbischöfe gewesen war und dem Kreise Büren gehörte. Büren wollte die Burg nicht verkaufen, hatte sie jedoch 1934 um einen jährlichen Betrag von zwei Mark der SS verpachtet. Deren Reichsführer, Heinrich Himmler, suchte für sein Rasseamt seit einiger Zeit eine Burg »im Lande Hermanns des Cheruskers« zu beziehen. Nachdem sie aufwendig zur Führerschulung ausgebaut und verwandt worden war, machte man zwischen 1942 und 1945 Erweiterungspläne. Um den Nordturm der Dreiecksburg, die auf eine sächsische Wallburg zur Hunnenzeit zurückging, sollte im Radius von sechshundert Metern ein Burgbezirk entstehen, von einer Burgmauer umfaßt, der weithinab in Tal und Hügel schaute. Wewelsburg war die einzige befestigte Höhe in der Gegend, die Gemeinde Wewelsburg, elfhundert Seelen eines ungestalten Haufendorfes, sollte vom Kulturamt Soest irgendwohin quartiert werden. Nachdem das Dorf abgerissen sein würde, sollte eine nationalsozialistische Dorfgemeinde neu entstehen in einer kleinen geschlossenen Anlage. Die dort ansässigen Erbhöfe hätten über die ganze Feldmark verteilt werden müssen. Damit begann die SS im Frühjahr 1945, wurde aber durch die alliierte Besetzung an weiterem gehindert.

Himmler hatte an diesem Ort seinem Sachsenwahn gefrönt und mit seinen Mannen in einem fünfunddreißig Meter langen Speisesaal konferiert und meditiert. Unter dem Speisesaal, in einem farbigen Natursteingewölbe, befand sich eine Verbrennungsanlage. Es sollten dort Wappen verstorbener Obergruppenführer verbrannt und in einem Kreis von Sockeln in Urnen aufbewahrt werden. Von der Magie des sächsischen Bodens und den heidnischen Riten erwartete Himmler die moralische Festigung seiner Leute. In der Gegend hatte die SA noch die Sportburg Beverungen und die NSDAP die Schulungsburg Erwitte erworben, ein Wasserschloß aus dem 17. Jahrhundert, keine national erhebende Zeit, doch reichte die Rustikalität und die Steinsichtigkeit des Mauerwerks, das Dasein des Abgelebten zu beschwören. Der Nationalsozialist las darin das erste Gebot seines Führers, »Stirb!«

»Und werde«, fügt die Aura des Steins hinzu. Versteinerung hilft, das Leben loszulassen. In der Härte gibt es sich preis, und in dem Kult des Gemäuers kehrt es ein. So rätselte Himmler in der Krypta des Quedlinburger Doms, ob nicht Heinrich I. in ihm zurückkäme. Er pflegte nächtens Zwiesprache mit diesem und befragte sich zugleich inständig, ob er es nicht selber sei. Ein besonderer Hang zog ihn zur Hinrichtungsstätte der 4500 Sachsen, denen er bei Verden einen Gedenkhain schuf. Ihre Unterwerfung unter ›Karl den Franken‹, wie Himmler ihn nannte, und seinen christlich-abendländischen Reichsgedanken hielt man für Niedergang und suchte und hegte die heidnische Blut- und Wesensspur, die, im christlichen Zeitalter verkapselt, in gewissen Führern zum Durchbruch gekommen war, in dem jetzigen vornehmlich.

Kurz, die NSDAP nährte zur Geschichte ein taktisches Verhältnis. Die Szenen, die ihr darin zusagten, weil sie ihre Zwecke vertieften, zitierte sie herbei, reihte sie zu einer Ahnentafel und setzte sich zum Vollender ein. Nicht ihre Willkür, sondern die Rassengeschichte sprach aus der Partei. Der Sachsenmummenschanz ist zerstoben, manch andere Geschichtsmythen sind passé, manche währen fort. Alle Gegenwärtigen eignen sich Geschichte taktisch an, zum Gebrauch. Man könnte meinen, daß es eine andere als die Heilsgeschichte, welche zu mir hinführt, gar nicht gibt. Das ist auch eine Ideologie. Es hat die Zerstörung Hildesheims gegeben. Diese und die anderen Städte des Weserraums speicherten zum Zeitpunkt ihrer Zerstörung Schichten des dort bisher Stattgefundenen. Personen, Gehäuse, Legenden. Heute offenbaren sie dies immer noch, meist in Kopie, am meisten, wie Wundmale, die Brandschicht ihrer letzten Zerstörung. Auch ist der Sachsenkult Himmlers ein Fakt und ebenfalls, wozu er ihm diente. Die Zerstörung der Städte wiederum diente der Entmachtung Himmlers und der Seinen, welche Orte, Geschichte, Menschen, ganz Deutschland und Europa als Geiseln genommen hatten. Zugleich war diese Geiselnahme damaliges Deutschland. Mit Gewalt, mit Zustimmung oder Entsetzen, unter Gleichmut oder Ohnmacht ist sie zustande gekommen. Ein anderes Deutschland ist nichts weiter als ein Konjunktiv, ein ›wäre, hätte, wenn‹.

Ein weiterer Konjunktiv ist, ob nicht der Brand entbehrlich gewesen wäre? Mußte Hildesheim für den Bahnhof untergehen? War dies der Grund, hat es überhaupt einen Grund gegeben? Wollten die Brandleger, in Vorsatz und Zorn, siegen um jeden Preis, und ist dies der Preis dafür, daß sie es zum Sieg gebracht haben? Fraglos war es der Versuch. Wenn dies, als Geschichte der Alliierten, gar keine Tragödie darstellt, ist ihr Totalerfolg dasselbe für die Geschichte der Deutschen? Ob diese glatte Gleichsetzung, wenn, was noch nicht soweit ist, die Brandschicht den Deutschen gewärtig wird, fortbesteht? Die Brandschicht ist eine Tatsache ohne Namen.

Die taktische Aneignung der Geschichte ist eine leere Klage, auch wenn sie schon Goethe führte. Der Aneigner ist Subjekt und darum subjektiv. Es gibt auch eine nichtangeeignete Geschichte, wie die des großen Brandes. Auch das ist ein subjektives Nichtwollen. Den Unwillen zweier Generationen erklärt die Zeit. Es war nicht die Zeit dafür. Doch die Zeit, das, was wechselt, wechselt auch die Aneignung der vergangenen Zeit.

Soest war einer der großen Verschiebebahnhöfe, in den Maßen 5000 mal 300 Meter, ansonsten eine Kleinstadt von 23 000 Menschen. Im Offizierslager am Meininger Weg, das zweitausend französische Offiziere gefangenhielt, befand sich auch eine Gruppe Eisenbahner, die in ihrer Freizeit mit der Schere Loks, Bahnwagen, Schienen, Weichen aus Konservendosen gefertigt hatten und ihre Basteleien, mit Modellen französischer Dienstpläne und Werbeplakaten französischer Eisenbahnen, in einer Ausstellung präsentierten. Dazu luden sie die Soester Bahnhofsleitung ein. Ein General begrüßte den Vorsteher am Eingang, und mehrere Offiziere leiteten die Begehung. Es war der Führerstand einer französischen Lok aufgebaut, und man demonstrierte nicht ohne Stolz das Sicherungssystem der französischen Bahnen. Die Soester Dienststelle war von der Kunst und den Kenntnissen der französischen Kollegen stark beeindruckt und hätte dies gern begeisterter zum Ausdruck gebracht, als es unter den obwaltenden Umständen möglich war. Eisenbahn und Eisenbahner sind eine Internationale, und das außerordentliche Verständnis für Eisenbahndinge und

-belange zeigte sich auch in der kundigen Bombardierung von Strecken und Anlagen. Die Sachkenntnis war viel eingehender als bei den Industrieangriffen. Am 4. und 5. Dezember 1944 wurde der Verschiebebahnhof restlos zerstört. Dies kostete zweihundertfünfzig Menschen das Leben, darunter ein Reservelokomotivführer, ein Güterbodenarbeiter, ein Zugöler und eine als Scheuerfrau bei der Umladehalle tätige Ostarbeiterin. Am 5. Dezember rüsteten die Soester Familien zum Nikolaustag. Doch draußen auf der Strecke gab es keine Rast. Die Instandsetzungskräfte wollten den Verkehr wieder frei haben. Um 20.55 Uhr ertönte Fliegeralarm. 585 Halifaxe und 100 Lancaster kamen mit 80 Luftminen, 1000 Spreng- und ungezählten Brandbomben geflogen. Zum Schutz der Anlagen war eine eigene Flak aufgestellt, zu der in jeder Schicht vierundzwanzig Mann Bahnpersonal erschienen. Die Batteriestände waren verteilt hinter dem Osthofenfriedhof, bei der Blindenanstalt und am Schwarzen Weg. Nur zwei Halifaxe wurden getroffen. Als die Bediensteten aus ihren Schutzräumen kamen, erwartete sie ein Bild schieren Entsetzens. Der ganze Bahnhof brannte. Die Umladehalle, die Eilgutabfertigung, der Güterwagenpark ein einziges Flammenmeer.

Die Angreifer sollten wiederkommen, weil sie wußten, daß die Eisenbahner ihr Material wieder ins Rollen bringen. In den ersten Tagen nach den Großangriffen räumten Tausende Hilfskräfte im Bahnhof. Dies waren Soester Eisenbahner, ihre auswärtigen Kollegen und auch ein Bauzug der SS mit KZ-Insassen. Oft nannte man im Krieg die Reichsbahn den ›vierten Wehrmachtsteil‹. Bahnhof war Front. Wenn der Alarm die Bevölkerung in den Schutzraum schickte, mußte das Bahnpersonal ausharren, weil noch Züge auf der Strecke fuhren. Konnten sie eingelassen, sollten sie umgeleitet oder als Zielscheibe auf den Schienen stehengelassen werden? Zu den Opfern des 5. Dezembers gehörten die Passagiere des Abendpersonenzugs aus Richtung Paderborn, der kurz vor dem Angriff in Sassendorf abgefahren war. Bei der Einfahrt, in Höhe des Abstellbahnhofs, geriet der Zug geradewegs in den Bombenhagel. Zu den Toten gehörten der Heizer, die beiden Paderborner Schaffnerinnen und fünf Reisende. In den Bahnanlagen wurden Schwer- und Leichtverletzte aufgesammelt. Von einer Anzahl ausländischer Arbeiter, die keine Schutzräume fanden, möglicherweise weil man ihnen den Zutritt verwehrte, fehlte jede Spur. Sie liefen in das freie Gelände mitten in den Bombenfall hinein, ob in die Freiheit oder in den Tod, wußte niemand zu sagen.

1945 gingen vierzehn Angriffe, davon fünf große, auf den Bahnhof nieder, dabei wurde auch die halbe Stadt zerstört. Am 28. März stürzten sich den ganzen Tag über Jagdbomber auf den Bahnhof und die einlaufenden Züge, so auch auf den, welcher auf der Strecke von Hamm gegenüber der Schendeler Straße vor der Einfahrt lag. Die Waggons waren voll mit sechzehnjährigen Schülern besetzt, die im Paderborner Sennelager zu Rekruten ausgebildet werden sollten. Aus niedriger Höhe konnten die Jabos ihre Munition scharf auf den Zug zielen. Vierzig Tote und Schwerverletzte wurden aus den Wagen gezogen, die Toten in St. Patrokli aufgebahrt, die Verletzten von den Anwohnern notdürftig mit Bettwäsche und Handtüchern verbunden, ehe das Lazarettfahrzeug eintraf. Derselbe Angriff wurde auch einer Gruppe von Pimpfen, den Knaben des Jungvolkes, nebst Müttern und Kleinkindern zum Verhängnis. Kurz vor der Bahnhofseinfahrt fing der Zug auf der Höhe der Zuckerfabrik einen schweren Treffer. Von 108 Reisenden wurden 32 getötet und 76 verwundet, darunter viele der Kinder, die aus dem Ruhrgebiet zu ihrem Schutz in den Kreis Soest geschickt worden waren. Er war das festgelegte Aufnahmegebiet für 25 000 Evakuierte aus Dortmund und Bochum.

Soest wurde zu zweiundsechzig Prozent zerstört und büßte 446 Personen ein, darunter 64 Ausländer. Dank der drei Hochbunker war die Luftschutzlage zufriedenstellend. Bei dem Bunkerbau waren Fundamente eines Verbindungshauses zwischen gotischem Herrenhaus und romanischem Haus aufgedeckt worden und zerbrochene Kapitäle vom Ende des 12. Jahrhunderts. Nach dem Fall der Stadt suchten die französischen Offiziere nach Büchern und Abbildungen von Soest, das die erste befestigte Stadt der ottonischen Zeit gewesen war und es Mitte des 15. Jahrhunderts zum bedeutendsten Platz Westfalens gebracht hatte, mit internationalen Handelskontakten. Vom Offizierslager aus hatten die Franzosen vier Jahre nur die Familie der Türme sehen können: von St. Patrokli, einer gerühmten romanischen Gewölbebasilika des 12. Jahrhunderts, von der romanischen Petrikirche und von Maria zur Wiese, einem Hauptwerk der Spätgotik. Nun wollte man ein Bild des Ganzen besitzen und heimnehmen. Einer der Offiziere, der eine Professur an der Universität Sorbonne, Paris, innehatte, kümmerte sich auch darum, daß die Bombenevakuierten und die Ostarbeiter nicht zusammen alle Bücher des Rathausarchivs verfeuerten, die nach der Verheizung der Regale an der Reihe gewesen wären, denn es war noch kalt.

Soest hatte im Jahre 1447 einer bedrohlichen Belagerung des Erzbischofs von Köln widerstanden, die sogenannte Soester Fehde. Die Stadt hatte sich durch ein Bündnis mit der Hanse und den westfälischen Städten rückversichert, die ihrerseits mit Köln schlecht standen. Das 14. und 15. Jahrhundert ist, nach dem Verfall der kaiserlichen Gewalt, eine Kette territorialer Fehden, in denen sich Deutschland wechselseitig zertrümmerte, und so gebiert die Soester Fehde die Münsterische Stiftsfehde, wiederum gegen den expansiven Dietrich von Moers, kölnischer Bischof. In der Schlacht von Varlar geriet Münster an den Rand des Abgrunds, dort hatte es allerdings schon einen Großteil seiner Geschichte verbracht. Lothar von Sachsen, der junge Sohn des rebellischen Heinrich des Löwen, hatte 1121 die Münsteraner Domburg angezündet, wodurch die ganze Siedlung verbrannte. Die Umstände des Brandes sind aber unklar, auch das einer seiner militärischen Vorzüge. Er entsteht. 1350 brach die Pest aus, als deren Folge die Juden der Stadt verwiesen wurden. Das führte zu gar nichts, die Pest kam 1383 wieder. Ein unkriegerischer Brand hatte Münster im Vorjahr schon genug gebeutelt, dabei war es seit dem vorvorigen Brand von 1197 durch kaufmännische Tätigkeit im Hansebund prächtig erblüht. Insbesondere der Englandhandel rentierte sich, der Erzbischof ging bis zur Währungsunion und prägte eine Münze nach dem britischen Sterling.

Die Reformation brachte Münster 1534 unter den bizarren Terror der Wiedertäufer: Ihr ›neues Zion‹ wurde nach sechzehnmonatiger Belagerung von den Katholiken geschleift und der starke protestantische Bevölkerungsteil mit Strenge dem alten Glauben zugeführt. Die von den Wiedertäufern wüstgelegten Kirchen und Klöster riefen einen Prunk- und Zieratsbedarf hervor, ein

221

›goldenes Jahrhundert‹, welches sich zur Hansezeit in dem Prinzipalmarkt auslebte, etwa in der Innenausstattung des Rathauses
mit seiner schwindelnd schönen gotischen Fassade aus dem
14. Jahrhundert. Sie, wie auch die goldenen Schöpfungen um den
Prinzipalmarkt, ging in der Feuertaufe der alliierten Bomberflotten zugrunde. Orientierungspunkt der Verwüstungen des US-An-
griffs vom 10. Oktober 1943 sollte der feingegliederte Westeingang des Doms sein, der zwischen den zwei romanischen Türmen
liegt. »Ich war Gruppennavigator der 95. Bombergruppe bei der
Münster-Operation«, schreibt Ellis B. Scripture. »Eine Samstag-
abendparty war im vollen Gange, als wir gegen 22.00 Uhr alarmiert wurden. Der Einsatzbefehl kam per Fernschreiber. Wir erfuhren, daß unser Ziel der Westeingang des Doms zu Münster
sein sollte. Ich erinnere mich, daß ich bestürzt war, als ich erfuhr,
daß zum ersten Mal im Krieg Zivilisten das Ziel unseres Bombenangriffs sein sollten. Ich ging zu Colonel Gerhart und sagte ihm,
daß ich diesen Einsatz nicht fliegen könne. Seine Reaktion war genau die, die, im nachhinein betrachtet, von einem Berufsoffizier
und sehr guten Kommandeur zu erwarten war: ›Look, Major, this
is war – spelled W-A-R. We're in an all–out fight, the Germans
have been killing innocent people all over Europe for years. We're
here to beat the hell out of them – and we're going to do it. Now,
I'm leading this mission – und you're my navigator. You're leading
this mission also! Any questions?‹ Ich sagte ›Nein, Sir‹, und damit
war der Fall beendet.« Die erste Bombe landete punktgenau auf
dem Gewölbe der westlichen Vierung.

Am 10. Oktober beging man in Münster das Fest der Mutter-
schaft Mariens; nachmittags zog es die Gläubigen zu einem Gang
durch die Herbstsonne, den kupfergrün gedeckten Türmen entgegen, denn es war Sonntag, die Kerzen schimmerten auf dem
Hochaltar. Die Domkapitulare ließen sich soeben im Chorgestühl
nieder, als um 14.55 Uhr die Sirenen heulten. Seitdem die Münsteraner im Juli 1941 vier Großangriffe durchgestanden hatten,
schworen sie auf ihre Bunker. Rasch leerte sich der Dom. Domkapitular Emmerich verblieb betend im nördlichen Seitenschiff, und
auch die letzten Gläubigen scharten sich im Nordturm. Dort

führten Treppen hinauf zur Spitze und hinab in die Schatzkammer, daneben die Taufkapelle, sie schützte. Als das Motorendröhnen und die ersten Flaksalven zu hören waren, kletterten Domküster und -wächter in die Schatzkammer, andere flohen über die gewundene Treppe in das siebenhundertjährige Mauerwerk des Turmes. Einen Herzschlag lang war das Heulen zugedeckt von einer Detonation, kein Geräusch, sondern ein Beben, ein Pflock im Ohr. Die Mauern, so fest wie das Firmament, und die herkulischen Pfeiler wankten, die Eisentür der Schatzkammer durchbohrte ein Bombensplitter, der Luftdruck wuchtete sie aus den Angeln, das Gewölbe der Vierung und des Querschiffs kamen nieder, als stürzten die Gebirge ein.

Die Insassen von Turm und Schatzkammer würgte aufwirbelnder Staub. Der Domvikar Leiwering erteilte die Generalabsolution. Die weiter ins Turmgehäuse Zurückweichenden liefen geradewegs in die dritte Bombe hinein. Antonius Gerhard, dem sechzehnjährigen Küsterssohn, Luftwaffenhelfer, schlugen Gesteinsbrocken an die Schläfe, er lag reglos da, der Küstersfrau nahm der Luftdruck den Atem, der Küster rief laut um Beistand. Leiwering hörte dies vom Turmgehäuse aus, eilte zu dem Sterbenden und sprach mit den Eltern die Sterbegebete. Dann flüchteten alle erneut in den Turm und die Schatzkammer, denn ein Grollen kündete die dritte Bomberwelle an.

Nach zwanzig Minuten verließ die 8. Flotte den Ort, und der Bischof erschien, Clemens August, Graf von Galen, der ›Löwe von Münster‹. Dieser Titel rührte von einer Reihe Predigten im Jahre 1941, welche die Euthanasieaktion bloßstellten als »glatten Mord«. Dies sagte er von offener Kanzel am 3. August 1941, und er werde nach § 211 StGB Strafantrag einreichen. Niemand sonst im Dritten Reich hat dies Wort laut zu sagen gewagt, und es konnte wohl nur ein Bischof von Münster schleudern. Einen solchen festzunehmen, traute selbst Hitler sich nicht zu. Er schwor Rache, doch erst für nach dem Krieg.

Galen sah, was die Sprengbomben dem Dom angetan hatten. Das Kupferdach des Nordturms war verloren, seine Mauern kippten aus dem Lot. Das Taufbecken, die Pietà, der Evangelist, die Kanzel, Altäre, Epitaphien und Wandreliefs waren verletzt. Gewölbesteine, Mauerblöcke und Balken türmten sich in der West-vierung. Die zweite Bombe war im angrenzenden linken Quer-schiff krepiert, darum konnten die Geflüchteten in Nordturm und Schatzkammer überleben. Aus dem offenen, helmlosen Nordturm stieg Rauch. Auch im Südturm schwelte ein Herd und einer im Dachstuhl des Alten Chores. Mit Handlöschgeräten und Wasser rückte man dagegen vor, kam aber an den Trümmerbergen nicht vorbei und benachrichtigte die Luftschutzpolizei. Weil offene Feuer am Michaelisplatz und am Roggenmarkt loderten, ließ die sich Zeit. Am Spätnachmittag beruhigte sich trügerisch der Brand im Nordturm. Durch das abgerissene Dach war er zum Kamin ge-worden, in den Abendstunden schlug die Flamme grell wider den Himmel. Die Gluthitze hatte in einer Turmkapelle die Eisentür abgeworfen, dazu sengende Balken. Sie fielen auf den Trümmer-haufen in der Vierung und setzten ihn in Brand. Die Fensterluken der Schatzkammer sogen ebenfalls Luft ein, und der Domschatz geriet in Gefahr.

Während gold-, silber- und edelsteinbesetztes Meßgerät in Waschkörben herausgetragen wurde, kam Westwind auf, der die Wut des Brandes reizte. Nun erwachte auch die Flamme im Dach-stuhl des Alten Chores wieder. Der Bischof drang auf die Feuer-wehrleute ein, welche fieberhaft am Pumpwerk auf dem Domplatz arbeiteten, das Wasser auf den Dom zu leiten. Jetzt sei er noch zu retten. Die Feuerwehrleute entgegneten ehrerbietig, daß für ei-nen solchen Beschluß nicht sie zuständig seien, sondern der Ein-satzleiter. Galen lief weiter zur Domgasse, von wo das gezapfte Wasser zum Roggenmarkt gepumpt wurde. Der Nordturm war nun zur Fackel geworden, und der Dachstuhl im Alten Chor wett-eiferte mit ihm. Der Westwind tat mit. Die Leute an der Domgas-se waren ohnehin fertig, packten ihren Schlauch und legten ihn im westlichen Querschiff aus. Es war 21.30 Uhr, sechseinhalb Stunden nachdem Ellis Scripture widerstrebend, aber exakt den Bombenschützen über genau diese Stelle gelotst hatte.

Die zwei Feuerherde sprühten Funkenregen unter das offene Dach des Längsschiffs. Das freigelegte Gebälk der westfälischen Eiche, das stumm durch Jahrhunderte die Last getragen hatte, fing Hitze. Der Bischof wies die Feuerwehr an, den Nordturm aufzugeben und alle Wasserkraft auf den Dachstuhl über dem Alten Chor zu richten. Sein Feuer durfte keinesfalls auf das Längsschiffgebälk springen. Nach einer halben Stunde begriff die Feuerwehr, daß ihre Löschmittel das Schicksal des Doms nicht mehr wenden konnten. Sie packte ein und marschierte zum Seitenflügel des bischöflichen Hofs, dem noch zu helfen war.

Um 23.00 Uhr zündete der Dachstuhl des Längsschiffs. In Windesschnelle leckte die Flamme das staubtrockene Gebälk entlang. Die Gewölbe würden einbrechen, wie sollten sie sich halten. Ehe dies geschah, mußte das bewegliche Inventar heraus sein. Der Domküster war da und zwei Gesellen. Sie lösten die Flügel des Hochaltars, rafften Leuchter, Kruzifixe, das Beldensnyder-Kreuz und das Pestkreuz.

Die Mühlheimer Feuerwehr traf ein und hatte viel Energie im Leib, doch war der Löschteich auf dem Domplatz nun leer. Durch den Dom wogte ein Flammenmeer. Gegen zwei Uhr nachts trat der Löwe von Münster in seinen brennenden Bau. Er stand, dankte dem Küster und ging.

Als letzter verließ der Herr sein Haus. Der Domvikar Holling nahm das Sanctissimum aus dem Tabernakel und stellte es in den Keller seiner Wohnung. Aus der Ferne sahen die jugendlichen Flakhelfer am Meßstaffelhügel der Batterie im Vorort Mauritz die verglühenden Kirchtürme gegen den glutroten Himmel; »viele Kameraden standen wie erstarrt vor diesem Panorama des Schrekkens«. Die Einwohner suchten sich Colonel Gerharts Strafgericht durch Flucht in den Bunker zu entziehen. Die Hausfrau A. B. wollte gerade den 15.00-Uhr-Zug nach Telgte besteigen, als auf dem Nebensteig schon die erste Bombe splitterte. »Bis wir im Bunker waren, fielen laufend schwere Bomben über uns. Wir konnten nur schubweise vorankommen und hatten Todesängste. Im Bunker bekam ich noch Platz, weil ich schwanger war. Laufend kamen schreiende angeschossene Menschen herein, teils noch selbst laufend, teils auf Bahren. Neben mir brach eine Frau zusammen, die den Rücken voller Splitter hatte. Wir saßen im Dunkeln, eine Ewigkeit.« Der Wehrmachtssoldat Gerhard Ringbeck, auf der Durchreise von der Ostfront nach Frankreich, hatte mit vielen in dem Bahnhofsbunker keinen Unterschlupf mehr gefunden. Er kletterte in den Keller der Reichsbahndirektion. »Was dann geschah, war ein Inferno, wie ich es selbst nicht an der russischen Front erlebt hatte. Rings um mich hörte ich verletzte Leute schreien, die unter eingestürzten und brennenden Häusern eingeschlossen waren.« Nach vier Stunden, gegen 19.00 Uhr, verläßt die Hausfrau A. B. ihren Unterstand. »Als ich nach oben vor den Bahnhof kam – diesen Anblick kann man nicht beschreiben! Auf der Straße lagen massenhaft Tote mit Zeitungspapier bedeckt, wir mußten um die herum …« Es dauerte einen Tag, ehe Lebende und Tote voneinander geschieden waren. Weil das schöne Wetter viele zu Ausflügen gelockt hatte, war der Standort der Personen zur Angriffszeit ungewiß. Ein Soldat wußte, daß neben ihm, an einer vom Luftdruck flach umgeschlagenen Mauer, ein Spaziergänger stand. Niemand vermutete und niemand suchte unter deren Trümmern. Nur der Soldat wußte von dem ihm unbekannten Spaziergänger aus der Sekunde, die beide im Sprung hinter die Mauer zusammenbrachte. Er redete so lange von dem Spaziergänger, bis man die Mauer hob und ihn liegen sah.

Der junge Luftschutzhelfer ging am Tag nach dem Angriff schauen, was der bewirkt hatte. »Ich sehe noch deutlich den offenen Lkw in der Groitgasse neben dem Rathaus, auf dem Tote übereinandergeschichtet lagen. Noch mehr Tote wurden vom Pflaster aufgelesen und dazugelegt. Auf dem Marienplatz stieß ich zwischen den Trümmern auf eine männliche Leiche ohne Kopf. Brandgeruch lag über der Stadt. Ich war fassungslos und lief allein zur Flakstellung zurück, weil ich mit niemanden sprechen wollte.« In sein Tagebuch schrieb er: »Wie soll das weitergehen? Kann so etwas ungestraft bleiben?« Das hatte Colonel Gerhart den Navigator Scripture auch gefragt.

Die vom Flakhelfer gestraften Piloten und die von den Piloten gestraften Spaziergänger standen in dieser Bistumsstadt in ihren Särgen Seite an Seite in der Halle des Zentralfriedhofs. Der Angriff vom 10. Oktober kostete 473 Zivilisten und 200 Soldaten das Leben. Dazu sind 348 Holländer zu zählen. Die 305. Bombergruppe hatte Münster verpaßt, befand sich über Enschede, hielt es für eine deutsche Stadt, in der die Leute wohnten, die seit Jahren in ganz Europa Unschuldige umbrachten, und so konnten die Bomben nicht den Falschen treffen.

Im Jahr 1943 nahm Münster 49 Angriffe hin und bis Kriegsende 53 weitere, deren schwerste die vom 30. September und 22. Oktober 1944 waren. Sie luden zusammen 5000 Spreng- und 200 000 Brandbomben auf die 66 000-Einwohner-Stadt. Am 30. September war auch das Westportal des Doms wieder Ziel. Ein Volltreffer schaffte, das meterdicke Mauerwerk zu zerreißen und das Portal zum Einsturz zu bringen. Der Angriff vom 18. November bestreicht das münsterländische Gebiet im weiten Kreis. In Telgte fallen zwei Minen- und 500 Sprengbomben, einige davon zerstören das St. Rochus-Hospital, das 150 Geisteskranke barg. Münster hat 1294 Bürger im Bombenkrieg verloren. Die historische Altstadt wurde zu neunzig Prozent zerstört. Der Prinzipalmarkt mit seinen Arkadenbögen stürzte am 28. Oktober zu Boden. In dem Brand des sechshundertjährigen Rathauses sahen viele Münsteraner den Inbegriff aller Plagen, die je die Stadt heimgesucht hatten.

Die Weltkriegschronik der deutschen Städte verzeichnet stets einen ›Schwarzen Tag‹. Der Schwarze Tag Münsters war der 10. Oktober 1943, der Schwarze Tag Hannovers war die Nacht davor. In der 505 Maschinen starken britischen Bomberflotte, die in der Nacht zum 9. Oktober das alte Hannover verbrannte, flogen auch 26 Wellingtons mit, benannt nach Arthur Duke of Wellington, der mit Blücher bei Waterloo Napoleon geschlagen hatte auf Geheiß Georgs IV., der zugleich König von England und Hannover war. England und das Haus Hannover bildeten 123 Jahre lang eine Personalunion, die fortbestünde, hätte nicht 1837 eine Nichte Georgs IV. den Thron bestiegen, welcher als weiblicher Regentin die Erbfolge in Hannover verwehrt war. Seit und wegen Queen Victoria sind Hannover und England voneinander geschieden.

Die Anglisierung der Stadt nahm Napoleon dermaßen gegen sie ein, daß er sie nach der Eroberung Deutschlands dem Königreich Westphalen zuschlug. Dies wurde ab 1807 von Kassel aus durch Napoleons Bruder Jérôme regiert und sollte einen weiteren Versuch darstellen, das rechtsrheinische Germanien einer mustergültigen und zeitgemäßen Verwaltung zu unterstellen. Das britisch-hannoveranische Königshaus entstammte nämlich dem Geschlecht der Welfen, das im 12. Jahrhundert das Herzogtum Sachsen erbte. Von dem so ungestümen wie hellsichtigen Geist Heinrichs des Löwen mag einiges auf Hannover übergegangen sein. Das immerhin war die Ansicht Kaiser Heinrichs VI., der den Ort einäscherte aus Rache an dem Löwen; seitdem durfte er sich Civitas nennen. Der welfische Stolz vertrug sich schlecht mit Preußen, darum widersetzte sich das Königtum Hannover der preußischen Reichsgründung und ging in den preußisch-österreichischen Krieg als Bundesgenosse Habsburgs. Es wußte, warum. Nachdem Bismarck es annektiert hatte, stellte es die Landbrücke dar zum rheinischen Gebiet, die alte Funktion Sachsens. Deren militärischer Sinn realisierte sich sogleich 1870/71, ein weiteres Beben auf der Ost-West-Schiene. In den Krieg zogen die Hannoveraner knirschend als Preußen und klammheimlich als Sympathisanten Napoleons III. Sie haben sich gegen das Zweite Reich gesträubt und noch im Dritten hat der welfisch-konservative Bürgermeister Menge gegen den Stachel der Gauleitung Süd-Hannover-Braunschweig gelöckt.

Das alles hat mit der Zerstörung Hannovers nicht das mindeste zu tun, nur mit dem Zerstörten. Für Bomber Command zählte dreierlei: Erstens nahm Hannover Rang fünf der wichtigsten Industriestandorte Deutschlands ein. Hier produzierten Continental Reifen, Hanomag Fahrzeuge und die Deurag-Nerag Raffinerien Öl, wurden Panzer, Geschütze und Flugzeugteile gebaut. Zweitens war Hannover das Kreuz des Nord-Süd- und Ost-West-Verkehrs. Drittens war es eine Stadt von 472 000 Einwohnern. Das reichte für eine Zerstörung im Weltkrieg dreimal aus, und Hannover hat sie dreifach zu spüren bekommen. Es verlor 6782 Menschen in 125 Luftangriffen, über 300 000 Personen wurden ausgebombt, der Schwarze Tag vernichtete fünfundachtzig Prozent der Altstadt und 1200 Personen. Keinem Ort dieser Bedeutung hat der Bombenkrieg solchermaßen das Gesicht weggeschnitten. »Das Antlitz der Stadt«, heißt es in einer 1953 von ihr herausgegebenen Schrift, »ist dauernd geschändet worden«, und noch 1983 schreibt der Oberbürgermeister, daß der Ort auffindbar, aber nicht mehr bewohnbar gewesen sei. Die zwei Städte, die vor und nach dem Krieg Hannover heißen, haben nichts als den Namen gemeinsam und die Stelle. Anfang 1944 erwog die Verwaltung, die Stadt endgültig aufzugeben und am Rande des Deisters neu aufzubauen. Den Verkehr werde man unterirdisch abwickeln, die Wohngebiete grün aufgelockert in die Landschaft verstreuen und den Stadtkern aus Bunkerhochhäusern errichten. Weil die Hannoveraner nach einem sechsstündigen Großangriff am 10. Februar 1941 mit 101 Toten ein halbes Jahr Ruhe hatten, nahmen sie an, daß es, der Union mit dem britischen Königshause wegen, damit sein Bewenden habe. Unterdessen kennzeichnete die Royal Air Force ihr Ziel 1943 mit zwei Buchstaben auf der Ortsliste, »i/r«, industrial/rubber. Die Piloten lasen das richtig. Sie sollten nicht die industriellen und Gummihersteller treffen, sondern die zu treffende Stadt stellte Gummi- und Industriewaren her. Die Einsatzberichte vermerken, daß die Angriffe vom 23. und 28. September die Stadt erst im Süden, dann im Norden »eingerahmt« hätten. Zwischen die verbrannten Flanken sei dann die volle Vernichtung des Zentrums eingesetzt worden.

In einem kuriosen Flugblatt, das im Herbst 1943 tonnenweise auch über Hannover abgeworfen wurde, »An die Zivilbevölkerung der Deutschen Industriegebiete«, erinnert Churchill an seinen Aufruf vom 10. Mai 1942, dem Beginn des Bombenkriegs. Die Zivilbevölkerung der Städte mit rüstungsrelevanter Produktion sollte fortziehen. Die deutsche Regierung habe dennoch keine Evakuierung der Industriestädte vorgenommen. Sie sei auch unfähig, »das verhältnismäßig kleine Gebiet West- und Norddeutschlands zu schützen, das in den kurzen Sommernächten von England aus erreichbar ist«. Mit den längeren Herbstnächten fliege man nun allwöchentlich hundert Kilometer weiter; »sämtliche deutsche Industriegebiete sind wehrlos. Es ist unser fester Entschluß, die Industrien der deutschen Kriegsmaschine zu vernichten, und wir besitzen die Mittel, diesen Entschluß durchzuführen.« Solange eine Kriegsproduktion in Deutschland fortgesetzt werde, »stellen sämtliche deutsche Industriestädte einen Kriegsschauplatz dar. Jede Zivilperson, die sich auf diesem Kriegsschauplatz aufhält, läuft selbstverständlich ebenso Gefahr, ihr Leben zu verlieren, wie jede Zivilperson, die sich unbefugt auf einem Schlachtfeld aufhält. Was Frauen und Kinder betrifft, so haben sie auf einem Schlachtfeld nichts zu suchen.« Über dem Flugblatt prangte das königliche Wappen, das auch das Hannoveranische gewesen war. Desungeachtet leistete die Bevölkerung dem nicht Folge, wie es generell dreißig Millionen Personen schwerfällt, einzupacken und woanders hinzuziehen. Was dann?

Eine Haltung, gemischt aus Trotz, Anhänglichkeit an den Ort und Überlebenswillen, ist aus Hannover am Vorabend der Zerstörung berichtet. Am 8. Oktober 1943 stand ein sonniges Herbstwochenende in Aussicht, doch spürt der Schriftsteller Eugen Roth auf dem Hauptbahnhof, umsteigend nach München, eine ziellose Hast, »Ströme von Gestalten aller Art, die sich begegnen, ineinander verkeilen, immer die einen begierig, dorthin zu kommen, wo die anderen schon herkamen. Hamsterer, ängstlich über pralle Säcke spähend, Geschäftsreisende, Soldaten mit Waffen und schwerem Gepäck, Feldpolizisten, die das Gewühl durchkämmen, und plötzlich wird eine Kette von Fahnenflüchtigen vorübergezerrt, Hand an Hand gefesselt.« Eine Stunde später sieht Roth aus dem Zug die roten und grünen Markierungen fallen. Um 0.30 Uhr schlagen Bomben in den Bahnhof ein, und das Menschenknäuel hetzt in den Bahnhofsbunker, achttausend Leute. Im Taschenlampenschein streifen Rotkreuzhelferinnen durch die Reihen und kurieren Rauchgasvergiftungen, Herzkrämpfe und Ohnmachten.

Die Pathfinder der 156. Schwadron, welche die Stadt markieren, schreiben in den Einsatzbericht, wie sie ›industrial/rubber‹ gefunden haben. »Das Ziel Hannover wurde visuell durch den Hauptbahnhof und andere markante Gebäude identifiziert. Um 0.27 Uhr wurde der Hauptbahnhof auf einer Höhe von 19 000 Fuß bombardiert. Die Markierungen schienen sehr gut zu liegen.« Die Lancaster der 44. Schwadron können ›industrial/rubber‹ noch müheloser finden: »Das Ziel wurde durch die Brände identifiziert.« I/r brennt »etwa sieben Meilen von Norden nach Süden und drei Meilen von Westen nach Osten«.

Am Boden versuchen die Hannoveraner mit den Löschmethoden von 1941 einen Angriff von 1943 einzudämmen. Sie haben die Zwischenzeit ungenügend mitbekommen, reißen brennende Gardinen ab, laden glimmende Sofas aus dem Fenster und bewerfen Stabbrandbomben mit Sandbeuteln. Die neueren Realitäten machen sich in den Kellern geltend, wo die Einmachgläser zu kochen beginnen. Bevor die Mauern von darüber lodernden Hausbränden zuviel Hitze aufnehmen, soll man mit nassen Tüchern umwickelt aussteigen und Freiflächen suchen. Fünftausend in schmorenden Kellern Gefangene wurden von Wehrmachtskommandos herausgeführt. Es gab Kreuzwege zwischen Leben und Tod, nur waren sie ununterscheidbar. In der Georgstraße 8 und der Bergstraße 8 befanden sich zwei Handwerkerunterkünfte. Hundert Handwerker saßen in deren Luftschutzräumen fest. »Als die Luft hier zu heiß wurde«, heißt es im Bericht des städtischen Quartieramtes, »– es sollen bereits 85 Grad gewesen sein –, wurde der Keller geräumt, um im Freien Rettung zu suchen. Die Straßen in der Umgebung waren aber ein Feuermeer.« Einundfünfzig Handwerker beschlossen weiterzugehen, neunundvierzig umzukehren. »Die später Umgekommenen«, es waren die neunundvierzig, »wagten diesen einzigen Rettungsweg nicht, kehrten vielmehr in den Keller zurück und sind dort vermutlich in Hitze und Rauch erstickt.«

Einige Hinweise deuten auf einen Feuersturm, so ein Temperaturdiagramm, das in einer Wettersäule für die Nachtstunden einen Temperaturanstieg von zehn auf fünfunddreißig Grad verzeichnete, bis sechs Uhr früh dabei verharrte, um gegen neun Uhr auf die Mittagstemperatur des Vortages von zwanzig Grad zu fallen. Im Straßenasphalt fanden sich später Abdrücke der hinabgestürzten Giebelfassaden, die letzte Spur ihrer feingliedrigen Pflanzenornamente.

Auf dem Stephans- und dem Karl-Peters-Platz fallen wildfremde Menschen sich in die Arme, weil sie es geschafft haben. Aller Rettungsdevise waren das Ufer der Masch und der Maschsee. Dort erleben Zehntausende das Morgengrauen, ein trübes Licht. Die britischen Aufklärungsflugzeuge, die schon unterwegs waren, den Schaden zu messen, konnten nichts sehen, weil Rauch und Qualm die Stadt einhüllten, und zwar noch drei Tage lang, wie man verwundert registrierte; zwei mehr als gewöhnlich. Einen so scharf auf das Ziel konzentrierten Angriff sei man noch nie geflogen.»In der Nacht zum 9. Oktober wurden zwei Quadratmeilen des Zentrums von Hannover völlig zerstört.«

Nach dem Bericht des Polizeipräsidenten betrug der Vernichtungserfolg gegen ›industrial/rubber‹ das Dreifache des von Bomber Command angenommenen: zehn Quadratkilometer Zentrum. Von achtundzwanzig Krankenhäusern waren drei noch einsatzfähig – Nordstadt, Joseph, Anna. Die Feuerwehr versagte eklatant. Aufgrund allzu zentralisierter, unelastischer Befehlswege standen die Löschzüge still, hatten keine Einweisungen und zauderten. »Die Spritzenführer müssen hier selbständig handeln«, klagt der Wehrmachtsluftschutzkommandeur. »Hunderte von Spritzen haben stundenlang, während es rings um sie brannte, in den Einfallstraßen von Hannover, diese selbst blockierend, untätig gestanden, ohne überhaupt zum Einsatz gekommen zu sein.«

Im Morgengrauen bestieg Walter Lampe vom Heimatbund Niedersachsen sein Fahrrad, zu schauen, was übriggeblieben war, kam aber nicht voran in dem Gewirr aufgeworfener Schienen, abgeknickter Oberleitungen und Laternen, heruntergebrochenen Gesimses. »Entgegen kam mir ein Strom von Menschen, die das Freie suchten, mit Kinderwagen und Karren, mit bleichen, verstörten und leidvollen Gesichtern, das Haar zerzaust, rauch- und brandgeschwärzt, alles schleppte sich ab mit der letzten geretteten Habe, manche zerlumpt, andere in vollem Staat, Frauen, die nur den kostbarsten Mantel, den Pelz, gerettet hatten. Die Menschen mit Koffern, Kisten und Kasten sahen aus wie fahrendes Volk.« Lampe schob sein Rad durch die völlig verwüstete Humboldtstraße, sah, daß in der Dachenhausenstraße das Friederikestift noch stand, »aber das schöne, von Laues erbaute Haus Nr. 2 in der gleichen Straße war nur noch zum Teil vorhanden. So ging es ringsum mit allen Fachwerkbauten, der schönen alten Schloß- und Hirschapotheke mit ihren historisch einmaligen Einrichtungen.«

Es war Tag geworden, ein beizender, schwelender Geruch hing über der Wüste. »Das Herz fing an zu versteinern. Man ahnte nur dumpf die ungeheuren Ausmaße der Verluste. Alles war noch nicht faßbar. Ich sah nur, daß die alten Fachwerkhäuser gegenüber dem Rathaus nicht mehr standen, die Aegidienkirche bereits ausgebrannt war, die ganze Gegend bis zum Aegidientorplatz war wie weggefegt, der Loccumer Hof ebenfalls. Ich eilte zum Wilhelm-Busch-Haus am Georgsplatz. Auch da hatte die Nacht schon ihre Tat vollbracht, es stand brennend in den letzten Mauerresten, ebenso völlig ausgehöhlt, mein liebes Schulgebäude. Hier wie allenthalben brannte und flackerte es bunt. Man schmeckte förmlich diesen Rauch, der über das Leichenhafte hinzog. Immer konnte man nur sagen: ›Auch das, also auch das!‹ Wie dem Sarg eines geliebten Menschen sah ich auf dem Nachhauseweg nach der Stadt zurück.«

Hannover war ein eigenes Denkmal der Baukunst von herber Einheitlichkeit und schmucklosem Ernst. In der Strenge der Form verbanden sich gotischer Backstein, großstädtisch nüchternes Bürger-Fachwerk, prunkender Sandstein des höfischen Barock und mittelalterliche Monumentalität. Das Verschwinden des alten Rathauses, des Leibnizhauses, der Knochenhauer Straße, der ganzen Welfenstadt mit ihren europäischen Fenstern ist ein Streifen verbrannter Erde des alten Kontinents.

Bomber Command hat dies auch zur Buße für einen eigenen Frevel Hannovers verhängt. »Abgesehen von dem bedeutenden Beitrag seiner Maschinenbau- und Gummifabriken zu den Kriegsanstrengungen, hat Hannover noch eine andere und einzigartige Verantwortung zu tragen. Es war Hannover, das dem Österreicher Hitler zur deutschen Staatsbürgerschaft verholfen hat. Mit der Absicht, sich Verdienste in den Augen eines potentiellen, mächtigen Politikers zu erwerben, hat die Universität von Hannover Hitler einen Professorentitel honoris causa verschafft, mit dem automatisch die von Hitler heißbegehrte deutsche Staatsbürgerschaft verbunden war. Die Universität und die Bevölkerung von Hannover haben ihre Lektion gelernt.«

Hitler wurde kein Professor, sondern Staatsrat, und das nicht in Hannover, sondern in Braunschweig. Er, der 1925 die verhaßte österreichische Staatsbürgerschaft aufgegeben hatte, um nicht als lästiger Ausländer abgeschoben zu werden, war bis 1932 Staatenloser. Als Kandidat für das Reichspräsidentenamt 1932 benötigte er allerdings den deutschen Paß. Nach Lage der Dinge konnte nur

Braunschweig ihn einbürgern, als einziges von Nationalsozialisten mitregiertes Land. Am 26. Februar wurde er zum Regierungsrat an der braunschweigischen Gesandtschaft in Berlin und im selben Zuge zum Deutschen erklärt. In dem Jahr begannen dort die ersten Luftschutzübungen. Braunschweig ist die Stadt Heinrichs des Löwen. Nach mehrmaliger Verbannung in England, der Heimat seiner Gemahlin, verbrachte er das Ende seiner Tage an dem Ort, dem er das Stadtrecht gegeben, dessen Dom er gegründet und in dem er mit Mathilde sein Grab gefunden hat. Hitler revanchierte sich bei Braunschweig, das ihn zum Deutschen deklariert hatte, indem er Heinrich den Löwen zum Nationalsozialisten machte. Sein Dom wurde 1935 zur nationalen Weihestätte profaniert, seine Gruft erneuert und seine Gebeine untersucht. Das Hochwasser der Oker hatte immer wieder die Gruft überschwemmt, die vielen Welfensärge waren im Trocknen durcheinandergeraten, und die Nationalsozialisten gaben ein Gerippe als Heinrich aus, welches unmöglich dieser gewesen sein konnte, weil es zu Lebzeiten gehinkt hatte. Falsche Zuschreibungen auch hier.

Den Sarkophag umgab man mit dem Sgrafitto eines germanischen Ostlandfeldzugs und bemalte die Seitenwände des Mittelschiffs mit ebensolchen Szenen. Heinrichs Ostkolonisation, seinerzeit bis Stettin, imponierte Hitler. Anders als die in Italiengespinsten verlorenen Stauferkaiser dehnte Heinrich den Lebensraum der Deutschen von West nach Ost, danach trachtete er ebenfalls. Bald würde er weitermarschieren in die slawischen Gründe, wo der Welfe stehengeblieben war. Heinrich war keineswegs weniger machterpicht als sein Bewunderer, fing es indes anders an. Zwar wurde er vernichtend geschlagen, hinterließ aber seinen Städten den ihm eigenen Wirtschaftsverstand. Hitler vermachte ihnen nur die zerstörende Revanche für seine Zerstörungswut.

Braunschweig war einst die größte Stadt im Herzogtum Sachsen, weil sie an einem Fluß in Nord-Süd-Richtung, der Oker, lag. Das heißt, es profitierte nicht von den west-östlichen Heereswegen, sondern von den inneren Handelswegen, die nach Goslar, Nürnberg und Frankfurt südwärts und über die schiffbare Oker nordwärts führten, zum internationalen Seehandel. Heinrichs Städtegründungen mehrten zwar seinen beträchtlichen Besitz, aber auf wechselseitigen Vorteil, nicht mit Hitlers Knute. Insoweit war er der modernere Herrscher.

Braunschweigs Glanzzeit und Vermögen als großer Umschlagplatz des Hanse-Binnenhandels zwischen Nürnberg und Lübeck hatte sich in einer Bautenpracht des 15. bis 17. Jahrhundert verewigt. Das Gewandhaus der Altstadt und das patrizische Mummehaus, Hauptwerk der Braunschweiger Renaissance, die Alte Waage, das mächtige freistehende Fachwerkhaus, der Meinhardshof, eine s-förmig geschwungene Fachwerkstraße von purer mittelalterlicher Gestalt, die Lieberei von St. Andreas, Deutschlands ältestes selbständiges Bibliotheksgebäude und Aegidienmarkt 12, das Sterbehaus Lessings.

Ricarda Huch, die in Braunschweig geboren wurde und aufwuchs, schrieb 1927, daß Ahnungen die Schauplätze und Namen umflossen. Eine Fachwerkgasse am Nordostende der Neustadt, »Der Nickelnulk, der so wüst und verloren aussah, daß man sich nicht leicht hineinwagte, klang wie dunkler Teich, in dem gefährliches Wasservolk haust, und die Wüste Worth, die im Mittelalter einmal eine Feuersbrunst verzehrt hatte, schien mit einem Fluch beladen«. Auf den geschmackvoll vornehmen Häusern der Promenade, welche die Stadt umgab, hing eine Sonntagnachmittagslangeweile;»Bild eines sinnlos sich wiederholenden Lebenskreislaufes«. Die Nacht des Bomber Command, die zum 15. Oktober 1944, hat der Langeweile ein Ende gesetzt. Es war die Nacht zum Sonntag. Sie nahm die Kirche St. Martini, St. Katharinen und St. Andreas mit sich, bevor sie zur Messe läuteten.

Bis dahin behüteten die Türme die Stadt; der stumpfe des Doms, der zuckerhutspitze von St. Martini, das ungleiche Paar von St. Katharinen und die schlanke Säule von St. Andreas. »Sie erschienen mir wie Ahnen und Wächter, mit denen jeder einzelne Bürger durch ein unzerreißbares Band verbunden ist. Das Gestein, aus dem sie erbaut sind, das der nahe Nußberg geliefert hat, ist von einer graubraunen Farbe, die, von der Abendsonne beschienen, in rötliches Violett übergeht und die Riesen lebendig macht.«

Am Sonntag früh, nach der Feuersturmnacht, patrouillierte der Feuerwehroffizier Rudolf Prescher die Altstadt. Einwohner mühten sich mit kümmerlichen Werkzeugen, ihre verschütteten Keller zu öffnen, ob noch Angehörige lebten und Habseligkeiten übrig waren, bevor das Feuer sie erfaßte, das die Glutnester im Brandschutt frisch entfachen konnten. »Es war ein freies Blickfeld vom Fallersleber Tor bis zum Petri-Tor entstanden. Der massive Turmbau der alten Petrikirche aus dem 12. Jahrhundert hatte sein Barockdach verloren, beherrschte aber trotzdem den Hintergrund. Die Türme der Katharinenkirche, die einst in schlanker Form gen Himmel ragten, waren nur noch Stümpfe. Verschwunden waren die urwüchsigen, stolzen Bauten, die einst die Kaufleute des Mittelalters errichtet hatten. Das Gewandhaus war ausgebrannt, sein durch Feuer geschwächtes Gefüge sollte erst in einer späteren Sturmnacht bersten. Am Altstadtmarkt ragten die zerstörten Türme von St. Martini zum Himmel und die Reste des Stechinelli-Hauses bildeten einen qualmenden, stinkenden Haufen Schutt und Asche.«

Der Generalpostagent Stechinelli hatte am Altmarkt 8 im Jahre 1690 einen viergeschossigen Bau errichtet, der schon den aufgeklärten Barock ankündigte. Nicht lange zuvor war die letzte Hexe angeklagt worden, die Witwe Anna Kagen, von den Leuten Tempel-Aneke genannt. Aneke heilte Lahme und Kranke und beschaffte Gestohlenes wieder. Das Gericht stand vor der unlöslichen Frage, ob die Magie von Gott oder dem Teufel ausgeht. Das weiß keiner, den sie umfängt, und er fragt auch nicht danach, sie spricht für sich. Der Wiedergeber mag ruhig der Stehler sein, und die Heilung das Leiden, darauf achtet man nicht. Den Magier kümmert nur sein Experiment. Das Gericht allerdings muß die Sachverhalte in die lebensfremden Kategorien Gut und Böse verbringen, dazu ist es bestellt. Es holte ein Gutachten der Jenenser Juristenfakultät ein, welches nachwies, daß Tempel-Aneke von der Kraft der Hölle beseelt war, darum mußte sie brennen. Das Braunschweiger Gericht, an der Schwelle der Aufklärung, bedauerte sein eigenes Urteil. Auf das Flehen der Hexe wurde ihr der Scheiterhaufen erlassen. Sie endete durch das ehrliche Schwert.

Braunschweig zählt zu den meistzerstörten deutschen Städten.

Die hundertfünfzig Hektar seines Zentrums sind zu neunzig Prozent verbrannt. In den achtzehn schweren und mittelschweren Angriffen starben 2905 Personen, nahezu die Hälfte davon Ausländer. Der vorletzte Angriff, am 3. März 1945, vernichtete das Lessinghaus.

DER WESTEN

Die Längsachse Europas bildet der Rhein. Der mittelmeeri-
sche Raum und der Norden verkehren hier auf der kürze-
sten Strecke, und Cäsar hat diese Linie als das Basislager gesetzt,
von dem aus die waldige Tiefe bis zur Weser und Elbe beherrsch-
bar ist. Nach dieser Betrachtung entscheiden die Rheinufer. Man
nimmt sie in den Rücken oder in den Blick und sichert sich den
Übergang. Nach anderer Betrachtung gehören die Ufer zusammen und binden die Gegenden rechts und links zu einem separa-
ten Land zwischen Germanien und Gallien, dem Rheinland. Der
Gedanke des Zwischenreichs, das in der karolingischen Reichstei-
lung Lotharingien heißt, dann, südlich verschoben, Burgund, später Rheinbund in zwei Fassungen, dann, in gewisser Hinsicht,
Bonner Republik, heißt in dem neuesten Entwurf Kerneuropa
und umfaßt ganz Deutschland und Frankreich.

Das alte Europa war großenteils die Geschichte eines Ringens
um den Rhein und hat sich dabei ausgeblutet. Die Schlachten um
den Strom wurden überwiegend in den Vorgebirgen geschlagen,
bis auf die Vernichtungsschlacht, das Bombardement der Rheinstädte im Zweiten Weltkrieg. Es begann 1940 mit dem Fall Rotterdams, insoweit übereinstimmend mit der Rheinpolitik Englands durch die Jahrhunderte. Als Gegenküste zur Rheinmündung
war sein Interesse immer gewesen, nicht eine Macht den Rhein
dominieren zu sehen, zumal am Delta nicht, heiße sie Napoleon
oder Hitler. So begann der Bombenkrieg als Rheinkrieg und endete auch als solcher.

Zwischen Emmerich und Breisach sind dreiundzwanzig Städte
schwer bombardiert worden: Emmerich, Rees, Xanten, Wesel,
Dinslaken, Krefeld, Duisburg, Düsseldorf, Neuss, Leverkusen,
Köln, Bonn, Koblenz, Rüdesheim, Bingen, Mainz, Wiesbaden,
Worms, Mannheim, Ludwigshafen, Kaiserslautern, Kehl, Brei-

sach. In ihrer Zerstörung erst teilten die Rheinstädte ganz das Los eines Landes, dem sie nie viel abgewinnen konnten. Vor 1870 waren sie Österreicher gewesen, Württemberger, Badener, Bayern, Hessen, Nassauer, Holländer, selbst Preußen. Die meiste Zeit gehörte der Rhein keinem Staat, sondern mehreren und am meisten dem Band seiner Städte.

Nach dem Ersten Weltkrieg kam in Berlin der Argwohn auf, daß alle Rheinländer letztlich Franzosen seien. Jules Michelet, der französische Historiker der Vorvorgeneration, kehrte 1842 von einer Rheinreise mit der Theorie zurück:»Der Rhein ist ein römischer Strom. Sogar die gotischen Bauwerke wurden über römischen Unterbauten errichtet, die Burgen über den castra, die Kirchen und Klöster über ehemaligen Tempeln.« Die Spuren der Legionen als»Vorhut der zivilisierten Welt«fand Michelet in den Steinen. Mag sein, daß ebenso die Kunde weit Hergezogener ihren Teil hatte an der geistigen Entzündlichkeit des Rheinländers. Gedanken und Moden, Ketzerei und Rebellion, Religionsverzükkung und politische Bündelei, Bücher und Baustile, Gemälde und Geschmack eilten rascher den Strom hinauf und hinab als irgend sonst.

Der Rhein ist der Aufenthalt des Rheinreisenden, die Städte sind die Türen des willkommenen Gastes. Die Freiheit der Stadtluft kommt von draußen, vom Geschäft ohne Wegezoll und Wegelagerer, ohne kriegerische Beutegänger und Rächer. Der Handel ist Kosmopolit, und auf seiner großen Nord-Süd-Schiene war die Stadt die Zivilisation, nicht der Staat. Der Rhein der Staaten war ein anderer, nicht die Linie, die transportiert und verknüpft, sondern ein Wehr, das den Stoß der Senkrechten auffängt, des Angriffs. Für den gerechten Verfolger ist das Flußhindernis ein Ansporn, die Übergänge zu suchen. Diese werden hüben fortifiziert mit Bastionen und Kasematten, drüben mit Brückenköpfen gestützt.

Emmerich war seit dem Angriff nach der Arnheimoperation bombardierungsunfähig. Der Ort bestand seit dem 7. Oktober 1944 aus 680 000 Kubikmeter Schutt. Den alliierten Rheinübergang bei Wesel im März 1945 deckte an der Stelle lediglich die Artillerie. Anders bei Rees, einer kleinen Landstadt dicht am rechten Ufer nördlich von Xanten, welche im 17. Jahrhundert die dritte Geldernsche Fehde leidlich überstanden, im Streit mit Kaiser Karl V. gelegen hatte, im spanisch-niederländischen Krieg die Besetzung durch Mendoza aushielt, dem Herzog von Braunschweig nach Preußens Sieg bei Roßbach zu einem unerwarteten Vorstoß auf das linke Ufer diente und, unter Napoleon dem Departement Lippe einverleibt, sich von den Franzosen die Auflösung des Marienstifts gefallen lassen mußte, das die heilige Irmgardis 1040 gegründet und damit Rees zur Existenz verholfen hatte. Als verteidigte Stadt wurde Rees am 16. Februar zusammen mit Wesel angegriffen und zu fünfundachtzig Prozent zerstört, im gleichen Ausmaß wie Xanten fünf Tage später.

Wesel, 781 aus einem Gräberfeld entstanden, sollte 1945 auch in einem solchen enden. Der St.-Willibord-Dom, das Schlachthaus, achttausend Bände der Gelehrtenbibliothek gingen in dem mild-sonnigen Vorfrühling 1945 mit allem anderen unter. Nach dem 16. Februar war die Stadt in dunklem Rauch versunken, die Bewohner stolperten auf den Trümmerfeldern über Körperreste. Am 19. Februar folgte der letzte Großangriff, Menschen waren kaum noch anwesend, und deckte die Stadt mit aufgewirbelter Asche zu.

Dinslaken, ein Stück stromaufwärts, geriet als Flanke der Flußüberquerung am 23. März unter die Angriffswalze; es war verteidigt vom Volkssturmbataillon. Die Briten warfen Flugblätter ab für den Bürgermeister: »An den Bürgermeister. In wenigen Minuten kann Ihre Ortschaft in einen brennenden Trümmerhaufen verwandelt werden. Flugzeuge stehen bereit, mit Bomben beladen. Hunderte von Städten und Dörfern sind dem Erdboden gleichgemacht worden, weil Fanatiker versuchten, den Widerstand fortzusetzen. Hunderte von anderen Städten und Dörfern sind der Zerstörung entgangen, weil ihre Behörden eingesehen haben, daß ihre Verteidigung keinen militärischen Wert hatte. Die Entscheidung liegt in Ihrer Hand, und Sie müssen sie in wenigen Minuten treffen. Sie haben die Wahl zwischen Übergabe oder Vernichtung.«

Abgesehen vom Nazibürgermeister hatte keiner eine Wahl. Chefarzt Dr. Otto-Seidel verband im katholischen Krankenhaus

Patienten, »denn es war Verbandstag. Eine bei uns angestellte Ukrainerin kam auf mich zugelaufen und schrie ›Doktor!, Flugzeug abgeschossen, ich gesehen‹. In diesem Augenblick fielen die ersten Bomben.« Der Schutz des katholischen Krankenhauses bestand aus einem Operationsbunker, einem abgestützten Keller und einem sechzig Meter langen Splittergraben. Die Bomben rissen mühelos dessen halbmeterdicke Decke auf, zwei Wöchnerinnen mit ihren Säuglingen waren sofort tot, ebenso der Schlosser des Krankenhauses. Die weiteren Bomben rissen dann mit dem Operationssaal den Flügel des Hauses weg mitsamt der Wäscherei. Gegen Mittag wurde auch der Operationsbunker trotz seiner meterdicken Wände vollständig demoliert. Der Chefarzt und eine Rotkreuzschwester krochen mit dem Kopf voran durch den Schutt, weil die Operierten eingeschlossen waren.

»Hier stieß ich im aufgerissenen Bunker auf einen Mann, dessen Bild ich nie vergessen werde. Er saß auf einer Bank, hatte einen meterdicken Betonblock von Schreibtischgröße auf dem Schoß. Er lebte noch und schrie immerfort ›Doktor, helfen Sie mir!‹. Ein anderer Mann hing mit den Beinen oben förmlich in der Luft. Trümmerbrocken hatten ihn gegen die Rückwand gedrückt. Mit einem Blick bemerkte ich, daß sämtliche Patienten in den zerborstenen Betten tot waren, dann machte ich mich an die Beseitigung des Trümmerschutts, um an die noch Lebenden heranzukommen. Es gelang mir, eine Mutter mit zwei Kindern freizubekommen, es waren die Angehörigen des Finanzdirektors von Wesel, der mit einer anderen Tochter in Wesel umkam. Die nächste Arbeit galt einer vollkommen gelähmten Patientin, aber ich konnte sie nur noch als Tote bergen. Neben ihr lag ein Mädchen von zehn oder elf Jahren. Es kam aus Barmingholten und war kurz vorher mit mehreren Beinbrüchen bei uns eingeliefert worden. Nun lag es vor mir mit einem meterdicken Betonklotz auf dem kleinen Kopf, der plattgedrückt war wie ein Buch.« Kurze Zeit später wurden Flüssigkeitsbrandbomben abgeworfen, die sämtliche Ein- und Ausgänge des Krankenhauses blockierten. Noch lebende Patienten verbrannten. Krankenhäuser waren auf dem Dach mit dem Rotkreuzzeichen bemalt, und 1945 zielten die Crews präzise genug, um bei Tageslicht ein Krankenhaus auszusparen. Von den 195 Lancastern, die den Weselübertritt abdeckten, ging keine Maschine verloren.

Ein ›tall-boy‹, der 5000-Kilo-Sprengsatz, den die Briten als kleinere Erdbebenbombe führten, zerschlug in Duisburg-Hukingen die Decke des Krankenhausbunkers St. Anna. Der ›tall-boy‹ wurde ab September 1943 geworfen, er war für Staudämme, Viadukte, Kanalufer und ausgedehnte Gebäudekomplexe konstruiert, wie es ein Krankenhaus ist.

Die Vorgabe für die Befestigung von Schutzräumen, auch einem Krankenhausbunker, bestimmte einen Widerstand gegen Tausendkilobomben, den Keks (Cookie). Gegen den ›tall-boy‹ war das Huckinger Krankenhaus nicht gewappnet. Er warf das vierstöckige Gebäude um, so daß die Schuttmassen die Kellerdecke eindrückten. Die Bergungsmannschaften meinten, Klopfzeichen aus dem Bunker gehört zu haben und mittels eines Horchgerätes den Ruf nach Wasser. Ein herbeigerufener Bagger legte den Raum frei, es wurden zweiundvierzig Getötete geborgen, darunter sieben Küchenmädchen, eine Rotkreuzhelferin, die Gärtnersfrau und neun ukrainische Helferinnen. Eine vom Pathologischen Institut Düsseldorf vorgenommene Autopsie stellte fest, daß keinerlei Staub in den oberen Luftwegen der Opfer steckte, sie mithin schlagartig gestorben sein mußten. Der Angriff in der Nacht zum 22. Mai 1944 war der erste große Bomber-Command-Angriff seit der Ruhr-Schlacht vor einem Jahr. Der Einsatzbericht verzeichnet bedecktes Wetter, doch durch das Oboe-Bombenzielgerät seien akkurate Farbmarkierungen in die Wolken gesetzt worden, so daß in den angepeilten südlichen Stadtbezirken große Schäden entstanden seien. Huckingen liegt am äußersten Südrand.

Duisburg ist im Weltkrieg 299mal angegriffen worden, im Durchschnitt entspräche dies einem Schlag wöchentlich. Den Schrecken steigerten indes kürzere Intervalle. Im Juli 1942 folgten drei Großangriffe im Zweitagesabstand, und am 13. Oktober 1944 erhielt Harris die Anweisung: »Um dem Feind in Deutschland insgesamt die überwältigende Überlegenheit der Alliierten Luftstreitkräfte auf diesem Kriegsabschnitt zu zeigen, besteht die Absicht, in der kürzest erreichbaren Zeit die maximale Kraft des

Bomber Commands der Royal Air Force und der 8. US-Bomber-flotte auf Ziele im dichtbesiedelten Teil des Ruhrgebiets zu richten.« Warum »dichtbesiedelt«? Duisburg bot militärische Ziele wie keine zweite Stadt in Deutschland. Es produzierte ein Drittel des deutschen Eisens und Stahls. Es besaß in Wedau den zweitgrößten Verschiebebahnhof des Landes, sein Binnenhafen versorgte den ganzen Rhein-Ruhr-Raum, es beheimatete Werften, Großkokereien, Zechen. Es war der am weitesten gen Westen gelagerte Industriestandort des Ruhrgebietes, ein langgestreckter Schlauch von Stadt, bestens im Präzisionsradius von Oboe plaziert. Warum ein Massaker im dichtest besiedelten Raum?

England, Amerika und Kanada standen mit gewaltiger Boden-streitmacht an der Reichsgrenze, der Bomber war keineswegs mehr die einzig verfügbare Waffe, die Wehrmacht, vom Frank-reichverlust angeschlagen, hatte im Westen noch keine stabile Front aufgebaut. Der Weisung zufolge sollte der Feind nicht mili-tärisch getroffen, es sollte ihm etwas ›gezeigt‹ werden. Hat er die Überlegenheit der Bomber gesehen, die er inzwischen im vierten Jahr sieht, unterläßt er, was er sonst täte. Das Klügste aus seiner Warte wäre, sich hinter den Rhein zu verschanzen.

Die Alliierten rechneten Anfang Oktober noch mit einem zü-gigen Durchstoß, sie kämpften sich gerade durch Aachen, der Hürtgenwald stand noch bevor. Die Schranke war voraussichtlich der Strom, blutiger als irgendsonst verteidigt an der Übergangs-stelle zum Ruhrgebiet. Den rechtsrheinischen Städten mußte klar werden, was ihnen geschah, wenn sie dem letzten Gefecht ihr Ter-ritorium liehen. Und ein dichtbesiedelter, wüstgelegter Platz be-wiese dem Heer, daß es den Krieg verloren hatte. Die Wahl war nicht Sieg oder Niederlage, sondern Niederlage oder Vernich-tung. Das rechte Ufer mußte sie erblicken können, darum jene ›Operation Hurricane‹ am 14./15. Oktober 1944.

Wie vom Wirbelwind wurde die Stadt umgeworfen im 240. Angriff. In allen bisherigen zusammen waren bisher 1576 Perso-nen gefallen, quotiert 0,36 Prozent, eine erstklassige Luftschutz-leistung. Sie basierte auf 37 Hoch- und zwei Tiefbunkern sowie 53 Stollenanlagen, die bergmännisch in Schlackenhalden vorgetrieben worden waren. ›Hurricane‹ begann am Samstag vormittag um 8.45 Uhr. 1063 britische Maschinen luden in zwanzig Minuten 3574 Tonnen Spreng- und 820 Tonnen Brandbomben ab. Dies ist ein Hamburg-Quantum; die Stadt hatte ein Viertel der Einwohner Hamburgs. In der Nacht folgte ein zweiter und ein dritter Angriff. Etwa um 1.30 Uhr Sonntag nacht erschienen 1005 Maschinen und um 4.00 Uhr eine dritte Welle, die gemeinsam 4500 Tonnen Munition abwarfen.

In den drei Angriffen fiel die eineinhalbfache Abwurfmasse des bisherigen Krieges über Duisburg. Es mußte in zwanzig Stunden 9000 Tonnen Bomben über sich ergehen lassen. Keine andere Stadt in Deutschland hat solches erlitten. ›Hurricane‹ verlangte 3000 Menschenleben, mehr als die Hälfte der Duisburger Gesamtopferzahl von 5730. Die Schadenskarte zeigt nur vereinzelt ein ungetroffenes Quartier.

Die 9000-Tonnen-Serie wurde zwei Wochen später in Köln fortgesetzt, einer nahezu doppelt so großen Stadt wie Duisburg, mit einem rechts- und einem linksrheinischen Teil. Der Angriffszweck empfahl einen ›Nach-Hurricane‹; zwischen dem 27. Oktober und dem 1. November warfen 1900 Bomber 9000 Tonnen. Der britische Militärhistoriker J. F. C. Fuller allerdings schrieb, daß nunmehr dermaßen viele Flugzeuge produziert wurden, daß man aus Ratlosigkeit selbst die Schutthaufen von Köln noch einmal durchgepflügt habe. »Die R.A.F.-Bomber waren einander so sehr im Wege, daß dadurch mehr Gefahren entstanden als durch Treffer der Flak.«

Eineinviertel Jahre zuvor galten die 1956 Tonnen auf Krefeld, wie die *Times* am 23. Juni 1943 schrieb, als »eine der schwersten Bombenladungen, die während des Krieges jemals auf eine deutsche Stadt niedergegangen ist. Der Angriff begann um 0.30 Uhr. Jede Minute fielen viertausend Pfund Bomben, als die Bomben ihr nächtliches Werk beendet hatten, stiegen große Säulen schwarzen Qualms bis zu einer Höhe von drei Meilen über der geschlagenen Stadt auf.« Die ausführende 8. US-Gruppe schrieb in ihrem Bericht, daß die Stadt nur ein schmales Gebiet bedecke. Dennoch habe man die Abwürfe konzentriert gehalten, »die Dichte hatte einen sehr hohen Standard«.

Gelegentlich erwog der britische Air-Staff, ob man nicht besser die kleinen Städte angreife. Sie ermöglichten weit höhere Vernichtungsintensitäten. Ein Brand gräbt tiefere Spuren in eine Stadt wie Krefeld, die in achthundert Jahren zweimal nur zerstört wurde, das erste Mal 1584 aus nichtigem Anlaß im Kölner Krieg. Für die Zeitgenossen ein bitterernster Streit, denn Köln drohte, in protestantische Hand zu fallen. Dies hätte den ganzen Rhein durcheinandergebracht, namentlich die Stimmverhältnisse im Fürstenkolleg, das den Kaiser wählte. Kriegsanlaß war der Fürstbischof, der das Unmögliche erzwingen wollte: Lutheraner werden, ein Stiftsfräulein ehelichen und Oberhaupt von Köln bleiben. Das Domkapitel setzte Bischof Gebhard ab, der rief die Protestantenstädte der Gegend herbei, der Kaiser marschierte zum Oberrhein, Köln blieb katholisch, Krefeld wurde zerstört und Gebhard exkommuniziert. Die Leidenschaften der Religionskriege machten vor nichts halt, und komische Begebenheiten zündeten die Lunte.

Krefeld fiel dann hundert ruhige Jahre an das Haus Oranien, kam 1703 zu Preußen, und schon fünfundfünfzig Jahre später siegte bei Krefeld der mit Friedrich II. verbündete Herzog von Braunschweig über die Franzosen. Die Rheinebene war seit dem österreichischen Erbfolgekrieg der Aufmarschraum Frankreichs für Schlachten, die dann in Westfalen geschlagen wurden. Im Siebenjährigen Krieg hat Friedrich diesen Zustand für knapp hundert Jahre geändert. Außerdem wurde Preußen Weltmacht. Krefeld am Außenrande bog unmerklich ein auf die Gerade zu seiner nächsten Zerstörung.

Die Krefelder Feuerwehrleutnants und -meister Hesse und Brandt, Severin, Schwabe, Hölters, Henk und Gerlach. Hesse begab sich nach dem Alarm zum Stab der Feuerschutzpolizei im Hansahaus, Alarm war ständig. »Als es uns bewußt wurde, daß diesmal der Terrorangriff uns selber galt, erfaßte uns eine entsprechende Stimmung, und alles war still und starr.« Brandt war der Vorgesetzte und sagte zu Hesse, »Hesse, ich müßte Sie eigentlich jetzt hinausschicken, aber dann kommen Sie nicht lebendig wieder«. Dann setzten sie sich zusammen aufs Motorrad und fuhren los. »Die Stadt war bereits feuerhell erleuchtet. Auf dem Ostwall drängten sich die Menschen in den Grünanlagen zusammen. Es war unter ihnen ein furchtbares Geschrei. Ein Teil von ihnen brannte an den Kleidern oder Haaren, wegen der Überschüttung mit Phosphorspritzern. Die schweren Dinger aus der Luft hauten fortwährend ein, die Menge schrie.« Hesse bekam einige Spritzer an der Brust ab, und die Maschine kippte gelegentlich um vom Druck der Sprengbomben. »Unter den Menschen herrschte eine entsetzliche Verwirrung. Die Leute schrien um Hilfe und beteten, standen verwirrt eine Weile und rannten wieder von Stelle zu Stelle.« Beide Brandmeister nahmen ein Taschentuch in den Mund, der Qualm biß in die Kehle, und die Luft ging in Glut über. »In der Nähe der Dreikönigenstraße sah ich die erste Leiche: ein Kind mit zertrümmertem Schädel, daneben die Mutter, die Haare waren ihr kahl vom Hinterkopf gebrannt.« Brandt und Hesse lieferten die zwei beim Arzt ab, setzten dann die Fahrt fort, vorüber an lodernden Gasleitungen, herabhängenden Straßenbahnoberleitungen.

Brandt dachte, es ginge vielleicht schlecht für ihn aus, wollte aber, auch Hesse gegenüber, kein Feigling sein. »An der Petersstraße liefen uns die Leute direkt gegen das Rad. Da wir einen Moment halten mußten, hörten wir in einem Keller die lauten Stimmen vieler Menschen, die im Chor beteten. Es war für sie höchste Zeit, daß sie den Keller verließen, weil sie sonst alle des Todes gewesen wären.« Doch ängstigten sich die dreißig Leute, so daß die Feuerwerker sie beim Kragen nahmen und hinausbeförderten. Dennoch sind acht verbrannt.

An der Ecke Hülsener Straße riß eine Mine Hesse und Brandt vom Motorrad, schleuderte sie im hohen Bogen in die Grünanlage am Friedrichplatz, überwarf sie mit Erde und Schutt. Brandt hatte jetzt genug. Er sah Hesse nicht, suchte ihn nicht, meinte, daß er vielleicht in Stücke gerissen sei, rannte durch die kaputte Altstadt zur Hauptfeuerwache Hansaplatz und erstattete Bericht. Nach fünfzehn Minuten kam Hesse. Er blutete am Hals, die Wunde hatte ihm der Hochleitungsdraht dicht neben der Schlagader gerissen. »Daß ich ihn lebend wiedersah, war für mich die einzige Freude des Tages. Wir sind uns geradezu um den Hals gefallen.«

Auch Hesse machte Meldung. Auf die Frage, wo der Schwerpunkt des Angriffs hingegangen sei, erwiderte er, daß man von Schwerpunktangriff überhaupt nicht reden könne; alles sei ein einziger Schwerpunkt.»Ich meldete auch, daß die 4. Bereitschaft ganz zerstört sei.« Dann griff Hesse das Motorrad, fuhr geradewegs in die Oberleitungen, so daß ihn Militär mit Schneidwerkzeugen befreien mußte. Über andere wunderte er sich.»Besonders entsetzt hat es mich, daß eine Frau mit ihren zwei Kindern sich vor mein Motorrad warf, in ihrem wirren Kopf wohl in selbstmörderischer Absicht.«

Severin war mit dem leichten Löschzug unterwegs, ebenfalls zum Ostwall kommandiert, kam aber nicht über die Adolf-Hitler-Straße. Immerhin entdeckte er auf dem Fahrzeug Meister Schwabes seinen fünfzehnjährigen Sohn, als Feuerlösch-Hitlerjunge im Dienst.»Ich nahm ihn zu mir.« Die Menschenmasse in den Anlagen auf der Mitte des Ostwalls war vom Feuer eingekreist und wollte heraus. Severin mit Sohn und Gruppe fuhr den Ostwall hinunter bis zum Hauptpostamt, dort stand ein Löschwasserbekken.»Daß wir an dieser Stelle Löscharbeiten ausgeführt hätten, ist eigentlich nicht richtig. Die Brände waren so groß und gewaltig, daß unser bißchen Wasser nichts bedeutete. Unsere Spritzen mit Wasser hatten hier nur einen Sinn, nämlich den, die Glut zu mildern, um den flüchtenden Menschen den Weg aus dem Feuermeer zu bahnen.« Das gelang.

Die Feuer saugten Böen an, die Brände lärmten vor sich hin, trieben die Mülltonnen wie Spielzeug vor sich her, die Straße war die ihre. Schwabe hatte den Luisenplatz angesteuert, denn er wollte mit dem Rohr an den Löschteich und überlegte, wie er durch den Flammensaum käme.»Auffallend war um diese Zeit die Menschenleere. Wir gingen dazu über, die Keller zu revidieren, ob die Menschen noch darin säßen. Tatsächlich waren sie fast alle noch in den Kellern der brennenden Häuser.« Severin lockte sie heraus auf den Luisenplatz, bis er schwarz von Menschen stand.

Die Anwohner des Luisenplatzes waren von ihren eigenen Brandhäusern eingekesselt, soviel nahmen die von Qualm und Glut mitgenommenen Augen wahr.»Nun ordnete ich an, daß die Frauen mit den Säuglingen und Kleinkindern in die geschlossenen

Fahrzeuge stiegen. Damit die Hitze gemildert werde, schwenkte ich wiederholt den Wasserstrahl über die Köpfe der Volksmenge, was diese als besondere Wohltat empfand. Die Hitze war so groß, daß wir unseren Helm am Metall nicht anfassen konnten. Wir versuchten nämlich, den Helm herumzudrehen, um durch das Nakkenleder unsere Augen zu schützen.« Severin sandte nun mit der Depesche, daß auf dem Luisenplatz dreihundert Leute eingeschlossen seien, den Hauptwachtmeister Leygraf zur Wache. Zunächst mußte er aus dem Feuerring heraus.

»Kamerad Leygraf ist an der Kirche vorbei, die Augenverletzungen, die er sich zugezogen hat, hätten ihm fast für immer das Augenlicht genommen. Acht Tage lang hat er in einer Dunkelkammer liegen müssen und blieb zwei Monate dienstunfähig.« Severin war unterdessen eingefallen, daß im öffentlichen Luftschutzkeller im Evangelischen Vereinshaus Eingeschlossene sitzen könnten. »Mit einem C-Rohr drangen wir über die Neue Linner Straße zum Osten vor. Die brennende Kirche strahlte auf dieser Strecke eine derartige Hitze aus, daß von uns mehrere vergeblich den Versuch gemacht hatten, an der brennenden Kirche vorbeizukommen. Unser Versuch mit gleichzeitiger Wasserbestrahlung gelang.«

Im Evangelischen Vereinshaus saßen dreißig Leute und wollten den Keller nicht verlassen, weil sie draußen nichts als Rauch und Feuer sahen. »In Wirklichkeit war die Hitze im Keller vielleicht noch größer als draußen. Schließlich folgten die Menschen unserem Zureden. Die Einsturzgefahr der Häuser war groß, auch die Gefahr, daß den Leuten im Keller durch das Feuer der Sauerstoff entzogen werde. Unter dem Schutz des Wasserstrahls brachten wir die Menschen zum Luisenplatz.« Dort war inzwischen das Wasserbecken leer; doch in höchster Not machte sich der Einsatz Kamerad Leygrafs bezahlt, ein SA-Sturm aus Mönchengladbach kreuzte mit Lastwagen auf, schlug eine Bresche und leerte den Luisenplatz, zuerst die Frauen und Kinder. »Wegen des starken Rauches konnten wir dem abfahrenden Lastwagen kaum weiter als fünf Meter nachsehen. Auch unsere Augen hatten stark gelitten. Schließlich war der Luisenplatz menschenleer. Als wir aus dem ärgsten Feuer und Rauch herausgekommen waren, merkten wir, daß der helle Morgen da war.«

Severin fuhr zur Hauptfeuerwache tanken, und dort ereilte ihn auch der Hilferuf der Metzgerei Schöntgens von der Markstraße, die abgebrannt war, doch im Keller einen Kühlraum besaß. Der Eingang war verschüttet, und Severin ließ sich mit der Fangleine abseilen, zerschnitt auf Bitten des Metzgers ein paar Rinderhälften, beförderte das Fleisch durch die Luke nach oben. »Das Kühlhaus war aber längst kein Kühlhaus mehr, sondern glich einem Backofen.« Den Oberwachtmeister Hölters fragte der Leutnant Henke, ob er Courage habe. Ja. »›Dann gehen Sie in die brennende Kirche und sehen zu, was Sie machen können.‹ Hilfe hatte ich keine. So koppelte ich dann allein eine Reihe Schläuche zusammen, zog die Schläuche in die Kirche hinein und hinauf zur Orgelbühne, hier stand alles in Flammen. Zu retten war hier nichts mehr.« Auf einmal stand der Leutnant Henke da und stellte einen Speicherbrand fest. Die Wendeltreppe hinauf. Hoch oben standen eine wassergefüllte Badewanne, eine Handspritze und der Kaplan. Nun war dreifache Courage am Werk. Sie rettete den Speicher, das Seitenschiff, die Taufkapelle. »Als ich mit meiner Löscharbeit fast fertig war, brachte man die Leiche des Pfarrers herbei. Er war in seiner Wohnung von einem brennenden Balken erschlagen worden.« Courage ist nicht gefährlicher als Dasitzen. Der Meister Gerlach saß in den Vereinigten Seidenwerken beim Skat, als die Bomben auf das Werk fielen, eine Stunde und zehn Minuten.

»Wir saßen alle starr und stumm, waren kreideweiß wie die Wand und wagten kaum zu atmen.« Was aufmöbelt, ist anderer Leute Gefahr. Das Pförtnerhaus hatte einen Volltreffer bekommen, und im Keller darunter waren Leute begraben. »Ich zählte zehn Mann ab, die in meiner Nähe standen, und bestimmte sie, mit mir zum Pförtnerhaus zu traben. Angesichts der Leichen packte verschiedene das Entsetzen, so daß sie sich verdrückten. Mit drei anderen Männer stieg ich in den zertrümmerten Keller. Betonblöcke und Eisenstangen lagen da umher. Wir befreiten die Leichen aus diesen Trümmern und hoben sie nach oben, wo die anderen sie annahmen und auf den Rasen legten. Jetzt erst entdeckten wir, daß zwei Leute noch lebten.« Der Bombenkrieg hat Mut gekostet. Unter den Sprengbomben, die in der Nacht zum

22. Juni 1943 auf Krefeld niedergingen, trafen viele in weichem Erdreich auf, welches Sprengsätze häufig zu Blindgängern machte. Zur Entschärfung wurden besondere Kommandos eingesetzt, ein Feuerwerker und mehrere Mann. Der Feuerwerker war ein Wehrmachtsoffizier, die Männer waren Deutsche, deutsche KZ-Häftlinge, und Kriegsgefangene. Krefeld wurde zweihundertmal aus der Luft angegriffen. Die schwersten Bombardements erfolgten in Vorbereitung des Rheinübergangs im Februar 1945. Am 16., 18. und 19. wurde das innere Stadtgebiet zerrieben. Die Zivilbevölkerung erlitt dabei wenig Verluste, weil die Mehrheit die Stadt verlassen hatte. Die Bomben zertrümmerten die Trümmer und verletzten die Leichen, die immer noch darunter lagen. Die Stadt büßte im Kriege 2048 Lufttote ein und wurde zu siebenundneunzig Prozent zerstört.

Am 17. November 1938 nahm Hitler in Düsseldorf an einem Staatsbegräbnis teil. Ein Sohn der Stadt, der Botschaftssekretär Ernst von Rath, wurde beigesetzt, den acht Tage zuvor in Paris der Pole Grynszpan getötet hatte, aus Rache für die Vertreibung seiner Eltern aus Deutschland, weil sie Juden waren. Wie im ganzen Reich ging in der Pogromnacht vom 9. November in Düsseldorf die Synagoge in Flammen auf. Nazi-Mob zertrümmerte bis in die Morgenstunden den jüdischen Wohnungs- und Kunstbesitz, acht Juden wurden erschlagen. Zum Amtssitz des Regierungspräsidenten Schmidt zogen dreitausend Demonstranten, die seinen Rücktritt erzwangen, weil er mit einer Jüdin verheiratet war. Viele Düsseldorfer Hausbesitzer kündigten nun den jüdischen Mietern, damit die SA ihnen nicht den Bau ansteckte. Im Juni 1941 bekam die Polizei das Recht, den Juden von Amts wegen zu kündigen und sie in sogenannten Judenhäusern zusammenzupferchen. Interieurs wurden verschleudert, um den Bombengeschädigten zu helfen. In der Nacht zum 3. Juni hatte ein britischer Angriff die ersten fünf Toten gefordert.

Die Judenemanzipation verdankte Deutschland der Franzosenherrschaft. »Ich bin geboren zu Ende des skeptischen 18. Jahrhunderts«, schreibt Heinrich Heine, Düsseldorfs größter Sohn, »und in einer Stadt, wo zur Zeit meiner Kindheit nicht bloß die

Franzosen, sondern auch der französische Geist herrschte.« 1808 war Napoleon selbst der Herzog von Düsseldorf, das er vormundschaftlich für seinen minderjährigen Neffen verwaltete, Louis Bonaparte, dem er das Großherzogtum Berg anvertraute, eines der französischen Protektorate östlich des Rheins. Am Westufer begann Frankreich. Dort, in der Kaiserstadt Aachen, hatte Napoleon im Herbst 1804 das Grab des Carolus Magnus aufgesucht. Der erste Konsul der Revolution übernahm dessen tausend Jahre zurückliegendes Reich. Als neuernannter Kaiser ritt er die Schlachtfelder des alten Kaisers ab, Italien, Spanien und den Ostfeldzug. Im Sprung über den Rhein zogen ihn die fränkischen Linien an sich, die Weser und die Elbe. Dann lockte es ihn weiter, als Karl es für machbar gehalten hatte, denn er war Revolutionär, die Revolution denkt universal. Sie ist allen bestimmt, sie mögen es einsehen oder nicht.

Napoleons Fiasko in Moskau, die eine Million Menschenverluste seiner Feldzüge, haben Heines Liebe nicht erschüttert. Deutschland war befreit. Die lebten, lebten unter den Grundsätzen des Code Napoléon, den Heine zufolge »glühende Menschheitsretter« ersonnen hatten. Als die »Reliquien von St. Helena«, die Gebeine des Kaisers, am 15. Dezember 1840 in den Pariser Invalidendom gesenkt wurden, erwies ihm der emigrierte Dichter Salut. Unter den Deutschen waren seine Verse verboten.

»Hab selber sein Leichenbegräbnis gesehn,
Ich sah den goldenen Wagen
Und die goldenen Siegesgöttinnen drauf,
Die den goldenen Sarg getragen. ...
Ich weinte an jenem Tag. Mir sind
Die Tränen ins Auge gekommen,
Als ich den verschollenen Liebesruf,
Das ›Vive l'Empereur!‹ vernommen.«

Ebenso hatte die deutsche Fürstenfamilie einst den Befreier angehimmelt, der endlich ihnen die Verwaltungsordnung der Französischen Revolution diktierte und eine Fremdenlegion für seine Feldzüge aushob. Ein Großteil der Rußlandarmee bestand aus deutschen Rekruten. Nun gab es drei Deutschländer. Die Annexionen, bestehend aus dem Westrheinland und der Seeküste; die im Rheinbund zusammengeschlossenen sechzehn Vasallenfürsten, Bayern und Baden heirateten gar in die Kaiserfamilie ein; sowie die Protektorate ›Königtum Westphalen‹ und ›Großherzogtum Berg‹. Hauptstadt des Großherzogtums Berg war Düsseldorf, das hochkompetente französische Beamte verwalteten. Sie setzten Toleranz durch, sie ergänzten die barockisierende Residenzstadt in ihrem klassizistischen Geschmack, sie beseitigten die zopfigen Privilegien der Ständeordnung, ließen die Luft ein, die gewerblichem Bürgertum bekommt. Der Knabe Heine sah den Allgewaltigen einreiten, der solches über den Rhein brachte, welchen keiner mehr für einen deutschen Strom hielt. Die Vaterlandslieder kamen später erst auf.

Der Besucher ritt einen Schimmel, trug einen schlicht-grünen Soldatenrock und einen kleinen Hut. Nachlässig saß der Kaiser im Sattel, beinahe hängend. Die Augen des Knaben ruhten weich auf des Kaisers Händen, sonnig-marmorn, gutmütig den Hals des Pferdes klopfend. Es waren die Hände, welche die Hydra der deutschen Anarchie gebändigt hatten,»das vielköpfige Ungeheuer«, und den »Völkerzweikampf geordnet«. Die Art und Weise, die er pflegte, stand dem Reiter auf dem Gesicht geschrieben. »Du sollst keine Götter haben außer mir.« Der einzige Gott lächelte und wärmte jedes Herz »und doch wußte man, diese Lippen brauchten nur zu pfeifen – et la Prusse n'existait plus – diese Lippen brauchten nur zu pfeifen – und die ganze Klerisei hatte ausgeklingelt – diese Lippen brauchten nur zu pfeifen – und das ganze Heilige Römische Reich tanzte«.

Napoleon ritt ruhig mitten durch die Allee, hinter seiner schlichten Gestalt, mit Zierat beladen, das Gefolge. Trommelwirbel und Trompetenstoß, »und das Volk rief tausendstimmig ›es lebe der Kaiser‹«. Der Befreier sah auf die Düsseldorfer hinab, sein Auge war klar wie der Himmel. »Es konnte lesen im Herzen der Menschen; die Stirne war nicht so klar, es nisteten darauf die Geister zukünftiger Schlachten.«

Als der Kaiser tot und Düsseldorf preußisch geworden war, kehrte Heine kurz in die Vaterstadt zurück, setzte sich in den Hofgarten, die »Feinde der Freiheit« hatten gesiegt, wie konnte dies geschehen? Er sah das himmelblaue Auge, es öffnete sich geisterhaft,»und ich sah darin nichts als ein weites, weißes Eisfeld, bedeckt mit Leichen – es war die Schlacht bei der Moskwa«. Heine hörte beides, den Siegesmarsch und den Totenmarsch,»das wildeste Jauchzen und das entsetzlichste Trauern unheimlich gemischt«. Durch Düsseldorf hinkte die Kostenseite der Erlösung, »diese Waisenkinder des Ruhmes«. Franzosen, als Gefangene nach Sibirien verschleppt, nach langen Friedensjahren laufengelassen, waren am Rhein gestrandet, wollten nicht heim und wärmten sich am Bedauern der Düsseldorfer. »Die armen Franzosen!« Heine dünkten sie Tote, des Nachts vom Schlachtfeld aufgestanden und in die vergnügte Stadt gezogen. »Durch die Risse ihrer zerlumpten Uniformen lauschte das nackte Elend, in ihren verwitterten Gesichtern lagen tiefe, klagende Augen, und obgleich verstümmelt, ermattet und meistens hinkend, blieben sie doch noch immer in einer Art militärischen Schrittes ...«

Noch den französischen Fremdarbeitern und Gefangenen im Weltkrieg begegneten die Düsseldorfer mit Sympathie, lobten ihren Fleiß bei Aufräumarbeiten, im Unterschied zu den Holländern, denen hämische Schadenfreude nachgesagt wurde und nächtliche Blinksignale an die feindlichen Flieger. Diese nahm man für Streiter ihrer Sache. In rheinisch-französischer Toleranz wurden 1940 neun britische Flieger mit militärischem Zeremoniell auf dem Ehrenfriedhof beigesetzt. Zwei Monate später erfolgte der erste Großangriff auf Wohnviertel der Friedrichstadt, Oberbilks, Oberkassels und der Königsallee.

Der Zivilisationsgedanke kam diesmal nicht auf dem Schimmel daher, sondern wälzte sich als grauschwarze Wolke aus Staub, Rauch und Ruß durch die Straßen, durchsetzt von glimmenden Akten- und Bücherfetzen. Der Krieg Napoleons dauerte, solange er regierte, aber die Schlacht war schnell dank der Kavallerie, des Enthusiasmus der Truppe und der unerhörten Beweglichkeit unabhängig operierender Verbände. Die Schlachten waren blutig, dem Gegner gebührte Vernichtung durch Konzentration auf seinen schwächsten Punkt. Das alles wollte der Bombenkrieg ebenfalls, nur wie anders ist das stupide Abfeilen von Städten wie Düsseldorf und Köln bis auf den Stumpf. Der Polizeibericht vom

August 1942 erwähnt die vielen Personen, »bis zur Unkenntlichkeit zerstückelt und vielfach durch die unter den Trümmern herrschenden Brände stark verkohlt«. Die Bergungskräfte hätten nur unter Alkohol ihre Arbeit bewältigen können.

Im März 1945, zweihundert Angriffe später, wiederholten sich die gleichen Verfahren so pausenlos, daß der fünfjährige Gerd Fammler mit Mutter und Schwester den Bunker nicht mehr verließ; sie wohnten dort. »Man kam durch eine schmale, verriegelte Eisentür in den Bunker. Jeder ging in ›seine‹ Etage. Die Etagen waren in größere Nischen aufgeteilt. Hier standen Holzpritschen. Daß wir immer nur in dem Funzellicht leben mußten, war nicht schön, besonders für uns Kinder. Wenn ich feuchten, muffigen Beton in alten Gebäuden rieche, werden in mir die Erinnerungen an den Zweiten Weltkrieg wach, an Bomben, Bunker, Flammen und Schmerzen.«

Am 11. März 1945 schien die Sonne, und das Bunkervolk wagte sich an den Tag. In der Abenddämmerung schlug ohne Vorwarnung ein Sprengkörper auf dem Bunkervorplatz ein. »Ich weiß nur, daß ich irgendwohin flog. Erst im Bunker wurde ich wieder wach, kam zu mir, sah, daß ich keinen linken Arm mehr hatte. Ich sah den dicken Notverband. Ich hatte schrecklichen Durst.« An der Stelle starben dreißig Personen; seit den ersten zivilen Lufttoten in Düsseldorf waren drei Jahre und neun Monate vergangen. Von den neunzig Millionen Kubikmeter Bauvolumen lagen dreißig Millionen Kubikmeter Schutt am Boden. Aufrecht und unbeschädigt standen vier Prozent der öffentlichen Gebäude und sieben Prozent der Geschäfts- und Wohnhäuser, das andere war im Brand verglüht. Durch das renaissance-barocke Düsseldorf führte an Fassadenskeletten vorüber eine Trampelpfadgeometrie, in der Dunkelheit zumal verlangte sie ein eigenes Orientierungsbild. Kinder kamen damit zurecht, Erwachsenen wollte nicht in den Sinn, daß dies ihr Düsseldorf war. »In den finsteren Nächten, in denen man die Hand vor Augen nicht sah – die Schutthaufen – das Huschen der Scheinwerfer – das Brausen der schweren Motoren – das Brüllen der Flakbatterien. Nein! Man hörte oft sagen, das ist kein Leben mehr.« In den Luftschutzräumen hockten die Insassen hauteng, sie zogen ihre Kinder an sich, stopften die Ohren mit

Watte zu, die Frauen banden das Kopftuch fest. Es wurde nichts gesprochen. »Wenn der Höllenlärm abflachte, sagte jemand ›ich glaube es ist vorüber‹. Man machte sich auf in die brennende Stadt.« Die Sonne ging auf wie über Sodom und Gomorrha. Die Stadt erlitt 243 Luftangriffe, davon neun schwere. In der Nacht zum Pfingstsamstag 1943 wurden vierzig Quadratkilometer zwischen Hauptbahnhof und Derendorf abgebrannt, 140 000 Personen obdachlos gemacht, 300 000 verwundet und 1300 Personen getötet, sechzehn Kirchen, dreizehn Krankenhäuser und achtundzwanzig Schulen verwüstet, kurz, ein Ausdruck der Überlegenheit der britischen über die deutsche Luftwaffe, wie Churchill sagte.

1944 hatte sich die Einwohnerschaft nahezu halbiert. Die Facharbeiter waren mit den Industrien, die Frauen mit den schulpflichtigen Kindern evakuiert, die Soldaten töteten und wurden getötet an der Front, 3500 Juden waren ermordet worden. In der Stadt lebten vorwiegend die Alten, die Fremdarbeiter, Frauen mit Kleinkindern und die Führungskräfte der deutschen Wirtschaft. Düsseldorfs Renommee lautete ›Schreibtisch des Ruhrgebiets‹, es beherbergte die Konzernverwaltungen, ein erstklassiges Bombenziel. Deswegen bombte man 1944 fort, wenn alles brannte, mußten auch die Kontore dabei sein. In der Nacht zum 23. April vernichtete man sieben Industriegelände, den Zoo und das Zooviertel, in der Nacht zum 3. November noch einmal sieben Industriegelände sowie 883 beziehungsweise 678 Personen. Insgesamt warfen Briten und Amerikaner 18 000 Tonnen Bomben auf Düsseldorf und töteten 5863 Zivilisten. Als ihre Bodentruppen nach dieser Traktur die Stadt Anfang März 1945 erreichten, mußte man sie sieben Wochen mit schwerem Artilleriefeuer belagern.

Ein gnädigeres Los ließ das gegenüberliegende Neuss nach 136 Luftangriffen, davon zehn großen, zu zwei Dritteln bestehen.

Von den Malern der Kölner Schule stammte kaum einer aus Köln. Stephan Lochner war ein robuster Schwabe, Joos van Cleve, der ›Meister vom Tode Mariens‹, stammte aus Antwerpen, Barthel Bruyn aus Holland, Pierre de Marres aus Frankreich und so weiter. Das Geheimnis des Orts hat ihnen die überzarten Linienphantasien, die Goldgründe, die grelleuchtenden, emaillespiegelnden Farben eingeflößt. Lucien Febvre hat behauptet, daß dieser Schule nur eine ähnliche Art, sich auszudrücken, zugrunde lag, welche wiederum auf ihre Auftraggeberinnen zurückging, die Nonnen, die zu ihrer Erbauung mystische Gemälde in Auftrag gaben. »Ihnen gefiel der kindliche Charme der Rheinländerinnen mit ihren Zöpfen; die Maler machten daraus Madonnen. Schwere Augenlider über gedankenleeren Pupillen, verträumte Blicke, die ein kontemplatives Glück widerspiegeln.«

Die Kölner Art, sich auszudrücken, atmete Einflüsse aus Flandern und Böhmen, Burgund und Brüssel. Die Logen der Empfindungsreichen und -überreichen kreuzten sich in Köln. Pilgerkolonnen, Meuten genannt, die Schuldbeladensten gern barfuß und ohne Kopfbedeckung, endigten die Reise von Reliquiengruft zur Reliquiengruft am Schrein der Heiligen Drei Könige in der Stadt mit neunzehn Kirchengemeinden, zweiundzwanzig Klöstern, wo täglich tausend Messen gelesen wurden. In Köln predigten Meister Eckart und Johannes Tauler, die Mystiker, daß im Antlitz des Gekreuzigten der Mensch in Staub sich breiten möge, und entrückt verzückt gellten die Ketzer den Handwerkern und Bauern den köstlichen Aufruhr ins Ohr, so lange bis der Feuertod sie zu sich nahm. Karl Marx, der Redakteur der *Rheinischen Zeitung*, war letzter und größter der Erwecker.

Dies Theater der Exaltationen, den Pranger der verkehrten Welt, Podest der Daseinsflucht und Handelsplatz europäischer Einfälle und Kunstmoden, betrat für kurze Zeit auch Hans Memling, um 1430 in Franken geboren, einer der meistbeschäftigten Maler der Zeit, der sein Glück im flämischen Brügge machte. Er behielt dort die weiche Anmut der Kölner Schule, ihre Gestenrede, den Schick ihrer Gruppeninszenierung, das war reißend nachgefragt. Zu seinen besonderen Meisterwerken zählt ein Stück historischer Gelehrsamkeit, die Bildererzählung des Ursula-Schreins von Brügge. Die Geschichte kannte er aus Köln, es ist die kölnische Legende schlechthin, die St. Ursulas und der elftausend Jungfrauen.

Ursula war die Tochter Divions, des Herzogs von Cornwall am Südwestrande Englands. Der Vater nun sandte sie mit mehreren tausend Jungfrauen in die gegenüberliegende Bretagne, wo französische Siedler hausten, mit denen sollten sie sich verehelichen. Im Ärmelkanal kam Sturm auf, der das Schiff nach Osten verschlug. Die göttliche Vorsehung indes ließ es einbiegen an der Mündung des Rheins, die Jungfrauen steuerten stromaufwärts und gelangten in kurzer Zeit nach Köln, das soeben von den Hunnen belagert wurde. Als diese wilden Heiden die blühende Schar der Jungfrauen sahen, suchten sie sich ihrer zu bemächtigen. Doch zogen die heldischen Mädchen vor, eher Gegenwehr bis zum Tode zu leisten, als sich den Heiden auszuliefern. Es entstand ein blutiges Ringen. Die heilige Ursula voran, kämpften die zarten Jungfrauen mit den erbosten Hunnen und fielen unbefleckt auf dem Felde ihrer Ehre. Im untersten Schiffrumpf hielt sich St. Cordula verborgen und weinte über ihre Feigheit; dann schritt sie heraus und teilte mit ihren Gefährtinnen den trotzigen Tod. Die Hunnen aber wurden ihres Sieges nicht froh. Denn plötzlich nahte ein Heer himmlischer Scharen, so zahlreich wie die ermordeten Streiterinnen, um diese zu rächen. Voller Entsetzen ergriffen die Hunnen die Flucht, Köln war ihrer ledig.

In Dankbarkeit begruben die Kölner die Märtyrerinnen und bauten über der Grabstätte eine Kirche. Darin ruhten die elftausend Jungfrauen bis zum 31. Mai 1942, als britische Lancaster das Kirchenschiff in Brand setzten. Am 20. April 1944, am 28. Oktober und am 3. Januar trugen britische und amerikanische Maschinen die Kirche weiter ab. Am 2. März 1945, dem Ende von Köln, wurde die Südwand des Chores zwei Joche breit zertrümmert, darauf knickten die drei tragenden Säulen. Alle Gewölbe bis auf acht stürzten ein.

Die dreischiffige Emporenbasilika erwuchs im 12. Jahrhundert; da lagen die elftausend Jungfrauen bereits sechshundert Jahre tot. Es mag sein, daß es sich bei ihren Gebeinen um ein römisches Gräberfeld gehandelt hat, auf dem die Urkirche errichtet wurde. Von Jungfrauenmartyrium wiederum spricht eine Inschrift; die Wahrheit der Mythen aber besteht nicht in der Chronik der Ereignisse.

Die Hunnen terrorisierten tatsächlich den Rhein. Es waren zentralasiatische Nomaden, die als berittene Bogenschützen kämpften, Lanzen warfen, sofern sie Steigbügel hatten, im Nahkampf überwog der Säbel. Sie überwanden Elbe und Rhein und gelangten in die südliche Champagne, wo ein alliiertes römisch-gotisch-fränkisches Heer sie 451 auf den Katalaunischen Feldern schlug. Dies war auch St. Ursulas Todesjahr. Die Hunnenschlacht überließ das Stromland dauerhaft der römisch-antiken, germanisch-christlichen Verschmelzung. Der ungleiche Kampf der britischen Jungfrauen gegen die Asiaten konnte nicht verlorengehen. Jeder Märtyrerin ersteht ein himmlischer Rächer, denn die bedrängte Unschuld ist die gerechte Sache. Den gerechten Krieger kümmern weder die Kräfteverhältnisse noch sein Selbstopfer. Dies ist die nötige Schwelle zum Sieg. Indem der Hunne den Unschuldigen fällt, wird er zum Abscheu der Erde und des Himmels und kann sich nicht ewig halten.

Die Hunnen hielten sich in Italien noch dreihundert Jahre, bis Carolus Magnus ihnen den Garaus machte. Sie waren die Reiter der Apokalypse, die geborenen Kriegsverbrecher. Sie durchschweiften das Land, zerstörten Kirchen und Kapellen, meuchelten die Gläubigen und schleppten deren Frauen fort. Sie verbrannten in dem Moselland und in der Pfalz alle Städte. In der Antike waren dies keine unüblichen Kriegshandlungen, wurden indes, begangen von Hunnen, als Gottesgeißel gefürchtet wie Attila, ihr Anführer. In der Neuzeit kehrten die Hunnen zurück als Name der Deutschen, >the huns<. Kaiser Wilhelm II. in seiner forschen Manier, hatte sich selbst so ausgegeben. Man sollte erschrecken vor ihm, so lieferte er seinen britischen Vettern eine zündende Parole. Noch 1940 bis 1945 hat Churchill die Kölner, die Berliner, die Dresdner als Hunnen beseitigt. In Köln zwanzigtausend.

Die ersten Fliegerangriffe im Mai/Juni 1940 lockten Tausende Schaulustige zu den zerstörten Häusern; sechs Tote waren zu beklagen, eine kriegerische Karambolage. 1941 folgten unaufhörlich Klein- und Mittelangriffe, ein Dauerregen mit hundertfünfundachtzig Toten bis April 1942. Als Landmarke diente Bomber Command die Scheldemündung, der riesige Verteilerkreis mit Abzweigungen in Deutschlands gesamte Städtelandschaft. Für verirrte Flieger wiederum ist das nächtlich-helle Band des Rheins der Wegweiser nach Norden zur See. Viele Routen führen über Köln, das Hin- und Rückflieger als Deponie für überzählige Bomben nutzen. Man alarmiert deswegen nicht 768 000 Menschen, sonst käme man aus dem Alarmzustand nicht mehr heraus. Der Tausendbomberangriff leitet in die Welt der Hunnenschlacht. Auch die himmlischen Scharen sind gegenwärtig. Allein der Mythos konnte bisher die vier Kilometer lange, auf Dauerfeuer gestellte Wand explodierender Flakgranaten abbilden, die den Himmel abtastenden Scheinwerferkegel, die farbglühenden Markierungstrauben, das bombardierte Fegefeuer, den Höllensturz der Lemuren, die Fäulnis der Leiber. Das Ende der Welt tritt aus dem Tafelgemälde in den Maiabend. Das hatten Seher und Häretiker verheißen, die noch vom Scheiterhaufen herab schrien, daß der Anfang vom Ende gekommen sei und der Brandstoß alsbald die ganze Verderbnis umfasse. Daß die Welt den Untergang verdiene und die Geduld des Herrn mit ihr verbraucht sei. Die Feuerzungen, die Bomber Command vom Himmel wirft, schieben alle vertraulichen Wirklichkeiten beiseite, die falsche Idylle. Der Brandkrieg fordert den Anti-Christ zur Rechenschaft, der vor dem Ende der Zeit auftritt.

In einer transzendentalen Stadt wie Köln kam der Tausendbomberangriff aus der Tiefe der Unheilsverkündung. Das Massaker war der älteste Mythos am Ort. Im Sommer 1943 heftete das erzbischöfliche Generalvikariat einen Anschlag an die Kirchen: »Anregungen aus Laienkreisen folgend, bitten wir die Herren Pfarrer in angemessenen Abständen durch Kanzelverkündigung die Gläubigen darauf hinzuweisen, daß sie während eines Bombardements aus der Luft einen vollkommenen Ablaß gewinnen können, wenn sie andächtig und reumütigen Herzens das Stoßgebet ›Mein Jesus, Barmherzigkeit‹ verrichten.« Für drei Worte bleibt Zeit. Zwischen dem 16. Juni und dem 9. Juli waren sie vonnöten, als vier Großangriffe die Innenstadt herunterbrannten. Der zweite Anflug nahm 4377 Menschenleben und machte 230 000 Personen obdachlos. Siebenundsechzig Minuten liquidierten die Substanz von neunzehnhundert Jahren, sie brannte fünf Tage. Die Folgeangriffe pflügten wie ein Traktor weiter, wo der vorherige Schluß gemacht hatte. Am Samstag, dem 10. Juli, versammelten sich die Überlebenden zur Vesper in den Ruinen des Heumarktes, um den Toten durch Läuten aller noch vorhandenen Glocken Verbundenheit zu übermitteln. Im Frühjahr 1944 schaltete sich die 8. US-Flotte in die Beseitigung Kölns ein mit dem Teppichabwurf. Wie die Sieben Plagen senkte sich in Sekunden die ganze Todeslast auf die Stadt. Im April flog Bomber Command in achtunddreißig Minuten den Angriff in seiner ausgefeilten Spreng-Brand-Chirurgie. Das tote Gewebe der Trümmerfelder aussparend, hielten die Operateure Ausschau nach Inseln des Lebens und setzten dies monatlich fort bis zum September.

Der Oktober 1944 sollte mit achtundzwanzig Angriffen zum wüstesten Monat seit Kriegsbeginn werden. Im Zuge der Verkehrsoffensive liegen fünf Präzisionsziele im Visier, die Rheinbrücken. Am Ufer und in den Querstraßen zum Rhein sind Fässer mit Nebelsäure postiert, die bei Alarm die Brücken wie unter Siegfrieds Tarnkappe verschwinden lassen. Die Rheinviertel tauchen in eine brodelnde Waschküche, in die hinein die neuntausend Tonnen Bomben des Tripelangriffs vom 28. Oktober bis 1. November gepumpt werden. Dabei geht auch St. Gereon zugrunde, das im 13. Jahrhundert zum Zehneck überbaute Oval aus dem 4. Jahrhundert. Am 30. Oktober wird die Nord-West-Seite in Breite von zwei Achsen vom Gewölbe bis zum Sockel eingerammt. In St. Pantaleon wird die Totenruhe der Kaiserin Theophanu geschändet, der byzantinischen Prinzessin, die 972 mit Otto II. verheiratet wurde und für den unmündigen Otto III. acht Jahre Regentin des Heiligen Reiches war.

Köln war eine Stadt mit wenigen Menschen und vielen Ratten geworden, die auf den Schuttbergen umherhuschten und sich an den Kellervorräten mästeten. Das Rattengift war ausgegangen. In Stille schwelten Trümmer und Balken, die Feuer knisterten in verödeten Straßen. Am 2. März griffen 858 Lancaster und Halifaxe die letzten zwei Male Köln an, töteten Hunderte von Leuten, die ungeborgen auf den Straßen liegenblieben, Zigtausende flohen den Ort, bevor ihn das VII. US-Corps am 6. März 15.30 Uhr betrat. Von den 768 000 Einwohnern erwarteten zehntausend die Befreier. Fünf Prozent der Altstadt waren erhalten.

Wie die meisten alten Rheinstädte zwischen Basel und Köln liegt Bonn linksrheinisch und wurde preußisch, weil es von 1798 bis 1814 französisch gewesen war. 1818 gründete sich die preußische Rheinuniversität, die der Stadt ihr Gepräge gab. Die Einwohner glaubten sich deshalb im Zweiten Weltkrieg vom Bombardement ausgenommen, weil so viele Amerikaner in Bonn Medizin und Naturwissenschaften studiert hatten. Mit der Rheinuniversität machte Preußen die Belagerung, Bombardierung und völlige Zerstörung der Stadt wieder gut, die Kurfürst Friedrich III. mit zwanzigtausend Brandenburgern ihr 1689 angetan hatte, im Pfälzischen Krieg. Im Kern standen sich hier Ludwig XIV. und England gegenüber, das Frankreichs Herrschaft am Rhein nicht duldete. Dem schlossen sich auch Holland und der habsburgische Kaiser an. Französische Inbesitznahme des Stroms will Kontinentalhegemonie; darein fügte sich eine Anzahl deutscher Fürstentümer, so das Kurfürstentum Köln, das zu Bonn eine Residenz unterhielt.

Köln als freie Reichsstadt unterschied sich von Köln als geistlichem Kurfürstentum, diese Schnörkel des Alten Reiches hat Napoleon beseitigt. Der Kölner Bischofsstuhl war im kölnischen Krieg an den bayerischen Gegenerzbischof gefallen. Für knapp zweihundert Jahre trug das Haus Wittelsbach das kölnische Ornat, um 1650 schloß es das Gebiet den Kriegen Frankreichs an. England wiederum führte den Pfälzischen Krieg mittels Hannoveranern, Sachsen, Hessen und Brandenburgern. Bonn hatten die Franzosen zur Festung ausgebaut, und so kanonierten die Preußen Bonn zugrunde. Die Festungsanlagen wurden zur Strafe für das Bonner Franzosentum gesprengt, doch 1941 lag noch genug davon unter dem Boden, daß Verwaltung und Luftgaukommando meinten, man könne sich noch immer damit gegen die britische Munition schützen. Im Juli 1944 zeigte sich, daß dies ebenso verkehrt war wie 1689.

Bonn baute seine Bunker überwiegend in den Vororten und verließ sich in der Altstadt auf die festen Doppelkeller und Kasematten, die Behelfsluftschutzräume und den großen Theaterbunker nahe der Rheinbrücke. Die 100 000-Seelen-Gemeinde hatte gegen Kriegsende vierzehntausend Bunkerplätze. Bei der gewohnten fünffachen Überbelegung hätten zwei Drittel der Bonner Schutz gefunden, wären sie rechtzeitig dagewesen. »Da sah ich die Flugzeuge in der Luft, ein ganzer Schwarm silberner Vögel, sie glänzten in der Sonne. Da sah ich die Bomben fallen. Durch den Luftdruck bin ich die steile Bunkertreppe hinuntergefallen. Ich habe mit den Fäusten und den Füßen gegen die Tür geschlagen, dann hat man mir aufgemacht. Normalerweise wird die Bunkertür nicht mehr geöffnet, wenn schon Bomben fallen.« Als die dreizehnjährige Elisabeth Gerstner den Theaterbunker verläßt, umgibt sie eine Welt, die im grauenhaftesten der Rheinkriege, dem Pfälzischen, die Souveräne der Aufklärung für vorzivilisatorisch gehalten hätten. »Ich habe viele Tote gesehen. Menschen ohne Kopf lagen da und einzelne Arme und Beine. Das waren Leute, die noch schnell zum Bunker laufen wollten, ihn aber nicht mehr erreichten. Anders kann ich es mir nicht erklären, daß so viele Tote herumlagen.« Französische Kriegsgefangene bargen die Kellerleichen. »Da hörte ich einen französischen Kriegsgefangenen zu seinem Kameraden sagen: ›Deux cents des morts‹, er wies auf ein Haus. Ich bin sofort weggelaufen und habe es zum Glück nicht gesehen, was da geschehen ist.«

Die Toten dienten dem Zweck, ein verbessertes Oboe-Radar zu testen, das G-H-System. Bonn enthielt keine kriegsrelevanten Industrien. Im August 1943 hatte die 8. US-Flotte zweihundert Personen in Bonn und Beuel umgebracht, darin bestand der bisherige Kriegstribut. Bonns Glück war sein Unglück. Sein intakter Zustand bot die erste Voraussetzung für den Test, die zweite war die Lage am Flußband des Rheins, die dritte schlechtes Wetter. Als die drei Voraussetzungen zusammentrafen, dies geschah am 18. Oktober 1944, wurde Bonns Altstadt vernichtet.

Von den 77 000 Brand- und 770 Sprengbomben hatte Bomber Command sich weit mehr versprochen als die 300 erzielten Toten, 20 000 Obdachlosen, die Zerstörung der Universität, der Bibliothek und von 180 000 Büchern. »Die Bombardierung hatte im wesentlichen bebautes Gebiet getroffen«, sagt der Abschlußbericht. »Für einen G-H-Angriff war das Ergebnis enttäuschend.« Der Test mußte wiederholt werden, am 6. November gelang er eine Station rheinaufwärts in Koblenz.

Im Januar wurde Bonn wieder Festung. Das allerdings nicht durch Befestigung, sondern per Deklaration Hitlers. Ansonsten ließ die Festigkeit nach. Am 6. Januar gelang es einer panzerbrechenden Bombe der 8. US-Flotte, die Betondecke eines Luftschutzraums unter dem Landgericht aufzureißen, dies war das Ende von zweihundertdreißig Menschen. Der Angriff galt den Brückenauffahrten in Bonn und Beuel, doch da die Wolken tief hingen und eine Blindnavigation offenbar mißlang, landete die Munition, wo sie nie etwas verfehlte, mitten in der Stadt. Ähnlich trug es sich mit vier Angriffen Bomber Commands zu, die in Verfolg der Verkehrsoffensive dem Bonner Haupt- und Güterbahnhof galten. In der Nacht zum 22. Dezember 1944 herrschten die Idealbedingungen des 18. Oktober, schlechtes Wetter, Bonn, Rhein. Der Bahnhof wurde indes verfehlt. In der Nacht zum 28. Dezember rahmten radargeführte Mosquitos den Güterbahnhof vielfarbig und mehrfach ein. Siebzig Prozent der Lancaster hatten schwerste Sprengbomben geladen, mit denen sie Bad Godesberg, die Universität und den Schlachthof tödlich trafen, nur nicht den Bahnhof. Am 29. Dezember steigerte man die Munition auf 1800 Spreng- und 20000 Stabbrandbomben, die auf Endenich-Poppelsdorf und die Innenstadt fielen. Die schweren Bomben durchschlugen zwei öffentliche Luftschutzräume. Beide Angriffe forderten 486 Menschenleben. Für den dritten Angriff bot Bomber Command 238 Maschinen auf, nahm sein beträchtliches fliegerisch-technisches Können zusammen und traf die Rheinaue und das Siebengebirge.

Bonn verlor insgesamt 1569 Personen. Es wurde übungshalber zerstört.

Koblenz heißt soviel wie confluentes, die Zusammenfließenden. Dies trifft zu für die sich hier treffenden Ströme Mosel und Rhein. In der Geschichte ist alles auseinandergeflossen, beginnend mit der Teilung des Karlsreiches. Im Oktober 842 handelten im Koblenzer St. Kastorsstift Beauftragte der Kaiserenkel, Ludwig des Deutschen, Lothar I. und Karl des Kahlen, in sechs Tagen die Dreiteilung aus, die im folgenden August zu Verdun besiegelt wurde. Koblenz lag genau an der Ostgrenze zu Lotharingien, dem Zwischenreich auf einer Schiene von der Nordsee zum Mittelmeer, umgrenzt von der Maas-Rhone-Linie im Westen und dem Rheinlauf bis weiter nach Italien im Osten. Lothar, als ältester, hatte sein Drittel sich ausgesucht, und es enthielt mit der Meeresverbindung, den Flüssen und Städten das Herz des Abendlandes. Die Brüder bekräftigten die »Bande einer wahren und nicht vorgetäuschten Liebe«. Gegen alle »Feinde Gottes und der heiligen Kirche« wolle man einander beistehen. Dann erwähnen sie den tatsächlichen Feind, der Lotharingien zu dem Drama Europas machte: »Niemand soll versuchen, durch seine Gier die Gesetze des Friedens in irgendeinem ihrer Reiche in Verwirrung zu bringen. Wer solches versuchen sollte, wird der gemeinsamen Strafe verfallen.«

Die Gier war unabweislich, weil der west- und der ostfränkische Teil für sich halbgerundete Territorien waren. 870 bereits teilten die später zu Deutschland und Frankreich gewordenen zwei Flügelreiche Lotharingien untereinander auf. Den Fortgang ihrer Beziehungen durch die Jahrhunderte füllt beider Versuch, ganz Lotharingien in Besitz zu nehmen.

Die innerdeutsche Zwietracht erlebt Koblenz im September 1198 bei der blutigen Schlacht in den seichten Moselbänken. Philipp von Schwaben und Otto IV. tragen die Fehde zwischen König und Gegenkönig aus, die Stadt wird darüber eingeäschert, und von da an verfällt binnen fünfzig Jahren die Hegemonie des Reiches in der christlichen Welt. Es wird von den westlichen Mächten und dem Papst überflügelt. Die nächste kaiserliche Weltmacht, die habsburgische, leidlich mit Deutschland verknüpft, verliert an Zusammenhalt im Dreißigjährigen Krieg, der Koblenz der Zerstörungswut aller Seiten aussetzt. Es wird zur Hälfte ruiniert. In dem bisher gewaltsamsten Zugriff des westfränkischen Bruders auf Lotharingien, dem pfälzischen Erbfolgekrieg Ludwigs XIV., gehen 1668 zwei Drittel der Koblenzer Häuser in Flammen auf. Während der Revolutionskriege beherbergt der Ort die adelige Emigration, er wird erobert und Hauptstadt des französischen Departements Rhin-Moselle. Der junge Republikaner Joseph Görres wirbt 1797 für einen französisch protegierten Rheinstaat. Siebzehn Jahre Annexion bewegen den größten Sohn der Stadt dann allerdings zum Kampf gegen die ›Fremdherrschaft‹.

Von 1815 an wird Koblenz militärische und Verwaltungshauptstadt des preußischen Rheinlands und 1914 Sitz des Großen Hauptquartiers des Hohenzollernheeres. Die lotharingische Schiene wird nun von Osten eingedrückt. Nach der Niederlage schwenkt das Pendel in die Gegenrichtung, die Westgrenze ist wieder, wo sie 843 war. Formal findet eine Besetzung auf Zeit statt, doch 1923 anerkennt die französische Rheinlandkommission einen am Koblenzer Zusammenfluß ausgerufenen rheinischen Sezessionsstaat, ein Deutsch-Lotharingien, das kläglicher scheitert als alle vorangegangenen. Am 6. November 1944 wird Koblenz ein viertes Mal zerstört.

Die lotharingische Schiene ist dabei unerheblich. Die Reichsgrenze soll nicht mehr verschoben, weder Territorium verteilt noch Besitzgier, noch Feindschaft gegen die falsche Untertänigkeit gepflegt werden. Koblenz verbrannte ohne rüstungs- oder verkehrsmäßige Bedeutung, es lebte vom Rheinweinhandel; die Bevölkerung mußte nicht mürbe gemacht werden, sie war zum Großteil evakuiert. Die Stadt wurde zerstört, weil die Zerstörung Bonns den Nutzen des G-H-Gerätes nicht hatte klären können. Damit sollten Punktziele auf fünfundvierzig Meter Genauigkeit getroffen werden; die Crew empfing die Radarsignale auf einem Oszillographen, markierte und warf die Bomben schneller hinterdrein als gewöhnlich.

Punktziele werden gesprengt. Das Feuer aber rast über die Fläche, es interessiert sich nicht für Punkte. Das verwunderliche an dem neuen Präzisionszielgerät war die Erprobung in einem typischen Brandangriff. Bomber Command hatte dreiunddreißig Sprengbomben geladen, einhundertzwanzig Blockbuster und 153 392 Stabbrandbomben, die Flächenwaffe schlechthin. Mit ihrem Erfolg war die Operational-Research-Abteilung nun außerordentlich zufrieden. Die Hälfte der Munition traf einen Kreisdurchmesser von eineinhalb Kilometern, ausreichend für das Innenstadtgebiet im Winkel von Rhein und Mosel. Das Zentrum des Kreises und den gedachten Zielpunkt bildete das Löhrrondell. Es war nur das Orientierungsziel. Das taktische Ziel war die Verdichtung von Brandstoffen auf komprimierter Fläche, der Altstadt.

Im Herbst 1944 versucht Bomber Command die Sättigung mit Thermitstäben anzuheben. Präzision ist, wenn in engem Zirkel die ganze Ladung landet. Die Ausbreitung besorgt die Flamme selbst, vorausgesetzt, sie erreicht eine zügellose Intensität. Den Feuersturm, bisher eine rätselhafte Zusammenkunft unsteuerbarer Koinzidenzien, wollte Bomber Command entzünden können wie eine Lampe. Dazu setzte man beim Zünder an und steigerte die Fülle von Abwurf pro Fläche. Für Bonn wünschte man Wolken, so waren die Bombenschützen blind und konnten nicht mogeln. In Koblenz war ein Erfolg des Systems erwünscht, wie auch immer. Die Stadt war durch den Zusammenfluß der Ströme ein optisch markanter Punkt, die Crews erkannten die Flußarme auch mit bloßem Auge. Man hatte, anders als in Bonn, eine klare Nacht gewählt. Das System G-H gehörte zu einem einzigen Verband, Bomber Group Nr. 3. Vierundzwanzig Führungsmaschinen nahmen am Koblenzangriff teil, die Hälfte davon konnte die G-H-Signale nicht klar empfangen, der Rest plazierte um 19.28 Uhr Lichter und Bomben zugleich, die Nachfolgenden erkannten genau die Straßenzüge und hatten um 19.50 Uhr ihre Last ausgeklinkt in einem der exaktesten Flächenbombardements des Krieges. »Die Besatzungen«, heißt es im Gruppenbericht, »waren begeistert, als im späteren Verlauf des Angriffs die ganze Stadt in Flammen stand, und der Brandschein war noch von Brüssel aus zu sehen.«

Die Fassaden aus dem 17. Jahrhundert nahmen nur zögernd das Feuer an, es wuchs aus den Hinterhöfen im Altengraben, dem Entenpfuhl, der Jesuitengasse und der Schanzenpforte. Von den Holzbauteilen gab es dort zu reichlich und von den Löschkräften zu wenige. Die Thermitstäbe waren in jeden Winkel eingefallen, griffen nach Gardinen und gewachsten Fußböden, der Zusammenschluß der allzu vielen Herde war nicht aufzuhalten. Gegen ein Uhr verbanden sich die drei Brandflächen um das kurfürstliche Schloß, zwischen Clemensplatz und Rhein und am Kaiser-Wilhelm-Ring. In der Nacht kam Regen auf, der den Brand nicht störte, und ein frischer Südwestwind, morgens auf Sturmstärke schwellend, der ihn weiter aufpeitschte.

Der Koblenzer Feuersturm forderte hundertzwanzig Menschenleben bei einem Zerstörungsgrad der Altstadt von fünfundachtzig Prozent. Das ist eine sonst nirgends vorfindliche Relation. Der Angriff hat die geschichtliche Stätte unblutig zerstört. Der Ort an der tektonischen Grabenzone der Kriege ging insoweit unkriegerisch zugrunde, wie eine Etüde der Inbrandsetzung. Die Zufälligkeiten des Feuersturms, die immer sich tragisch addierten, flossen in Koblenz glückhaft zusammen. Erstens waren viele Koblenzer kurz zuvor in das Evakuierungsgebiet Thüringen aufgebrochen oder im ländlichen Umland untergekommen. Zweitens war im Winkel zwischen den Flußufern das Feuersturmgebiet sehr eng umrissen, die Fluchtwege nach außen maßen darum kurz. Drittens verspürten die in Kellern und Stollen sich bergenden Bewohner einen lebhaften Drang nach außen, die Stadt zu löschen, das Wasser lag dicht genug. Das Unternehmen führte zu nichts, außer dem raschen Verlassen der Keller, dem tödlichen Gefängnis fast aller Feuerstürme. Die älteste Pfarrkirche der Stadt, die spätromanische ›Unser Lieben Frauen‹, ist nahe am flammenden Entenpfuhl in Turm und Dächern verbrannt. Die Kapläne, die auf Leitern im Turminneren mit Wassereimern, herbeigereicht von Ketten unerschrockener Mädchen, den Bau aus dem 15. Jahrhundert verteidigten, verteidigten mit Erfolg immerhin sich und den ganzen Löschtrupp. Die Erprobung des G-H-Systems war völlig überflüssig. Es wurde nur noch wenige Male angewendet.

Am Katharinentag des Jahres 1944, dem 25. November, flogen vier Combat Wings der 8. US-Flotte gegen den Hafen von Bingen und den Verschiebebahnhof Bingerbrück. Hundertzwanzig Liberators hatten ein Tanklager im Hafen und hundertsechzig den Verschiebebahnhof Bingerbrück zum Ziel. Ein schulmäßiger US-Präzisionsangriff, navigiert mit G-H-Radar. Es waren fünfhundert Pfund Spreng- und Brandbomben geladen, die beste Wirkung im Tanklager versprachen, ›golden brick‹ hieß das Codewort.

Um zwölf Uhr mittags schaltete der führende 2. Combat Wing auf Höchstgeschwindigkeit, der vierzehnminütige Zielanflug auf Bingen begann, 124 Kilometer. Bingen und Rüdesheim saßen zu dieser Zeit bereits seit einer Stunde im Keller, denn es war Vollalarm gegeben. Schwärme von Maschinen überquerten das Rheinland Richtung Sachsen. Genauere Routenangaben erhielten die Bürger über den Drahtfunk, eine über das Telefon- und Stromkabel übertragene Radiodurchsage feindlicher Flugbewegungen. Um 11.54 Uhr meldete der Drahtfunk, daß dreihundert Liberators den Raum Trier überquerten, fünfzehn Minuten später hörte man in Bingen und Rüdesheim die tausend Motoren. Dichte Wolken bedeckten die Orte und ein starker Südwestwind wehte, der in 6600 Meter Höhe Orkanstärke annahm. Er drückte die Liberators immer wieder gen Nordosten, mühselig nur hielten sie Kurs auf Bingen. Das G-H-System funkte ein Signal, das der Navigator dem Bombenschützen weitergab, welcher die Tonnage durch Knopfdruck abließ. Der Navigator der 93. Bomber Group hörte allerdings irrtümlich ein inexistentes Signal, ein Dutzend Maschinen klinkten ihre Munition über einem Waldgebiet nördlich von Kirn aus. Um 12.15 Uhr hörten die 445. und die 453. Bombardement Group das echte Signal, der Leitbombenschütze bediente den Auslöseknopf und parallel mit ihm alle siebzig Maschinen dieses Combat Wings. So will es das Teppich-Bombardement. In den nächsten acht Minuten folgten zehn weitere Groups, bis die 560 Tonnen Spreng- und 56 Tonnen Brandbomben unten waren. Die Einwohner der Kleinstädte besaßen keine Bunker, manchmal Schutzräume, bestenfalls alte Felsstollen wie Bingen, eine Stadt von 16 000 Einwohnern. Sie hatten ehemalige Weinkeller mit Gewölben unter der Innenstadt verbunden und damit eine Schutzfläche von 405 Quadratmetern gewonnen. Bei dichtester Belegung konnten sie indes nicht mehr als tausend Personen aufnehmen. Die Überzahl der Kleinstädter saß in ausgebauten Kellern. Auch hier.

Einem Volltreffer konnte kein Keller widerstehen, seine Insassen gewärtigten ein Ende von Sekunde zu Sekunde. Für die 6500 Meter vom Liberator benötigte die Bombe dreißig Sekunden; den Weg vom Dach zum Keller können menschliche Sinne nicht nachvollziehen. Über die Präzision ihres Angriffs machten sich die heimgekehrten Piloten keine Illusionen. Einige Crews meinten, daß sie zweieinhalb Kilometer nordöstlich des Bahnhofs getroffen hätten, andere hatten durch Wolkenlücken beobachtet: »Das Ziel stand in Flammen, schwarzer Rauch stieg auf beiden Seiten des

Rheins empor. Die Spitze der Rauchwolke reichte bis in eine Höhe von 4500 Metern.« Das Ergebnis schien der 8. US-Flotte »befriedigend«.

Wie anhand der Fotoaufklärung festgestellt, waren die Sprengbomben vom Rupertsberg im Südwesten Bingens über die ganze Stadt bis zum Ostrand Rüdesheims gefallen. Einen Teil hatte der Rhein aufgenommen. Ein anderer hatte die Bäume um das Niederwald-Denkmal gefällt. Im Bingener Stadtkern waren zwei Brandbombenteppiche gelandet, ein dritter entzündete eine Strecke zwischen dem Rüdesheimer Bahnhof und der Stadtmitte. Von den Präzisionszielen hatte der Verschiebebahnhof Bingerbrück vier von 2473 Stück Sprengbomben abbekommen, dem Tanklager ist nichts passiert.

In Bingen, der angeflogenen Stadt, kamen 160 Personen zu Tode, in Rüdesheim, auf der gegenüberliegenden Rheinseite, 199 Personen. 87 der Todesopfer waren unter achtzehn Jahre alt. Das jüngste, der Säugling Werner Heinrich Mahn, geboren am 24. November 1944, hatte einen Tag diese Welt erlebt.

Mainz, am Zusammenfluß von Rhein und Main gelegen, war allezeit ein strategisch begehrter Platz und dementsprechend massiv befestigt. Die Preußen haben es 1793 belagert und durch Kanonade verheert. Auch wenn die Französische Revolution die Bourbonen gehenkt hat, übernahm und steigerte sie deren Hegemonialziele. Danton hielt Rhein, Alpen und Pyrenäen für die natürlichen Grenzen Frankreichs. Speyer, Worms und Mainz waren rasch besetzt, man kannte das Gelände gut, und durch Zuruf erklärte der Konvent am 30. März 1793 Mainz zum Bestandteil der Französischen Republik. Ein revolutionärer Klub Mainzer Aufklärer übte, nicht anders als zuvor und danach die deutschen Fürsten, als französischer Vasall die Macht aus. Aus seiner Warte als Juniorbefreier, das änderte aber nichts an der Vasallität. Die Mehrheit der Mainzer war gegen ihre Befreiung eingestellt.

Die Preußen kesselten im Frühjahr 1793 die Stadt ein und zerstörten sie in einer dem Bombenkrieg verwandten Weise. An der Belagerung nahm, im Quartier des Herzogs von Weimar, auch Wolfgang von Goethe teil. »Fürchterliches Bombardement«, notiert er in der Nacht zum 15. Juli. »Von der Mainspitze über den Main brachte man das Benediktinerkloster auf der Zitadelle in Flammen. Auf der anderen Seite entzündet sich das Laboratorium und fliegt in die Luft. Fenster, Läden und Schornsteine in dieser Stadtseite brechen ein und stürzen zusammen.« Solange Goethe am Belagerungsgeschehen teilnimmt, nimmt ihn die Ästhetik des Brandlegens gefangen »als ein seltener wichtiger Fall, wo das Unglück selbst malerisch zu werden versprach«.

Das Malerauge, das vor der Aura des 975 von Erzbischof Willigis begonnenen Kaiserdoms erschrickt, hat ein zweites zur Seite, das sich am Frevel ergötzt. »Den 28. Juni Nachts. Fortgesetztes Bombardement gegen den Dom. Turm und Dach brennen ab und viele Häuser umher. Nach Mitternacht die Jesuitenkirche. Wir sahen auf der Schanze von Marienborn diesem schrecklichen Schauspiel zu; es war die sternhellste Nacht, die Bomben schienen mit den Himmelslichtern zu wetteifern, und es waren wirklich Augenblicke, wo man beide nicht unterscheiden konnte. Neu war uns das Steigen und Fallen der Feuerkugeln; denn wenn sie erst mit einem flachen Zirkelbogen das Firmament zu erreichen drohten, so knickten sie in einer gewissen Höhe parabolisch zusammen, und die aufsteigende Lohe verkündigte bald, daß sie ihr Ziel zu erreichen gewußt.«

Den Eindruck des lodernden Domes hielt der mit der Camera obscura arbeitende Weimarer Maler Gore, ein Brite, fest, daneben der landschaftsmalende Rat Kraus. »Herr Gore und Rat Kraus behandelten den Vorfall künstlerisch und machten so viele Brandstudien, daß ihnen später gelang, ein durchscheinendes Nachtstück zu verfertigen, welches noch vorhanden ist, und, wohl-erleuchtet, mehr als irgendeine Wortbeschreibung die Vorstellung einer unselig glühenden Hauptstadt des Vaterlandes zu überliefern imstande sein möchte.« Den Zwiespalt seiner Sinne beruhigt Goethe in der militärischen Notwendigkeit, »indem wir, uns zu retten, uns einigermaßen wieder herzustellen, zu solchen Mitteln greifen mußten«. Doch konnten solche Mittel die lächerlichen verzopften Generäle Kalckreuth und Braunschweig auch nicht mehr retten und das sterile Regiment Friedrich Wilhelms II. und des Kaisers Franz nicht wiederherstellen.

Mainz fiel, die besiegten Verteidiger Custine und Beauharnais endeten in Paris auf dem Schafott, und der General Napoleon hieb die deutsch-österreichischen Truppen alsbald dermaßen zusammen, daß ihm im Frieden von Campoformio Mainz geradezu aufgedrängt wurde.

Napoleon kam häufig nach Mainz, nun Hauptstadt des Departement Donnersberg, und kümmerte sich intensiv um den weiteren Ausbau der Festungsanlagen, die zu nichts mehr nutze sein sollten. Im Laufe der von 1918 bis 1930 währenden französischen Okkupation von Mainz wurden sie wieder abgerissen. Dem nächsten Bombardement St. Martins und der Vernichtung der Stadt am 27. Februar 1945 lag, verglichen mit dem Unternehmen Goethes, zumindest ein geschichtsmächtiger Krieg zugrunde. Die ersten zwei Großangriffe Bomber Commands am 12. und 13. August 1942 bedrohten das Wahrzeichen der Stadt mit Flächenbränden, doch wußten Löschkräfte sie zu bändigen. Das Jahr 1943 ließ Mainz unbehelligt, im Herbst 1944 wurde es für die Deutschen zum Hinterland der Westfront.

Drei Haupteisenbahnstrecken trafen am Ort zusammen, ein Rangierbahnhof und zwei Binnenhäfen wickelten Transporte ab. »Durch dieses Verkehrszentrum«, erklärte das britische Luftfahrtministerium am 27. Februar 1945, »sind bei Tag und Nacht Truppen und Materialtransporte in das Kampfgebiet geschleust worden.« Infolgedessen mußte Mainz aus dem Wege geräumt werden. Das ist strittig. Nach der mißglückten Ardennenoffensive war dieser Frontabschnitt ganz nebensächlich geworden. Er lag im Bereich von Pattons 3. US-Armee, die ihre Luftstreitkräfte nur mäßig Mainzer Zielen zuwandte.

Angriffszwecke werden durch die eingesetzte Munition meist klarer erläutert als durch Bulletins. Die vierte und sechste Gruppe Bomber Commands führten an dem Abend 935 Tonnen Brand- und Leuchtbomben sowie 635 Tonnen Sprengbomben mit sich, ein Verhältnis von sechzig zu vierzig. Auch der hohe Minenanteil an der Sprengmasse besagt viel. Minen senden Druckwellen aus, sie sprengen nicht intensiv. Bahnanlagen hingegen sind nur empfindlich gegen Sprengwirkung. Erst recht vermochte ihnen die halbe Million Stabbrandbomben nichts anzuhaben. Kurz, es war das bewährte Brandgemisch. Der angestrebte Feuersturm, wie ihn vor drei Tagen etwas weiter stromabwärts Pforzheim getroffen hatte, kam jedoch nicht zustande, weil Trümmer schlecht brennen. Bei der Jagd auf das Präzisionsziel Hauptbahnhof hatte die 8. US-Flotte im Dezember den Hauptbahnhof verfehlt, nicht aber die Innenstadt. Die dabei angerichteten Verwüstungen hatten Brandschneisen in die Stadt geschlagen und Schuttberge erschaffen, die Harris' Feuerwalze im Februar viel leerlaufen ließ. Doch fanden die Flammen noch Nahrung in der fünfjochigen Gewölbebasilika St. Emmeran aus dem 14. Jahrhundert, dem ehemaligen Heilig-Geist-Spital, dem 1236 begonnenen ältesten deutschen Bürgerhospital, sowie dem Herzen der Altstadt, dem Markt.

In den sturmerprobten Befestigungswerken besaß Mainz Schutzraum in Fülle. Die Kasematten, die so vielen Kanonaden getrotzt hatten, hielten auch den Blockbustern und Cookies der Luftgeschwader stand. Mit Belüftungen, Schleusen und Stahltüren umgerüstet, flößten die meterdicken Gemäuer den Einwohnern mehr Zutrauen ein als der Hochbunker am Güterbahnhof. Dazu die Zitadelle, die Bastion Alexander, die Forts Josef, Philipp und Karl, welche Furcht und Fürsorge von Generationen von Verteidigern aufgetürmt hatten. Aus freudigerem Anlaß verfügte die Sektkellerei Kupferberg und die Mainzer Aktienbrauerei über kühlende Gewölbe, die ebenfalls dem Luftschutz zugute kamen.

Am 27. Februar um 16.00 Uhr verließen die Mainzer nach vier Stunden stickigem Aufenthalt ihre Verliese. Um zwölf Uhr hatte der Flugmeldedienst Vollalarm gegeben, vermutlich wegen Durchzugs von drei US-Bomberdivisionen nach Sachsen. Jetzt wimmelte der Himmel über dem Reich von Bombern. Am 22. Februar suchten 9788 Maschinen ihr Ziel, am 23. Februar 8400 Maschinen, die dreiundvierzig Angriffe flogen. Der deutsche Flugmeldedienst geriet davon außer Atem. Die Radaranlagen an der Atlantikküste waren verloren, das verkürzte empfindlich die Warnzeiten. Am Angriffstag kam um die Mittagszeit der Überblick abhanden; zu der Zeit flogen 2600 Maschinen, wohin sie wollten. Die 435 auf Mainz angesetzten Bomber schlüpften durch das Gitter der Melder, diese wähnten alle Angreifer auf dem Heimweg und gaben für Mainz Entwarnung. Als die Kellerinsassen um kurz nach 16.00 Uhr ans Licht kamen, waren die 4., 6. und 8. britische Bombergruppe bereits über Cochem. Die Leute machten sich aus den stickigen Schlupflöchern erleichtert auf den Heimweg, um 16.25 Uhr wurde Fliegeralarm ausgelöst, in demselben Moment fielen die Bomben. Für den Rückweg in die Festungswerke war es zu spät, man flüchtete in die labilen Keller, und 1200 Menschen kamen um, darunter die einundvierzig Kapuzinerinnen, die im Keller des Klosters ›Zur ewigen Anbetung‹ erstickten. Die Brände hatten den Sauerstoff aus den Gewölben gesogen.

Zu den getroffenen Zielen zählte neben der Stadt auch der Bahnhof. Zwei Monate zuvor hatte eine der Mainz angreifenden Bombergruppen exakt den Verschiebebahnhof Bingerbrück zerstört. Das wäre ihr vermutlich auch in Mainz gelungen. Der Ort ist Ende Februar 1945 anders verbrannt worden als in Goethes Belagerung. Nicht durch aussichtslose Verlierer, um »uns zu retten, uns einigermaßen wieder herzustellen«. Die Sieger standen schon fest, nur mußten sie noch einiges Blut an ihre Sache setzen und wußten mittlerweile auch, wieviel. Die Einäscherung von Mainz konnte ihnen keinen Tropfen davon ersparen. Sieg ist militärisches Resultat und Triumph. Harris hat die »aufsteigende Lohe« ähnlich gefesselt wie Goethe, weil die Bomben, die »mit den Himmelslichtern wetteifern«, so daß man »beide nicht unterscheiden konnte«, auch den Bombardier ununterscheidbar vom Herrn des Firmaments machen. Sein ist die Rache.

Der Mainzer Dom mit seinem Vierungsturm, dem Chorturm und vier Flankentürmen hat den falschen Himmelslichtern getrotzt. In drei Bombardements am 12. August 1942, am 8. September 1944 und am 27. Februar 1945 wurde das Dach abgebrannt, am Südflügel des Kreuzgangs, und am Dach der Gotthardkapelle Lücken gesprengt, doch seine Majestät nicht weiter versehrt. Die Innenstadt von Mainz haben die 1944/45 abgeworfenen 1,3 Millionen Stabbrandbomben und 20 000 Sprenbomben zu achtzig Prozent beseitigt. Die Totenzahl der 158 000-Einwohner-Stadt mit besten Schutzeinrichtungen liegt mit 3500 bis 3800 Personen bei dem Doppelten des Durchschnitts.

Das rechtsrheinisch gegenüber von Mainz gelegene Wiesbaden hatte ebenfalls einen triftigen Grund dafür, vom Bombenkrieg verschont zu bleiben: »Wiesbaden wollen sie verschonen, da wollen sie wohnen.« Der Reim existiert in mehreren Fassungen, gilt jedoch nur für Städte mit gehobenem Lebensniveau. Im Hohenzollernstaat ist Wiesbaden die eleganteste, vergnügteste Kur- und Badestadt im Lande gewesen, zuvor die Residenz des Herzogtums Nassau. Der Glanz des Ortes wich nach dem Weltkriege einer Patina, die sich aufs schönste mit der bis 1930 währenden französischen Besatzung verband. Luftwaffenstäbe besehen Städte indes nicht nach Quartiertauglichkeit. Bei dem ersten Schwerangriff am 8. Februar 1944 fiel in wenigen Minuten ein Bombenteppich auf den Stadtteil Bieberich, dort stand auf der Adolfshöhe die Sektkellerei Henckell. Der Teppich auf Adolfshöhe vernichtete die galante Firma, tötete Karl Henckell, den Besitzer, nebst einer Anzahl Mitarbeiter. Kein Landheer hätte sich dazu hergegeben.

Die 8. US-Flotte hatte von ihren Wirtschaftsangestellten erfahren, daß es in Wiesbaden die Chemiefabrik Kalle gebe, damit war der Ort Ziel. Drei Angriffe im September kehrten sich gegen den Schlachthof und die Stadtgebiete, in denen Kalle und Dyckerhoff produzierten. Die drei britischen Oktoberangriffe verfuhren blutiger, warfen mit schweren Luftminen, die am Ort für verirrte V1-Geschosse gehalten wurden, Wohnblöcke um und begruben 291 Personen. Vom November an gingen Tiefflieger gezielt auf Menschenjagd. Aus der Warte Bomber Commands hatte es sich bei alldem um Gelegenheitsangriffe kleiner, unbeschäftigter Mosquitogruppen gehandelt, die erstaunliche Wirkung zeigten. Den Standardeinsatz des schweren Materials hatte man sich für später vorbehalten.

Als Harris im Februar 1945 die bisher aufgesparten Plätze zählte, kam er rasch auf Wiesbaden. Hundertsiebzigtausend Menschen lebten dort und kannten noch nicht die Macht des Feuers. Der Februar war der Monat der Restoperationen. In der Nacht zum 3. erschienen zwischen halb zwölf und halb eins 495 Lancaster und trugen den Brandkrieg in die gastliche Stadt. Siebenundzwanzigtausend Brand- und neununddreißig Sprengbomben, in fünfzig Minuten ungewöhnlich zeitaufwendig angebracht, machten achtundzwanzigtausend Personen obdachlos, legten einen Flächenbrand in das Zentrum, der das Rathaus zerstörte, das prächtige Lyceum I, das Kavalierhaus, die Brunnen- und Theaterkolonnade, das Paulinenschlößchen, den englisch-hessischen Hof, das ›Victoria‹. Zwölfhundertsiebzig Tonnen Munition plätteten alles, was zu einem amüsanten Treffpunkt der Gesellschaft des 19. Jahrhunderts gehörte. Die Schatten tausend getöteter Gastgeber bereiteten dem ein finsteres Ende. Im Nachtrag zerstörten Bomber am 9. März die Städtische Pflegeanstalt in Bieberich mit einundvierzig Insassen, zwei Diakonissinnen und drei Hausmädchen.

Das Haus, von allen vier Seiten angezündet, stand rasch in Flammen, denen der Wind half. Die Eingeschlossenen hielten sich für verloren und flehten Gott um Erbarmen an. Lieber wären sie in einer ordentlichen Schlacht gefallen. Unmäßig werde Rache an ihnen geübt. Einer sagte, man müsse sowieso sterben, was immer der Gegner sage. Er verspüre nichts als Durst. Hagen sagte, wer Durst habe, solle das Blut dort trinken, dabei wies er auf einen Toten am Boden. Jemand nahm ihm den Helm vom Kopf, kniete an der offenen Wunde und trank das Blut. Die anderen folgten ihm und saugten daraus neue Kräfte. Inzwischen prasselten von oben die Flammen.

»Daz fiuwer viel genôte   ûf si in den sal.
dô leiten siz mit schilden   von in hin zetal
der rouch und ouch diu hitze   in tâten beidiu wê
ich waene der jâmer immer   mêr an héldén ergê.
Da sprach Hagen von Tronje: »stêt zuo des sales want!
lât niht die brende vallen   ûf iuwer helmbant!«

Mit dem Rücken an der Saalwand, achtend daß ihnen die Brände nicht die Helmriemen versengten, warteten die Burgunder auf die Hunnen.

Aetius, der letzte nennenswerte römische Feldherr, ein Halbbarbar, verbündete sich mit den Hunnen, so war er stark genug, die Burgunder zu vernichten, die seit 413 Worms zum Mittelpunkt ihres Reiches gewählt hatten. Die Hunnen verwüsteten Worms, das war die erste von vier Stadtzerstörungen. Den Burgundern widerfuhr ein klägliches Los. Aetius wies ihnen andere Siedlungszonen an den Jurapässen, oberhalb des Genfer Sees und an der Saone zu. Ein Teil der burgundischen Edlen wurde in die hunnische Sklaverei entlassen und nach Ungarn verschleppt zum Hauptsitz König Attilas. Dieser, den Aetius nur hatte benutzen und auszahlen wollen, erschien nach einigen Jahren wieder in der Rheinebene, in der seine Kampfesart so wirksam sich entfaltet hatte. Als die Hunnen bis in die Champagne vorgedrungen waren, brachte Aetius eilends eine christliche Allianz zusammen, in der neben Westgoten, Franken, Alemannen und Römern auch burgundische Reste fochten; damit ward auf den Katalaunischen Feldern gesiegt. Der Untergang der Burgunder aber wurde im Nibelungenlied festgehalten und teilte sich als deutscher Mythos späteren Geschlechtern mit.

Als die divergenten Teile des Lieds am Ende des 18. Jahrhunderts neu entdeckt wurden, fiel auf, daß der zweite Teil, die Vernichtung Burgunds von Hand der Hunnen, durch die höfischen Sänger umgestaltet worden war. Sie findet zwar statt, hat aber andere Ursachen. Die Hunnen kommen völlig ungewollt in die Geschichte. Zwar säbeln sie die Burgunder nieder, doch nicht aus eigenem Antrieb. Antriebskraft ist eine burgundische Rasende, die rächende Kriemhild. Die Zwietracht zwischen Kriemhild und den eigenen Leuten setzte die Selbstzerfleischung der Burgunder in Gang. Die Sänger haben die Ereignisse vertauscht und so lange umgedeutet, bis ihnen der Zusammenhang einleuchtete. Mit den Einzelheiten gingen sie frei um. Erzählen ist Gestaltgeben. So gestaltete das Nationalepos das An-sich-selbst-zugrunde-Gehen.

Die Verwüstungen von Worms stehen wie Weiser an dem Gewirr von Zerstörung und Selbstzerstörung des Reiches. Die Stadt nahm teil an der salischen und staufischen Kaiserherrlichkeit, erlebte den Reichstag von 1521, als Luther Kaiser Karl V. seine Lehre darlegte mit der Folge, daß die Religionskriege das Reich als Machtgebilde ausschalteten. So drang Frankreich in das Vakuum. Im Pfälzischen Krieg verwüstete Ludwig XIV. einen pfälzisch-badischen Streifen von 160 Kilometer Länge und 80 bis 180 Kilometer Breite, um seinen Rückzug zu sichern. Dann verlegte er eilends die Front, um seine Atlantikküste decken zu können. Die

Verödung der Pfalz war ein klassischer Anwendungsfall der ›verbrannten Erde‹. Der Zurückweichende legt einen Brandgürtel, damit der eventuelle Verfolger sich nirgends mehr festsetzen kann.

Den Einwohnern der Stadt Mannheim riet der General Melac nach der Verbrennung von Heidelberg Ähnliches wie Churchill zweihundertfünfzig Jahre später. Sie möchten ins Elsaß auswandern, die Stadt werde niedergebrannt. So Mannheim, Heilbronn, Pforzheim, Rastatt, Baden-Baden, Bingen, Speyer mit Dom samt Kaisergräbern, Worms mit Kaiserpfalz und Hunderte weitere Ortschaften.

In seiner Lokalenge weist dieser gewaltige historische Brand auf den Bombenkrieg und distanziert sich zugleich von ihm. Die Pfälzer widersetzten sich dem Verbrennen ihrer Heimstätte, infolgedessen erklärten die Franzosen, man verbrenne diese zur Strafe für die pfälzische Widersetzlichkeit. »Man muß diese Leute unbedingt zur Vernunft bringen«, notierte Kriegsminister Louvois, »indem man sie entweder hängt oder ihre Dörfer abbrennt. Wenn die Deutschen sich nicht auf die Seite einer anständigen Kriegführung stellen, soll man sie in ihrer Unmenschlichkeit überbieten.« Die Gegenseite verantwortet die Radikalität meiner Mittel, wer sonst? Zwischen dem aufgeklärten Absolutismus und der Neo-Barbarei der Moderne klafft aber ein Abstand, die Verwüstung der Pfalz schließt kein Zivil-Massaker ein. Ums Leben wird gebracht, wer nicht reglos sein Haus abbrennen läßt. Doch wird nicht das Haus abgebrannt, um seine Bewohner umzubringen.

Worms, eine Stadt von 58 000 Einwohnern mit lediglich einer rüstungsrelevanten Firma, war bis zum 21. Februar 1945 unversehrt geblieben. An diesem Tage legte ein übelgelaunter Angriff von 288 Halifaxen, 36 Lancastern und zehn Mosquitos elfhundert Bombentonnen auf den Ortskern, vernichtete oder zerstörte 6490 der Gebäude, machte 35 000 Personen obdachlos und tötete 239. Ein Teil des Abwurfes verfranste nach Südwesten hin. Der Dom, in dem Friedrich II., Kaiser von Deutschland, König von Sizilien und Jerusalem, zu seinen Tagen als überirdisches Geschöpf gerühmt, Isabella, die Schwester König Heinrichs III. von England, geheiratet hatte, geriet unter die 30-Pfund-Flüssigkeitsbombe. Die Dächer brannten, die Glocken schmolzen, die Obergeschosse

277

der Osttürme verglühten, das war alles. Ein Opfer der Flammen wurde die 1002 anstelle der abgebrochenen Salierburg errichtete Klosterkirche St. Paul mit ihren Arabien zitierenden Turmbekrönungen. Die einzig erhaltene mittelalterliche Synagoge in Deutschland war 1942 von den Deutschen gesprengt worden. Als sie am 20. März hinter den Rhein wichen, jagten sie auch ihre 1900 nach staufischen Mustern vollendete Nibelungenbrücke in die Luft. Etwas so Nützliches wie eine Rheinbrücke rührte Bomber Command nicht an. Vier Wochen zuvor hätten die Verteidiger sich hinter den Rhein verschanzen, ebenso perfekt verlieren und Worms erhalten können. Dies entspricht allerdings nicht den Erfordernissen der Nibelungenschlacht, wie sie im Epos steht. In den Untergang nehmen die Burgunder ihre Welt mit, es gibt kein nachher.

Mannheim war Festung, gebaut von französischen Festungsbaumeistern in herrlichstem Ebenmaß, eine Herausforderung. Achtzehn Jahre nach Fertigstellung fiel sie 1622 dem Katholikengeneral Tilly zum Opfer, dem Hunnen seiner Zeit. Deutschland zerfiel im Dreißigjährigen Krieg und kam weißgeblutet, sich spinnefeind und ohnmächtig daraus hervor. Frankreich löste den Glaubenszwist, erschlug und knebelte seine Hugenotten, etablierte eine Landesreligion und festigte den Nationalstaat. Kurfürst Carl Ludwig von der Pfalz bot den hugenottischen Geflüchteten, seinen Glaubensgenossen, Asyl, die Festungsanlagen wurden erneuert, die Stadt blühte auf, und die Franzosen standen alsbald vor den Toren.

Im Pfälzischen Krieg, den Carl Ludwigs Erbfolge auslöste, nahm der Belagerer, General Montclar, die Festung mit Bravour, und bevor die Truppen wieder abzogen, schlugen sie das Stadtkunstwerk vorsorglich entzwei. Die drei großen Konflikte des 18. Jahrhunderts, der spanische und der österreichische Erbfolgekrieg sowie der Siebenjährige Krieg taten Mannheim nichts an; der Krieg fand auf der Bühne des Nationaltheaters statt, das Schillers *Räuber* uraufführte. Die Revolutionskriege ließen nichts unberührt, wieder wurde die bildschön wiederhergestellte und verstärkte Festung zusammengeschossen, zunächst von den natürlichen Eroberern, den Franzosen, sodann überflüssigerweise von dem Rückeroberer, dem österreichischen General Wurmser.

Napoleons Friede von Lunéville bestimmte, rechtsrheinisches Gebiet, so auch Mannheim, zu entfestigen; dessen Festungen hatten ohnehin nichts genützt, doch war es schade für das Auge. Als Rheinbundstaat gab es auch nichts mehr, dessen Mannheim sich hätte erwehren können. Der nächste Angreifer operierte aus der Luft.

Da die Stadt 1940 als die erste einen ernsthaften Brandangriff erfahren hatte, drängte sie sogleich auf ihr altes Projekt, die Befestigung. Die häßliche Festung der Moderne, den Bunker, wollte man in Mannheim nicht über der Erde sehen. So baute man unter die Innenstadt Tiefbunker, Hochbunker nur außenbezirklich und selbst dort mit dem ortsansässigen Geschmack. Die Bunker sollten die Qualität des Westwalls besitzen und der Hälfte der Einwohner Schutz gewähren. Bis Herbst 1943 entstanden einundfünfzig Bunker mit einer nominellen Kapazität von 120 000 Plätzen. Bei etwas Gedränge entsprach dies bei 284 000 Einwohnern einem Vollschutz. Es war die erste Befestigung, die zu etwas taugte.

Mannheim verlor 1700 Personen oder 0,6 Prozent seiner Einwohner, nahezu die Hälfte des Durchschnitts. Den Luftschutzerfolg unterstreicht noch die Vielzahl der Anflüge. Im Gebiet des heutigen Baden-Württemberg war Mannheim die meistangegriffene Stadt. Dies geht aus dem Verlust ihrer Gebäude hervor, die nicht zu verbunkern waren. Die historische Stadt wurde ausgelöscht. Ludwig XIV. ließ nichts vom 17. Jahrhundert stehen und Churchill nichts vom 18.

Die Vernichtungsserie setzt in der Nacht zum 17. April 1943 ein, in welcher der Westflügel des Schlosses ausbrennt. Die Nacht zum 6. September verfeuert die kunstgeschmückte Jesuitenkirche in ihren meterdicken Eichenbalken sowie, nach einer Vorstellung des *Freischütz*, das Schillersche Nationaltheater. Ein Drittel der Wohnhäuser ist nun zerstört. Am 24. September fällt der Ostflügel des Schlosses in Schutt. Ein britisches Flugblatt teilt im Dezember mit: »Alle fünf Minuten wird ein neues Flugzeug in Amerika hergestellt.« Da nicht alle fünf Minuten ein Mannheimer

Schloß hergestellt wird, ist die Überlegenheit dieser Seite ausgemacht. Das *Hakenkreuzbanner* frohlockt ganz ähnlich, daß jede Bombe einen neuen Nazi herstellt. »Die Bomben haben erreicht, was die beste und überzeugendste Rede nicht erreichen konnte. Sie haben Hunderttausende und Millionen von Deutschen ganz unmittelbar in die Schicksalsgemeinschaft des deutschen Volkes hineingestellt. Wo die Gegner unsere schwächste Stelle zu treffen hofften, trafen sie auf unsere stärkste Kraft.«

Aus dem linksrheinischen Brückenkopf der Feste Mannheim, der ›Rheinschanze‹, ist 1859 eine der jüngsten Städte Deutschlands hervorgegangen, Ludwigshafen. Die Ansiedlung der BASF und die Orientierung des vorderpfälzischen Verkehrsnetzes auf diese Uferstrecke zogen 124 Luftangriffe auf Ludwigshafen, die das Stadtzentrum, die Hälfte der Wohngebäude und neunzig Prozent der Kirchen, Schulen und Fabriken zerstörten. Bei den guten Luftschutzanlagen zeigt der überdurchschnittliche Menschenverlust von 1778 der 144 000 Einwohner die Wucht des Angriffs.

Im Laufe der drei Kriege, in denen die Weltmächte des 18. Jahrhunderts, England, Frankreich, Preußen und Österreich, ihre Balance austarierten, wurde Karlsruhe auch einmal von Ludwig XV. besetzt. Das Markgrafentum Baden-Durlach und das Markgrafentum Baden-Baden, im Dreißigjährigen Krieg noch gegeneinander kämpfend, standen nun vereint im kaiserlich-habsburgischen Lager, dem England sich anschloß. Nebst Frankreich bildeten Preußen, Sachsen und Bayern die Gegenpartei. Deutschland war keine Partei, sondern das Schlachtfeld der Parteien.

Baden-Durlach, 1771 nach zweihundertfünfzig Jahren mit Baden-Baden wieder vereinigt, war ein Hort des aufgeklärten Absolutismus, schaffte die Leibeigenschaft ab und baute 1715 auch eine rationale Stadt. Nach dem Muster des Sterns von Versailles leiteten, von einem geometrischen Kreiszentrum, dem Schloßturm, zweiundzwanzig Radialstraßen in den Forst, den Park und die Stadt. Die Stadt steckte als Segment in dem Kreis, ein gleichschenkliges Dreieck mit dem Schwerpunkt an der Basislinie. Das Schloß thronte wie eine Sonne auf dem Dreieck der Erde. Den Franzosen gefiel dies, insbesondere Napoleon, der Baden zum Großherzogtum machte, einem Pfeiler des Rheinbunds. Die Landeskinder bezahlten zum Dank mit hohen Summen und ihrem Blut die napoleonischen Kriege. 1914–1918 ereignete sich seit Jahrhunderten der erste europäische Großkrieg, der nicht auf deutschem Boden stattfand. (Krimkrieg, 1870/71 und die Balkankriege rechnen nach Teilnehmern und Verlauf zu den begrenzten Konflikten.) Das spät entstandene Deutschland, das die Staatenordnung der postnapoleonischen Zeit aus dem Lot brachte, focht die Machtbalance mit England, Frankreich und Rußland aus. Der Militärverlauf war unbeweglicher, stationärer und stupider als in vorangegangenen Jahrhunderten. Die Verwüstungen und Brandschatzungen widerfuhren nun Belgiern und Nordfranzosen. Karlsruhe stellt eine geringfügige Ausnahme dar, weil es neben Freiburg und Ludwigshafen aus der Luft bombardiert wurde.

Der erste massive Bombenangriff, die Biegung zur neuzeitlichen Barbarei, ereignete sich am Fronleichnamsfest des Jahres 1916. Es ist die Zeit der Verdunschlacht. Fünf zweimotorige Doppeldecker der französischen Flieger-Escadrille C6 erscheinen an einem wolkigen Nachmittag gegen 15.10 Uhr über den Radialachsen der Stadt, welche die Karlsruher ›Fächer‹ nennen. Die mit blau-weiß-roten Kokarden verzierten Maschinen haben ihr Ziel mit Ortungsbestecken gut gefunden, über die Bordwand der offenen Kabine hebt der Kopilot eine sechzig Zentimeter lange Stahlbirne mit einem Griff, die Bombe, und läßt sie hinabfallen. Jede Maschine führt acht Bomben mit sich, die gesamte Escadrille also vierzig.

Im Auftakt schon wird der Abscheu des Bombenkriegs offenbar, als wolle er der Zivilisation klarmachen, worauf sie sich einlasse. Die ersten fünf Bomben treffen neben dem Rundzelt des Zirkus Hagenbeck auf, der vor zweitausend Personen eine Vorstellung gibt, überwiegend Kinder. Der Explosionsknall verursacht Panik im Zirkuszelt, die Leute springen ins Freie, Soldaten schlitzen die Plane auf, Flüchtende zertrampeln die Langsamen und rennen in die nächsten Bomben hinein. Am Schluß liegen hundertzwanzig Tote vor dem Zirkus, fünfundachtzig davon Kinder. Die Leichen werden im Nordwestflügel des Bahnhofs ausgelegt. Marschall Foch, der Oberbefehlshaber der französischen

Streitkräfte, vergalt mit diesem Angriff das deutsche Bombardement des französischen unverteidigten Ortes Bar-el-Duc, das fünfundachtzig Zivilisten getötet hatte. Nun stand es remis.

Obgleich das Zielen von Bomben im Ersten Weltkrieg völlig ausgeschlossen war, meldeten die Stabsbulletins, daß Industrie- und Bahnhofsziele angegeben und auch getroffen wurden. Nur die Piloten, die es besser wußten, räumten ein, daß eher der moralische Effekt zähle und die Bombengeschichten im ganzen Land verbreitet würden. Das großherzogliche Residenzschloß wurde in dem britischen Feuerangriff vom 27. September 1944 zerstört. Der Brand währte zwei Tage lang und ließ allein die Umfassungsmauern übrig. Zur Feuerbekämpfung hatten die rationalen Schloßarchitekten den Schloßgartenteich vorgesehen. Für das stumpfe Unglück reichte das hin, nicht aber für die wohlkalkulierte Brandtechnik der Feuerwerker der Royal Air Force. Der Teich war schnell leergepumpt, das Schloß aber brannte fort. In hilfloser Verzweiflung suchten Löschkräfte in den Bau einzudringen, als wollten sie die Flammen überreden, doch seine Zeit war abgelaufen. So gab es auch für die katholische Stephanskirche keinen Platz mehr, die 1804 bis 1814, am Gipfel der Vernunftsreligion, dem Vorbild des Pantheon nachgestaltet worden war.

Das Universum der Vernichtung ist richtungslos, blinder Zustand, Tor zum Nichts, das schien der Engel auf dem Schloßkirchenturm mitteilen zu wollen, der gewöhnlich die Windrichtung anzeigte. Die Feuersbrunst schafft sich eine eigene Luftzirkulation, und so begann die 2,70 Meter hohe Figur wie wahngeschlagen um ihre eigene Achse zu rasen, bis sie sich aus dem Lager löste und in die Tiefe stürzte. Das Warnsystem hatte versagt, der Angriff kam, ebenso wie der nächste Vernichtungsangriff am 4. Dezember, unversehens wie die Bombardierung des Zirkus. Bomber Command erschien um fünf Uhr früh, kurz darauf war der Fächer ein Flammenspalier, zweckdienliches Verhalten fand keinen Raum mehr, es war aus. Die überrumpelten Menschen, denen die Flamme den Sauerstoff aus den schnurgeraden Straßen sog, probierten in Richtung auf den Hardtwald oder auf eine Freifläche oder nur dahin zu gelangen, wo es dunkel war. Die letzte

List der Vernunft bediente sich am Vortage der Putzfrau Steinöl im Schloß. Sie hatte die eisernen, mit Gummi abgedichteten Türen, sogenannte Luftschutzschleusen, verschlossen, welche die in den Keller verladene Bibliothek hüteten. Diese ist nicht verbrannt. Karlsruhe hat siebenundfünfzig Luftangriffe erfahren, der schwerste am 4. Dezember 1944 wühlte einen siebzehn Kilometer langen, 3,3 Kilometer breiten Ost-West-Streifen auf, eine Wüstengerade in der Geometrie, welche die Stadt zusammenhielt. Einem geflügelten Wort der Zeit zufolge verfehlten die Bomben mit Sicherheit das, was sie treffen sollten. Was sollten sie treffen? Das ist eine vielschichtige Frage. Jedenfalls sollten sie nichts verschonen, etwa die bis Ende 1944 unversehrte, schon dem Namen nach provokante DWM Deutsche Waffen- und Munitionsfabrik. 1942 hatte ihr ein eigener Angriff gegolten, der die Werksanlage aussparte, aber die gesamte Straße zertrümmerte, an der sie gelegen war. Es charakterisiert den 4. Dezember, daß selbst die DWM zertrümmert wurde. Von der Vernunftsstadt blieben 2,6 Millionen Kubikmeter Schutt übrig. Sie verlor 1754 Bürger.

Breisach liegt auf vulkanischem Gestein, drei Kilometer südwestlich vom Kaiserstuhl. Sein Kaiser war Rudolf von Habsburg, bei Habsburg blieb die Stadt bis 1805, und so geriet sie in den langwierigen Konflikt Frankreichs mit dem habsburgischen Weltimperium, das auch das Deutsche Reich verwaltete als langlebigstes aller Herrschergeschlechter. Als Frankreich im Dreißigjährigen Krieg seine Rheinpolitik eröffnete, kehrte es sich sogleich gegen Breisach, das die habsburgischen Besitztümer im Elsaß und im Breisgau verknüpfte. Zwischen 1648 und 1806 war die Stadt siebenundsechzig Jahre französisch, erhielt von Marechal Vauban, Ludwigs XIV. ingeniösem Festungsbaumeister, die mächtigsten Bastionen am Oberrhein, welche Österreich 1744 auf dem Stumpf schleifen ließ, als der Breisgau nach dem Pfälzischen Krieg an Habsburg zurückerstattet wurde.

Frankreich hatte seine Kräfte überspannt, holte Atem und kam 1793 gestärkt zurück. Die Revolutionsarmee setzte die Stadt in einen vier Tage währenden Brand modernen Zuschnitts. Nichts blieb stehen, außer dem Münster und fünf Stadttoren. Der Wiederaufbau zog sich lange hin, und die Stadt träumte in der Schönheit der Landschaft im stillen Winkel der Ereignisse, bis ein weiterer Abkömmling der Revolution, die US-Streitkräfte, Breisach von Oktober 1944 bis April 1945 mit Bomben, Jagdbombern und Artillerie einhundertdreißigmal attackierte. Das Bild des Ortes am Unterlauf des Stroms glich der Ödnis von Emmerich am Niederrhein.

Im linksrheinischen Gebiet zieht der Bombenkrieg seine Spur durch Aachen, Xanten, Trier, Kaiserslautern, Pirmasens, Saarbrücken und die Dörfer der Eifel. Bis zum Juni 1943 konnte Aachen von sich sagen, daß es in über tausend Jahren nicht kriegerisch zerstört worden war. Die letzten, die es danach gelüstete, waren 881 die Normannen gewesen, eine plündernde Wikingerhorde, die 1066 England eroberte. Mag sein, daß das Karlsreich, als Phantasie eines verträglichen Europas, das unverträgliche begleitete, dessen Geschichte die seiner Selbstbekriegung gewesen ist. Karl hat daran keinen Gedanken verschwendet, weil die fränkische Erbfolge nicht Reichskontinuität, sondern die Besitzteilung unter den Söhnen vorsah.

Die salischen und staufischen Kaiser, deren Reich ganz anders gerichtet war als das fränkische, haben Karls Mythos gepflegt, sich zu Aachen krönen lassen, Otto III. öffnete Karls Sarkophag und wollte in dessen Dom begraben liegen. Friedrich Barbarossa erhob Karl zum Heiligen, die Goldene Bulle hat 1356 Aachen reichsrechtlich zur Krönungsstadt bestimmt und bis 1531 sind siebenunddreißig Erwählte hier zu Kaisern und Königen erhoben worden. Als die Kaisermacht in den deutschen Süden wechselte, lag die alte Krönungsstadt im hintersten Winkel und mußte Frankfurt weichen. Doch blieb Aachen Wallfahrtsstätte, hütete Reliquien, Kleinodien und den Schrein mit Karls Gebeinen. Der Ort besaß, wie die gemeinsame Wiege, eine Aura des Friedensschließens. Es endeten hier Ludwigs XIV. erster Reunionskrieg um die Spanischen Niederlande sowie der Österreichische Erbfolgekrieg, und die Heilige Allianz bekräftigte 1818 ein im Unterschied zum vorangegangenen höchst versöhnliches 19. Jahrhundert.

Die zwei um Deutschland geschlagenen Weltkriege brachten Europa im 20. Jahrhundert zurück auf den Tiefstand des 17. und tiefer. Die Parteien sahen keinen Grund mehr, ausgerechnet Aachen nicht zu zerstören. 1914 war von Aachen aus der entscheidende Teil des Schlieffenplans abgewickelt worden, und ziemlich genau dreißig Jahre später sollte über Aachen die entgegengesetzte Bewegung laufen, der Durchbruch ins Reich. Beide Pläne sind nicht ganz gelungen und nicht ganz gescheitert. Das ist schlimmer als beides. Schlieffen endete an der Marne, zu spät; Eisenhower an der Elbe, auch zu spät, wie sich bald herausstellte. Denn der Unfriede schwelte fort, und ein finaler Knall galt alsbald für möglich.

Die Aachener Häuserschlachten, welche die Deutschen im Oktober 1944 anboten, vertieften die vorherige Zerstörung durch den Luftangriff vom 12. April 1944. Die mittelalterliche Stadt hat die Feuersbrunst von 1656 verschlungen, die ein Malheur, aber kein Greuel war. Den führten als Vorboten 165 Halifaxe im Schacht in der klaren Hochsommernacht des 16. Julis 1943. Auf Anhieb konnten gewaltige Brände gezündet werden, die dreitausend Bauten zerstörten, 294 Personen töteten und eine Galerie kriegswichtiger Gebäude beschädigten: Dom, Rathaus, Theater, Polizeipräsidium, Hauptpostamt, Gefängnis usw. Zehn Wochen bevor sie den Kontinent betraten, am 12. April 1944, bombten britische Streitkräfte Aachen endgültig zu Schutt. Der Angriff zerwühlt den Boden in einer beispiellosen Dichte; 42 800 Brand- und 4047 Sprengbomben. Noch in keinem eng bebauten Gebiet waren bisher sechs Bombentrichter alle hundert Quadratmeter gezählt worden. Einundsechzig Prozent der Häuser lagen am Boden. Von sechsundsechzig Kirchen und Kapellen blieb keine unversehrt; siebzehn waren zerstört, sechsundzwanzig schwer getroffen. Die Sprengmunition war so kalibriert und eingestellt, daß sie fünfstöckige Häuser mit drei Eisenbetondecken durchschlug und im Keller erst explodierte. 1525 von 164 000 Einwohnern starben, darunter 212 Kinder. Zwei Angriffe Ende Mai galten den Eisenbahnanlagen, dabei gingen der gesamte Vorort Forst und 271 Einwohner mit zugrunde. Den karolingischen Stadtkern hatte längst die Zeit abgeschliffen und das Feuer von 1656 hinweggenommen. Doch waren kostbare Reste wie Karls Krönungssaal aus seiner Pfalz geblieben, nun vom gotischen Rathaus des 14. Jahrhunderts umbaut. Die Bomben wußten ihn zuletzt zu finden. Der Exorzismus der Bomben entwurzelte die Städte, als seien sie vom Teufel besessen und durch Feuer davon zu erlösen.

Als Napoleon sich in Trier umsah, mißfiel ihm eine Kirche, von Erzbischof Poppo im 11. Jahrhundert um die römische Porta Nigra herumgebaut. Von einer Pilgerfahrt zum Heiligen Grabe hatte Poppo den Eremiten Simeon mitgebracht und ihm zu Diensten und dem Allmächtigen zum Ruhm das heidnische Monument mit einer Stiftskirche umgeben. Er hätte die Pforte auch abreißen können, entschied sich aber dafür, in Zwiesprache mit ihr zu treten. Napoleon ließ St. Simeon so weit abtragen, daß die imperiale Wucht der Pforte wieder zum Vorschein kam, denn er begriff sich als Erbe Roms.

Für zweihundert Jahre hatte Trier die Pax Romana genossen und sich als Residenz Kaiser Konstantins und junge Weltstadt über die greise Mutter erhoben. Auch Trier verfiel, und aus den Steinen seiner Mauern bauten die Nachfolgenden ihre Kirchen und Herrensitze. Nur den Normannen, die 882 in die Stadt einfielen, sagte der Schotter nichts, sie traten kein Erbe an, bauten nicht aus altem Gestein den jungen Göttern Altäre, wollten nichts mauern, sondern zum Nachweis ihrer Unwiderstehlichkeit verfeuern und zerkleinern, was aufeinanderstand.

Das spätere Trier hielt sich etwas auf seine Transparenz zugute; auf seinem Grund lag die römische Stadt wie das versunkene Vineta. Die Kaiserthermen, das Amphitheater, die Porta, der Widerschein des geometrisch-römischen Straßennetzes. Wie in Hieroglyphen konnte der Kundige das Bild des Dagewesenen lesen, schreibt Ricarda Huch. Dann setzt sie in wundervoller Geradheit hinzu, was das Bleiben solcher Gehäuse und Reste soll. »Geschichte ist ein Bild geworden zur Betrachtung für andere Geschlechter und Völker.« Der Bildersturm der Bomberflotten ist kein Anschlag auf den Kunstsinn gewesen, sie haben der Geschichte ihr Abbild genommen. Sie ist blaß geworden und ferne Kunde.

Im Fanatismus des Krieges von 1945 sind keine Unterschiede mehr zugelassen, keine Ausnahmen möglich, auch die Römerstadt soll brennen. Wer dazu die Konsequenz nicht aufbringt, käme ebensogut bei Köln ins Grübeln, bei Emden, bei Hildesheim. Wie bei so vielen von der Vergangenheit besonnten, der Stille hingegebenen Orten ging es in Trier um den vitalen Punkt, die Bahnanlagen. Die Geometrie des Bombenkriegs folgte indes seit drei Jahren der Formel Punkt mal Punkt gleich Fläche. Das Flächenziel ist rein abstrakt, so gesichtslos wie der Gegner im Schützengraben. Beide müssen nur weg. Napoleon machte den Unterschied, daß Menschenverluste ersetzbar sind, Stadt und Land aber sein Lohn, für den das Blut vergossen wird. Nun sind sie seiner Gestaltungsmacht anheimgefallen. Um der Geschichte sein Bild zu vermachen, hat er das Bild der Geschichte nicht eingestampft. Seinem Ritt durch Düsseldorf wohnten andere Absichten inne als Churchills Kletterpartie über den Schutt von Wesel und Jülich. Trier wurde zwanzigmal aus der Luft angegriffen, resultierend in 557 000 Kubikmetern Schutt. Am 14. August 1944 gelang es, mit 18 000 Stabbrandbomben eine um 305 von Kaiser Konstantin errichtete Palastaula zu zerstören, die als sogenannte Basilika den evangelischen Gottesdienst beherbergte. Die Zerstörungsschneise erstreckte sich bis zu den Kaiserthermen im Süden, die mit dem Amphitheater und den Barbarathermen leichtere Schäden hinnahmen.

Die dritte Schwadron der 8. US-Flotte, welche die Konstantinbasilika vernichtete, konnte darüber nicht froh sein, was nutzten ihr diese Ziegel, wollte sie doch den Kürenzer Güterbahnhof und den Hauptbahnhof treffen. Als man an diesem Montag früh mit sechzehnhundert Maschinen aus England aufbrach, dachte keiner an Trier, dem um 12.59 Uhr fünfundzwanzig Tonnen Munition aufgebrannt werden würden. Die Schwadron hatte diese Menge bloß übrig, weil sie Militäranlagen in Frankreich bombardieren sollte, von schlechtem Wetter überrascht wurde, wegbog und rasch einen Abladeplatz für ihre Last suchte. Für solche Fälle existierten Ausweichziele. Trier ersetzte die Kaserne in Frankreich und die Römerbauten den Güterbahnhof.

Den Zufällen des August wurde mit der Systematik des Dezember nachgeholfen, die Ergebnisse sind gleich. Am 19. Dezember, im Zuge einer Eifeloperation, unternahmen zweiunddreißig Lancaster einen G-H-radargeführten Präzisionsangriff auf die

Trierer Bahnanlagen und warfen 136 Tonnen Sprengstoff in die Innenstadt. Unter den Schäden an Denkmälern und Häusern befand sich das Bürgerhospital St. Irminen, die Bomben fuhren durch die Decken bis in das Weinkellergewölbe und töteten dreißig schutzsuchende Ordensschwestern, welche die transportunfähigen Patienten pflegten. Am 19., 21., 23. und 24. Dezember bombardierten zusammen über tausend Maschinen den Stadtkern sowie die Mittelstadt von der Mosel bis zum Petrisberg. Am 21. Dezember um 14.00 Uhr erschienen Briten und Amerikaner gemeinsam. Die Lancaster, beladen mit 427 Tonnen Munition, die Thunderbolts als Begleitjäger, mit dreiundzwanzig Napalm- und Flammenstrahlbomben an Bord. Die angezettelten Brände waren unlöschbar, schon darum, weil heftiger Frost die Feuerwehrschläuche einfrieren ließ. Triers Schwarzer Tag wurde der 23. Dezember, an dem 153 Lancaster flächig siebenhundert Tonnen gemischte Munition und Minen warfen. Zentrum, Vororte, Vorortbahnhöfe, Postämter, Marktplatz, Klöster, Gerichte wurden nun gleichmäßig vom Sockel geworfen, darunter ein Schmuckstück der rheinischen Gotik, die zinnengeschmückte, arkadenbeinige ›Steipe‹, ein Patrizierhaus am Hauptmarkt. Mehr als vierhundert Einwohner von fünftausend nach Evakuierungen Zurückgebliebenen wurden getötet.

Am Heiligabend prüften zehn amerikanische Lightnings, ob Trier tatsächlich verbrannt sei, warfen zur Sicherheit noch zwanzig Vierteltonnenbomben in die Brände, die bis in den 25. Dezember hinein loderten, und meldeten den Stäben »ganz Trier in Flammen«. Den Stäben war angesichts der vorwärtsdringenden Ardennenoffensive bang, und was sich irgend zerstören ließ, die deutschen Verbände von ihren rückwärtigen Verbindungen zu trennen, wurde zerstört. Eine rückwärtige Verbindung sprengten die abziehenden Deutschen später selbst, die Napoleonbrücke. Eine Brücke zu Napoleon war inzwischen ausgeschlossen.

Neben dem Verlust der Basilika wiegt die Beschädigung der Liebfrauenkirche am schwersten, von der Ricarda Huch, die sie zuvor sah, schreibt: »Im Inneren verbindet sich die gotische Schlankheit der Verhältnisse und der phantasievolle Reichtum des einzelnen mit der Geschlossenheit ihrer Anlage zu dem Eindruck beseligender Harmonie. Wenn am Abend sanftfarbiges Licht durch die Fenster fällt, glaubt man sich im Kelch einer überirdischen Blume geborgen, wie ja auch der Grundriß einer Rose gleicht. In ihrer Makellosigkeit und hehren Anmut charakterisiert sich die Kirche als das Haus, in dem die jungfräuliche Mutter des Herrn verehrt wird. Sie wächst zu einer einzigartigen Gruppe mit dem Dom zusammen, der Kirche Gottvaters, des Weltherrschers, der mit dem Blitz die Geschicke der Sterne und Menschen leitet.« Die Kirche des Vaters zerstörten die Brandbomben des 14. August an Helm, Glockenstuhl und Dächern. Der Dezemberangriff vernichtete Teile des Obergeschosses der Heiltumskammer, alle Fenster sowie West- und Südflügel des gotischen Kreuzgangs. Das Gewölbe der Weihbischofskapelle stürzte ein, das Hauptschiff wurde nicht getroffen. Die Kirche der Jungfrau wurde im Chorgewölbe durchschlagen und von Rissen verletzt, die vom Dach in den Erdboden reichten. Der Treppenturm fiel, Gewölbe brachen, Pfeiler verschoben sich, Maßwerk splitterte weg. Beseler und Gutschow, die eminenten Chronisten der Architekturschäden des Bombenkriegs, bezeichnen den 326 unter Kaiser Konstantin begonnenen Dom, »Zeuge geschichtlicher Kontinuität seit der Antike«, als »das ehrwürdigste Bauwerk auf deutschem Boden« und die Liebfrauenkirche als »früheste gotische Kirche Deutschlands«.

Wie alle Bergbaugebiete bot auch Saarbrücken einen vortrefflichen Luftschutz. Der Stollen war ein bombensicherer Unterschlupf, nahezu jedem Saarbrücker stand ein Platz zur Verfügung. Die Tallage ermöglichte kilometerlange Vortriebe, die von der Altstadt aus bis tief in den Fels reichten. Ausnahmsweise gab es vorbereitete Anlagen. Im Zuge des Westwallbaus hatte man schon Platz geschaffen, die Bevölkerung unter die Erde zu verbringen, ferner gab es Gänge aus alter Zeit, dann die tiefen Verliese der Bierbrauereien und einen Gutteil ›Gemeinschaftsstollen‹, die Nachbarschaften mit Minierkenntnissen in die Hänge gebohrt hatten. Darin waltete viel Wohnlichkeit und wenig Frischluft, es war feucht und stickig.

Obschon die Saarbrücker besser geschützt waren, bleibt der Menschenverlust mit 1,1 Prozent im deutschen Durchschnittsbereich. Von 118 000 Einwohnern im Juni 1940 fielen mindestens 1234 Personen im Bombenkrieg. Wie ist eine solche Zahl zu lesen? Sie beträgt das Doppelte der Verluste von Coventry, welches eine dreimal so große Stadt war. Deren Verlustrate beträgt 0,17 Prozent. Die 568 Coventry-Opfer starben allerdings in einem einzigen Angriff, während Saarbrücken dreißigmal unter Bomben geriet. Das Los deutscher Städte unterscheidet sie von Warschau, Rotterdam, Coventry, so wie ein Krieg und eine Schlacht etwas Verschiedenes sind. London stellt die Ausnahme dar. Zwei Drittel der Saarbrücker Menschenverluste rühren aus vier Angriffen. Die zwei schwersten am 11. Mai und in der Nacht zum 6. Oktober 1944 offenbaren die Ursache von Verlusten. Der 11. Mai besagt, daß Schutz im Dritten Reich ein Privileg darstellte, wie dort zu erkennen, wo übergenug davon vorhanden war. Im Bombenangriff bewähren sich nur selten Klugheit und Beweglichkeit; es trifft einen oder nicht, weil man an der verkehrten Stelle steht oder nicht. Die Chance liegt im glücklichen Zufall. Manche Stellen sind immer verkehrt, wie Asyle, Gefängnisse, Fremdarbeiterheime. Den Gefangenen umgeben zwei Gefängnisse, der Bombenteppich und seine Gitter. Schutz steht ihm sowenig zu wie den Zoobestien. Die werden erschossen, damit sie nicht ausbrechen, der Häftling mag beten. In der Saarbrücker Justizvollzugsanstalt Lerchesflur gehen siebenundfünfzig schutzunwürdige Personen zugrunde. Aus selbigem Grund sterben in der Cecilienschule einundneunzig Fremdarbeiter. Gefangenen- und Fremdarbeiterstollen existieren nicht, und die Behaglichkeit des Familienstollens ist ein unerreichbarer Platz. Die beiden Vorfälle machen drei Viertel der Maiverluste aus. Ganz anders der Oktober.

Seit einiger Zeit hatten britische und US-Experten Arthur Harris auf Saarbrückens Funktion als Drehscheibe des Truppentransports zur Westfront hingewiesen. Der Air-Marshall, dem Punktziele nicht lagen, entschloß sich zu einem Doppelschlag. Am 5. Oktober sollte eine erste Angriffswelle um 20.30 Uhr in fünf Minuten Ziel Nr. 1, die Bahnanlagen, eine zweite um 22.30 Uhr in neun Minuten die Stadt zerstören. Es will nicht einleuchten, wozu dieser Aufwand dient; weit größere Städte sind mit Bahnhof und Siedlung in einem abgebrannt worden. Der Doppelangriff hat allerdings in gutgeschützten Städten wie etwa Duisburg und Mainz stets einen tückischen Effekt erzielt. Er wurde auch Saarbrücken zum Verhängnis. Die erste, oboegeleitete Welle verpatzte die Markierung des Bahngeländes, der Masterbomber bricht die Operation ab. Um die Bomben nicht heimzuschleppen, klinken die Staffeln sie aus, sie fallen unkonzentriert auf die Stadt und werden als Angriff mißverstanden. Die Bevölkerung begibt sich in ihre Stollenheime und wartet auf das Signal zur Entwarnung. Das kommt um 22.04 Uhr, erleichtert steigt man aus der Tiefe, macht sich auf den Nachhauseweg, fort aus der dicken Luft. Fünf Minuten später heult es Fliegeralarm; die zweite Welle, 325 Lancaster, 350 000 Stabbrandbomben. »Bis zum Bunker schafften wir es nicht mehr«, heißt es im Bericht der Alt-Saarbrückerin Z., »und so blieb uns nur der Keller. Das ganze Haus wackelte, und immer wieder kamen Staubwolken und Brandgeruch durch die Tür, wir konnten kaum atmen, und Licht hatten wir auch keins. Wir hatten unbeschreibliche Angst, lebendig begraben zu werden.«

In einem 1942er Angriff war ein stabilisierter Hauskeller eine meist gemütliche Höhle. Zwei Jahre später nehmen Masse und Wucht der Munition ihn auseinander wie einen Pappkarton. »Der ganze Keller schien sich hochzuheben. Der Luftdruck der Detonation schlug wie ein gewaltiger Hammer auf uns ein. Die Längsmauer des Kellers stürzte zusammen. Die eiserne Luftschutztür, neben der ich stand, wurde aus den Angeln gerissen. Wir konnten kaum noch atmen.« Die Kellerausgänge wurden verschüttet, die Familien saßen gefangen, klopften ermattende Klopfzeichen, der Brand erhitzte das Gestein. Hunderte vergingen in ebendem rettungslosen Winkel, den zu meiden das Saarbrücker Stollengeäder ausgeschält worden war. »A real masterpiece«, heißt es im Einsatzbericht der Crews. Um 22.45 Uhr stand die Stadt in gelbroten Flammen, am Güterbahnhof explodierten Treibstofftanks, unter anderem brannte auch Ziel Nr.1. Der Auswertungsbericht Bomber Commands vermerkt zufrieden, »the whole town was ablaze«, in den Wohngebieten sei fünfzig Prozent Zerstörung herbeigeführt, »the old town south of the river is almost annihilated«.

Irgendwann haben die Kriege alle Städte des Landes einmal zerstört. Doch hat nur einmal ein Krieg alle Städte zerstört. Der Dreißigjährige Krieg, der große Verwüster Deutschlands, zog weit engere Bahn als Bomber Command und 8. US-Flotte. Die seinerzeit längste Strecke legte König Gustav Adolf von Schweden zurück, er gelangte bis Kaiserslautern. Für seine Verhältnisse war dies weder finanzierbar noch eigentlich ratsam. Dem Geldgeber und Drahtzieher, Frankreichs Minister und Kardinal Richelieu, war der schwedische Stoß auf linksrheinisches Territorium nicht geheuer. Immerhin hielten beide verabredungsgemäß den Krieg in Gang, den Deutschlands Fürsten mit dem Frieden von Prag untereinander bereits beendet hatten. Ihr Anliegen, der Zank mit dem habsburgischen Kaiser um die Lokalbefugnisse, war recht und schlecht erledigt. Unterdes trieben Schweden und Frankreich kontinentale Machtpolitik, um derentwegen die Märsche durch Deutschland weitergehen mußten. Frankreich bekriegte den deutschen Kaiser in seiner Zweiteigenschaft als Habsburger Großraumherrscher. Es war von habsburgisch Spanien, den habsburgischen Niederlanden und habsburgisch Lothringen eingekreist und mußte diesen Ring sprengen. Gustav Adolf konnte zu seinem erträumten Ostseeimperium nur ausholen, wenn er den Saum der deutschen Ostseeküste gewann und Polen niederhielt. Umschichtungen dieses Ausmaßes liegen außerhalb der Diplomatie; nur Heirat oder das Urteil des Krieges setzten sie durch.

Im Kriege ging die Politik weiter. Gustav Adolf wandte sich an die süddeutschen Städte. Größere Städte waren reichsunmittelbar, sie gehörten zum Kaiser, nicht zum Territorialfürst. Im Grunde benötigten sie Obrigkeit überhaupt nur, um andere Obrigkeit fernzuhalten. Einer Fernherrschaft wie dem Wiener Kaiser anzuhängen und dem Eroberer vor den Toren Einlaß zu verweigern, läuft der Natur der Stadt zuwider. Wie jeder, der etwas zu verlieren hat und strafempfindlich ist, neigt sie zur Kollaboration. Darauf beruhte die ganze Strategie von Bomber Command: Abfall der Städte vom Reich. Auf ihren Trümmern sollte die Rebellion erwachsen, dann wäre ihnen nichts weiter passiert. Der Heilbronner Städtebund organisierte 1633 den Abfall von Kaiser Franz zugunsten des schwedischen Besatzers. Nebenher, aber nicht hauptsächlich, wurden alle Protestanten.

Als die Katholische Majestät des Kaisers 1635 das schwedisch besetzte Kaiserslautern zurückeroberte, veranstaltete sie in der alten Pfalz Friedrich Barbarossas ein ungeheuerliches Massaker. Nach der Erstürmung die Besatzung abzuschlachten entsprach dem Brauch der Zeit, auch, den Sturmtruppen die Wüstlegung zu gestatten. Die Massakrierung von fünfzehnhundert Einwohnern glich mehr den im Zweiten Weltkrieg hergestellten Verhältnissen. Nun wüten nicht lüsterne Landsknechte, sondern die Staatsspitzen.

Wie vollzieht sich 1939–1945 der dem Zivil allerorten abverlangte Abfall von der angestammten Herrschaft? Oberflächlich durch Appell an politische Einsicht. Vonnöten ist aber nicht Einsicht, sondern Fügsamkeit. Fügsamkeit wird erwartet angesichts des Herrn des uneingeschränkten Massakers. Seiner bedient sich der Herr des Angriffs wie der Herr der Verteidigung. Beide erlassen den Aufruf zur Gefolgschaft bei Strafe der Massenabschlachtung. Wer sich ergibt bzw. nicht ergibt, dem fällt die Bombe oder das Fallbeil auf den Kopf. Der Stadtbewohner kann nicht erkennen, wer zuletzt gewinnt, auf wen man setzt, nur wer gerade den Finger am Abzug hat. Früher einmal kamen die Vollstrecker ihrer jeweiligen Vergeltung hintereinander, erst Gustav Adolf, danach der Kaiser. Das Neue am Bombenkrieg war die Parallelität der Vergeltung. Die Bomberflotten vergalten den Städten die Reichszugehörigkeit von oben, und die Gestapo vergalt den Städtern ihre Kriegsmüdigkeit von der Seite. Davon später.

Die Zerstörung im Dreißigjährigen Krieg prägte sich Kaiserslautern ein. Doch diesmal, wurde gesagt, kämen die Brände nicht durch bis zum Ort, weil er im Tal liege und oft Nebel die Häuser bedecke. Dennoch wurden unausgesetzt Stollen in die Hänge gegraben, alte Bierkeller abgestützt und Wasser aus der Lauter und dem Ziegelbach in Löschteiche geschöpft. Als am hellichten Mittag des 17. Januar 1944 hundertsechzehn Häuser von zwei US-Bomberwellen zerstört oder schwer beschädigt und einundachtzig Menschen getötet wurden, wußte man, daß solches möglich war. Zahlenmystiker beschäftigten sich mit der Drei. Der Dreißigjährige Krieg war 333 Jahre vom Dritten Reich entfernt, zwei große Zerstörungen hatte die Stadt bisher erlebt. Und die dritte? Das Gefühl der Unsicherheit staute sich mit jedem Alarm, man schrak zusammen, der Lauf in den Stollen wurde zum Rennen ums Leben. Als ›Bunkerratten‹ verschriene Personen wagten sich nicht mehr heraus, teils weil sie obdachlos, teils weil sie auf das Ersitzen eines Stammplatzes erpicht waren. Mit seinen 66 000 Einwohnern stand dem Luftschutzort II. Ordnung Reichshilfe bei dem Bau von Unterständen nicht zu. Die Gemeinde besaß davon so viele, wie ihre Mittel zuließen und ihre Mitglieder schaufelten. Schutz wollte erkämpft sein. Bis zum 14. August erscholl 328mal Alarm. Am 23. April achtmal binnen vierundzwanzig Stunden. Die Einwohner waren übernächtigt, zerschlagen und mit den Nerven herunter.

Am 14. August 1944 kehrte die 8. US-Flotte um die Mittagszeit wieder und warf kombinierte Spreng-Brandmunition in achtzig Straßen. Die drückende Hochsommertemperatur verzögerte jetzt den Abzug von Brandhitze und Rauch. Im Stadtinneren hatte sich das riesige Holzlager der Möbelfirma Eckel entzündet, war zur Fackel emporgewachsen, welche von den benachbarten Wäldern kältere Luftschichten ansaugte. Der Sog entfachte die Brände, der notorische, damals an jedem Ort ungekannte, noch nie dagewesene Mechanismus. Kaiserslautern war von Holz umfangen, dem Stadtwald, dem Stifts- und Reichswald. Schon die kaiserlichen Mordbrenner von 1635 hatten an den holzgefertigten Häusern ihre Lust. Jetzt waren die Häuser aus Stein, aber wieder schürte das Holz das Verhängnis.

Der Malermeister August Nebling beobachtete von einem Bergstollen unter dem Betzenberg aus das Treiben der Bomber. Als er den Brandregen niedergehen sah, kamen ihm die drei Faß Terpentin in den Sinn, die in seinem Hause lagerten, die dreihundert zu lackierenden Kinderbetten, die Farben- und Holzöle. »Kurz entschlossen schwang ich mich auf mein Fahrrad und raste nach Osten durch die Barbarossastraße, wo die Holzschuhfabrik Lotz mächtig brannte.« An der Möbelfirma Eckel war die Tour zu Ende, »der Holzstapelhof war inzwischen zu einem gewaltigen Feuermeer geworden, durch das auch die Häuser der Schneppbachstraße Feuer fingen. Ich fuhr deshalb durch die schon brennende Schulstraße, und durch die Explosion einer in sechs Meter Entfernung niedergegangenen Bombe flog ich durch die Luft gegen das eiserne Tor des Schulhofes, wo ich bewußtlos, mit dem Gesicht im Schutt liegend, landete. In letzter Sekunde hatte ich noch gesehen, wie gegenüber das Eckhaus der Bäckerei Jung ziemlich nahe an mich heranrutschte. Der Sog der Bombe hatte es zusammengerissen.

Nach anscheinend kurzer Zeit erwachte ich und gewahrte zu meinem übrigen Schrecken, daß ich völlig entkleidet dalag und nur die Schuhe unbeschädigt waren. Von meiner Kleidung waren nur noch schmale Stoffriemen übrig. Blutüberströmt erhob ich mich, ringsum Feuer und Qualm, die den vor einer Viertelstunde noch so sonnigen Sommertag verdüsterten. Neben mir lag der Bäckerlehrling des zerstörten Nachbarhauses und zuckte nur noch mit dem Fuß. Ich hob ihn auf und gewahrte unter ihm eine große Blutlache. Er war ausgeblutet. In drei Meter Entfernung entdeckte ich im Schutt einen toten Polizisten.« Als Nebling zu seinem Hause gekrochen kam, war das Unweigerliche längst geschehen, zwei Meter schlugen die Flammen aus den Fenstern, aus der Werkstatt schossen die Feuergarben.»Vergeblich versuchte mein Bruder, die Werkstätte zu löschen, plötzlich vom Himmel rauschende Sprengbomben jagten uns schnellstens wieder in den Keller. Auf dem Weg dahin brach mein Bruder zusammen. Durch den Schrecken hatte er einen Gehirnschlag erlitten, an dem er am nächsten Morgen starb.«

Neblings nächster Gedanke galt der Ehefrau im Luftschutzkeller,»aber der Eingang war durch eine Sprengbombe verschüttet, die in diesem Schutzraum eingeschlossenen dreißig Personen konnten erst nach fünf Stunden durch die Kellerlöcher gerettet werden. Ich klopfte an das Kellerfenster, aber da mein linkes Ohr durch die Bombeneinwirkung ganz taub und mein rechtes halbtaub geworden war, konnte ich auf mein Klopfen hin auch nichts hören, und ich trat sehr geschwächt den Rückzug Richtung Preußenplatz an. In der Schulstraße brannten inzwischen so viele Häuser, daß sich dicke Rauchpilze über der Stadt wölbten und sie verdunkelten. Alle fünfzehn Schritte auf den Boden sinkend, konnte ich mich mit vieler Mühe endlich auf den Platz retten, wo mich die Feuerwehr auflas und in den Schutzraum der Barbarossaschule verbrachte.« Nebling erlag seinen Verletzungen im Jahr 1949.

Der Mittagsweg zwischen Betzenberg und Barbarossaschule ist ein Simplicissimus-Roman, gedrängt in eine Stunde. Der holzgewordene Gewerbefleiß, die vergeltungshungrige Bombenmischung, die Tücke der Kausalitäten, der Unfug allen Bemühens, die Unausweichlichkeit des Feuers, das Sterben um nichts. Der Vernichtungsangriff auf Kaiserslautern sollte der dritte sein, geflogen von Bomber Command mit 909 Bombentonnen im neunten Monat des 309. Jahres nach demjenigen im Dreißigjährigen Krieg. Die dritte Zerstörung Kaiserslauterns im Dritten Reich forderte ein Drittel der Opfer der vorherigen. Doch fördert die Zahlenmystik nur zutage, daß drei drei ist und die Vernichtung multiplizierbar. Mystiker und Historiker treibt das gleiche Bedürfnis, Sinn zu entdecken, die Struktur des Sinnlosen zu entschlüsseln, dem Massaker eine Logik zu unterlegen, der Geschichte einen Grund. Sie nimmt Wege, und diese folgen auseinander. Am Anfang und Ende steht das unauflösliche Fakt; eine Holzfabrik entflammt, die Hitze saugt die Kühle des nahen Waldes ein, ein Sturm kommt, und nichts bleibt mehr stehen.

Im April 1945, dicht hinter den vorrückenden Verbündeten, nahm ein US-Nachrichtenoffizier, der Soziologe Daniel Lerner, den Zustand der eroberten deutschen Städte in Augenschein. Er meldete, daß sämtliche Innenstädte schlicht dem Erdboden gleich seien. Die Truppe könne nur in außengelegenen Wohnbezirken quartieren. Da die Zentren auch die Versorgungseinrichtungen enthielten, funktioniere selten die Strom-, Wasser-, Gaszufuhr und nie alles zugleich. Der allgemeine Zerstörungsgrad sei mit über fünfundsiebzig Prozent anzusetzen, manchmal auch mit achtzig, ja neunzig Prozent. Doch ging Lerner vom äußeren Eindruck aus. Einen Monat später unternahm ein weiterer OSS-Offizier, Moses Abramovitz, ein Nationalökonom, die gleiche Reise und differenzierte den Befund. In Essen notierte er die totale Verwüstung von Zentrum und Außenbezirk, »noch sind viele Straßen fast ganz blockiert, einige sind unter den Trümmern gar nicht zu erkennen«. Im Zentrum von Köln lebten gar keine Menschen mehr. Die Industrieanlagen hingegen befänden sich in besserem Zustand. »Ein Überblick über Betriebe mit mehr als zweihundertfünfzig Beschäftigten im Düsseldorfer Raum kam zu dem Ergebnis, nur wenige seien zerstört und der Rest entweder unbeschädigt oder nur teilweise beschädigt. ... Nach Angaben der Offiziere der Rhine Coal Control haben die Bergwerke an der Ruhr kaum Schäden erlitten. Der Zustand der Fördereinrichtungen würde es gestatten, sie in wenigen Monaten so weit wieder herzustellen, daß sie fast wieder die volle Produktion aufnehmen können. Der überraschend gute Zustand der Krupp-Werke, die sich im Zentrum Essens und in dem vorgelagerten Stadtteil Borbeck befinden, läßt diese Einschätzung nicht unrealistisch erscheinen.« In Westdeutschland gebe es noch immer brauchbare Industrieanlagen in großem Umfang. Zechen und Stahlwerke seien schwierig zu zerstören. »Außerdem waren die Deutschen bei der Reparatur der Industrieanlagen sehr erfolgreich.«

Die sogenannte Zweite Ruhrschlacht im Herbst 1944 erreicht in Essen den Gipfel am 23. und 25. Oktober. Die Krupp-Werke wurden mit 1305 Spreng- und 10000 Brandbomben zugedeckt. Das Stadtgebiet indes belegten 1826 Bomber in den zwei Tagen mit einem Vielfachen, mit einer Million Stabbrandbomben. Die Gesamtabwurfmenge der Spreng- und Brandmunition betrug 8200 Tonnen, weit über das Doppelte des großen Hamburgangriffs. Im November, Dezember und Februar fuhr Bomber Command fort; der letzte Angriff am 11. März mit 1079 Maschinen brachte eine Bombenlast von 4661 Tonnen, das Doppelte von Dresden. Es war eine der größten Luftoperationen des Krieges. Was immer gegen Essen unternommen wurde, brach Rekorde, Essen war der Magnet, der Bomber Command nicht losließ. In der Kruppschen Fabrik pochte das Herz des hürnernen Siegfrieds, die dortigen Schmelzen hatten die Artilleriestücke gegossen, die 1916 in Flanderns Feldern die britische Jugend zerfetzt hatten. Harris nennt eine einzige Fabrik, auf die er je gezielt habe, Krupp.

Bereits in der Nacht zum 12. Mai 1940 um 2.05 Uhr – nach der Befehlslage durfte östlich des Rheins noch gar nicht operiert werden – fielen sechs Sprengbomben auf einen Sportplatz und zwei

Häuser. Zwischen März und April 1942 hatten insgesamt 1555 Maschinen bereits eine sechsteilige Angriffsserie geflogen. Der Arbeiterwohnort Borbeck galt im März 1943 bereits als ausgelöscht; im Nachtangriff zum 1. Mai erreichte die auf Essen abgeworfene Munition 10 000 Tonnen, die höchste bisher auf eine Stadt abgeladene Menge. Von sechzig Monaten Bombenkrieg ist Essen in neununddreißig Monaten angegriffen worden. Krupp, der Hauptadressat von eineinhalb Millionen Bombentonnen, zeigte sich der Materialschlacht indessen am besten gewachsen. Von 65 000 Gebäuden in der Stadt hingegen blieben ganze fünftausend unbeschädigt. Gemessen an der Sintflut der Abwürfe machte der Tod geringe Gewinne. Dennoch sind 6384 Menschen die neunthöchste Verlustzahl des Bombenkriegs.

Die den 172 Angriffen Entronnenen sind verschlissen worden bei lebendigem Leibe. Das Kellerdasein in der Ruhrschlacht vom Frühjahr 1943 schildert ein damals siebenunddreißigjähriger Arzt: Staub, Lärm, Schock, Todesangst, Explosionsdruck, schwankendes Haus, brennende Straße, der Sterbensanblick hinterlassen seelische Wracks, Menschen, ähnlich in Trümmern wie ihre Häuser. »Ich hatte meine Frau umfaßt und merkte, daß sie ganz intensiv und unentwegt bebte. Dieses Beben beeindruckte mich stark und übertrug sich auf mich. Auch ich fing jetzt an zu zittern, besonders in den Beinen. Ich versuchte, durch Versetzen der Füße, durch Heben der Ferse und Aufsetzen der Zehen, durch Ausstrecken der Beine den Tremor mit allen Willensanstrengungen zu unterdrücken, doch mißlang dies völlig.«

Der Tremor ist der Reflex des durchgebombten Bodens. Er ist kein fester Plafond mehr, worauf der bewegliche Mensch agiert. Die Energie der maßlos ins Erdreich gepumpten, in Druckwellen und Hitzestrahlung umgesetzten Munition setzen den Standort in Schwung. Darum in allen Schilderungen der Satz: Die Welt geht unter. Sie geht wahrhaftig, schwankt, schaukelt, zittert, bricht, türmt sich hoch, kocht, schmilzt, fällt zu Asche. Am Zeitenende bricht die Erdkruste, ihre Festigkeit ist die Gewähr, daß etwas weitergeht. Die elementare Tatsache des Bombenangriffs ist, daß darin keiner gehen kann und man sich verkriecht und wartet, daß Druck und Hitze nachlassen, daß Schwanken und die Verflüssigung aufhören, Gegenstände Stand finden und eine Festigkeit wieder eintritt.

»Alle Augenblicke erschüttert das Haus von einer Mine, kurz bis in den Keller bebt alles. Dann ist unser Raum voll Ofengas, so daß ich meine, der Heizkessel sei gesprungen. Durch den Kamin preßt der Luftdruck Rauch herunter durch die Rußklappe in den Keller. Wir haben gebetet und geweint.« Die Lava des Zerschmolzenen, Tropfenden, vorher Dachpappe oder Teer, wird zum Phosphor gerechnet. Phosphor ist Sammelname für alles Entzündliche, Hitzezerflossene. »Der flüssige Phosphor hat furchtbar gewirkt. Der lief durch die Kellerlöcher auf die Kohlen- und Koksvorräte, und nun brannten die Häuser von unten und von oben. Am anderen Tag waren 1500 Grad in den Kellern, und das Wasser der kaputten Wasserleitungen kochte wallend in den Kellern, die heute noch eine furchtbare Hitze ausströmten und bösen Gasgeruch.«

Sechs Frauen aneinandergedrängt, am Boden liegend, »denken konnte man nicht mehr, nur beten. Beim ersten Wurf flogen schon sämtliche Türen aus den Angeln und zersplitterten. Wie im Freien lagen wir in der Dunkelheit. Ohrenbetäubendes Krachen und Sausen – Weltuntergang kann nicht schlimmer sein. Fünfundvierzig Minuten dauerte das Bombardement. Wir konnten es erst nicht fassen, daß das Haus und die gesamte Straße noch standen. Hinter unserem Haus war das Chaos, neun Riesentrichter, die aber auch alles umgepflügt hatten. Bäume lagen wie große Leichen umher. Unser alter Garten war ein einziger Trichter, tief und breit. Alle Obstbäume, außer den Kirschbäumen, waren wegrasiert.«

Es ist Nacht, 24.00 Uhr. »Wir sind alle eben aus dem Stollen gekommen. Seit morgens 10.00 Uhr das achte Mal Vollalarm. Gestern war wieder großer Krach im Stollen.« Der Stollenchef sagt: »Ich will nicht noch einmal sehen, daß Kinderwagen in den Stollen gebracht werden.« Die Kinderwagenfrauen haben ihre Nerven verbraucht. Eine Frau war gestern so aufgeregt, daß sie beim Spurt auf den Stollen den Kinderwagen umwarf. »Ein Flieger war im Scheinwerfer und wurde beschossen. Sie hatte Glück gehabt, daß er keine Bombe bei sich hatte.« Die den Lauf zum Bunker verlieren, sind, ohne den zwei Meter dicken Stahlbeton, der Munition so nackt ausgesetzt, wie sie gedacht ist. »Hier am Moltkeplatz war eine solche Panik, daß elf – sieben Frauen und vier Kinder – totgetrampelt worden sind. Dabei ist in unserem Gebiet nicht eine einzige Bombe gefallen.« Täglich sind Luftkampfverbände über dem Ruhrgebiet. Sie befehlen den Einwohnern, was sie tun sollen, um nicht umgebracht zu werden. »Es wurden unzählige Flugblätter geworfen; darin wurden wir aufgefordert, das Ruhrgebiet zu verlassen, weil jetzt alle Autostraßen und Verkehrslinien unter Feuer genommen werden. Wir können kaum unsere Lebensmittel einkaufen.« Die Gegenseite gibt Gegenbefehle. »Es ist der schlimmste Angriff gewesen, der je über Deutschland war. Gleich in der Nacht wurden Plakate aufgehängt, daß keiner Essen verlassen dürfte. Von dem Zentrum der Stadt ist nichts mehr da. Soldaten sagten, Essen sehe schlimmer aus als Stalingrad.« Bald kommt der Gegenbefehl zum Gegenbefehl. »Man war froh, wenn viele Frauen und Kinder sich verschicken ließen. Man schenkte ihnen sogar die Fahrkarten. Nur heraus aus dieser Hölle.« Und wohin?

Tacitus erwähnt unter den Rebellen gegen die Römerherrschaft Veleda, die Seherin. Veleda wiegelte ihren Stamm, die ostrheinischen Brukterer, im Jahre 69 unserer Zeitrechnung dazu auf, sich der Germanenrebellion anzuschließen. Eine Übermacht steht nicht überall und besitzt geringe Ortskenntnis. Veleda wies den Brukterern eine Höhle, verborgen auf halber Strecke zwischen dem heutigen Velmede und Halbeswig im Sauerland. Das dort ansässige Volk bemerkte erst zweitausend Jahre später, was Veledas Höhle taugte, denn sie war bombensicher. Als der Krieg 1944 in die Gegend vordrang, gründeten die Bewohner von Velmede vor der Veledahöhle eine Barackensiedlung. Wenn sie die Bomber brummen hörten, schlüpften sie nebenan in den Brukterer Bunker. Die umgebenden Dörfer, die alle emsig Stollen und Felskellern nachspürten, verspotteten die Siedlung und nannten sie neiderfüllt ›Angsthausen‹.

Die Einwohner des Sauerlandes kannten den Luftkrieg in den Kleinstädten bis 1943 nur als Sirenenalarm. Wenn die Bomberströme nach Berlin und Kassel zogen, erscholl das Heulen, das anderer baldigen Tod ankündigte, und die Bauern bekreuzigten sich auf dem Feld. Nach der ersten Ruhrschlacht erschienen die Evakuierten aus Duisburg, Dortmund, Bochum, Essen. Gasthöfe und Herbergen füllten sich, und an die Wohnhäuser wurde angebaut. Vielerorts wuchs die Einwohnerschaft auf das Doppelte. Die Ruhrgebietler brachten Geld heran, kauften die Geschäfte leer, beschäftigten Handwerker und führten ihre Moden vor. Bald wich die weibliche Haartracht am Ort, Flechten oder Knoten, losen Wellen und Krausen. Den Evakuierten waren die städtischen Kunstschätze ein Jahr vorangegangen. So lagerte das Museum der Stadt Düsseldorf seit 1942 in der Adolfsburg bei Oberhundem. Das Sauerland wurde zum Depot des Stadtarchivs Aachen, der Gerichtsakten aus Essen, der Sparkassenbücher aus Remscheid, der Kleiderkasse der Reichsbahndirektion Wuppertal. Im Frühjahr 1945 lag dies alles in der Hauptkampflinie, der Südflanke des Ruhrkessels; seit Ende 1945 planierten Bomber Command und 8. US-Flotte bereits den Weg.

Orte wie die 3300-Seelen-Gemeinde Fredeburg hatten seit der Soester Fehde von 1444 keine Kriegshandlung mehr erlebt. Die Kölner, seinerzeit die Belagerer, duckten sich nun als vergebens hierher Geflohene wachsweiß neben den Fredeburgern in drei Bierkellern und drei Schieferbergwerken. Draußen verschanzte sich der Major Wahle mit seinem zusammengewürfelten Haufen zur Nibelungenschlacht. Solch eine konnte die 1. US-Armee in jedem Dorf auf ihrem Wege annehmen, in Kükelheim, in Bödefeld und Westernbödefeld. Darum schickte sie Jagdbomber, die Fredeburg in einer Stunde so zurichteten wie achttausend Bomber in vier Jahren Köln.

Die fünfhundert seit Tagen im Schieferbergwerk Einsitzenden wußten nicht, wie ihnen geschah. Sie hatten den Sauerstoff weggeatmet, nicht ein Streichholz wollte in der Luft mehr brennen. Der NSDAP-Ortsgruppenleiter riet, zu schlafen und wenig zu sprechen, um Luft zu sparen. Die Evakuierten brachten dies Wissen aus den Großstadtbunkern mit sich. Davon war die Jugend nicht einzuschüchtern und neckte sich, die Eltern beteten den Rosenkranz, den Alten versagte das Herz. Der Dechant Schmidt erteilte die letzte Ölung.

Das Frl. Dr. Blydenstein und ihre Freundin, Frl. Lutz, rafften sich hoch und liefen stracks zu dem Stadtkommandanten, dem Polizeioberinspektor Hartrampf aus Dortmund. Frl. Blydenstein trug die Not der Bevölkerung vor. Der Dortmunder hatte ihr nichts zu sagen, weil er nur der Zivilverwaltung vorstand. Kampfkommandant war Wahle, ein Fünfunddreißigjähriger, der mit dem Leben abgeschlossen hatte. »Meine Frau und meine Kinder sind schon in Gefangenschaft, ich werde kämpfen bis zur letzten Patrone.« Frl. Blydenstein als Sprecherin der Kapitulanten hatte darauf kein Argument. Major Wahle war froh, daß er auf Sieg nicht mehr zu setzen brauchte, nur darauf, das Fanal des Untergangs zu strecken. Er war der Hitler von Fredeburg. »Die Rosenkranzbeter sollen erst mal richtig wach werden.« Sie hatten nie etwas anderes getan, als ihm Rücksichten abverlangt bei der sachgemäßen Ortsverteidigung. Hausbewohner protestierten gegen die Aufstellung von MGs in den Wohnungsfenstern. Wo denn sonst? Es lebten zweiundzwanzig Leute dahinter, darunter zwei Säuglinge, zwei Schwangere und zwei Achtzigjährige. Das Zivil in seiner Wehleidigkeit bestand auf Verschonung. »Das Haus ist keine Lebensversicherung für Sie! Wenn ich will, mache ich das Haus zur Festung.«

Das Reich war Festung. Harris, Hitler und der Hitler von Fredeburg sahen das sehr ähnlich. Die Rosenkranzbeter in ihren sauerstoffarmen Stollen trafen allenthalben auf Kampfkommandanten beiderseits der Linien, die das Zivilschutzprinzip längst hinter sich gelassen hatten. Bis in den letzten Winkel stimmten Angreifer und Belagerer der Festung überein, daß ziviles Personal darin unversichert sei. Je nach Schußrichtung wurden ihm Befehle zuteil, dem Krieg aus dem Weg zu gehen. Diese Wege führten irgendwann wieder in die Front hinein. Dort, wo sie verlief, vom Kruppschen Essen bis in die Veledahöhle, galt aber das Nichtversicherungsprinzip. »Der Krieg ist hart«, entgegnete Major Wahle Frl. Blydenstein, »er geht bis zum Letzten. Auch uns geht es nahe, daß das Vaterland zerstört wird.« Als Fredeburg zerstört war und die 1. US-Armee eindrang, zog sich, es war die Nacht zum 9. April etwa gegen zwei Uhr, Wahle von seinem Gefechtsstand in der Villa Schmitz über den Friedhof nach Nordwesten zurück. Dort lag das Dorf Altenilpe und wurde zum Eckpfeiler der deutschen Front. In einem britischen Flugblatt vom Frühsommer 1943 wird mitgeteilt:»Die R.A.F. warf in der Nacht vom 23. zum 24. Mai 1943 in einer Stunde doppelt so viele Bomben auf Dortmund, wie die Luftwaffe in den sechs Monaten vom 1. Januar bis zum 30. Juni 1943 auf ganz England warf.« Es handelte sich um zweitausend Tonnen, ein Bruchstück des dem Ort Bevorstehenden.

Den Maßstab des Bemühens zeigt kurz darauf ein Flugblatt mit der Luftaufnahme des skelettierten, verkohlten Hamburg, überschrieben »Zeit zur Vernichtung Deutschlands«. Dazu paßt die Ankündigung des Flugblatts von 1942:»Deutsche Städte, Häfen und kriegswichtige Industriegebiete werden einer so schweren Prüfung unterworfen werden, wie sie noch kein Land weder an Dauer, Wucht oder Ausmaß erfahren hat.« Auf Dortmund mag das so zutreffen. Von seinen 27 000 Bombentonnen fiel die knappe Hälfte zwischen Januar und März 1945. Zuvor schon war aus den Ruhrschlachten 1943 und 1944 von der Innenstadt wenig nur übriggeblieben. 60 000 der einst 537 000 Einwohner hielten sich noch in Dortmund auf.

Die Großangriffe der Zweiten Ruhrschlacht im Herbst 1944 hatten im evakuierten Revier von September bis Dezember 15 000 Menschenleben genommen. Darunter einige soeben bei den Hoesch-Werken eingetroffene Polen, die am 12. September von dem Angriff in der Entlausungsbaracke überrascht werden, keine Zeit zum Ankleiden mehr haben und unbekleidet nicht in den Luftschutzgraben gehen. Die Luftverteidigung, welche die Ruhr im Vorjahr zum Bomberfriedhof machte, überläßt nun regungslos einem Kleinverband von 174 britischen und 170 US-Maschinen die bergische Stadt Solingen, wo zwei Tagesangriffe am 4. und 5. November einen zweieinhalb Quadratkilometer großen Flächenbrand entfachen, dem 1882 Personen erliegen. Der Ort wird daraufhin von der Bevölkerung verlassen.

Dortmund füllt sich langsam wieder, allerdings weniger mit Dortmundern als mit Aachenern, Trierern und Linksrheinländern, die vor den Befreiungsarmeen Reißaus nehmen. In Dortmund ereilt sie die Fortsetzung der Schlacht in der Nacht zum

7. Oktober, in der die Innenstadt um den Bahnhof herum entzweifällt. Der Hauptbahnhof ist das exakte Radarziel. Personenzüge fahren geradewegs in das Zentrum des Angriffs. Die Passagiere enden vor den Einlassen des überquellenden Bahnhofbunkers. Die ›Bunkerpanik‹, das Zerquetschen und Zertrampeln in den knappen Auffüllminuten, wiederholt sich bei allen Januar-Angriffen seit Neujahr. Da geht eine schwere Sprengbombe im Gedränge vor dem Eingang zum bereits überfüllten Eckey-Stollen in Dortmund-Huckarde nieder. Fünzig Schutzsuchende bleiben zehn Meter vor der rettenden Tiefe auf dem Pflaster.

Nach dem Beginn des ›Ruhrplans‹, der Verkehrsabriegelung des Reviers, sitzen die Einwohner in der Falle. Die Nacht zum 21. Februar entlädt 2300 Bombentonnen mit siebzig Prozent Brandmunition auf dem Zielmittelpunkt, Bahnhof Dortmund-Süd. Da die Güterabfuhr aus dem Revier an den gesprengten Brücken und Viadukten nicht mehr weiterkommt, ist auch der Personenverkehr blockiert. Die Jagd der Tiefflieger auf Verkehrsbewegungen über Straße, Schiene und Wasser nimmt selbst Straßenbahnen ins Visier. Am 3. März treffen Splitterbomben und Bordwaffen einen vollbesetzten Waggon in Dortmund-Eving. Die Thunderbolts der 373. US-Jagdgruppe erlegen dabei vierzig Personen. »100 000 Menschen müssen Dortmund verlassen«, schreibt eine Geschäftsfrau ihrem Ehemann an der Front, »weil hier keine Lebensmöglichkeit mehr besteht.« Es führt auch kein Weg nach außen. »Da steht kein Stein mehr auf dem anderen. Kein Wasser, kein Licht und keine Lebensmittelzufuhr. Die Ausgangsstraßen sind sämtlich durch Bombentrichter unbefahrbar und alle Brücken hin.« Zwei Schwerstbombardements binnen achtundvierzig Stunden trommeln auf die Abgeschnittenen ein. »Ferdi, der 6. Oktober war furchtbar, aber gar nichts zum 12. März. Es ist amtlich bekanntgegeben, daß dies der schwerste und brutalste Angriff war, den jemals eine Stadt während des Krieges mitgemacht hat. 500 Tonnen Bomben ...«

Die Munition der elfhundert Lancaster rüttelt an den Türen der Schutzbunker. »Der Bunker vibrierte dauernd unter den schweren und schwersten Einschlägen in nächster Nähe«, schreibt Hermann Ostrop, der spätere Bürgermeister. »In unserem Raum war ein solcher Staub, daß man sich gegenseitig kaum sehen konnte. Trotz der winkeligen Eingänge zum Bunker wurden die Türen bei jedem Einschlag in der Nähe aufgerissen und mußten von den in unseren Raum geflüchteten Flaksoldaten krampfhaft festgehalten werden. Um die Einwirkungen des Luftdrucks abzuschwächen, lagen die meisten anwesenden Personen flach auf dem Boden.«

Dem auf dem Boden liegenden Revier meldeten Flugblätter im März: »Um eine Verlängerung des bereits verlorenen Krieges zu verhindern, wird daher die gesamte Kriegsindustrie des Ruhrgebiets einem erbarmungslosen Bombardement ausgesetzt werden.« Dann sind sechzehn Städte genannt, darunter Duisburg, Essen, Dortmund, Bochum. »Alle Einwohner werden hiermit aufgefordert, sich und ihre Familien sofort in eine sichere Gegend außerhalb des Ruhrgebiets zu begeben.«

Der Süden

Zwischen 1633 und 1805 wechselte Freiburg zwölfmal den Besitzer. Fünfmal ging es an das Haus Habsburg, fünfmal an Frankreich, einmal an Schweden, zum Schluß an Baden. Zwischen 1677 und 1697, als Freiburg längere Zeit bei der Krone Frankreichs war, hat es Marschall Vauban, der berühmteste Festungsbaumeister seiner Zeit, auf das modernste eingerüstet. Die vorderösterreichische Universitätsstadt avancierte zu einem der bestgewappneten Plätze Europas.

Zugunsten des Wehrgürtels aus Wällen, Gräben und Bastionen wurden die schon im Dreißigjährigen Krieg ruinierten Vororte eingeebnet. Dort besaßen die Dominikanerinnen die Klöster Adelshausen und St. Katharina, ferner lag in der Lehener Vorstadt ein Clarissinnenkloster. Das eleganteste davon war ganz ohne Zweifel Adelshausen, das eine Verwandte Rudolfs von Habsburg beherbergt haben soll. Vauban nahm keinerlei Rücksicht auf diese Verhältnisse, die Klöster behinderten die Befestigung, er riß sie ausnahmslos, vierzehn Kirchen, Klöster und Kapellen, nieder, gramverzerrt zogen die Nonnen in die ihrer Andacht fremde Innenstadt.

König Ludwig XIV. stiftete ausreichende Mittel für neue Häuser und eine Kirche. Vaubans Festungsanlagen aber waren so vortrefflich, daß, nachdem Freiburg im Frieden von Ryswijk dem Habsburger zurückerstattet wurde, die Franzosen 1713 die allergrößte Mühe hatten, sie zu erstürmen. Ein Jahr später bestimmte der Rastatter Frieden die Rückgabe Freiburgs an Österreich. Als Frankreich 1744 seine Festungsanlage zum zweiten Mal stürmen mußte, um Freiburg im Frieden von Aachen 1748 zum vierten Male den Österreichern zurückzugeben, empfand man Vaubans Anlage als eine unpraktische Einrichtung und sprengte sie vor Abzug entzwei. Das hat die Wiedereroberung von 1796 außerordentlich erleichtert.

Bei der Beschießung im Jahre 1744 zersprang eine Anzahl der alten Domfenster, und bei der anschließenden Sprengung der Feste kamen weitere zu Bruch. Doch entsprachen die dunkelschimmernden Farben des Glases nicht mehr dem Geschmack der aufgeklärten Epoche, welche die Helligkeit bevorzugte. Der Verlust der mystischen Glut, zu welcher das Sonnenlicht sich im Glas brach, wurde nicht sehr bedauert. Das 1120 als romanische Basilika begonnene, in den folgenden dreihundert Baujahren rein gotisch umgewandelte Münster ›Unserer Lieben Frau‹ lag auf dem Marktplatz wie ein hochmastiges Schiff im Hafen vor Anker. Umgeben war es von dem spätgotischen Bankhaus Krebs, dem dreigeschossigen Stadtpalais des Erzbischofs, der spätbarocken Volksbibliothek, dem schmucken Kornhaus mit dem treppenförmigen Giebel und der ebenerdigen Getreidehalle sowie dem Domhotel ›Geist‹.

Der Streit der ost-westlichen Blöcke, Frankreich und Österreich, um Freiburg ging um das Ganze. Die Stadt ist der Burgundischen Pforte vorgelagert, dem ›Loch von Belfort‹ zwischen Jura und Vogesen. Dieser 55 Kilometer tiefe Durchlaß führt am Doubs vorbei in die Freigrafschaft Burgund, das westlichste Verbindungsglied zwischen den spanischen und österreichischen Habsburgern. Ludwig XIV. hatte 1678 Burgund errungen, deshalb befestigte Vauban Freiburg, den ehedem und immer wieder ärgerlichen Vorposten des sogenannten Vorderösterreich. Ein habsburgischer Streubesitz, mit der Spitze nach Frankreich deutend, ein unhaltbarer Zustand.

Bis auf die Münsterfenster und die eingeebneten Vorortklöster blieb der Ort im Weltmachtringen wohlerhalten. Vaubans Gürtel hat den mittelalterlichen Umfang und das Straßenmuster lange noch konserviert. Bei der Zerstörung Freiburgs am Abend des 27. November 1944 ging es um gar nichts. Äußerer Anlaß war der Bahnhof und der vermutete Aufenthalt einer größeren Truppenanzahl.

Für die Besetzung Süddeutschlands ist Freiburg kein Ausgangspunkt gewesen, weil östlich davon der Schwarzwald sich erhebt. Die Franzosen hatten bereits das 75 Kilometer nördlich gelegene Straßburg eingenommen, ansonsten beschränkte sich die

Kampftätigkeit von Tassignys 1. Armee darauf, Reste der 19. deutschen Armee über den Rhein zu werfen. Der Verband, zu Heinrich Himmlers Heeresgruppe Oberrhein gehörig, hielt Ende 1944 noch eine Frontausbuchtung um Colmar bis zum Vogesenrand, im Februar war sie begradigt.

Von Freiburg liefen Bahnlinien nach Breisach, von Breisach nach Colmar. Durch den französischen Vorstoß nach Straßburg im Norden und durch das ›Loch von Belfort‹ im Süden war der Sack von Colmar seitlich dicht. Himmlers Armee konnte nur noch in eine Richtung ziehen, rückwärts. Es war der hinterste Winkel der Westfront.

Am 21. November schreibt Joseph Sauer, Theologe an der Universität Freiburg, in sein Tagebuch: »Größte Aufregung hier, die Burgundische Pforte ist durchbrochen; die Franzosen sollen schon bei Colmar stehen.« Drei Tage später: »24. November. Feindliche Panzer haben Straßburg besetzt. Das die heutige Alarmnachricht, deren Begleitmusik das Brummen feindlicher Flugzeuge.«

Am Abend des 27. November konnte man in Freiburg das 53 Kilometer entfernte Geschützgebell hören. Es war ein leicht nebliger, schöner Vorwintertag gewesen. Am Abendhimmel trat der Vollmond heraus und warf in die adventlich belebten Straßen ein mildes Licht. Sauer versenkte sich in das Brevier, die Glocken schlugen acht. Zwei Minuten später heulte der Voralarm, und zugleich krachten die ersten Bomben. Sauer stieg mit Therese, der haushaltsführenden Schwester und den Fräulein Lina und Elisabeth Reich, den Hausbesitzerinnen, in den Keller. Während sie hinabhasteten, schwoll das Dröhnen, und die Detonationen rückten näher.

»In mir brach fühlbar etwas zusammen«, schrieb Sauer, »die zuversichtliche Hoffnung, daß Freiburg verschont bleibe.« Der Eintrag ist datiert mit dem 28. November und beginnt: »Was ich über den gestrigen Abend niederzuschreiben habe, kann ich noch gar nicht fassen; es ist schwer zu einer ruhigen Überlegung zu kommen, daß gestern Abend unser liebes Alt-Freiburg seinen Untergang gefunden hat.«

Bomber Command war bisher an dem Ort nicht aufgetaucht,

er besaß keine nennenswerte Industrie, und die Maschinen konnten ihn auf die Entfernung nur schwierig erreichen. Die 342 Lancaster, die nun mit knapp zweitausend Bombentonnen die bescheidenen Bahnanlagen ansteuerten, konnten aus Frankreich radargelenkt werden. Auf Lastwagen stationierte Oboe-Sender sicherten Freiburg die präziseste Zielanpeilung, deren Bomber Command fähig war. Außerdem schien, wie gesagt, Vollmond. Sauer erteilte angesichts des unentwegten Bebens und Klirrens im Keller der Schwester und den Fräulein Reich Generalabsolution. Nach zehn Minuten erlosch das Licht.»Da, mit einem Mal ein unheimliches, furchtbares Rauschen über uns, daß alle drei aufschrien, als gelte es unserem Hause und im gleichen Augenblick ein ohrenbetäubendes Krachen, ein Klirren und Splittern und Fauchen und ein atembenehmendes Durchfegen vom südlichen Kellerfenster her über unsere Köpfe und Gesichter weg. Im Gefolge eine Staubwolke, die einen beinahe ersticken machte. Meine Schwester kniete am Boden neben mir und rief alle Heiligen und Gottes Hilfe an. Wir alle vier wurden unwillkürlich nach links gebeugt unter dem ungeheuerlichen Stoß.« Die Nachbarn stemmten den Mauerdurchbruch auf und fragten, ob man noch lebe.»Was passiert war, ob über unserem Keller das Haus noch stehe, war zunächst nicht zu ermitteln.«

Nun erscholl Voralarm, die Meldestellen waren ausmanövriert worden. Seit dem Verlust der Frühwarnstationen am Ärmelkanal, in Belgien und den Niederlanden geschah das immer häufiger.

Freiburg als Belagerungsstadt verfügte über ein ausgebautes System alter unterirdischer Fluchtwege sowie über die Waldschluchten im Schloßberg. Dort sollten die Freiburger an den Folgetagen in der Feuchtigkeit herumstehen und horchen. Vorsorglich heulte es nur noch Alarm, Halbalarm, Vollalarm. In Abständen detonierten die Zeitzünderbomben des 27. November. Menschen in Nachthemd und Mantel taumeln seit vierzig Stunden verstört durch die Straßen, die nicht mehr sind. Keller werden geöffnet, in denen man Angehörige und Freunde wähnt. Flammen zischen aus den Öffnungen, und beißender Qualm entweicht. In den Kellergrüften ist die Waffe noch scharf und frißt der Brand fort.

Der Angriff hatte fünfundzwanzig Minuten gewährt, um 20.30 Uhr zogen die Bomber ab. Professor Sauer kletterte in die Wohnung, das Haus stand noch. Das Brevier lag aufgeschlagen an ebender Stelle, an der er es vor einer halben Stunde verlassen hatte, bei dem Komplet. Das Buch Freiburgs war zugeschlagen. Er ging bis zu den hochaufgeschütteten Trümmern der Universitätsbibliothek, sah das Theater und das Bertold-Gymnasium in hellen Flammen. Von der Stadtmitte her warfen die Brände ihren Lichtschein an die Mauern.»Der Mond leuchtete so ruhig und mild auf dieses Jammerbild herab, bald aber war es völlig verschleiert unter einer geschlossenen Staubwolke.«

In den Keller zurückgekehrt, bettete sich der zweiundsiebzigjährige Sauer auf einer Pritsche, hörte das lebhafte Rufen und Gehen der Leute zum Zentrum. Die Brandröte von dort nahm zu. Freiburg war eine Steinstadt mit wenig Fachwerk, das hätte die fünfhunderttausend Brandbomben hindern müssen. Doch überließ man sie ihrem Werk nahezu ungestört. Leute liefen mit Wassereimern umher, und Feuerwehr war rar.

Unterdessen flüchteten die Bewohner des Zentrums vor dem aufkommenden Flächenbrand zum Schloßberg. Wöchnerinnen aus einem zerstörten Entbindungsheim liefen barfüßig mit, ihre Säuglinge auf dem Arm. Auf halber Strecke, auf dem Alten Friedhof, hatte eine Schar Obdachloser ein Nachtlager aufgeschlagen. Auf mitgebrachten Bettdecken ließen sich Erschöpfte in der beschädigten Kapelle nieder. Die dort keinen Platz mehr fanden, lagen in Mäntel und Bettücher gewickelt zwischen Grabsteinen und Bäumen. Aller Blicke suchten immerzu einen Abschnitt des Horizonts. Aus der flackernden Glut ragte der Turm des Münsters.

Am Morgen brach Professor Sauer zur Innenstadt auf, der Stadtarchivdirektor Hefele begleitete ihn. Erst in den frühen Morgenstunden war sein ganzes Archiv in Brand geraten. Von der Universität, dem Katheder Erasmus von Rotterdams, die nebst ›Unser Lieben Frau‹ die tiefsten Wurzeln in der Stadt geschlagen hatte, stand nicht mehr viel. Das Heilig-Geist-Spital brannte an allen Ecken. Die Mutter Oberin, die ihre kleine Habe sammelte, um in die Kartause zu ziehen, berichtete, daß alle Kranken gerettet seien. Bis auf eine Frau, die einen Herzschlag bekam, und einen Mann, der nicht mehr aufstehen wollte.

Von St. Martin, der Franziskanerklosterkirche von 1262, standen nur die Umfassungsmauern.»Rechts waren alle Häuser nur Berge von Trümmern. Es war lebensgefährlich, sich bis zur Kaiserstraße durchzuarbeiten, auf der wir über hochaufgetürmte Schutt- und Steinmassen, Balken und Eisen- und Drahtgeflechte klettern mußten. Rings um uns eine neue Welt, eine grauenvolle Steinwüste, aus der einzig nur das Münster unberührt von diesem Spuk der Hölle aufragte. Mir kamen unwillkürlich die Tränen, und viele Menschen sah ich in der gleichen Fassung. Von der Kaiserstraße stand nichts mehr aufrecht. Das Münster aber war intakt, in seinem ganzen Gefüge unberührt.«

Ziegel und Splitter bedeckten den Münsterplatz knöcheltief. Auf der Nordseite, keine zehn Meter von dem Bau, klafften zwei Riesentrichter. Die Häusergruppe hinter dem Chor hatte eine Luftmine weggefegt. Der ganze Gebäudekranz des Platzes war niedergebrochen. Noch zwei Tage später schlug die Flamme aus dem erzbischöflichen Palais. Der Angriff kostete 2700 Menschenleben. Alles nördlich und westlich des Münsters gelegene Stadtgebiet war total zerstört. Von der gotisch-barock vermischten Altstadt blieb nach fünf Minuten Bomber Command eine Million Kubikmeter Schutt. Keine der Eisenbahnanlagen hat es getroffen.

Das beste Geschwader Bomber Commands war Bomber Group Nr. 5. Bei Flächenangriffen auf deutsche Städte erzielte seine Markierungstechnik den weitaus höchsten Schaden. Die Spuren dieser Einsatzgruppe ziehen sich durch die Feuerstürme von Kassel, Darmstadt, Braunschweig, Heilbronn, Dresden und Würzburg. Das Städtetotalverbrennen erfolgte nicht aus mangelnder Präzision; es war ein Werk äußerster Präzision. Der Bomber Group Nr. 5 gehörte auch die für den Möhnestaudamm gebildete 617. Schwadron an. Diese Elite hatte die Genauigkeit des Markierens an Punktzielen erprobt und vermochte es in die Fläche so zu übertragen, daß diese in genau dem vorgesehenen Rahmen brannte. Dazu trug die scharfe Kontrolle der verschiedenfarbigen Leuchtflammen durch den Masterbomber bei, die

Abstimmung der Windwerte, eine ständige Quelle von Ungenauigkeiten, sowie die Orientierung aller an einem fixen Zielpunkt. Würzburg taucht im amerikanisch-britischen Zielauswahlkomitee erst Anfang Februar 1945 auf. Als Primärziele waren zu der Zeit Berlin, Dresden, Chemnitz, Leipzig, Halle, Dessau, Erfurt und Magdeburg vorgesehen. Die Bomben sollten den Evakuierungsbewegungen weg von der Ostfront und den Truppenbewegungen hin zur Ostfront gelten. Zu den Ausweichzielen zählten unter anderem Hildesheim, Würzburg, Pforzheim, Worms und Nürnberg. Im britischen Parlament war die Regierung am 7. Februar von dem Labour-Abgeordneten Purbrick ausdrücklich auf Dresden, Freiburg und Würzburg angesprochen worden als Städte, die bisher noch keine Bombenerfahrungen gemacht hätten. Wann die Reihe an ihnen sei?

Würzburg sollte am 16. März untergehen. Bomber Group Nr. 5 erfuhr am Mittag, daß dies zwischen 21.25 und 21.45 Uhr abends zu geschehen hatte. Das Wetter eignete sich dazu, der Himmel war wolkenlos, am Boden lag leichter Dunst. Die 225 Lancaster und elf Mosquitos starteten von verschiedenen Horsten zwischen 17.00 und 18.10 Uhr, versammelten sich am Punkt Reading westlich von London, nahmen Kurs auf die Somme-Mündung, auf Reims, die Vogesen, überflogen den Rhein bei Rastatt bis zum Wendepunkt Pforzheim. Denn nie flog Bomber Command sein Ziel auf direktem Wege an. Ab 19.45 Uhr spannten sechzehn Halifaxe zwischen Lüttich und Colmar den ›Mandrel-Schirm‹, eine Kette von Störsendern, in deren Rücken das deutsche Frühwarnsystem keine Flugbewegungen mehr feststellen konnte. Bomber Group Nr. 5 war also frühestens ab Freiburg zu erfassen. Ehe sich ein Angriffsziel lokalisieren ließ, war der Angreifer schon am Ort. So blieb den Bewohnern kaum Zeit übrig, Schutz zu suchen, und die Tötungsziffer stieg beträchtlich.

Die Maschinen trugen 924 Tonnen Munition, geteilt in 389 Tonnen Spreng- und 572 Tonnen Brandstoffe, im Verbund mit der Markierungstechnik der 5. Bombergruppe ein Feuersturmaggregat. Um 21.00 Uhr passierte der Verband Lauffen am Neckar, vorn die ›marker force‹ zur Einrüstung des Ziels, dahinter die ›main force‹ zu seiner Vernichtung.

Würzburg wurde mit dem H2S-Radar identifiziert. Die ›marker force‹ prüfte den Wind, der mit vierzig Stundenkilometern von Westen her wehte. Um 21.25 Uhr begannen die Blindmarkierer das Stadtzentrum mit 2000 Leuchtbomben grün einzurahmen. Es folgten die Beleuchter und warfen Flammenkaskaden ab, welche die nötige Helle für die Zielmarkierer herstellten. Der Masterbomber entschied um 21.28 Uhr, daß die grünen Markierungen gut im Ziel saßen, so daß sie mit den roten Markierungen nachgezeichnet werden konnten. Diese streuten um neunzig Meter nach Osten, konnten aber dennoch abschließend von den gelben Markierungsbomben bestätigt werden. Doch bemerkte der Masterbomber die 90 Meter Differenz im Osten und hieß die ›bomber force‹, sich an die westliche Rotlichtkante zu halten. Als später die Rauchballen hochstiegen, ließ er die Linierung nachziehen, damit die Abwürfe nicht defokussiert wurden. Das trübt die Wirkung.

Um aus einer Fläche das Äußerste an Zerstörung herauszuholen, hatte Sir Ralph Cochrane, der Kommandeur von Nr. 5, die gebräuchliche Bombardierungsweise mit der ›Delayed Release Technique‹ bereichert. Sie erforderte auch ein zusätzliches fliegerisches Training. Der Vernichtungsraum war in Sektoren gefächert und der Luftraum in Segmente gestuft. Alle Maschinen kreuzten einen Referenzpunkt am Boden, alle Schwadrone der Gruppe in unterschiedlicher Höhenstufe. Würzburger Referenzpunkt war die Alte Mainbrücke. Von da aus spreizten sich die Maschinen, jede mit einem eigenen Kurs und einem ›overshoot‹. Der Overshoot legte die Entfernung von der Brücke in Sekunden fest, dann wurde ausgeklinkt.

Die vom Punkt Mainbrücke in unterschiedlichen Flugbahnen, unterschiedlicher Höhenstufe und mit unterschiedlichem Overshoot operierenden Maschinen erreichten eine bessere Verdichtung der Zeit, der getroffenen Fläche und des Effektes. Würzburg wurde mit 20 000 Farblichtern markiert und von 256 Stück Spreng- und 397 650 Stück Brandbomben zerstört. Nr. 5 traf gegen Mitternacht wieder bei seinen Horsten ein, die Piloten setzten sich zu einer Tasse Kaffee und der ›post mortem conference‹ zusammen, sie hatten ein hervorragendes Stück Arbeit abgeliefert. »Exceedingly wellmarked«, nickte ein Captain der 50. Schwadron. Die 467. Schwadron meinte kurz angebunden, daß bei richtig angebrachter Markierung eine Stadt heute einigermaßen zu zerstören sei. Der Bericht von Nr. 5 notiert »Good fires«.

Keine zweite Stadt hat auf so engem Raum eine ähnliche Ansammlung von Kunstschätzen besessen. Der größte Kunstschatz war Balthasar Neumanns Schöpfung, Würzburg selbst. Später hat man sich immer aufs neue gefragt, wie ein Ort, durchflossen vom Main, nach siebzehn Minuten Bombardement zu 90 Prozent zerstört werden konnte? Die Antwort ist, Verhängnis und Nr. 5. Alle britische Bombardierungstechnik stellte darauf ab, den Löschkräften zuvorzukommen. Feuer, das in kürzester Zeit höchste Intensität annimmt, ist nicht löschbar. Das Entzündungstempo liegt an der Beschaffenheit des Objekts, dies hier lag im Talkessel, der Witterung und dem Talent des Brandlegers, mit beidem richtig umzugehen. Die Berichte sagen, die Flammen griffen schnell. Wie die Briten wußten, enthielt die Stadt das reichliche Holz des Würzburger Rokoko, und die darauf abgestimmte Munition hat Nr. 5 perfekt zentriert. Das übrige ist unfaßlich.

Die Stadt war zuvor vom Bombenkrieg nahezu unberührt, und ihr ist dies Glück zum Unglück ausgeschlagen. Einwohner und Rettungskräfte kannten kein luftschutztüchtiges Verhalten. Von den Tücken der Kellererhitzung und Brandgasbildung wußte man allenfalls gerüchteweise. Es existierten keine Betonbunker; die Fortifikationen des 17. Jahrhunderts hatten sich zum letzten Mal in den Religionskriegen bewährt und auch nur vorübergehend. Doch näßten die beruhigenden Gänge in der Tiefe vor sich hin und eigneten sich trefflich. Allerdings wähnte die Bischofsstadt in ihren kunstseligen Interieurs sich tieferer Feindschaften ledig. Wer liebte nicht dies türmebekrönte Barockfest? Churchill kannte Würzburg, als junger Attaché hatte er sich in das Goldene Stadtbuch eingetragen. Man behauste keine kriegslüsterne Industrie, sondern Spinette und Altäre. Nach den Bauernkriegen, an denen die Würzburger eigenhändig teilnahmen, war der schlimmste je erlebte Feind der Schwede gewesen, der als Gipfel seiner Ruchlosigkeiten eine Bibliothek davonschleppte, für Räuber wie Beraubte ein Kompliment. Inzwischen verfuhr man mit Bibliotheken anders. So begegneten sich das routinierteste Vernichtungskommando der Royal Air Force und eine höchst weltfremde Gemeinde.

Viele stürzten nach Beginn des Angriffs instinktiv zum Main hinab. Die in Keller und Schutzräume stiegen, hätten diese bei dem raschen Brandaufkommen gleich nach der Entwarnung verlassen müssen. Zu vielen fehlte diese Kenntnis; sie ängstigten sich, meinten sich geborgen, wußten später im Flammenring nicht ein noch aus, irrten durch die Kellerdurchlässe unter der Erde entlang und fanden nirgends einen feuerfreien Straßenausstieg. Aus der Gegenrichtung kamen die gleichen Gruppen gerannt.»Es war ein Quetschen und Drängen, Hasten und Stoßen und Übereinanderstolpern durch zehn, fünfzehn und mehr Mauerlöcher. Und am Ende? Feuer.« Domkaplan Fritz Bauer hat dies bald nach den Ereignissen so aufgezeichnet:»Welche Szenen sich dabei abgespielt haben, wird niemand je beschreiben. Keiner der Überlebenden wußte zu sagen, wie er herausgekommen sei. Später traf ich eine Frau aus der Ursulinengasse, die bei dieser unterirdischen Jagd um das Leben zwei Kinder verloren hatte. Sie waren beim Gedränge von ihr losgerissen worden, unter die Füße der gehetzten Menge geraten und totgetrampelt. Die Frau erzählte das mit trockener Stimme und tränenlos.«

Unter der Ursulinengasse lagen siebzig bis neunzig Personen. Kaplan Bauer stieg in diesen Hades hinab, um die Frau des Lazarettpförtners zu bergen.»Eine unheimliche Öde und Stille da unten. In einem etwa zwei Meter langen Mauerdurchbruch lag eine Frau, soweit ich mit meiner Taschenlampe feststellen konnte, waren Füße und Kopf der Frau verkohlt, während der Rumpf erhalten und gut bekleidet war. Die Strickweste, die die Frau trug, war großenteils unversehrt, die Gesuchte war sie aber nicht.«

Es war ein erstickter Leib, den noch mal das Feuer angegriffen hatte; ähnliches geschah in der Domer Schulgasse, wo der Hitzetod den Gastod garantierte. Die Menschenreste dort, berichtete Bauer, waren verunstaltet von der Hyperthermie, machten indes einen friedlichen Eindruck.»Einige saßen auf ihren Stühlen, eine Frau hatte ihr Kind im Arm. Hatten die Leute keine Angst vor dem Feuer gehabt? Warum hatten sie den Keller nicht verlassen, sondern waren buchstäblich am Feuer sitzengeblieben? Ich vermute, sie waren schon tot, als das Feuer in ihre Nähe kam.« Neben dem Schutzraum fand Bauer einen schwelenden Kohlenhaufen. An der Gasentwicklung im Hauskeller sind Tausende im Bombenkrieg zugrunde gegangen. In der Domstraße 9 fand Bauer sechsundsiebzig davon. »Wunden hatten sie nicht. Die einen hatten die Arme über dem Gesicht liegen, andere lagen auf dem Rükken, die Arme kreuzweise ausgebreitet, wieder andere hatten die Beine angezogen, bei vielen war der Mund leicht geöffnet. Die Augen waren meistens geschlossen. Die Haare waren oft verwirrt, standen eigenartig zu Berge.« Fremdarbeiter luden die Getöteten auf Transportautos, »ein wirrer Haufen menschlicher Glieder, Rümpfe und Köpfe. War der Wagen hoch genug beladen, fuhr er zum Friedhof. Dort wurde die eine Bordwand heruntergeklappt, Hände griffen in das Gliedergestrüpp und zogen, was sie grade zu fassen bekamen, von der Ladefläche.«

Würzburg verlor am 16. März etwa 5000 von 107 000 Einwohnern. Zwanzig Tage später hat die 7. US-Armee die Stadt erobert. Die zu 3500 Mann darin verschanzten deutschen Truppen lieferten in den Ruinen sechs Tage ein blutiges Gefecht, für die Amerikaner die bitterste Stadtschlacht seit Aachen. Das Ruinenfeld begünstigte beide Male den aussichtslosen Verteidiger. Wäre die Stadt zur Vorbereitung ihrer Einnahme zerstört worden, hätte man sich militärisch verrechnet. Doch wurde Würzburg als Ausweichziel auf der Zielliste vom 8. Februar vernichtet. Ein militärischer Nutzen brauchte damit nicht verbunden sein. Die Vernichtung wurde als Bravourstück in sich verstanden. »Im Süden des Bahnhofs«, heißt es im britischen Überblicksbericht vom 18. März, »the old town has been almost completly destroyed.«

In derselben Nacht, da Würzburg verbrannte, bog ein zehn Minuten vor Group Nr. 5 gestarteter Verband am Rhein nach Süden ab, wendete bei Rottenburg nach Osten und erreichte um 20.15 Uhr sein Ziel, Nürnberg. Um 20.53 Uhr heulte dort Fliegeralarm. Weil sich die deutsche Flugabwehr auf diese Flotte von 283 Maschinen kaprizierte, hielt sie die Würzburggruppe für ein Ablenkungsmanöver und ließ sie gänzlich unbehelligt. An der Nürnbergmission aber bewies die verkrüppelte deutsche Jägerwaffe ein letztes Mal in diesem Krieg ihre einst gefürchteten Klauen. Vierundzwanzig Lancaster wurden ausgeschaltet, eine Verlustrate von 8,7 Prozent. In Nürnberg fanden die übrigen, anders als Nr. 5 in Würzburg, keine unberührte Stadt vor. Man arbeitete sich dort durch und brachte das Vernichtungswerk des vergangenen 2. Januar und des 20. Februar zu Rande. Am 5. April sollte die 3. US-Division noch tausend Tonnen nachspülen.

Am Würzburgtag, dem 16. März, zündete man Wohnblocks in der Nürnberger Südstadt an, Steinbühl, Gostenhof und Galgenhof, nahm 517 Personen das Leben, legte einige Brände in das Opernhaus, das Germanische Nationalmuseum und riß an historischen Gebäuden lediglich St. Klara nieder, die von den Magdalenerinnen an der Nordostecke ihres Klosters errichtete frühgotische Kirche von 1270.

Zu der Zeit waren die zwei Teile der Siedlung noch unverbunden, die Reichsburg und Kaiserpfalz im Norden mit Ministerialen und Gesinde sowie das südlich der sumpfigen Pegnitz gelegene Quartier der Handwerker und Kaufleute. Erst 1320 hat der ›Henkersteg‹ einen Übergang der zwei Welten zueinander geschlagen. Im Dritten Reich waren sie wieder geschieden, das Nürnberg des Reichsparteitags und die Bürgerstadt, die wie ein Fenster sich öffnete zur Geschichte Deutschlands.

Diese besterhaltene Großstadt zwischen Mittelalter und Frühneuzeit faßte den Weg der Jahrhunderte baulich zusammen. Die NS-Stadt allerdings schlug einen eigenen Henkersteg zum Steinbild des Vergangenen. Der Henker nahm von alledem Besitz. Zunächst machte er sich an die Instandsetzung von Burg und Festungsanlage, unvergleichlich monumentale Gebilde, die vom romantischen Zierat des 19. Jahrhunderts zurückgebaut wurden auf eine karg wehrhafte Archaik, vorgeblich die wiedergefundene historische Wahrheit. Der bedrohlich aus dem Vorgelände sich reckende Mauerkranz hatte dem Gegner einst spröde Abweisung, Unbetretbarkeit bedeutet. Eine Machtarchitektur, die weniger den Kanonier einschüchterte als dem angreifenden Haufen insgesamt den Schneid raubte. Nun dient die nazifizierte Burg der inneren Konsumtion.

Holzvertäfelungen, Sagengemälde, Wappen, das Märchen des

19. Jahrhunderts von staufischer Kaiserherrlichkeit flogen heraus. Die Kaiserstallung wird die Reichsjugendherberge Luginsland. Feldgrauer Verputz, kahle Balken, starrender Fels formen eine neue Suggestion des Vormaligen: nicht Sängerfest, Damenhuld und Ritterschlag, sondern Zwingburg und Katafalk, Stellung, gehalten bis zum letzten Mann. Fallende Geschlechter, Reihe auf Reihe, nur die Fehde währt. Wert hat das, was Blut erkauft.

Auch in dieser Frontkämpferversion bleibt die salische Königsburg in dem Fünfeckturm, die staufische Kaiserburg in dem Sinwellturm, dem Pallas und der Kemenate stumm ihr auratisches Selbst. Die italienischen Basteien von 1545 sind klassische Festungsbauweise, die nahtlos zum Marechal Vauban führt; die Kaiser- und die Margarethenkapelle atmen eine sizilianische Lichte. Nach Gauleiterverständnis gehörten auf die Ahnenburg allerdings Flugabwehrgeschütze, dies führte dazu, daß sie zu siebzig Prozent zerstört wurde.

Ebensowenig war die Zerstörung der Unterstadt abzuwehren. Nach Bomber Commands Verständnis stellte die Burg eindeutig ein militärisches Ziel dar und auf alle Fälle einen erstklassigen Orientierungspunkt. Die ursprünglich zum Schutz vor den Hunnen gegründete Felsenzuflucht wurde von August 1942 an abgeschliffen, der heutige Zustand ist überwiegend Kopie. Als erstes geraten Fünfeckturm und Kastellansgebäude in Flammen. Die Walpurgiskapelle sprengten Bomben an drei Seiten, 1944 war die Zeit der Ottmarskapelle und Burgverwaltung abgelaufen. 1945 brannten Kaiserstallungen, Pallas und Brunnenhaus, Luginsland erblindete, die Kemenate stürzte ein.

Nürnberg hatte sich bis Januar 1945 dem Bombenkrieg entwunden; entweder fand die Navigation die Stelle nicht oder die Nachtjagd schoß den Angreifer in Stücke. Die in der Nacht zum 13. Oktober 1941 Nürnberg zugedachten Bomben fielen teils den fünfzehn Kilometer südlich wohnenden Schwabachern auf das Dach, zehn Tote, teils der Gemeinde Lauingen a. d. Donau, hundert Kilometer abseits des Ziels. Eine dritte der verirrten Schwadrone griff Lauffen am Neckar als Nürnberg an. Lauffen wie Lauingen sind an breite Flüsse gestellt, worin die versprengten Crews die Pegnitz erkannten. Das Bombardement Lauingens dauerte vier Stunden, 700 Brand- und 200 Minenbomben fielen, angesichts seines brennenden Dorfs fiel der herzkranke Bürgermeister tot um.

Den ersten Großangriff in der Nacht zum 29. August 1942 sollten die Crews so niedrig wie irgend möglich fliegen. Die Pathfinder markierten akkurat mit den noch neuen Leuchtbomben, doch fiel die Munition verstreut bis Erlangen. In Nürnberg zersprangen die originalen Fenster des Dürerhauses, das Dach der Burg flog davon, und ein Volltreffer zermalmte das Burggärtnerhaus. In einer bravourösen, fast auf Bodentiefe hinabtauchenden Attacke bekam das Reichsparteitagsgelände seinen Teil. Die Mission erlitt 14,5 Prozent Verluste, ein Drittel der Maschinen erreichte die Stadt.

Süddeutschland bereitete Bomber Command Ärger bis hin zu jener ›Schwarzen Nacht‹, als diese Streitmacht 95 Maschinen verlor aus einer Flotte von 795, der größten, die England im Krieg je gegen Nürnberg startete. Theoretisches Wurfziel war der Hauptgüterbahnhof, doch hatte man den ›creep back‹-Effekt einberechnet, die unwillkürliche Rückwärtstendenz der Abwürfe vom anbefohlenen Ziel. Nach der Kalkulation läge mit ›creep back‹ exakt die Innenstadt unter den Bombenschächten. Der 110 Kilometer lange Fliegerstrom würde Nürnberg in siebzehn Minuten passieren und auslöschen.

Um 23.22 Uhr war die Schelde erreicht, 675 Kilometer gegnerischer Luftraum lagen vor dem Angreifer, mit Rückenwind 103 Minuten. Die Deutschen hatten gegen 23.00 Uhr den Anflug über die Nordsee erhorcht und kreisten in einer Warteposition bei strahlendem Halbmond. Die Briten erschraken, als sie so früh auf der Strecke eines Gegners ansichtig wurden. Tückisches Wetter ließ obendrein jede Maschine einen Kondensstreifen absondern. Flight Lieutenant Gillham von der 100. Schwadron schaffte es, seine Halifax auf 7400 Meter anzuheben, und sah bedauernd auf die schwerbepackten Lancasterkameraden hinab. Einen Luftkampf mit den deutschen Jägern zog er nicht in Betracht.

Mit ihren Bomben an Bord war die ganze Streitmacht zu schwerfällig zum Streiten. Sie lud ihre Brand- und Sprengstoffe ab, hoffte, daß sie die richtige Stadt und die Stadt richtig träfe und der Nachthimmel sie unerkannt entkommen lasse. »Fasziniert beobachtete ich, wie eine zweimotorige deutsche Maschine aufholte und sich direkt unter dem Kondensstreifen näherte. Der Deutsche setzte sich unter die Lancaster und schoß mit einer nach oben gerichteten Kanone genau in ihren Rumpf. Der Bomber machte überhaupt keine Ausweichbewegung. Es gab eine Explosion und die Maschine zerbrach in zwei Hälften. Mir drehte sich der Magen, und wir versuchten noch höher zu kommen.« Eine Halifax, die den Anstieg nicht schaffte, wendete um und flog heim. Ein stur in 4500 Metern geradeaus fliegender Pathfinder sah rechts und links Bomber in die Tiefe stürzen, »wie eine brennende Hölle«. Die letzten zweiundachtzig wurden beim Anflug auf Nürnberg abgeschossen.

Bomber Command verlor bei dieser Mission 545 Mann. Die bis nach Franken Durchgekommenen fühlten sich so elend, daß ein Sechstel davon irrtümlich Schweinfurt angriff, 75 Kilometer nordwestlich von Nürnberg, ein anderer Teil bombardierte die östlich davon gelegenen Landkreise. Das in Wälder gebettete Dorf Schönberg wurde markiert und abgebrannt. Buntvieh raste wie toll auf den Weiden, auf den Bauernhöfen lagen verbrannte Schweinekadaver, das Geflügel war ausgeflogen, verzerrten Gesichtes standen die Bewohner vor ihren zerstörten Heimen, die Frauen schluchzten hilflos. Das Fiasko der ›Schwarzen Nacht Bomber Commands‹ setzte den letzten Hoffnungen ein Ende, Deutschland aus der Luft zur Aufgabe zu zwingen. Den Briten war Nürnberg nun einstweilen verleidet.

Die 8. US-Flotte erschien am 3. Oktober 1944 mittags mit 454 Fliegenden Festungen, traf die Sebaldkirche im Chor, die Burg, das Dürerhaus und setzte einen Volltreffer in das rückwärtige Pellerhaus, eines derer, die um den Ruhm des schönsten Bürgerquartiers Deutschlands wetteiferten. Die Bomben zerfurchten den vierhundertjährigen Friedhof St. Rochus, schleuderten die sarkophagartig liegenden Sandsteingrabmäler umher und entblößten die ruhenden Gebeine. Am 2. Januar 1945 kehrte Bomber Command zurück, an Oboe-Leitstrahlen aus Frankreich geführt, mit 2300 Bombentonnen an Bord. Die Abwürfe gingen in der Innenstadt mit einer Konzentration von 38 Tonnen pro 100

mal 100 Meter Fläche nieder. Nach dreiundfünfzig Minuten bestand Alt-Nürnberg aus Schutt.

Das Tucherschloß, das Hans-Sachs- und Veit-Stoß-Haus, die
Heiliggeist-, die Egidien-, die Meistersingerkirche, die gesamte
Burganlage, insgesamt zweitausend mittelalterlicher Häuser wur-
den in vandalischer Tobsucht zerstampft. Vielleicht täuscht der
Eindruck. Die intakt gebliebenen, militärisch nun irrelevanten ge-
schichtlichen Schreine wie Hildesheim, Magdeburg, Dresden,
Würzburg, Nürnberg werden im letzten Kriegsvierteljahr seriell
zerstört. Allem Anschein nach ist dabei Verstand am Werk. Sind
nicht diese Städte die großen Darsteller? Sie stellen dem Volk der
Deutschen seine Herkunft dar. Aus Kaiserburg und Kontor,
Werkstatt und Residenz, Dom und Markt, Kloster und Gasse,
Universität und Spital, Brücke und Damm. Dies war lange vorhanden, bevor ein Staat bestand. Der Staat, der tausend Jahre
Reich ausrief, hat tausend Reichsjahre rückwirkend beschlagnahmt, deshalb sein Nürnberg-Kult. Die in Kult überführte Geschichte ist planiert worden. War sie nicht der Bürge des jüngst
errichteten Europareiches deutscher Nation? Damit auch wirklich
nichts übrigblieb, wurde der Schutt bis April noch zweimal ameri-
kanisch und einmal britisch zerklopft.

Insgesamt ließen unter 13 807 Bombentonnen 6369 Personen
in Nürnberg ihr Leben. Nach dem Januarangriff kehren Horden
rucksackbepackter Zwölfjähriger aus dem Kinderlandverschik-
kungslager Kinding/Oberpfalz in die Stadt zurück, um ihre Eltern
zu suchen. Leute werfen in der Winterkälte Schuhe und Kleider
fort, weil sie meinen, mit Phosphor in Berührung gekommen zu
sein und verbrennen zu müssen. Neugierige reisen vom Lande an,
um die Schäden zu besichtigen. Viele weigern sich, den Bunker zu
verlassen. Bei der Eroberung der Stadt im April sitzen sie immer
noch da, die Luftversorgung ist ausgefallen und das Wasser. Professor Bingold, ein Nazi-Verfolgter, der nach der Besatzung das
Stadtkrankenhaus leitet, holt die ›Bunkerratten‹ heraus. »Wir waren im Tucherbunker. Alles schläft, sitzend, liegend, stehend. Hier
herrschte in der Nacht eine geradezu unheimliche Ruhe.«

Der Angriff vom 2. Januar fügte auch einer Firma Schaden zu,
der die alliierten Wirtschaftsexperten einen Jahresausstoß von

viertausend Panzern zurechneten, darunter der legendäre Kampf-
wagen ›Panther‹, 45 Tonnen schwer und 46 Stundenkilometer
schnell. Darum hing der Maschinenfabrik Augsburg-Nürnberg-
AG, MAN, den ganzen Bombenkrieg hindurch die Dringlich-
keitsstufe ›priority 1‹ an. Das tat der Panzerproduktion nur wenig
Abbruch. In der Septembermission 1944 waren von 233 US-
Flying Fortresses allein 173 auf dies Ziel angesetzt, es glückte ihnen eine MAN-Wochenproduktion um dreißig Prozent zu verringern. Der ›Panther‹ wurde montiert bis Januar 1945. Als Bomber
Command ›priority 1‹ am Tag nach Neujahr wie alles andere zerstörte, brachten Panzer die Wehrmacht nicht mehr voran.

In ihrem Augsburger Werk fabrizierte die Firma ein für Bomber
Command hochalarmierendes Produkt, U-Boot-Motoren. In
dieser Sparte war sie einzigartig in Deutschland. Darum beauftragte die R.A.F. inmitten der Atlantikschlacht Bomber Group
Nr. 5. Marschall Harris hatte soeben sein Amt angetreten, und
seine derzeit tief deprimierte Truppe konnte ein Husarenstück in
dem schwierig erreichbaren Winkel nur aufmöbeln. Als Psycho-
loge setzte Harris dem Einsatzbefehl hinzu, daß der Besuch in einer bisher verschonten Stadt die Bevölkerung verunsichern müsse, »die sich gegenwärtig noch außerhalb der Gefahrenzone
glaubt«.

Nr. 5 wählte die zwölf besten Crews aus der 44. und 97. Staffel.
Damit exakt die Dieselmotoren herstellenden Werkstätten fielen,
brauchten die Flieger Tageslicht sowie die niedrigst mögliche Angriffshöhe. Sie trainierten die Mission auf ihre zähe Weise mit
Lancaster-Spezialmaschinen und anhand einer Werkslagekarte,
die vermutlich ein 1938 untergetauchter MAN-Angestellter, ein
Deutsch-Kanadier, besorgt hatte. Am 17. April 1942, 15.00 Uhr,
brachen zwölf Flugzeuge mit 85 Mann und 48 Sprengbomben zur
Gegenküste bei Le Havre auf, dort ließen sie sich auf eine Flughöhe von zehn Metern sinken, um unter dem Radarnetz wegzutauchen.

Nahe Paris griff eine deutsche Jägerstaffel an und schoß vier
Lancaster ab. Die übrigen acht erreichten gegen 20.00 Uhr Augsburg, orientierten sich am Lauf des Lech, der sie geradewegs zu

MAN führte. »Unser Ziel war nicht bloß das Werk, sondern bestimmte Fertigungshallen. Wir kannten ihr Äußeres von Photographien, und wir sahen sie genau da, wo sie sein sollten. Dicht, schnell und in flacher Bahn feuernd schoß sich die Flak auf uns ein. Wir flogen so tief, daß die Deutschen sogar in ihre eigenen Gebäude schossen. In allen unseren Flugzeugen fanden wir später Einschußlöcher. Die großen Hallen, die unser Ziel waren, lagen genau vor uns. Mein Bombenschütze klinkte aus ...« Ein Teil der Piloten sah allerdings die Werkhallen der Haindlschen Papierfabrik vor sich sowie der Mechanischen Baumwollspinnerei und Weberei, akzeptierte beides als MAN und klinkte aus. Die Maschinen gerieten in Flakfeuer und stürzten ab. Fünf kehrten wieder heim. MAN verbuchte einen Schaden von 2,4 Millionen Mark, einige U-Boot-Motoren trafen einige Tage verspätet ein. So verlor Deutschland nicht den Krieg. Dazu mußte man anderweitig mit der Stadt verfahren.

Augsburg ist im 16. Jahrhundert ein Weltfinanzzentrum gewesen. Jakob Fugger, sein Magier, Bankier des Hauses Habsburg, hat eine halbe Million Gulden in die verhängnisvolle Kaiserwahl von 1519 investiert. Ein neunzehnjähriger Anwärter, der nicht deutsch sprach, Deutschland nie gesehen hatte, dort nicht zu regieren gedachte und alle neun, zehn Jahre einmal dort weilte, setzte sich kraft fuggerscher Handsalbung durch und nannte sich Karl V. Er blieb der einzige deutsche Kaiser, der aus Unmut über sein Mißlingen zurücktrat, und es trägt den Namen Augsburg.

Zwischen der Augsburger Konfession von 1530 und dem Augsburger Religionsfrieden von 1555 verfehlten die Deutschen, was den Franzosen kurz darauf so vollendet gelang: aus dem Zerfall der mittelalterlichen Gewalten einen nationalen Machtstaat zu zeugen. Als es mit dreihundert Jahren Verspätung 1871 dazu kam, zeigte dieses Reich in seiner Ungleichzeitigkeit zur Geschichte der Nachbarn einige Verhaltenseigentümlichkeiten an sich heilbarer Natur. Die Vernichtungsexzesse des Krieges 1939–1945 bedeuten aber, daß in den vierundsiebzig Jahren dieses verspäteten Reiches scheiterte, was scheitern konnte. Es liegt auf der Hand, daß neben den oberflächlichen, greifbaren Gründen der in der geschichtlichen Tiefe eingeschlagene Weg eine Tendenz schuf. Man stelle sich die Richtung vor, die Europa 1519 genommen hätte, wäre Franz I. von Frankreich zum Kaiser des Reiches bestellt worden. Er war der Mitbewerber des jungen Karl.

Der Augsburger Reichstag von 1530 versuchte, den katholischen Kaiser, nebst dem Gewährsmann seiner christlichen Universalherrschaft, dem Papst, sowie die deutschen Glaubensreformatoren und Fürsten auf einem Verständigungstext zu versammeln, der Augsburger Konfession. Es war aber nichts zu verständigen da, weil die Religionsfragen auch die Machtfragen enthielten, die den Kaiser und die Reichsstände, Fürsten und Städte, entzweiten. Das christliche Bekenntnis war nötigenfalls formulierbar, den Interessenzwist zwischen Lokal- und Zentralgewalt hingegen mußte die Waffe entscheiden. Anders die französischen Hugenottenkriege. Sie wurden zwischen Adelsparteien geschlagen, deren eine, die Bourbonen, auf dem Schlachtfeld reüssierte und den genialen Entschluß faßte, den Katholizismus der Gegenpartei anzunehmen. Als Neuinhaber der Zentralgewalt gewährte der umgetaufte König den standhaften Hugenottenmassen Toleranz. Nach schrittweisem Entzug, nach Zwang und Gemetzel befestigte sich endlich Richelieus Staatskirche. Wie human und vernünftig hebt sich davon der Augsburger Religionsfriede ab. Die Konfessionen koexistieren, und der Lokalherr wählt, welche davon am Platze gilt. Dies wurde fünfundzwanzig Jahre nach der Augsburger Konfession so vereinbart, aber nur, weil in der Zwischenzeit der Waffengang ergebnislos blieb. Die Fürstenpartei im Schmalkaldischen Krieg unterlag, weil Karl V. Überläufer aus ihren Reihen köderte, und Karl unterlag, weil er Dauerkriege gegen Franz I. führte. So mußte er den Fürsten, statt sie sich zu unterwerfen, entgegenkommen. Die Franzosenkriege rührten aber allein aus dem Gegensatz zwischen Frankreich und der habsburgischen Hausmacht, mit Deutschland hatte dies wenig zu tun.

Der schmalkaldische Protestantenbund hätte die Habsburger verjagen können oder die Habsburger die Fürsten in einen Zentralstaat zwingen. Beides wäre denkbar und gedeihlich gewesen. Statt dessen ist das nach Lage der Dinge Nächstliegende herausgekommen, und, wie sich zeigen sollte, Miserabelste, der Ausgleich zweier Anachronismen. Hier ein unförmiges Reich loser Titel für die Besitzwahrung einer Dynastie, die wechselweise sich mit Türken und Franzosen bekriegte. Dort die Territorialfürsten, die Deutschland auf eine absurde Kolonie von Klein- und Kleinststaaten verteilten. Die Religion war Fürstensache und die Fürstensache Vorteilssache. Ein Zustand, der geradewegs in das Grauen des 17. und die Wirren des 18. Jahrhunderts einmündete. Die Fürsten taumelten zwangsläufig in den Sog und Sold der absolutistischen Nationalstaaten um sie herum.

Nachdem Deutschland dreihundert Jahre Objekt der Machtpolitik weit Mächtigerer gewesen war, hatte es eine Machtbegier in sich angestaut, die in zwei Weltkriegen zum Eklat kam. 1914–1918 noch in dem Rahmen, in dem auch die imperialen Gegner ihre Sache durchkämpften. Dann, nach erneutem Ohnmachtserleben unter den Vorschriften des Friedens von Versailles, entsteht, wie auf den Augsburger Werkshöfen von MAN und Messerschmitt, ringsumher ein Sklavenhalterstaat, der wie ein Ausbruch aus der Zivilisationsgeschichte erscheint. »Der natürliche Mensch«, sagt die Augsburger Konfession, »vernimmt nichts vom Geist Gottes.« Seine Neigung ist boshaft. Wird ihm die Gnade nicht zuteil, so wählt er gegebenenfalls »Böses vorzunehmen, wie vor einem Abgott niederzuknien, einen Totschlag zu tun usw«.

Wie zum Beweis dessen sind vor Ort vierhundert aus Ungarn verschleppte Jüdinnen zur Arbeit eingesetzt, denen, nicht anders als russischen Gefangenen und Zwangsarbeitern, Luftschutzunterstände zugewiesen sind, die sie dem Massaker ausliefern. »Die Zivilrussen«, heißt es in einer Aktennotiz bei MAN, »sind grundsätzlich nicht in den Stollen aufzunehmen.« Außerhalb der Stollen, in den Splitterschutzgräben, in denen sich die Arbeitssklaven bergen, ist das Leben unter dem Materialhagel der Bomber wie weggeworfen. Am 25. Februar 1944 tötet ein Angriff von 199 Maschinen der 8. US-Flotte auf die Messerschmittwerke 380 Personen, darunter 250 KZ-Häftlinge. Die Sprengbomben waren exakt in deren Schutzgräben eingeschlagen. Bei dem nächsten Angriff im März suchten die KZ-Arbeiter anderswo Zuflucht: »Diesmal liefen die Häftlinge in den Wald, weil sie den Splittergräben nicht trauten. Und die Bomben fielen diesmal auch in den Wald. Die

Verletzungen waren durch splitternde Bäume und Äste furchtbarer als beim ersten Mal.« Das Luftwaffenwarnkommando notiert dazu:»In diesen Wald warfen die Feinde ihre Bomben. Die Leichen liegen wie gesät umeinander. Es werden 60 Tote gezählt, darunter 50 Konzentrationslagerhäftlinge.« Am 13. April zerstört ein weiterer US-Angriff auf Messerschmitt im Vorort Haunstätten das dort eingerichtete KZ-Außenlager, ein Haufen von Holzbaracken.

Die Häftlinge und Sklaven waren Russen, Polen, Italiener, Franzosen, Belgier, Holländer, Nationalitäten, inmitten derer die Deutschen die Jahrhunderte ihrer Ohnmachtsgeschichte verbracht hatten. Unter den Bomben kulminierte die Ohnmachtsgeschichte. Kein Gewaltmittel, welches gegnerische Heere oder deutsche Heere im gegnerischen Auftrag gegen Land und Bewohner gerichtet hatten, glich nur entfernt der Gewalt des Bombenkriegs.

In Städten mit starken Rüstungsindustrien wie Nürnberg und Augsburg lebte eine umfängliche Sklavenpopulation. Sie bildete einen Großteil des Industrieproletariats, welches Churchill und Harris als Demoralisierungsobjekt im Visier hatten. Die Sklaven waren demoralisiert genug. Die Deutschen hielten sie in einem Zustand der Entwürdigung, der in den Gewaltverhältnissen der europäischen Völker untereinander ungebräuchlich war. Solche Umgangsformen waren zuvor nur Kolonialvölkern vorbehalten. Hitlers Regime traktierte die europäischen Eroberungen als Kolonialerwerb, zumal im Osten. Das wurde breit propagiert und breit nachempfunden. Im Kolonialzeitalter bestimmten Herrenvölker. Herrenvolk setzt Sklavenvolk voraus, und die Deutschen richteten sich dies abgelebte Muster inmitten Europas ein.

Ohne Zwangsarbeit kam die deutsche Kriegsindustrie nicht aus; die kranken Herrenvolkmanieren aber waren ein Trieb für sich. Bezeichnenderweise kommt das Echo darauf von dem älteren, geübteren Herrenvolk. Der Bombenkrieg, in dem das Reich unterging, war ein im Kolonialkrieg entwickeltes Verfahren. Harris hatte das Zivilbombardement als junger Pilot auf rebellische Inder angewandt. Auch seine Schockpsychologie war ursprünglich erprobt worden als Kulturschock. Primitive Stämme in

Schilfhütten, mit dem Waffenarsenal des Industrieimperiums konfrontiert, werfen sich geblendet auf ihr Antlitz. Ihre Lanzen und Götzen sind entzaubert, sie gehorchen.

Im Bombenkrieg von 1940 bis 1945 bezichtigten sich beide Seiten der Barbarei, womit sie keineswegs unrecht hatten. Beide behaupteten, daß es die Physiognomie des Gegners sei, der man die passende Antwort gebe. Das ist eine Ausrede. Das Herrenvolk und seine Bombardierer folgen ihrer eigenen Geschichte, tauschen sich darin aus, verbleiben in ihrer Verschiedenheit und sind die Täter ihrer Taten. Diese sind keine Nötigungsumstände. Die Bombardierung des Sklaven liegt aber außerhalb dieses Gewaltaustauschs. Sie ist grundlos. Im Bombenkrieg werden insgesamt etwa 42 000 Fremde getötet aus einer Gruppe von 7,6 Millionen Anwesenden.

Der Angriff auf Messerschmitt vom 25. Februar beendete die amerikanische ›Big Week‹ vom 20. bis zum 25. Februar, die der Jägerproduktion galt. »Und«, wie das britische Luftwaffenministerium hinzufügte, »den mit diesen Einrichtungen verbundenen Städten.« Die Briten flogen zur Big Week nächtliche Unterstützungsangriffe. Die 8. US-Flotte warf mittags 500 Bombentonnen auf die Augsburger Vorortgemeinde Haunstätten, dies war der Präzisionsangriff, um 22.40 Uhr erschien Bomber Command über der Innenstadt. Der Turmbeobachter Böld auf dem St. Ulrichsturm gab an: »… auf einen Schlag war die Hölle los. Rings um die Ulrichskirche in weitem Kreis Einschlag auf Einschlag von Brand- und Sprengbomben. In ca. zehn bis fünfzehn Minuten war die Altstadt ein Feuermeer.«

Augsburg mit 185 000 Einwohnern besaß nicht einen Luftschutzbunker. Öffentliche Luftschutzräume boten 5500 Plätze, blieb noch der Keller, »der schwankte, als ob es ein Schifflein im Sturm wäre«. Die Stadt hatte bisher keinen Luftangriff erlebt, der Strom versagte. Man saß unter der Erde, horchte auf das Entwarnungssignal, nichts dergleichen, die Alarmanlage war ausgefallen. Unterdessen hatte das Luftgaukommando VII, im nahen München stationiert, Nachricht von einer weiteren Bombergruppe im Anflug erhalten. »Was würde passieren«, dachte der diensthabende Offizier Thomas Wechs, »wenn die zweite

Welle auch nach Augsburg will? Drüben brennt die Stadt; niemand wird an die neue Gefahr denken.« München ratschlagte und stritt, ob Augsburg den Alarm besser aufhöbe oder nicht. Zuletzt einigte man sich:»Augsburg blieb weiter in höchster Alarmstufe.« Da dort keine Alarmanlage funktionierte, blieb sich dies gleich.

Nach drei Stunden kletterten die Kellerinsassen nach oben, kümmerten sich um Verletzte, halfen Verschüttete zu befreien, die Löschkräfte rückten gegen die Großfeuer aus. So liefen sie geradewegs in die 0.55 Uhr eintreffende zweite Welle.»Leute, die vielleicht noch ein paar Möbel retten konnten, saßen da, andere irrten kopflos umher, wieder andere zogen einen kleinen Leiterwagen mit ihrer restlichen Habe, oh ein Bild des Elends, das ich mein Leben nie, nie vergessen werde.« So hat es der Augenzeuge Bessler erlebt. Die Menschen reagierten genauso, wie Bomber Command es sich vorgestellt hatte, benommen.»Plötzlich ging es ein zweites Mal los. Ich konnte und wollte ganz einfach nicht an einen nochmaligen Angriff glauben, sondern dachte an Zeitzünder.« Bis Ungläubigkeit und Entsetzen gewichen waren, standen die Augsburger inmitten des zweiten Angriffs, sprangen in einen Schutzgraben, einen Bombentrichter, ein noch nicht brennendes Haus, die Kanäle des Lech waren inzwischen geborsten, und eisiges Wasser fiel in löchrige Keller ein. Der Beobachter auf dem Ulrichsturm hatte ausgeharrt.»Der zweite Angriff war stärker als der erste. Es kamen besonders schwere Brocken. Daß es Minen waren, merkten wir am Luftdruck, der uns ins Innere des Turms zurückwarf. Wir blieben noch etwa zehn Minuten droben, konnten uns aber dann vor zu starkem Rauch und Funkenbildung nicht mehr halten.«

Die Feuerwehr hatte nach dem zweiten Angriff begonnen, lange Schlauchleitungen auszulegen und Wasser aus den Lechkanälen zu pumpen; die Hydranten waren wie üblich zerstört. Doch des Frostes wegen konnte die Glut nicht bekämpft werden.»Das Löschwasser«, meldete ein Feuerwerker,»aus dem Brunnenbach und dem Weiher im Stadtgarten enthielt infolge des starken Frostes viel Eissülze. Darum bildeten sich in den Schlauchleitungen starke Eiskrusten, wodurch die Querschnitte in kurzer Zeit wesentlich verengt wurden. Aus diesem Grund enthielten die Druckschläuche wenig Wasser und gefroren ebenfalls in kurzer Zeit ein.«

Der Brand ließ sich von der klirrenden Kälte nicht aufhalten. Er entzündete den Stolz der Bürger, das Renaissance-Rathaus Elias Holls, des Baumeisters der Stadt, Zeugnis und hohe Stirn ihrer einst weltumspannenden Finanzmacht. »Das Rathaus hat gebrannt wie die Hölle«, berichtet ein zur Rettung kommandierter Feuerwerker. »Aus allen Fenstern schlugen die Flammen und wirbelten die Funken. Es ging ein unglaublicher Wind, dabei war es vom Wetter her eigentlich völlig windstill – eine klare, eisige Februarnacht.« Als die Feuerwerker soeben vom Lechkanal bei der Kreßlesmühle Schläuche über den Perlachberg hinübergezogen hatten und im Begriff standen, das einzigartige Monument dem Brand zu entreißen, kam die zweite Angriffswelle. Sie suchten Unterschlupf; als sie hervorkamen, waren Löschfahrzeug und Spritze zerbombt.

Sämtliche Wechsel der herrlichen Kaufmannsstadt waren geplatzt, und sie brach bei klirrendem Frost unter der Wut der Flammen zusammen. »Nach dem Angriff entstanden große Flächenbrände«, heißt es lapidar im Polizeibericht, »die sich mitunter auf ganze Stadtviertel ausdehnten. Bekämpfung nur in geringem Ausmaß möglich, weil die meisten Wasserschläuche bei der klirrenden Kälte eingefroren sind.«

Wegen Ungenauigkeiten bei den Markierern der zweiten Welle kam nicht die Dichte der Munition zustande, wie sie ein Feuersturm erfordert. Am Folgetag flohen 80 000 Augsburger ihre Stadt. Der Bombenkrieg verlangte von ihr 1499 Menschenleben, die Hälfte davon in jener Februarnacht.

Auf dem Weg zum Augsburger Reichstag machte Karl V. Station in München. Er sah militärische Paraden, neue Waffen wurden ihm vorgeführt sowie die Erstürmung einer Stadt. Dazu war eigens die Attrappe einer Burg errichtet. Sie hielt dem Sturm nicht stand, der auch die Angreifer acht Mann Verlust kostete. Erst hundertzwei Jahre später holte die Wirklichkeit das Schauspiel ein. Die Schweden standen vor München, nahmen die Umwallungen

ein, besetzten die Stadt und erwiesen sich als kulant. Im Dreißigjährigen Krieg war ein Erpressungsverfahren üblich, die Brandschatzung, das den Bürgern ermöglichte, ihre Stadt gegen ein
Lösegeld vor dem Untergang zu bewahren. Die Schweden verlangten 450 000 Gulden; München zahlte 104 000 Gulden in bar,
40 000 Gulden in Geschmeide, darin bestand das flüssige Vermögen. Für die laufenden Ausgaben blieb nur eine Wechselaufnah-
me übrig. Das sahen die Schweden ein. Sie akzeptierten den Betrag als Anzahlung, nahmen als Sicherheit für die Restforderung
zweiundvierzig Honoratioren als Geiseln und zogen ab. Zwei Jahre später, 1634, kam das Heer wieder, kassierte erneut, hatte sich
allerdings in seinen Unsitten radikalisiert, brannte die umgebenden Dörfer nieder, außerdem schleppte es die Pest ein, die ein
Viertel der Bevölkerung dahinraffte – 7000 Personen.

Als in München der Nationalsozialismus einzog, wurde wiederum eine Erstürmung simuliert. Am 5. August 1933 fand zwischen zehn und elf Uhr früh ein Luftangriff statt. Unter Glocken-
läuten und Sirenenlärm fielen mit Sandsäckchen beschwerte
Papierbomben, Feuerwehrleute und SA-Männer in Gasmasken
übten Luftschutz. Der Angreifer hatte Erfolg. Um den Bahnhof,
den Marienplatz und die Residenz legte er ganze Viertel in Schutt
und Asche.

Neun Jahre später war die Simulation zur Wirklichkeit gelangt.
89 Lancaster und Sterlings warfen vornehmlich Minen- und
Sprengbomben ab, und man betrachtete voller Interesse, wie sich
diese auf Straßen und Wohnhäuser auswirkten. Der reale Luftdruck zeigte durchaus spielerische Seiten. Manche Fensterfassa-
den drückte er mit einem Schwung ein, das Nachbarhaus ließ er
unberührt. Alte Baumkronen verdrehten ihre Hälse, Häuser waren wie Rinderhälften zerteilt, und man sah die Innereien heraus-
hängen, Badewannen, Ofenrohre, Bettzeug. Die Bevölkerung hatte 149 Tote hinnehmen müssen, zeigte aber keinen Verdruß. Das
steckte man weg. Junge Frauen kreischten vor Vergnügen, wenn
noch ein Korb frischer Wäsche aus dem Durcheinander gezogen
wurde. Männern, denen Krieg etwas sagte, entgleisten die Züge;
»wie altgewordene Gesichter mißmutiger und unartiger Buben«,
notiert der Kunsthistoriker Wilhelm Hausenstein in sein Tage-

buch. »Die Gesichter schienen alt geworden, aber nicht erwachsen. Sehr unerfreulich.«

Drei Angriffe von März bis September 1943 rückten näher an den Ernst der Lage; man bekommt die Verschütteten erst nach Tagen frei und nur jeden dritten lebendig. Baumaschinen und Bagger werden blockiert durch Brände und Hitzeherde unter dem Schutt. Die Bewohner waren zu eigenen Löschmaßnahmen außerstande gewesen aus Depression, weil sie hektisch ihnen liebe Möbelstücke zu retten suchten, anstatt den Brand zu bekämpfen, was sie als vergebens ansahen. Außerdem lebten zuwenig Männer am Ort, die hätten zupacken können. Anfang November reißt Bomber Command schwere Lücken in die Kulturbauten. Ein Flügel der bayerischen Staatsbibliothek ist getroffen, das Nationaltheater verbrennt, achtzehn denkmalgeschützte Kirchen erleiden Schäden. Hausenstein notiert, daß, ästhetisch betrachtet, »der Schutt aus der Zerstörung vielleicht etwas (ich kann es nicht anders sagen als so:) Schundiges an sich hatte. Eine moderne Großstadt scheint keine noble Ruine ergeben zu können: vielerorts sieht sie aus wie ein Müllhaufen.« Zu Zielen waren auch das Kinderasyl Hochstraße geworden, das Städtische Waisenhaus, die Blindenanstalt Ludwigstraße und sieben Altersheime. Doch dies Geschehen, fürchtet Hausenstein, werde nicht eigentlich erfahren, es dringe nicht in die Gemüter, sondern werde zwischen Stumpfsinn, Sensation und Indifferenz gerade eben hingenommen. Zu der Zeit trampeln sich die ersten Bürger vor Luftschutzräumen tot.

Vor Alarm schon standen 800 Personen vor dem Salvator-Lagerkeller. Bei Öffnung kam eine Frau zu Fall, über die Nachdrängende stolperten, die Menge raste auch über diese hinweg, dabei starben acht Personen. Am 25. April 1944 tritt Bomber Group Nr. 5 an. Die Markierer nehmen den Hauptbahnhof als ihren Orientierungspunkt, anschließend werden wenige Spreng-, doch 870 000 Brandbomben plaziert. Die Stadt geht in Flammen und Qualm auf, gelbschwarze Dämpfe wälzen sich durch die Straßen, die Feuer werden bis in die Alpen gesehen, noch nach vier Wochen hängt Brandgeruch über der Szene.

Von den Monumenten Münchens, rechnet Hausenstein, seien

nun drei Viertel ruiniert.»Mit einer fatalen Durchgängigkeit, man möchte sagen: einer sinistren und ironischen Gesetzmäßigkeit hat das Bombardement schlechte oder gleichgiltige Monumentalbauten verschont.«

Im Juli 1944 wirft sich die US-Luftwaffe mit einer Million Brandbomben in sieben Angriffen auf München. Die ersten vier davon töten 1471 Personen. Privatbeerdigungen können nicht mehr erfolgen, weil die Särge ausgehen. Die Leichen, oder Teile davon, werden mit Kennzeichnen versehen in Massengräbern im Nordfriedhof und am Perlacher Forst verscharrt. Die Amerikaner bedienen sich bei den Juli-Angriffen ausgiebig des Zeitzünders. Die Bomben fahren in die Häuser, bleiben in den Zwischendekken und gehen noch tagelang im Hellen und Dunkeln mit Getöse hoch, werfen Mauern um, töten Bewohner im Schlaf.

Auf den Straßen steht geretteter Hausrat umher, gebündelte Oberbetten, Kommoden aus früherer Zeit, über Generationen vererbte Gemälde, vor sich hin weinende Greisinnen bewachen Krempel. Am Siegestor, notiert Hausenstein, stehe ein Bronzelöwe seit einem Monat auf dem Kopf, der Untergang der Stadt sei so radikal, daß man es nicht realisieren könne, obwohl man es vor Augen habe.»Man meint, durch einen absurden Traum zu wandern. Frauenkirche, St. Michael, die Theatinerkirche stehen, Gott sei Dank. Die Straßen sind ausgestorben. Die Bevölkerung scheint mit einem Schlag auf ein Drittel oder Viertel abgeschmolzen. Rohe, in einer neuen Manier hurenhaft anmutende Mädchen, denen das Vorgegangene offenbar gleichgiltig ist, gehen irgendwelchen Beschäftigungen nach.«

Von September bis Oktober setzen die Amerikaner zwölf Angriffe hinzu. Von den Schäden in der Kanalisation und dem durch den Schutt nicht mehr abzutransportierenden Müll ist München verschmutzt, freudlos, verschüchtert. Am 22. November landen die Amerikaner einen Volltreffer auf den Hochaltar der Frauenkirche, St. Michael, die größte und gerühmteste Renaissance-Kirche nördlich der Alpen, erhält einen Mehrfachschlag in das Tonnengewölbe, die Damenstiftskirche wird verwüstet. Am dritten Adventsonntag wirft Bomber Command, das vom 19. bis zum 40. Luftangriff auf München pausiert hatte, vier Tonnen Minen- und

80 000 Brandbomben in die Stadtmitte. Ein Stück weiter werden Neue Pinakothek, Glyptothek und Maximilianeum, Markthalle, zwei Friedhöfe, das Braune Haus, die Staatsoper, das Gelände der Reichsführung SS, der Zirkus Krone abgetragen. »Der Zustand der Stadt ist so grauenhaft«, notiert Hausenstein, »daß sich das Einzelne nicht mehr aussagen läßt.« Dies war indes erst der 42. von 73 Angriffen.

Nach dem 44. Angriff, der 1040 Spreng- mit 400 000 Stabbrandbomben abläßt und 505 Personen tötet, wandert Hausenstein drei Stunden durch die verschneite Stadt. Es ist der 19. Januar 1945. Die Zerstörung sei nunmehr absolut. Einige Gebäudefronten sind übrig, »Schalen mit Breschen«, die in den nächsten zwei oder drei Attacken fallen werden. Wie fände die Zukunft einen Anschluß an solch einen Ruin? »Angenommen, daß die Monumentalbauten und die besten Wohnhäuser, die den monumentalen Bestand verbinden und ihm so notwendig sind wie die Atmosphäre, als das wirkende Element der Kontinuität, ohne welche eine Stadt nichts ist, angenommen also, daß alle diese Stücke an sich wieder hergestellt werden könnten: es bleibt unvorstellbar, daß ein solches Unternehmen praktikabel wäre.« Soviel Geld sei nicht vorhanden, ein Unternehmen dieser Größe zu finanzieren, »denn am Ende wäre ja das Werk von acht Jahrhunderten wieder darzutun, wenigstens in den prinzipiellen Zügen«.

Daran wird die Vernunft des Brandschatzens in älteren Kriegen offenbar. Gustav Adolf ruinierte die Stadt nur finanziell, eine beiderseits vorteilhafte Methode. Hingegen übersteigt der Wiederaufbau von acht Jahrhunderten die bereits unübersteigliche Kostenfrage, weil »es wahrscheinlich schon in der Idee absurd sein würde, dies überhaupt zu wollen«. Vielleicht ließen sich einzelne Stücke, in denen die Stadt verankert war, »präparieren«, um »die Tradition auf diese Weise gerade noch anzudeuten«. Vielleicht die Frauenkirche, wenn ihre Gewölbe der Nässe, dem Schnee und dem Frost standhielten, die Theatinerkirche, ein Teil des Residenzschlosses, vielleicht die Staatsbibliothek, vielleicht die Alte Pinakothek. »Aber der Himmel mag wissen, ob diese Fragen in einem oder zwei Monaten überhaupt noch gestellt werden können.«

Bei den amerikanischen Februarangriffen erhielt die Frauenkirche einen weiteren Schlag. Sämtliche Haupt- und Seitenschiffgewölbe bis zu den Widerlagern fielen. Sie wurde, wie auch die Theatinerkirche, teilkopiert. München verlor 6632 von 835 000 Einwohnern, davon 435 Kinder.

Das Brandschatzen als kriegerischer Erwerbszweig setzte sich in den Franzoseneinfällen des Pfälzischen und des Spanischen Erbfolgekrieges fort. Der Stadt Stuttgart wurden dabei herbe Kontributionen auferlegt, welche das Budget des Herzogtums Württemberg völlig außer Balance brachten, zumal im Dreißigjährigen Krieg ähnliches Lösegeld an die habsburgische Kaiserpartei entrichtet worden war. Die Kaiserlichen hatten 1634 in der Schlacht bei Nördlingen die Schweden vernichtend geschlagen, daraufhin schwand auch deren Werkzeug, der Heilbronner Städtebund. Der Kaiser schröpfte die ungetreuen Räte, ansonsten kamen in Stuttgart während der dreißig Jahre Krieg fünfzig Gebäude abhanden.

Die drängende Finanznot zwang dazu, den von Eberhard im Bart, dem ersten Herzog von Württemberg, verhängten Judenbann zu lockern. Gegen heftigen Protest der Stände genehmigte 1710 Herzog Eberhard Ludwig einem und 1712 vier Juden die Niederlassung in seinem Herzogtum. Es sind die Juden des Hofes, und ihr Einlaß bezweckt die Sanierung des Staatshaushalts. Im Jahre 1734 bringt es Süß Oppenheimer zum Geheimen Finanzrat und Vertrauten des Herzogs Karl Alexander. Der Haushalt reicht nicht aus für dessen Repräsentationsbedarf. Oppenheimer bessert die Kassenlage durch Steuererhöhungen, den Handel mit Ämtern, Monopolen und durch Münzverschlechterungen.

Die Wut der Stände kehrt sich nach dem plötzlichen Tod des Herzogs gegen seinen Finanzjongleur. Er wird vom Hofe fort in die Stadt Stuttgart geschleppt und dort nach einem wüsten Schauprozeß gehenkt. Es war ein Volksfest. Der Galgen ragte hoch über dem Richtplatz, damit die Menge schauen konnte, für die Honoratioren standen Tribünen aufgeschlagen. »Für Christenschelme«, flüstert Herzog Karl Rudolf, müsse Süß, der Jude, »die Zeche zahlen«. Er selbst ist der tückische Schelm, der den Volkszorn über die fürstlichen Finanzschliche ablenkt auf den Barbeschaffer.

Die Stände machen sich nichts aus den Winkelzügen, summt ihnen doch nur Eberhard im Bartes Fluch im Ohr:»nagende Würmer«.

In seiner letzten Stunde steht Süß Oppenheimer der Schächter und Vorbeter der Stuttgarter Gemeinde, Seligmann, bei. Daraufhin verlangen die erbosten Stände die Verjagung aller Juden aus Stuttgart – es sind vier Familien. Der Hof mag indes der jüdischen Dienste und Kontakte zum Geldmarkt nicht entraten und beruft weitere Hofjuden, die Geschwister Kaulla aus Hechingen. Ihr Geldinstitut trägt ab 1802 das Etikett »Hofbank« und ist freundschaftlich dem Hause Rothschild verbunden. Zum Verdruß der Stuttgarter erhalten im Gegenzug vier männliche Kaullas mit all ihren Nachkommen volles Bürgerrecht. Inzwischen umfaßt die Gemeinde vierzehn Familien und 109 Seelen. Von 1819 an sind sie zum Universitätsstudium zugelassen, ihre Toten begraben sie außerhalb der Stadt. Der letzte Kaulla, der frühere Landgerichtsdirektor Otto Kaulla, emigriert im Frühjahr 1939 mit zehn Reichsmark Restvermögen nach England.

Den deutschen Juden war im Vorjahr eine Brandschadensgebühr auferlegt worden, eine Milliarde Reichsmark. Der Brand war eigens vorher gelegt, in der Reichspogromnacht. Zur »Wiederherstellung des Straßenbildes« verfielen zudem die jüdischen Brandversicherungen dem Reich. Nach Erpressung einer zwanzigprozentigen Vermögensabgabe war die verlangte Summe nicht erreicht. Dabei hielten die 3600 Stuttgarter Juden ein Vermögen von allein 124 Millionen, meldete der *NS-Kurier*. Tags darauf trat eine ›Judenkontribution‹ in Kraft, die alle Juden mit über fünftausend Reichsmark Besitz ausplünderte.

Am 1. Dezember 1941 wurden tausend Stuttgarter Juden in ein KZ bei Riga verschleppt, den ›Jungfernhof‹. Am 26. März meldete sich eine einundzwanzigjährige Krankenschwester freiwillig zur Arbeit, dem Ausheben einer Grube im Bickernschen Hochwald. Dies war eine Tarnung. Hilde wurde getötet mit Eltern und Verwandten, der sechsköpfigen Stuttgarter Juweliersfamilie Justitz. Am 5. Mai fielen 3500 Brandbomben auf das Stadtgebiet, der Beginn der ersten Angriffsserie.

Am 12. September 1944, von 22.59 bis 23.30 Uhr, versenkte

Bomber Group Nr. 5 Stuttgart in den Feuersturm. Eintausend Personen wurden getötet, ein Großteil davon durch Kohlenoxidentwicklung im Keller. Eine Bewohnerin der Weststadt, die an der Trauben-, Ecke Lerchenstraße dank einer Wassergasse der Polizei dem Gaskeller entkam, berichtet: »Wir mußten über die Toten steigen, daß wir aus dem Feuermeer herauskamen. Als ich in die Faltstraße einbog, mußte ich unwillkürlich denken, jetzt haben wir den Jüngsten Tag erlebt.«

Im September waren schwere Gewitter über Stuttgart hinweggegangen. Vier britische Angriffe in den Nächten vom 24. bis zum 29. Juli 1944 hatten die Dächer abgedeckt, jetzt überflutete das Regenwasser die zu Wohnungen hergerichteten Keller. Group Nr. 5 kam mit wenigen Maschinen. Der Jüngste Tag begann damit, wie Oberbürgermeister Strölin den Ratsherren mitteilte, »daß der Feind durch einen bis jetzt einmaligen Massenabwurf von Bodenmarkierungsmitteln den Angriffsraum taghell erleuchtet hat«. Die Spezialität von Nr. 5, durch äußerste Sorgfalt bei der Selektion der Bombardierungsfläche den Munitionseffekt zu steigern, erreichte hier das Endziel, den Feuersturm. »Bei diesem Angriff ist«, laut Strölin, »nichts ins freie Feld gegangen.«

Die 75 Minen-, 4300 Spreng- und 180 000 Stabbrandbomben fielen hochkonzentriert in ein Areal schmaler Straßen und sehr hoher, dichtstehender Blöcke in der Gegend Hegel-, Hölderlin-, Schwabstraße. Die Talkessellage tat ein übriges, daß rasch ein Feuersturm mit einer Ausdehnung von fünf Quadratkilometern zustande kam. Diese ungewohnte Schnelligkeit schnitt vielen Stuttgartern den Weg in ihre Bunker und Hangstollen ab; die Keller waren der einzig noch erreichbare Verbleib. »Dabei ist leider eine größere Anzahl von Menschen ums Leben gekommen, und zwar offenbar durch die Vergiftung mit Kohlenoxidgas, das sich in den Straßen beim Ausbrennen benachbarter Erd- und Untergeschoßräume entwickelt hat.«

Wie der Pfarrer der Garnisonskirchengemeinde noch unter dem Eindruck der Vorgänge mitteilte, war älteren, gebrechlichen und leidenden Personen das Rennen zum Stollen zu mühsam, sie setzten sich in den Keller. »Die Kellerwände bebten. Jeden Augenblick – und wie lange dehnten sich diese Augenblicke – mein-

336

ten wir, das Ende müsse da sein – Gethsemane, Golgatha, wie war es uns so nahe.« Der Brand des Nachbarhauses trieb das Feuer voran in den Keller der Invaliden, die sich nun aufrafften. Die Haustür stand bereits in Flammen. Nichts blieb übrig, als durch die Fenster auf die Straße zu springen. Die Straße überzog eine Gerümpelschicht von Baumästen, Bahnoberleitungen,»wohin nun? Wir jagen den Herdweg hinauf. Aber da kam uns ein solcher Feuersturm entgegen, daß kein Durchkommen möglich schien. Also abwärts zum Hegelplatz. Dieselben grauenhaften Bilder! Der alte Schlachthof, Hegelstraße 1–5, ein einziger ungeheurer Feuerherd, ein Mann aus der oberen Falkertstraße erzählte uns, wie er im Feuersturm durch die Straßen gelaufen sei, verfolgt von den Hilferufen der in den Kellern Verschütteten, und er habe doch mit dem besten Willen nicht helfen können in dem wütenden Feuer.«

Stuttgarts Feuersturmnacht widerhallt von Hilferufen solcher, denen nicht zu helfen ist. In altvertrauter Gegend sind Läufer unterwegs, denen mit einem Mal alle Wege versperrt sind. Ein glutroter Verfolger hat Besitz davon genommen, läßt keinen gehen, kommt näher.»›Hier kommt niemand durch!‹ rief uns irgendwer entgegen. Wir mußten durch! Ein ungeheurer Feuerschlag und die große Vorhalle des Bahnhofs stürzte zusammen. Selbst der Friedhof bleibt nicht unberührt, im Krematorium, diesem Steinkoloß, brannte es.« Die Läufer laufen an denen vorüber, die vor ihnen das Fluchtloch im Feuer gesucht haben,»die lagen angebrannt oder verkohlt auf den Straßen«.

Wer durch die Feuergassen rannte, suchte den Stollen. Man zählte den 27. Angriff, selbst während des grauenhaften 22. konnte man den gasgefährdeten Keller beizeiten verlassen. Die Hanglage versorgte Stuttgart reichlich mit Stollen, oft selbstgebaut, doch hart zu ertragen.»Schlimm war«, schreibt der Prälat Lempp,»daß in dem ganzen Stollen – für etwa 1000 Menschen – kein Abort vorhanden war. Da die Menschen die ganze Nacht drinnen bleiben mußten und erst morgens sechs Uhr herausgelassen werden konnten, gab das große Schwierigkeiten. In der Erregung der Nacht kam eine Frau nieder, ihr und später des Kindes Schreien waren aus dem Sanitätsraum zu hören. Im Laufe der Nacht wurde ein Toter hereingetragen ... Wegen der Hitze flohen immer mehr Menschen aus den Kellern der Nachbarschaft über die vom Funkenflug und Feuersturm gefährdeten Straßen in die Stollen.«

Immer aufs neue sprangen Läufer heraus und setzten auf ihr Durchkommen.»Ob es nicht in den Wagenburgtunnel reichte? Da kommen uns schon Leute entgegen, die aus dem Tunnel geflohen sind. Dort drüben brennt es ja auch. Also: kehrt.« Die Druckwellen gefährdeten den Stolleneingangsbereich, der Türverschluß bereitete die meiste Sorge. Am 12. September aber strahlt die Hitze tief in die Erde hinein. Der Straßenasphalt brannte,»auch in den Stollen wurde es so heiß, daß man kaum mehr bleiben konnte«.

Daß keine Bleibe mehr war, die Schlinge des Brandes sich allerorts zuzog, alles Heimische nur Tücken darbot, gibt diesem Angriff von Group Nr. 5 seinen Hintersinn. Die im Gaskeller festsaßen, wußten nichts davon, spürten an der Zunahme von Rauch und Heißluft, daß sie matt wurden und nicht mehr fort wollten. Warum war man nicht rechtzeitig gegangen?

Unbeschreibliche Szenen, sagt der offizielle Chronist, hätten sich in der Russischen Kirche zugetragen, der in Form eines dörflichen Gotteshauses 1895 erbauten kaiserlich-russischen Gesandtschaftskirche.»Die Menschen mußten durch die Flammen fliehen und eilten in ihren Tod. Es sind auch Fälle vorgekommen, daß sie sich das Leben nahmen oder einander in die Flammen stießen.« Die Schreckensmomente dieser Nacht, heißt es in den Aufzeichnungen Pfarrer Ißlers von der Gedächtniskirche, werde man nie erfahren. Sieben Prozent der Angehörigen seines ersten Gemeindebezirks –»300 – waren tot, die meisten in den Kellern still an Kohlenoxidvergiftung gestorben«. In der Ortsgruppe ›Bollwerk‹ der NSDAP waren 452 von 480 Häusern zerstört.»In einem Keller der Calwer Straße«, schreibt der Chronist »kamen von 42 Menschen 35 durch Kohlenoxid ums Leben«.

An anderem Ort will die Anhänglichkeit an das Zuhause nicht weichen.»Die schwäbischen Häftlinge«, berichtet Martha Haarburger aus dem KZ Theresienstadt,»verbindet die gemeinsame Heimat. Wir betonen unsere Herkunft aus Württemberg und reden kräftig schwäbisch, wenn wir einander begegnen. Ein Stuttgarter Rechtsanwalt, Emil Dessauer, der in der Gaskammer von Auschwitz endete, grüßt sogar einmal Hie gut Württemberg allewege«. Die Stuttgarter Innenstadt wurde in 53 Angriffen zu 68 Prozent zerstört, 4477 Bürger fielen den Bomben zum Opfer.

Vierzehn Tage nach dem Stuttgarter Feuersturm ereignete sich nicht weit davon den Neckar hinab ein unerklärlicher Vorfall. Ohne Vorwarnung war in Heilbronn das Rauschen eines Flugkörpers vernehmbar, der mit abgestelltem Motor, fast als wolle er hinabstürzen, über den Nachthimmel glitt, darauf erfolgte eine Explosion. Am Tag wurden drei große Sprengkörper aufgefunden und zweiundzwanzig Tote gezählt. In der folgenden Nacht ereigneten sich wieder zwei gewaltige Detonationen, und die Sirenen hatten geschwiegen. Keiner hatte ein Flugzeug gehört. Ganz Heilbronn rätselte, ob die Sprengkörper Gleitminen waren oder eine verirrte V2-Rakete.

Das Luftgaukommando gab keine Antwort. Unter den Heilbronnern löste die Attacke aus dem Nichts eine erhebliche, unerfindliche Angst aus. Der Schaden war, gemessen am Schicksal Stuttgarts nebenan, vernachlässigenswert. Dennoch sammelten sich am frühen Abend Menschentrauben am Bahnhof, um auf dem Lande zu nächtigen. Kaltblütige Naturen nannten das Phantom den ›Bombenkarle‹. Es handele sich um ein und denselben Flieger, der an der Stadt Rache nehme für die Vertreibung der Juden. Manche wußten sogar den Namen.

Die überschüssige Angst vor dem gestaltlosen Rächer ›Bombenkarle‹ kündet den Würgeengel an, der schon auf der Schwelle steht, Bomber Group Nr. 5. Am 4. Dezember 1944 trat sie um 18.59 Uhr in das Gesichtsfeld der Stadt – Sirenenalarm. Um 19.16 Uhr wird der grün-rote Leuchtrahmen auf die Stadt gesteckt, eine Minute später fällt die Munition, um 19.45 Uhr sind 1254 Tonnen abgeladen.

Die Zeitzünderbomben zerknallen noch eine Weile, damit die Einwohner den Keller nicht verlassen. Die Spanne brauchen die Brände, um Flächenbrand zu werden. Als die Explosionen abebben und die Kellerinsassen aussteigen wollen, hebt der Feuersturm an. Er bedeckt eine Fläche von fünf Quadratkilometern, währt vier Stunden und vernichtet das Stadtinnere zu zweiundachtzig Prozent. Es ist nach 20.15 Uhr ein geschlossener Hochofen ohne Eingang noch Ausgang.

Das hügelumringte Heilbronn prägte Weinbau und Kelterei. Rechnet man den Wein nicht zum Kriegsgut, wurde solches am Ort nicht hergestellt. Allerdings besaß er Bahnanschluß zu einer zentralen Nord-Süd-Strecke. Doch wollte Nr. 5 die Eisenbahnanlagen nicht dem allgemeinen Brandeffekt überlassen und hat den Verkehrsangriff nebenher und separat ausgeführt.

Das Heilbronn-Bombardement zählt zu den puren Zivilmassakern. Auch in der Nachbarstadt Stuttgart gehörte das zur Strategie, wie in allen Großstädten, steckte indes im Umschlag der Industriezerstörung. Daimler-Benz, Bosch, Stuttgart und Stuttgarter wurden als Verbund von Arbeit und Arbeitern angezündet. Die Lex Churchill besagt, Industrie ist Schlachtfeld, das ist ein bequemer Operationsradius. Heilbronn war Weinfeld und wurde verbrannt, weil dort Menschen lebten.

Der Ort litt Todesqualen sondermaßen. Mit seinen 74 000 Einwohnern der Luftschutzklasse II zugerechnet, hatte er keine Bunker gebaut, Stollen existierten in Vororten. Im Innenbezirk lebten 15 000 Personen, teils in kleinen Fachwerkhäusern mit schwächlichen Kellern. Es existierten große, oft doppelstöckige Weinkeller, die, mit Luftpumpen, Trockenaborten und Eingangsabschottungen gerüstet, als öffentliche Schutzräume den Passanten dienten. Seit dem Erscheinen des ›Bombenkarle‹ zogen dorthin die Anwohner, mit Kind und Kegel, allnächtlich, zu ihren festgebuchten Bettenplätzen. Die Kapazität war auf 5680 Personen ausgelegt, denen am 4. Dezember fünfzehn Minuten Zeit blieb, sich darin zu bergen. Die größeren Räume füllten sich sogleich, denn man hoffte, dort unterzukommen, kleinere blieben leer. Alle waren restlos ungeeignet.

Nr. 5, mit der avanciertesten Brandlegungstechnik des Krieges, besiegte ein Kleinstadtvolk ohne jeden Schimmer von Gasschutz. Die Luftpumpen mit ihren Filtern gegen Kampfgas, pumpten das Kohlenoxid, schwerer als Luft, durch die niedrigen Ansaugstutzen in die Schutzräume. Daran starben allein im Keller Klostergasse 611 Personen, desgleichen die Besucher von vier Kinos, darin Ärzte und Obermedizinalräte, Kinder auf dem Arm der

Mutter, die Milchflasche im Mund. Die Todesursache war an der kirschroten Gesichtsverfärbung abzulesen. Wenn sie gewußt hätten, wie ihnen geschah, wäre die plötzliche Müdigkeit ihnen ein Anzeichen gewesen, das überwältigende Schlafbedürfnis ohne Erwachen. In dem Moment, da man sich dessen inne wird, ist es zu spät zu handeln. Es ist nicht mehr zu schaffen. Anna Weller kehrte aus diesem Zwischenreich zurück, weil eine Hand sie herausriß: »Mein Mann war im Feld. Am Abend des 4. Dezember war ich bei meinen Eltern in der Sülmermühlstraße. Der Keller war ein öffentlicher Luftschutzraum, gut ausgebaut und unterteilt. Beim Alarm gingen wir in den Keller, wo sich etwa hundert Personen zusammengefunden hatten. Wir bangten um unser Leben, aber der Keller hielt stand. Einlaufende, brennende Brandmunition konnten wir löschen. Die Türen waren zum Teil durch den Luftdruck oder den Sog aufgerissen. Die Atemluft verschlechterte sich schnell, aber wir dachten noch nicht an Sterben. Vor dem Ausstieg stand unglücklicherweise ein Möbelwagen, der lichterloh brannte. Wir wollten uns dann retten, wenn der Wagen verbrannt sein würde. Mit einem Mal wurde alles in beängstigender Weise still. Frau Drautz unter mir gab plötzlich keine Antwort mehr. Meine Freundin Dürolf sank neben ihrem Luftschutzbett in die Knie und konnte nicht mehr hinaufsteigen. Jetzt merkte ich, daß wir alle sterben würden. Ich lag auf meinem oberen Bett, mein fünfjähriges Töchterchen im Arm, und verlor das Bewußtsein. Am Donnerstag, dem 7. Dezember, kam ich im Krankenhaus im Weißenhof wieder zu Bewußtsein. Ich war von meinem Bruder nach Mitternacht gerettet worden. Mein Kind und meine Mutter waren gestorben.«

Die NSDAP und ihr Bevollmächtigter, der Reichsluftschutzbund, die seit Jahren den Gasluftkrieg einüben ließen, haben vom akuten Gas nicht gesprochen: Von Überhitzung, von Sauerstoffmangel, davon, daß man nach drei, vier Stunden den Keller zu verlassen habe. Wohin?

Der geschlossene Brandraum, wie Nr. 5 ihn herzustellen wußte, war unter widrigen Umständen schwer abzuwehren. Widrige Umstände trafen sich in Heilbronn: ein perfektes Vernichtungsorgan, ein entlegenes Objekt, arm an Bunkern und Stollen. Heilbronn hatte sich nicht teuer verbunkert; wer hätte Grund und Nutzen davon, ein Weinstädtchen am Neckar einzuäschern? Danach fragt das Vernichtungsprinzip nicht. Erst wenn keiner eine solche Rechnung mehr anstellen kann, weiß jeder, daß er an jeder Stelle auf Abruf steht. Der Terror will nichts erreichen, sein Regime ist absolut, er kommt aus dem Nichts, braucht keinen Grund, sühnt keine Schuld. Sein Erfolg mag die bedingungslose Unterwerfung sein, auch das nutzt nichts. Er schließt keine Geschäfte, sein Ratschluß ist unergründlich, sein Ziel absurd. Könnte man einen Sinn darin finden, Absichten berechnen, wäre sein Gesetz gebrochen. Er ist keiner Regel unterworfen, er ist die Regel. Alles Zerstörbare weiß sich gemeint. Das reicht.

Der ›Bombenkarle‹ war eine Halluzination von einigem Tiefgang. Ein inverser Terror, der seinen Urheber erschlägt. Doch einen inneren Zusammenhang von Judenvernichtung und Bombenvernichtung gibt es nicht. Auch keine Analogie. Sie wird durch den Gastod nicht hergestellt. Die Brandgase sind eine entfernte Abart der in der Zwischenkriegszeit allgemein erwarteten Begasung aus der Luft. Das ›strategic bombing‹ hat sich selbst als Terror verstanden und ist in dessen Eigenschaften hinreichend beschreibbar. Doch ist der inverse Terror eine innere Verrechnung, vom ›Bombenkarle‹ bis heute. Den Zusammenhang von Genozid und Sühnebombardement stellt die Moral des Betrachters her, doch ist er keiner, der je existierte. In Wirklichkeit bestand das Phänomen des ›Bombenkarle‹ aus hochfliegenden Mosquitos, die, von Oboeleitstrahlen aus Frankreich herbeigeführt, Bomben auf Siedlungen abwarfen, um Jäger abzulenken oder sich zu beschäftigen. In Heilbronn sind 6530 Personen getötet worden, darunter tausend Kinder unter sechs Jahren. In der Nacht zum 4. Dezember 1944 gingen 8,3 Prozent der Einwohnerschaft verloren.

Der Osten

Als Napoleon geschlagen aus Rußland zurückkehrte, konfrontierte ihn ein preußisch-russisches Heer aus nationalenthusiastischer Jugend und beweglich operierenden Führern, das in nichts mehr den tristen Rekrutenhaufen glich, die er jahrelang vor sich her getrieben hatte. »Ces animaux ont appris quelque chose«, murmelte der Kaiser und wurde bei seinen Landvögten, den Rheinbundfürsten, um neue Truppen vorstellig, die das befreiungsselige Aufgebot preußischer Jugend zusammenschießen konnte, dem Theodor Körner, ihr Sänger, zurief: »Es ist kein Krieg, von dem die Kronen wissen, es ist ein Kreuzzug, s' ist ein Heil'ger Krieg.«

Der Kreuzzug blieb in den vier preußischen Provinzen stecken. Den unterworfenen Deutschen lagen diese Gefühle nicht, sie ließen sich von den Rheinbundfürsten ausheben und französischem Oberbefehl unterstellen. Bayern schwankte kurz, denn es hatte 30 000 Mann in Rußland verloren. Sachsen versuchte sich anbetrachts seiner Nähe zu Berlin herauszuhalten. Es wurde von dort erobert, König Friedrich August entfloh nach Prag, spann Fäden zu den Preußen, erbleichte aber alsbald vor dem Kaiser, der Sachsen zurückeroberte und sich vor Leipzig den Verbündeten zur Schlacht stellte.

Die Stelle war ungünstig für ihn, und seine Hauptsorge bestand in einer Rückzugslinie nach Westen. Ihm machte weniger der Sang im gegnerischen Lager zu schaffen als dessen schiere Breite. Zu Preußen/Rußland war Österreich gestoßen, zudem waren noch Schweden und England im Bunde. Er konnte politisch gespalten werden, aber nicht militärisch besiegt. Die Deutschen, wie gewöhnlich auf beiden Seiten fechtend, sahen sehr wohl die Kräfteverhältnisse, und die Fürsten spähten nach dem Moment, die Front zu wechseln. Sie wußten auch, was sie dem König von Preußen außer ihrem Verrat anbieten würden, die Abschaffung der napoleonischen Liberalität und den Rückgewinn ihres Gottesgnadentums. Die Sachsen erwarteten, daß die Schlacht bei Leipzig schiefgehen würde. Die Rheinbundtruppen hatten bisher ihren Fahneneid gehalten, der König allein konnte sie loslösen. Aus irgendeinem Grunde, dachten die Offiziere, sei der König womöglich unfrei, wisse und dächte anderes, als er sage, wolle gar den Frontwechsel, könne ihn aber aus einem unergründlichen Zwang nicht anbefehlen. Sie konnten sich keineswegs vorstellen, daß ihr König den Fangstricken seiner Ränke nicht mehr entkam und die Wirklichkeit ignorierte.

Die Gefechte entwickelten sich zu Napoleons Ungunsten, und der Kaiser befahl seinem Heer, sich in die Stadt zurückzuziehen. Die sächsischen Generäle baten den König, ihr Kontingent nun von dem Verlierer trennen zu dürfen. Das wies er schroff ab, und so liefen sie in offener Feldschlacht mit dreitausend Mann über. Neben ihnen die Württemberger.

Den Franzosen war längst klar, daß ohne einen Triumph bei Leipzig der Rheinbund zerfiel. General Marmont behielt in der Schlacht seine sächsische Kavallerie genau im Blick. »Anfangs glaubte ich, daß sie in einem der vielen Zwischenräume, die unsere Truppen bildeten, Stellung nehmen wolle, bald wurde mir jedoch ihre Absicht klar. In Kolonnen formiert, die Handpferde an der Spitze, ritt sie schnell an der französischen Truppenlinie vorbei und wurde in die feindlichen Reihen aufgenommen. Infanterie und Artillerie folgten in aller Eile ihrem Beispiel; als aber die Artillerie eine gewisse Entfernung erreicht hatte, machte sie tükkischerweise halt, protzte ab zum Laden und schoß auf uns. Durch diese Verminderung unserer Truppenzahl waren wir gezwungen, unsere Linien zu verkürzen.«

Napoleon vermochte mit neunzigtausend Franzosen aus der Stadt zu entkommen; den Rheinbundsöldnern überließ er, seine Flucht zu decken. So fochten denn auf verlorenem Posten alle, die keine Gelegenheit zum Überlaufen gefunden hatten. Als aber am selbigen Tage noch der Zar und der König von Preußen einritten, jubelte jeder und schrie Hurra, bis auf Friedrich August von Sachsen, der in ordentliche Kriegsgefangenschaft genommen wurde. Mit einer halben Million Teilnehmer war die Leipziger Völkerschlacht die größte der bisherigen Geschichte. Hunderttausend Verwundete und Gefallene lagen in der Stadt. Tagelang noch verwesten Leichen der Preußen an den Wällen. In den Konzertsälen des Gewandhauses blieben Tote und Kranke ungetrennt. Karren fuhren von früh bis spät, aufzuladen, was sich nicht mehr regte, Körper, die aus den Häusern wie Kehrricht auf die Straße geworfen wurden. Es waren zu viele für den zivilen Betrieb. Die Bauern, welche draußen das Schlachtfeld säuberten, legten Freund und Feind übereinander ins Massengrab. Als sich der nächste Krieg auf Leipzig zubewegte, wollte man Ähnliches nicht wieder geschehen lassen.

Im Unterschied zu vielen Städten, die annahmen, daß sie der Bombenkrieg verschone, rechnete Leipzig fest mit ihm. Bereits 1934 waren siebenundzwanzig Totenbergungstrupps aufgestellt. Im Juli 1942 nahm ein Einsatzstab des Oberbürgermeisters die Arbeit auf; von einem Luftangriff war man noch eineinhalb Jahre entfernt. Man legte sechsundvierzig Auffangstellen fest, die zwanzigtausend Obdachlose beherbergen und verköstigen konnten. Mit Großküchen war vereinbart, zehntausend Portionen auf einen Schlag auszuliefern. Morgens Reissuppe, mittags Reisgericht, abends Kartoffelsuppe. Auch Merkblätter waren gedruckt, auf denen die später Ausgebombten würden lesen können, daß sie die Stadt nicht verlassen durften, es sei denn mit Abreisegenehmigung, dann bekämen sie einen Freifahrtschein.

Der Einsatzstab entsandte Delegierte in bombardierte Städte im Westen, Mainz, Düsseldorf, Karlsruhe, um die dortigen Katastrophenmaßnahmen zu studieren, danach beriet man Verbesserungen. Nach der Katastrophe müßten blitzartig Sonderzuteilungen Kaffee und Tabak heran, auch benötigten Krankenhäuser einen ausreichenden Fensterglasvorrat; die dreißigtausend Zwangsarbeiter und Gefangenen müßten sogleich observiert werden. Ansteckend Kranke kämen in Isolierstationen der Krankenhäuser oder in HJ-Heime. Nach kurzer Zeit standen Auffangplätze für dreihunderttausend Personen bereit, die halbe Leipziger Bevölkerung.

Im August 1943 verarbeitete man den Hamburg-Angriff und suchte zehn Sportplätze aus »zur vorübergehenden Niederlegung von Toten«, verteilt auf alle Stadtgebiete. »Dabei ist darauf Bedacht genommen worden, daß auf den Sportplätzen Böschungen vorhanden sind und die Plätze etwas abseits von Wohngebäuden liegen.« Transportaufbahrung und Bestattung der Leichen war zwischen den zuständigen Behörden schon 1934 abgesprochen, neu war die vorgedruckte Kennkarte für Luftkriegsgefallene. Schon in der ersten Einsatzbesprechung beklagte Bürgermeister Haake die problematische Löschwasserversorgung. Daran ließ sich allerdings nichts ändern. Elenderweise besaßen alle Hydranten normwidrige Schlauchansatzstücke, deren spezielle Abmessungen keine auswärtige Feuerwehr benutzen konnte. Trotzdem wurden fünfzig benachbarte Mannschaften vorbestellt. Wegen Eisenmangels waren die Hydranten nicht auszuwechseln. Dürftig gestaltete sich schließlich die Bunkersituation. 1943 existierten zehn Bunker mit 7500 Plätzen, ausreichend für ein Prozent der Bevölkerung. Aus Materialknappheit konnten achtzehn weitere Projekte nicht mehr ausgeführt werden. Allerdings wurden am Sockel von 26 000 Häusern Aufschüttungen zum Splitterschutz angebracht. Mehr waren nicht notwendig, weil die anderen Häuser keine oder unbrauchbare Keller hatten.

Die Gewißheit des Unheils streuten die Evakuierten aus. Sachsen war der Aufnahmegau für die seit 1943 aus Köln, Aachen, dem Weser-Ems-Gebiet und Berlin in Strömen Geflüchteten. Sie schilderten den ungleich bessergestellten Leipzigern in kräftigen Farben, was ihnen bevorstand. Anders als etwa Dresden beheimatete die Stadt die Rüstungsriesen Heinkel, Messerschmitt und Junkers, die Mitteldeutschen Motoren- und die Erlamaschinenwerke, genoß den Weltruf der Messe; es lief um die Zerstörung kein Weg herum. Der Krieg vor der Stadt würde, wie 1813, in sie eindringen, der Führer war weit handlungsgelähmter als der König, zur Allianz der Befreier führte kein Frontwechsel, was immer die britische Flugblattpropaganda Törichtes dazu sagte. Zu einer Luftflotte kann keiner überlaufen. Man stand auf seiten der Untergangspartei, die das Völkerschlachtdenkmal schon auserkoren hatte zum Schwulst ihrer Leichenfeiern.

Im Denkmalinneren lagerte feuerfest die Autographensammlung der Stadtbibliothek. Über die Eigenarten der in Hamburg und Kassel jüngst erlittenen Brandlegungsmethoden und die daraus zu ziehenden Schlüsse verloren die Luftschutzstäbe kein Wort. Sie klärten auch die Einwohner nicht darüber auf. Es galt die Anweisung, so lange den Keller zu hüten, bis alles vorbei sei. Das war die sicherste Todesart. Man machte sich auf den schlimmstmöglichen der Fälle gefaßt und traf alle Vorkehrungen bis auf solche, ihn abzufangen.

In der Nacht zum 4. Dezember 1943 brachen Schwadrone aus allen sechs R.A.F.-Bombergruppen zu einem der bestgelungenen Brandangriffe des Bombenkrieges auf. Das größte Maschinenkontingent stellte Nr. 5 mit seiner 619. Schwadron. Um 3.50 Uhr war trotz geschlossener Wolkendecke die Leipziger Innenstadt sauber ausgeleuchtet und markiert, bis 4.25 Uhr lagen knapp 300 000 Brandbomben und 665 Tonnen Spreng- und Minenbomben konzentriert im Ziel. Die Leipziger Feuerwehr hatte eine Woche zuvor über die Hälfte ihrer Löschzüge, die bestausgerüsteten, in die Berlinschlacht geschickt. Als die pünktlich alarmierten Feuerwehren der umliegenden Kleinstädte um 3.45 Uhr bereits eintrafen, konnten sie mit ihrem Gerät nichts anfangen. Zwar existierten für die anders genormten Leipziger Hydranten Kupplungen, jedes Polizeirevier hielt sie vorrätig; in der Eile aber waren sie nicht auffindbar. Auf jeden Feuerwehrmann kamen zehn Brände, und kaum einer konnte etwas dagegen tun.

Schon immer sollten die Wasserleitungen erneuert werden, neunzig Prozent aller Vorräte hingen an einem einzigen Hochbehälter, die Rohre erzeugten zuwenig Druck, sie hätten dicker sein müssen. Weil die Stadt die Kosten scheute, stellte sie preiswerte Löschbottiche auf, wenige, dementsprechend länger mußte das Schlauchmaterial sein. Es reichte hinten und vorne nicht. Leipzig war außergewöhnlich feuerempfindlich; zur altstädtischen Enge kam die reiche Lagerhaltung der Messestadt, insbesondere der Buchverleger. Fünfzig Millionen Bücher gerieten in Brand.

Zwei Stunden nach Abflug Bomber Commands stand die Innenstadt blockweise in Flammen, und es erhob sich der Feuersturm. Feuerwehroffizieren zufolge erreichte er Hamburger Ausmaße. Viele von ihnen wurden von der Saugluft gepackt, über Straßen und Plätze gewirbelt und getötet. Den Hunger des Feuers bezeugt die Zerstörungsquote, einundvierzig Prozent sämtlicher Wohnungen. Die Obdachlosenmenge entsprach den Vorbereitungen, 140 000. Nur die Toten blieben hinter den Erwartungen zurück. Der Angriff kostete den selten hohen Grad von 1815 Menschenleben, niedrig ist er einzig anbetrachts des Umfangs, den der Feuersturm nahm. Leipzig war auf jegliche Katastrophe gefaßt, nur nicht davor geschützt. Auch die Einwohner verhielten sich völlig luftschutzwidrig. Feuersturmopfer sind gewöhnlich in flammenumkreisten Kellern zugrunde gegangen. Wer aus der Erde aufbrach, zog immer ein Los auf Leben oder Sterben. Hätten die Leipziger ihrer Luftschutzleitung gehorcht und den Keller bis zum Entwarnungssignal nicht verlassen, wären Tausende darin verglüht und erstickt, wie geschehen in Kassel, Heilbronn, Darmstadt. Als um 5.23 Uhr entwarnt wurde, war der Flammenkessel zu. Die Leipziger verhielten sich aber außergewöhnlich. Als alles brannte, stiegen sie nach draußen, um zu löschen. Der Brand war unmöglich zu löschen. Aber der beherzte Ausstieg war die letzte Chance, durch Lücken davonzulaufen, bevor der Flammenriegel schloß. Der Genius loci bewirkte, wie 1813, den richtigen Absprung.

Der Fluch des Ortes waltete in Magdeburg, seit seiner Erstürmung 1631 durch die kaiserlichen Truppen Tillys und Pappenheims der Inbegriff der kriegsverwüsteten Stadt. Tilly, der dort keinen Stein auf dem anderen ließ, schreckte allein vor dem Dom zurück, ab 1209 um das Grab Ottos I. herumgebaut, und vor der hundertdreißig Jahre älteren Klosterkirche ›Unser Lieben Frauen‹. Der Schauplatz der Greuel wurde zur Stätte der Schmach, als im November 1806 die stärkste Festung Preußens sich siebentausend französischen Belagerern ohne Belagerungsgeschütze ergab. Zwanzigtausend Mann mit achttausend Kanonen und einer Million Pfund Schießpulver überließen dem Marschall Ney kampflos den Platz. Als sogleich das Plündern einsetzte, wurden alte Bilder wach.

Das wußte auch Marschall Ney; der Feldzug gegen Preußen

mußte sich aber ernähren. Er war, wie in diesem Heere üblich, fast ohne Kasse begonnen worden mit 24 000 Francs. Siege finanzieren sich selbst. Am 15. Oktober, schon nach der Schlacht bei Jena, rief sich Napoleon zum Sieger aus, er war noch keineswegs in Berlin, und legte allen preußischen Provinzen eine Kontribution von 159 Millionen France auf. Schleunigst wechselten Bundesgenossen und Untertanen Preußens in des Kaisers Lager und dankten ihm für die Befreiung. Mit Magdeburgs Kapitulation am 11. November war die Niederlage besiegelt, und auch die Magdeburger dankten es dem Marschall Ney mit hundertfünfzigtausend Talern, daß er seine Truppen den Vandalismus einstellen hieß.

Magdeburg hatte sich in den hundert Jahren nach seiner Vergewaltigung durch Tilly bis an die Zähne befestigt. Ganze Stadtteile wurden zugunsten der Wälle, Bastionen und Schanzen niedergelegt. Als das unschlagbare Friderizianische Heer 1806 bei Jena morsch zerfiel, bemächtigte sich der Einwohner eine kolossale Erregung, allerdings ungerichtet, verwirrt. Damit war nicht im geringsten gerechnet worden, daß die entblößte Stadt nun dem Belagerer die Stirn würde bieten müssen.

Festungskommandant und Generäle waren alte Männer, die aus der Jugend den Krieg soweit kannten, um zu sehen, daß sie aus ihrer Festung heraus das Blatt nicht wenden konnten. Sie konnten ein Beispiel der Unbeugsamkeit geben, sich verteidigen bis zum letzten Mann und die Franzosen den Ort im Sturm nur nehmen lassen. Ohne Feldheer zum Entsatz, isoliert durch den Abfall Hannovers im Westen und Sachsens im Südosten, stand der Ausgang nicht in Frage, nur der Ehrenstandpunkt.

Als die greisen Generäle im Allgemeininteresse die Waffen streckten, sie entstammten der vorrevolutionären Zeit, die mit den Kräften haushaltete, zogen sie als erstes den Schimpf der Einwohner auf sich. Das anschließende Los Magdeburgs als Hauptstadt des Elbedepartements in Jerôme Bonapartes Königreich Westphalen schmähte die Kapitulanten noch mehr: haarsträubend besteuert, terrorisiert durch Polizeikommissar Schulze, die Kreatur der Besatzer, eingepfercht in Besatzungstruppen von je einem Franzosen auf zwei Bürger und ruiniert durch die Zwangsanbindung an Frankreichs antibritischen Wirtschaftsblock.

Die zwei so gegensätzlichen Eroberungen Magdeburgs besagten, wie immer auch entschieden wird, ist es verkehrt. Bei der dritten Belagerung war nichts mehr zu entscheiden übrig. Magdeburg besaß mit zehn Betonbunkern einen weit besseren Luftschutz als das zweifach größere Leipzig. Die Stadt kannte vor ihrer Zerstörung im Feuersturm des 16. Januar 1945 dreizehn Angriffe im Vorjahr. Doch die Erfahrung half ihr nicht. Ihre Menschenverlustrate in der Feuersturmnacht übersteigt die Leipziger um das Dreifache bei ähnlicher Schwere des Angriffs. Leipzig verliert 0,25 Prozent, Magdeburg 0,75 Prozent.

Am späten Vormittag des 16. Januar attackierte die 8. US-Flotte die Krupp-Grusonwerke und die Hydrieranlage Brabag. Bomber Command flog Magdeburg am Abend in sechs Teilverbänden aus sechs Richtungen an. Vor Einflug in das Reich hatte sie der Mandrel-Schirm getarnt, danach näherten sich die Maschinen der Stadt über die Küste, die Norddeutsche Tiefebene und Süddeutschland. So gewann die Flugwarnung kein Bild vom Ziel. Zwischen 21.23 Uhr und 21.26 Uhr warfen einundzwanzig ›Lancaster‹ Stanniol und Magnesiumlicht. 21.28 Uhr erreichten der Masterbomber, sein Stellvertreter und drei Sichtmarkierer die Stadt. Sie zogen in Rot und Grün den Rahmen. Um 21.30 Uhr kamen die Beleuchter und warfen die Lichtkaskaden für den nachfolgenden Bomberstrom. 21.31 Uhr rasten zehn Lancaster im Tiefflug über die Innenstadt und setzten in Rot einen zentralen Markierungspunkt, 21.32 Uhr fiel die Munition. 21.28 Uhr war Alarm gegeben worden. Alles Weitere in Magdeburg entschieden die Abläufe, die in 240 Sekunden möglich sind. »Als die Sirenen heulten, machten wir uns schnell fertig, um in den Luftschutzkeller zu gehen.« Hedwig Behrens' Tochter kränkelt, ist bettlägerig, die Leuchtmarkierungen stehen schon am Himmel, Schlag auf Schlag fallen die Bomben, Kind, zieh' dich auf der Treppe an!

»Auf einmal erschütterte das ganze Haus, und wir hatten die Augen voll Dreck.« Stürzt das Haus ein? »Alle waren kopflos.« Eine Luftmine hat den Bau durchgeschüttelt, den Vater gegen den Kellerpfeiler geschleudert, mit handlanger Wunde am Hinterkopf liegt er auf der Erde. Ein Guß Wasser macht ihn wieder lebendig. »Ich sagte zu meiner Tochter, ›können wir nicht noch ein paar

Betten retten, es brennt doch hier noch nicht‹.« Die Tochter bindet die Betten zusammen, wirft sie aus dem Fenster. Mann, Frau und Tochter, jeder mit Bettenbündel, rennen los, eine Unterkunft zu suchen. »In den Häusern, die nicht brannten, waren schon viele Menschen, so daß wir keine Aufnahme fanden.«

Im Frauengefängnis herrscht Nachtruhe. Als die Sirenen aufheulen, rennen die Wachtmeisterinnen in den Luftschutzkeller. »Wir drei Zelleninsassinnen erhoben uns, um uns anzukleiden, draußen war es taghell. Das Haus zitterte und wankte wie ein Schiff auf hoher See.« Mehrere hundert Frauen, eingeriegelt, betteln und schreien um Öffnung der Türen. »Sie hatten ihre Holzpantoffel genommen und schlugen in hilfloser Verzweiflung gegen die Türen.« Währenddessen, die Bomben fallen schon, treibt der Alarm Dr. Sandmann zum Bunker am Nordfriedhof. »Die angsterfüllten Menschen drängten sich zu dem rettenden Durchschlupf und verstopften ihn vollends.« Eine Luftmine fällt, der Druck fährt in den Bunker und bringt ihn ins Schwanken. Die Einsitzenden wollen schließen, »der Bunker wurde rücksichtslos geschlossen, und die Menschen verbrannten draußen oder kamen durch Splitter um«. Im Bunker herrscht unerträgliche Hitze. Schweißgebadet kurbeln die Insassen die Notbelüftung.

Sophie Pasche, die schon zu Bett gelegen hat, zieht sich in Windeseile an, »noch einen letzten Blick auf meinen todkranken Mann«. Er will nicht mit in den Keller. Dort sitzen die Hausbewohner und horchen auf das Prasseln herabfallender Stabbrandbomben. »Das Licht ging aus, und wir konnten kaum noch atmen, so stark war der Luftdruck der Explosionen.« Einer ruft, daß oben alles brennt. Frau Pasche denkt an ihren Mann, »aber man hielt mich gewaltsam zurück«.

Im Altersheim Stiftstraße ist der Keller bald überfüllt. Gebrechliche werden hereingetragen, »wo jedoch vier und mein gelähmter Mann an Rauchvergiftung umkamen«. Das Licht erlischt, der Sauerstoff wird knapp, »dann wurde ein Mann wahnsinnig und schlug mit dem Stuhl um sich, bis er ohnmächtig zusammenbrach«. Auf dem Hof sollen fünf Frauen und ein Mann eingeschlossen sein. »Wir öffneten den Durchbruch zum Reutergang, aber der war schon durch Tote versperrt, die von der anderen Seite zu uns wollten.« Der Inspektor fordert die Männer auf, jetzt endlich den Eingeschlossenen auf dem Hof zu helfen.»Sie lehnen das jedoch ab, da es ihrer Meinung nach keinen Zweck mehr hätte.« Wilhelmine Becker, der Inspektor und eine Frau, die sie nicht kennen, versuchen es allein.»Kaum hatten wir den Hof betreten, als ein großer Phosphorkanister explodierte und die Frau so unglücklich traf, daß sie wie eine Feuersäule brannte.« Den Eingeschlossenen war auch nicht mehr zu helfen.

Als der Bunker an der Jakobikirche längst schon überfüllt ist, staut sich davor noch eine hundertköpfige Menge, die stürmisch Einlaß begehrt.»Jetzt schließt man die Bunkertüren, so daß sich die Menschen in ihrer Angst aufeinanderwarfen.« In der Blauebeilstraße wird rechtzeitig vor Einsturz des Hauses und Verschüttung beschlossen, nun in den Höllenbrand hineinzuflüchten. Durch das Kellerfenster, mit Hammer und Meißel geweitet, quetscht man sich hinauf.»Nur einer nicht, ein von Krankheit unnatürlich dicker Händler. Er ging zurück, setzte sich still in die Ecke und erwartete den Tod.« Im Nachbarhaus arbeitete sich ein Verschütteter, der die Richtung verloren hatte, von Keller zu Keller mit einem Hammer in sechsunddreißig Stunden bis zur nächsten Querstraße durch.

»Meine Mitbewohner und ich begaben sich in unseren Kellergang. Einen Luftschutzkeller hatten wir leider nicht.« Des Explosionsdrucks wegen »standen wir jetzt alle im Kreis und hatten uns gegenseitig untergehakt, weil wir hin- und hertaumelten. Dann mußten wir uns niederknien, sonst wären wir hingefallen.« Ebenso legte die Hausgemeinschaft, der Franz Freyberg angehörte, sich nieder.»Bei Kerzenschein harrten wir schweigend und uns gegenseitig anfassend der Dinge, die da kommen sollten. Das Haus erschütterte bei jedem Bombenfall.« Im Hausflur hatte eine Frau sich ruhig auf die Treppe gesetzt,»nur mit einem Hemd bekleidet. Sie hielt, zitternd vor Kälte, ein paar Strümpfe in der Hand und bat mich, ihr dieselben anzuziehen.«

Der Weg zum Bunker betrug hundert Meter.»Es ist aber schon unmöglich durchzukommen.« Ein Sprung zum gegenüberliegenden Haus: Alle sitzen da, die den Bunker nicht erreicht haben,»sie stehen mit aufgerissenen Augen an den Wänden, sie hokken unbeweglich, ihre Habseligkeiten an sich pressend oder in den Händen haltend irgendwo im Dunkeln. Verbrauchte und verpestete Luft.« Draußen hielt die eisige Kälte an. »Die aufgestellten Wasserbehälter auf den Straßen waren trotz der Hitze noch gefroren.« Die umgeschlungenen nassen Decken gegen Funken und Glut froren am Körper fest. »Mir riß der Sog das Kopftuch weg.« Es flüchteten viele auf dem glatteisigen Weg, »darunter auch in ihren Schlafanzügen die amputierten Patienten der Blenkeschen Klinik in der Reformierten Kirche. Sie hinkten und rutschten, glitten und fielen übereinander, und zwischen ihnen lief eine junge Frau im dünnen seidenen Nachthemd, ein nackendes Kind im Arm, barfuß durch Eistrümmer.«

»Feuerwehrmäßig hatte der 16. Januar schon am Vormittag begonnen.« Die 8. US-Flotte bombardierte Krupp-Gruson. »Unser Einsatzbefehl lautete, Brandbekämpfung und Bergung in einer Bäckerei auf dem Planetenhügel.« Dieter Becker, fünfzehn, steht auf seinem Dauerposten, dem Beobachtungsstand auf dem Schlauchtrockenturm der Otterslebener Feuerwehr. In Richtung Krupp-Gruson detoniert die US-Munition schon ab Salbker Chaussee und Planetenhügel. »Das waren meine ersten Leichen, die wir auf dem Acker und auf der Chaussee zusammensuchen mußten, junge Französinnen, Fremdarbeiter bei Krupp, denen man den Zutritt zu den Luftschutzbunkern im Werk, speziell zum kruppschen Aschenberg, verweigerte und die auf freiem Feld Schutz vor den Bomben gesucht hatten. Wir waren bis zur Dunkelheit auf dem Planetenhügel tätig. Auf dem Heimweg nach Ottersleben kam erneut Alarm. Es wurde plötzlich taghell ...«

Magdeburg verlor in dieser Nacht viertausend Menschen, und im Luftkrieg insgesamt etwa sechseinhalbtausend. Es steht im Zerstörungsgrad an vorderer Stelle unter den deutschen Großstädten. Von sechs Millionen Kubikmeter Trümmer entfallen zwanzig Kubikmeter auf jeden Einwohner. Im Dom wurden in Westfront und Gewölbe 800 Quadratmeter Mauerwerk zerstört, ›Unser Lieben Frauen‹ trafen die Bomben in den Dächern, dem Chor und dem westlichen Kreuzgangflügel.

353

Am 5. April 1945 klagte Harris, daß »es nun schon äußerst schwierig wäre, geeignete Ziele zu finden«. In Mittel- und Ostdeutschland war Chemnitz am 5. März von 720 britischen Maschinen mit 1100 Bombentonnen in einem Drittel der Stadtfläche abgebrannt worden. Zwei Tage später fiel zu vierundachtzig Prozent die alte Residenzstadt Dessau, am 12. März kam das Verderben über Swinemünde, am 31. März zertrümmerten 1100 Tonnen Munition ein Fünftel der Wohngebäude in Halle. Im April versanken Zerbst, Frankfurt (Oder), Nordhausen, Potsdam und Halberstadt. Am 7. April hatte die 1. US-Armee die Weser erreicht, gemeinsam mit der 9. Armee marschierte sie weiter zum Harz. Um die Bevölkerung zu erschrecken, teilte ihr Gauleiter Lauterbacher am 7. April mit: »Alle Männer zwischen 14 und 65 Jahren wurden in den unterjochten Westgebieten des Reiches in Sammellager zusammengefaßt und stehen unter Bewachung von Negern und Juden. Unsere Frauen wurden in Negerbordelle verschleppt.« Wenn es so gewesen wäre, hätte man dies Los allerdings dem vorziehen müssen, was die britische Massenvernichtungsgruppe Nr. 5 in Nordhausen anrichtete – 6000 Tote, darunter 1300 KZ-Häftlinge – und die 8. US-Flotte in Halberstadt.

Seit Januar hatten die Amerikaner ohne viel Erfolg die dort am Stadtrand gelegenen Junkerswerke angegriffen und den Bahnhof. Im Rahmen der Attacke auf 158 Eisenbahnziele am 19. Februar stand Halberstadt wieder auf der Liste. Nicht allein das Bahngelände wurde verwüstet, sondern dazu das Finanzamt und die Wehrstädter Kirche, in der 146 Schutzsuchende ihr Leben ließen. Der Tieffliegerbeschuß auf einen zwischen Halberstadt und Weleben verkehrenden Personenzug tötete an dem Tag auch fünfzehn britische und zwei amerikanische Kriegsgefangene.

Im April lebten 65 000 Personen am Ort, viertausend davon Kranke und Verwundete, verteilt auf fünfzehn Lazarette. Es gab geteilte Meinungen, ob Halberstadt Widerstand leisten und die 9. US-Armee aufhalten solle. Der NS-Kreisleiter Detering schwor Kampf, der Oberbürgermeister verwies auf die bauliche Schönheit und kulturgeschichtliche Bedeutung der Stadt und lehnte ab, desgleichen die örtlichen Offiziere aus Sorge um die Lazarette. Die Debatte wurde laut, blieb aber unentschieden. Die amerikanischen Panzerspitzen standen sechzig Kilometer entfernt, einstweilen begann der Volkssturm zu schanzen, es war das Wochenende vom 7./8. April.

Am Sonnabend nachmittag erschienen Jagdbomber am Himmel, warfen ein paar Stabbrandbomben und zielten mit Bord-MGs auf Straßenpassanten. Im Hauptbahnhof stand ein Flakzug, von dort wurde fatalerweise zurückgeschossen, das lenkte die Jabos auf die Gleise, auf Nr. 9 stand ein Munitionszug, nicht schwierig zu treffen. Die Explosion riß einen Trichter von einem halben Quadratkilometer. Die Stellwerke, die Lokschuppen, die Weicheneinheiten, die Wagenschnellausbesserung, die Güterabfertigung, die Ein- und Ausfahrten waren ruiniert. »Viele Eisenbahner«, stand in der Betriebszeitung *Fahrtwind*, »fanden bei diesem Angriff in Ausübung ihres Dienstes den Tod.«

Durch den Luftdruck platzten in der ganzen Stadt die Fensterscheiben. Abends nagelten die Bewohner die Öffnungen mit Brettern und Pappe zu, Nazis pirschten mit Farbeimern durch die Straßen und malten »Wir kapitulieren nie« an die Wände. Dies brauchten sie gar nicht, denn am nächsten Abend hatte sich die Frage erledigt. Von 19 000 Wohnungen war die Hälfte nicht mehr vorhanden.

Halberstadt genoß den Ruhm einer niedersächsischen Fachwerkstadt mit 721 erhaltenen Gebäuden, das älteste davon der dreigeschossige Ratskeller, elf Fach Länge, neun Fach Breite, mit gotischem Maßwerk verziert. Auf einer Steinplatte im Sockel stand eingeritzt die Gestalt eines betenden Ritters. Von der Schwelle über dem Erdgeschoß schauten zwischen Blattwerk geschnitzte Menschen- und Drachenköpfe herab.

Wie in Hildesheim waren Halberstadts Fachwerkhäuser beredt, je älter desto mehr. Der ›Stelzfuß‹ von 1576 an der Ecke Schmiedestraße trug Masken an den Balkenköpfen, über die Erkerschwellen zogen sich lange Inschriften und belehrten über Stand und Sinn von Erbauern und Bewohnern. Am Fischmarkt hatte der Bürgermeister de Hetling seine zwei Frauen mit deren Wappen erfreut, an der Alten Ratswaage kniete an den Balkenköpfen vor dem Bischof ein kleinwüchsiger Sünder. Zwei Männer lagen lang und zeigten ihre Puffärmel, zwei Fischweiber ihr Schuppenkleid. Zwei Vögel begnügten sich mit einer Maus. Storch, Frosch, Drache und Hund ignorierten den Mann am Hauptgesims mit der Fahne. Am Martiniplan sind alle vier Jahreszeiten in Frauenbüsten von unterschiedlichem Liebreiz geschlüpft. Hinter dem Rathaus Nr. 17 wohnte am ersten Obergeschoß die heilige Anna, Sebastian weist sich mit Wappen aus, eine weibliche Figur hält Krone und Kirche, die andere einen kleinen Mann. Ein ebensolcher hängt an Bierfaß und Glas. Schwere Zeiten hatten Halberstadt die großen Männer beschert, angefangen mit Heinrich dem Löwen. In Erzfehde um strittige Lehen von Bischof Ulrich glatt besiegt in der Schlacht bei Langenstein, darauf in Bann geschlagen, war er nach Halberstadt gezogen, dem Sitz seines Überwinders und Ächters. Dort warf der Löwe sich Ulrich zu Füßen, nahm eine Buße an und dagegen Verzeihung. Beiden ging das nicht tief zu Herzen, es war die Formensprache des damaligen Krieges. Die Fehde ging fort, auch das Bannen und Lösen. Heinrich, der sich mehr Feinde machte, als er schlagen konnte, brauchte Ruhe in Sachsen, denn Kaiser Friedrich Barbarossa bedrängte ihn von vorn. Nichts half, er wurde auch an dieser Front geschlagen, wieder geächtet und 1180 vom Würzburger Reichstag aller Lehen und seines Herzogtums entblößt. Ulrich ergriff die Gelegenheit, warf seinen Bann aus und überfiel probeweise Heinrichs Gebiete.

Am 23. September, es war ein Sonntag, antwortete dieser mit der Zerstörung von Halberstadt. Die Bürger, Heinrich nur wohlgesinnt für die Züchtigung des Bischofs, flüchteten sich in die Kirchen. Der holzgebaute Ort brannte rasch lichterloh, die Flammen umkreisten den Dom, es war der dritte an der Stelle, wo schon die Heiden Opfersteine getürmt hatten. St. Stephanus verbrannte, die Gebeine des Heiligen kohlten, ein Frevel, der Heinrich in Braunschweig erblassen ließ, er war nicht zugegen. Tausend Einwohner wurden gemetzelt, die Zahl ist ungewiß, besagt aber, daß ein Großteil der Halberstädter ausgemerzt wurde. Der Bischof kam in Banden nach Braunschweig, löste erst zum Weihnachtsfest Heinrich vom Bann und starb nicht lang danach vor Galle.

Eine nicht minder tatkräftige Gestalt, Bischof Christian, zog

Halberstadt in den Kessel des Dreißigjährigen Krieges. Plünderung und Brandschatzung durch Tilly und Wallenstein waren ungefähr das gleiche, wie von den Schweden davor gerettet zu werden. In den Fratzen und Drachen, den Störchen und Hunden, den Bischöfen, Betern, Rittern und Heiligen ist die Halberstädter Fehde in die Häuserbalken geschnitzt worden, den Brennstoff. Unter diesen Ornamenten ist ein besonders häufiges der Fächer. Er erzählte nichts über das Vergangene, sondern über das Zukünftige.

Am Sonntag vormittag hatten die Halberstädter fünfzehn Minuten Zeit, vor den 218 Fliegenden Festungen der 8. Flotte zu flüchten. Nicht in den Dom, sicherer in die Höhlen. Nach dem Alarm rannten Tausende zur Stadt hinaus in die Spiegelsberge, wo natürliche Felsenkeller luftschutzmäßig hergerichtet waren. Auch einen Teil der Lazarettpatienten konnte man in die ›Lange Höhle‹ schleppen. Von dort aus, berichtet 1946 der Augenzeuge Krause,»blickte man in die Hölle. Hier und da drang magisches Karbidlicht in das Dunkel und beleuchtete die stöhnenden, in ihr Schicksal stillergebenen Verwundeten, Sterbenden und Mütter mit kleinen schreienden Kindern.« Die Hölle war der Fächer.

Um 11.25 Uhr waren vier US-Geschwader mit fünfhundertfünfzig Bombentonnen im Anflug, die ursprünglich Zerbst und Staßfurth einebnen wollten. Der Industriedunst behinderte dort ihre Sicht, denn sie erprobten ein britisches Bombardierungsverfahren, das gute Sicht benötigte, ›Fächer‹ genannt. Da sonniges Frühlingswetter herrschte, schwenkten sie nach Halberstadt herüber.

Der Fächer war ein Präzisionsbombardement, das Punktziel mit Flächenziel verband. Die alten Gegensätze versöhnten sich. Der Punkt war eine große, gut sichtbare Schule, die Fläche das Stadtinnere. Punkt lag vor Fläche. Punkt wurde exakt markiert und Fläche exakt aus der Entfernung zu Punkt gebombt. Die geometrische Form, die aus dem Punkt eine Fläche entwickelt, ist der Fächer. Unten liegt der Drehpunkt, von da fächert die Fläche auf. Alle Maschinen passierten den Punkt von Süd und flogen in unterschiedlichen Winkeln nach Nord, Nordwest und Nordost. So konnte man am genauesten eine Fläche auf den Grund zerstören.

Der Fachwerkbestand ging bis auf Reste unter. Das Zeichen seines Untergangs stand ihm von Anbeginn auf der Stirn. Mit fünfhundertfünfzig Tonnen Munition wurde Halberstadt zu drei Vierteln vernichtet. Die Menschenverluste sind so ungewiß wie die von 1180, die Anzahl liegt zwischen tausendachthundert und dreitausend.

Ende Februar 1945 weilten in Dresden achthunderttausend, vielleicht eine Million Personen. 640 000 davon waren Bürger, die übrigen Flüchtlinge. Beide Gruppen opferten im Luftangriff vom 13./14. Februar 1945 eine Anzahl von insgesamt vierzigtausend Personen, neben Hamburg der höchste Menschenverlust einer deutschen Stadt im Luftkrieg. Den Ausgang der Hamburgmission bewirkte, neben Bomber Commands Bemühen, eine seltene Konstellation der Elemente. Aus den vorangegangenen Resultaten der Ruhrschlacht ragt der Juli-Erfolg steil heraus. Eine solche Vernichtungsdichte überstieg das Potential der Waffe, es mußte dazu ein Förderfaktor beitragen wie etwa die Feuerwehrprobleme von Kassel.

Anders der Dresdenangriff, welcher zurückging auf alliierte Pläne des Sommers 1944, einen ›Donnerschlag‹ abzuhalten, ein Kolossalmassaker mit über hunderttausend Toten, gedacht war an Berlin. Diese wiederum war die gemäßigte Version des Gas- und Bakterienangriffs, dem Churchill damals sechzig deutsche Städte unterziehen wollte.

Wie schwer hunderttausend Tote zu erzielen sind, sollte die 8. US-Flotte erfahren, als sie im Februar 1945 einen halben Donnerschlag auf Berlin setzte. Anstelle der zweitausend geplanten Maschinen flogen 937, statt fünftausend Bombentonnen fielen 2266, und sie brachten nicht die errechneten 110 000 Zivilisten um, sondern 2893. Selbst eine damals miserabel verteidigte Metropole mit ganz unzureichendem Bunkerschutz widersetzte sich durch ihr schieres Volumen der totalen Destruktion. Das alliierte Prinzip des geschlossenen Vernichtungsraums realisierte sich am ehesten auf Flächen von fünf Quadratkilometern. Kleine und mittlere Städte mit komprimiertem historischem Kern waren feuersturmverletzlich. Und nur das Feuer versiegelte die Todeszone.

Je enger deren Abmessung, desto komplizierter die Treffgenauigkeit. Bomber Group Nr. 5 hatte sich zum Experten in Präzisionsvernichtung geschult und führte die Dresdenmission an. >Thunderclap< in einer Stadt, so entlegen und kriegsunerheblich, daß man sie viereinhalb Jahre ignoriert hatte. Die Strecke war zwar weit, aber nicht weiter als zum Hydrierwerk Brüx, wo die 8. Flotte viertausend Bombentonnen abgeladen hatte, bei dem weiter westlichen Leuna achtzehntausend. Während Churchill, Eisenhower, Harris und Portal Thunderclapideen aufschrieben, probierte Nr. 5 methodisch aus, was die verfügbaren Mittel hergaben. Den sommerlichen Vernichtungsplan hat diese Gruppe im Herbst zu einer Tatwaffe geschmiedet. Im Unterschied zu Hamburg und Kassel traten fünfstellige Tötungszahlen jetzt nicht ein, sie wurden hergestellt. Am 11. und 12. September 1944 entfachte Nr. 5 je einen Feuersturm in Stuttgart und Darmstadt. Stuttgart verbrannte, schützte dank seiner Stollen aber die Einwohner. Darmstadt, um drei Viertel kleiner, verlor das Dreizehnfache an Menschen. Das galt hinfort als der Referenzangriff Bomber Commands. Er diente als Muster für Dresden. Darmstadt und Dresden sind Probe und Vorstellung. Der Enge der Probebühne wegen fiel die Wirkung dort intensiver aus. Die Vernichtungsquote beträgt 10,7 Prozent, mehr als das Doppelte jener Dresdens. Nur Pforzheim ist mehr ausgeblutet.

Darmstadt und Dresden werden in dem Nr. 5 eigenen Verfahren angegriffen, dem Fächer. Der Fächer ist ein Viertelkreis. Seine Spitze liegt in Darmstadt auf dem Exerzierplatz, in Dresden auf dem Fußballplatz des DSC im Großen Ostragehege. In beiden Fällen wird der Anflug auf verschiedene Routen verteilt und die Flugwarnung getäuscht. Darmstadt bleiben zehn Minuten Zeit zwischen Alarm und Bomben, Dresden fünfundzwanzig Minuten, dort sind auch die Wege zum Schutzraum länger. Darmstadt hat die Fluchtwege zum Unterstand nicht mit Pfeilen markiert. Keine der zwei Städte ist verbunkert.

Um 22.03 Uhr beginnen die Beleuchter das Elbtal und die Stadt mit weißen Lichtkaskaden auszuleuchten. Auf das DSC-Stadion fällt zwei Minuten später Grün.

In Darmstadt schwebt das Weißlicht um 23.35 Uhr in Fallschirmen auf den Exerzierplatz zu. Die Markierer tauchen auf tausend Meter, zeichnen den gleißend hellen Platz erst rot, dann grün; eine Markierung geht fehl auf den Hauptbahnhof. Der Master Bomber stürzt darauf zu und annulliert Grün durch Gelb wie mit einem Stift. Dann steigt er hoch und ruft seine Bomberstaffeln herbei.

Dresdens Masterbomber schwingt sich hinab, stößt durch die dünne Wolkenschicht und mustert sein Objekt. Dem fehlt anscheinend die Flakabwehr, die hochanfliegenden Lancaster können auf dreitausend Meter sinken, der Sichtmarkierer auf zweihundertsiebzig Meter. Das Stadion wird rot angekreuzt. Es ist 22.13 Uhr, seit zehn Minuten wird ruhig ausgeleuchtet und markiert, nicht einmal ein Suchscheinwerfer blitzt auf.

Auch in Darmstadt arbeitet man entspannt nach Plan und ungestört. An seinem Gelenkpunkt spreizt sich der Fächer auf 45 Grad. Als erster ruft der Masterbomber drei Staffeln von West, ab Gelenk beträgt der ›overshoot‹ sechs Sekunden, dann kippen die Bomben die linke Fächerkante entlang. In der Stadt ist dies die Linie zum Schlachthof. Anschließend zeichnen die Bomber der zweiten Welle die rechte Kante zum Südausgang der Innenstadt. Zwischen den zwei Schenkeln des Dreiecks fliegt die dritte Welle mit vier Staffeln und rollt über die breite Innenfläche den Teppich von Tod und Verderben.

Am 13. Februar, in Dresden, sind die Abläufe gewohnter. Sie sind in Heilbronn, in Freiburg gelungen und werden bald Würzburg niederreißen. In Dresden darf sich darum nichts verschieben, weil die Tanks, mit 10 000 Litern gestartet, keine Reserven lassen. Von 22.03 Uhr bleibt Zeit bis 22.28 Uhr, dann beginnt der Heimweg von 1400 Kilometern. Dem zuerst angekommenen Masterbomber bleiben nach Schluß der Markierung noch zwölf Minuten. Über UKW-Sprechfunk ergeht die Anweisung »Masterbomber an Plate-rack-Verband, bombardieren Sie das rote Licht nach Plan.« Dann wird der Fächer aufgespannt. Der linke Schenkel kreuzt zweimal das Elbknie, der rechte endet auf den Bahngleisen Falkenbrücke; der Verbindungsbogen wird vor dem Bahnhof geschlagen. Die Qualität der Bombardierung besteht darin, die Fächerfläche gleichmäßig mit Feuer, Druckwellen und Explosion zu überziehen. Wie eine Paste wird das aufgetragen. Der Masterbomber und der Hauptmarkierer wachen, daß keine leeren Stellen bleiben, die das Feuer nicht schließen kann. Das ist eine Frage des exakten Winkels, den jede Maschine innerhalb des Fächers einschlägt, sowie des ›overshoot‹, der Distanz zwischen Gelenk und Abwurf. Das Auge des Masterbombers ist an den Fächer geheftet. »Hallo Plate-rack-Verband, Achtung, eine hat zu spät ausgelöst. Eine hat sehr weit vom Zielpunkt entfernt abgeworfen … Gute Arbeit, Plate-rack-Verband, die Bombenwürfe liegen ausgezeichnet … Hallo Plate-rack-Verband, die Bomben fallen jetzt wahllos, suchen Sie den roten Schein heraus …« Massenvernichtung ist Millimeterarbeit, sie käme nicht zustande, würden wahllos Bombentonnen auf einen Ort geladen, denn damit würde er gut fertig. In Darmstadt arbeiten sich die Flammen binnen einer Stunde zum Feuersturm durch. Die lokalen Löschkräfte, dreizehn Züge, löschen die brennende Feuerwache. Bis die Kollegen aus Mannheim, Frankfurt, Mainz über die Autobahn heran sind, ist es drei Uhr, um sechs Uhr sind dreitausend Mann mit 220 Motorspritzen bereit, da ist der Brand seit zwei Stunden schon satt. Das Feuer muß schneller sein als die Feuerwehr. Anders wird es kein Vernichtungsangriff, sondern ein Haufen von Brandstellen.

Dem Verhängnis gefiel es in Darmstadt, den Part der Zeitzünderbomben zu übertreffen, die gewöhnlich dafür sorgen, daß die Kellerinsassen nicht nach Angriffsende aus der Tiefe klettern und sich durch die anfangs noch offenen Feuerschneisen davonmachen. So entstehen nicht die hunderttausend Toten, von denen die Generalstäbe phantasieren. Zwölfhundert Meter südlich des Darmstädter Hauptbahnhofs wartete ein Munitionszug auf der Strecke und faßte Feuer. Die geladenen Granaten fuhren eine Stunde lang in die Luft und suggerierten den Kellerbelegschaften etwas Falsches, daß der Luftangriff fortwähre.

Als das Knallgewitter des Munitionszugs erstarb, hatte der Feuersturm alle Kelleraustiege verriegelt. In Hitze und Gas wurden aus den Schutzräumen Hinrichtungsstätten. So endeten 12 300 Personen, jeder zehnte Einwohner. Dies übertraf die Tötungsquote des Gasangriffs, den Churchill im Juli projektiert hatte. Den Zwecken eines ›Thunderclaps‹ genügten 12 000 Getötete ganz und gar nicht. Bezogen auf die eine Million in Dresden Anwesenden, entsprach dies den Durchschnittsverlusten aller deutschen Städte.

Der Fächer von Dresden hatte binnen einer halben Stunde nach Abflug von Nr. 5 den erwarteten Feuersturm erzielt. Zwar waren die Abwürfe leicht verzogen niedergegangen, wirkten aber nach Plan. Infolge der Methode der Gruppe weitete sich der Fächer nicht viel, an seiner breitesten Stelle zweieinhalb Kilometer. Er bedeckte drei Viertel der Altstadt. Wegen des hohen Spritgewichts konnten nur 877 Bombentonnen geladen werden, exakt die Menge von Darmstadt. Harris wählte deshalb das in Duisburg, Köln und Saarbrücken erprobte Mittel des Doppelangriffs. Er verdoppelt nicht, er vervielfacht die Vernichtung, weil er in eine Situation des arglosen Aufatmens hineinschlägt. Neunzig Minuten nach Entwarnung, die Dresdner hatten gerade Zeit, sich in den Großen Garten und auf die Elbwiesen zu schleppen, heulte erneut Alarm, doch nur in den Vororten, die Anlagen in der Innenstadt arbeiteten nicht mehr. Mit solchen Defekten rechnet der ›double blow‹, damit steigert er die Menschenverluste.

Als die zweite Angriffsflotte um 1.16 Uhr eintraf, fand sie, wie zu erwarten, keine Bodensicht mehr vor. Der Feuersturm jagte eine kilometerhohe Rauchwolke in die Atmosphäre. Als Zielpunkt war dennoch der Altmarkt angegeben, der inmitten des Fächers lag. Das entspricht dem Sinn des Doppelschlags, der ausknockt. Attacke eins jagt Leute in den Schutz, Attacke zwei packt die den Schutz erlöst Verlassenden. Die Schutzwirkung von Kellern ist nach zwei Stunden verbraucht. Anschließend, unter einem brennenden Stadtviertel, konserviert das Tiefgeschoß kein Leben mehr. Wer sich vom Zweitschlag das zweite Mal in den Keller jagen läßt, kommt kaum wieder heraus. Die sich im Freien verbergen scheitern, so wie die Flüchtlinge im Dresdener Großen Garten. Seiner Logik nach ist das Verfahren auf Massenvernichtung angelegt.

Als der Masterbomber die Lage im Fächer unter sich sah, hielt er sie für ausreichend tödlich und ließ seitlich vom Viertelkreis markieren, so daß er weiter aufschlug. Nach links über die Elbe, die das Feuer nicht überspringen konnte, in die Neustadt hinein, nach rechts zum Hauptbahnhof und in den Großen Garten, eine gut zu erkennende, nicht brennbare Fläche. Das linke Elbufer säumt ein fünfhundert Meter langer Grünstreifen, die Elbwiesen. Im Februar pfiff dort ein eisiger Wind, in der Nacht hatte es zu nieseln begonnen. Die Kellerinsassen in Flußnähe hasteten nach der ersten Attacke durch Qualm, Funkenflug und den Hitzesog des aufkommenden Feuersturms zu dem kühlenden Morast. Das Pflegepersonal des Johannstädter Krankenhauses schulterte die Patienten in ihren dünnen, gestreiften Hemden und legte sie dort ab. Aus der Poliklinik liefen Wöchnerinnen herbei. Das war die erste Gruppe, die der >double blow< aus den Verstecken gezogen und schutzentblößt unter sich hatte. Auf der gegenüberliegenden, der Bahnhofsseite erstreckte sich eine ebensolche baumbestandene Fluchtinsel, der Große Garten. Hierhin rettete sich die zweite Gruppe der Altstadtflüchtlinge. Elbwiesen und Großer Garten versammelten Zehntausende von Personen. Sie hatten gar keine andere Wahl. So wie der Fächer aufgespannt war, bot die Stadtgeographie nur die zwei Aufenthalte. Die Flächenbrandzone von Nr. 5 quetschte die darin Gefangenen gewissermaßen dorthin wie in einen aufgehaltenen Sack. Darauf prasselte ein Großteil der Munition der Folgeattacke.

Der Hauptbahnhof lag außerhalb des Fächers. Er steckte randvoll mit Flüchtlingen der Ostfront. Der erste Angriff hatte die Möglichkeit gelassen, eine größere Zahl von Personenzügen aus dem Stadtbereich zu rangieren, die zurückgeholt wurden, nachdem Nr. 5 sein Werk hinter sich gebracht hatte. Danach wurde auch der Hauptbahnhof ein Vorzugsziel des Zweitschlags. So hatte man drei Vernichtungszentren eingerichtet; die Kellerlandschaft unter dem Altstadtbrand, die Grünflächen und den Bahnhof. Die Brenner von Nr. 5, gekoppelt mit der Methode des >double blow<, haben denn einen Bruchteil jenes Totenheeres aufgestellt, das die Thunderclapheis in Auftrag gegeben hatten.

»Der Himmel über Berlin erhebt sich blutrot in einer schaurigen Schönheit«, notiert Goebbels am Sonnabend, dem 27. November 1943, in sein Tagebuch. »Ich kann das Bild schon gar nicht mehr sehen.« In der vergangenen Woche hatte das Regierungsviertel

Wilhelmstraße gebrannt, die Gedächtniskirche im Westen und der Zoo, der dritte Großangriff in sieben Tagen. Diese Eröffnungsoffensive der Berlinschlacht tötete 3758 Personen, eine halbe Million wurde obdachlos. Die Hauptbombenlast des 27. November hatte das nördliche Arbeiterviertel Reinickendorf getroffen, das Goebbels Montag früh aufsuchte. »Die Arbeiter und Arbeiterinnen empfangen mich hier mit einem Enthusiasmus, der ebenso unglaublich wie unbeschreiblich ist. Ich werde nur geduzt und mit dem Vornamen angerufen. Frauen umarmen mich. Ich muß Unterschriften geben; wir schmauchen gemeinsam einen Glimmstengel. Kurz und gut, es herrscht hier eine Laune wie auf einem Rummelplatz.« Um den Rummelplatz breiten sich enorme Zerstörungen, »aber soweit sie das Publikum selbst betreffen, nimmt es sie mit gutem Humor auf. Tabak ist jetzt das bewährteste Genußmittel; für eine Zigarette macht der Berliner einen Kopfstand.«

Die Partei hatte von dem Berliner anderes erwartet und ›SA-Stoßtrupps zu besonderer Verwendung‹ gebildet. »Ich kann es kaum glauben, daß diese Stadt im November 1918 eine Revolution gemacht hat«, notiert Goebbels. Die Novemberrevolution ist für ihn wie für Churchill gleichermaßen der Bezugspunkt. Dem Proletariat der Hauptstadt wird der Aufstand in die Gelenke gebombt. Das Flugblatt, das mit den Bomben fällt, bedauert, daß sie treffen. »Wo ist die Luftwaffe?« fragt es im März 1944. »Jetzt am hellen Tage fliegen amerikanische Bomber in Massen über Berlin. Heute waren sie zum fünften Male über der Reichshauptstadt. Natürlich fragt auch ihr jetzt: ›Wo ist die Luftwaffe?‹ Fragt Göring, fragt Hitler.«

Den natürlichen Fragesteller, die Bevölkerung Berlins, haben 45 000 Bombentonnen nicht dazu bewegt. Die Amerikaner steigerten ihren Ansporn bis zum 3. Februar 1945, an dem sie wähnten, 25 000 Personen getötet zu haben. Das entsprach 0,9 Prozent der in der Stadt Anwesenden. Diese hätten endlich einen Grund zur Nachfrage gehabt. Die von der offiziellen US-Luftkriegsgeschichte amtlich und zufrieden eingetragene Zahl zählt allerdings eine Null zuviel. Der blutigste Angriff, den die Stadt hat hinnehmen müssen, erzielte 2893 Todesopfer, weit weniger als die Hälfte von Heilbronn. Bezogen auf ihre vier Millionen Einwohner, entsprechen die insgesamt 11 367 Bombentoten einem Drittel der Durchschnittsverlustquote. Doch Tote machen keinen Aufstand. Berlin hat als meistangegriffene Stadt sein Leben so hart verteidigen müssen wie Essen und Köln. Das Los der benachbarten Magdeburger fiel binnen vier Minuten, zu kurz, um nachzudenken. Berlin kämpfte vier Jahre. Es lebt dort eine Charakterbevölkerung von eigens ausgeschlafener Art. Der Berliner glaubt nichts und grundsätzlich nichts, was man ihm vorsagt. Deshalb erstaunt Goebbels, warum man ausgerechnet ihm hier traut. »Ich hätte nie für möglich gehalten, daß sich hier eine solche Wandlung der seelischen Verfassung hätte durchsetzen können.« Es war auch nicht möglich. Der innere Zustand Berlins im Bombenkrieg ist besser als bei Goebbels überliefert durch die Notizen der Auslandskorrespondenten am Platz. Ein Volk von Nazi-Blutzeugen kommt in den Berichten nirgends vor. Der Hitlerbesessene, den Goebbels herbeischwadroniert und Churchills Bombe umzieht, ist im Luftkrieg sowieso die falsche Adresse. Wer diese Maske trägt, dem faucht sie der Blockbuster fort. Die politische Statur einer Zivilperson und ihre Begegnung mit den auf sie losgelassenen Destruktionsmitteln haben wenig miteinander zu tun. Ein Splittergeschoß und eine Phosphorfontäne dringen tiefer in den Menschen als seine politischen Ansichten. Insoweit trifft die Psychologie des ›moral bombing‹ zu. Die Folge davon ist nur nicht, daß jemand politischen Aufruhr anzettelt. Nichts liegt ihm ferner als das, Bomben privatisieren.

»Die Menschen auf der Straße, in den Läden und Verkehrsmitteln sahen schlecht aus«, schreibt der schweizerische Korrespondent Konrad Warner, »in diesem grauen November des fünften Kriegsjahres. Sie waren bleich, ihre Augen eingesunken, in abgetragenen Kleidern steckten magere Leiber. Sie waren müde und doch von einer steten Hast getrieben, von der ungesunden Eile übersteigerter Existenzangst. Diese Eile war notgedrungen, man durfte nicht zu spät in den Laden kommen, sonst war die Ware ausverkauft, man durfte nicht zu spät zur Haltestelle gelangen, sonst war die Bahn fort und der Sitzplatz von einem anderen weggeschnappt. Man durfte nicht zu spät zur Arbeit kommen, sonst drohte Lohnabzug, man durfte nicht zu spät zum Restaurant kommen, sonst gab es kein Essen mehr, und man mußte rechtzeitig zu Hause sein, sonst wurde man mitten auf dem Wege vom Alarm überrascht. Darüber hinaus waren Eile und Hast Mittel gegen Selbstbesinnung und Grübelei.« Der Mensch im Bombenkrieg wartet im Keller ab oder ist stundenlang unterwegs. Zerstörung zwingt zum Wegemachen: Schutz, Obdach, Angehörige finden, Behördenhilfe beantragen, organisieren, was ständig fehlt, und Schwarzhandel treiben. In Berlin ist alles Jott-we-deh.

Die Bahnen brechen von Leuten, die Schwaden von Niedergeschlagenheit ausatmen, nicht aus noch ein wissen, verhärmten fahrigen Frauen mit gepreßten Lippen, Verwundeten mit durchgebluteten Verbänden.»Die Gesichter sind blaß, von einem mehligen Weiß, nur um die müden, leblosen Augen liegen rötliche Ringe.« Das liegt an der ausgelaugten Kost,»mein Zahnarzt erzählte mir, daß alle Zähne gleichzeitig verfallen, fast wie Würfelzucker, der sich in Wasser auflöste«. Strenger Geruch im Waggon holt den Passagier von den Beinen,»man muß irgendwo auf halbem Weg einfach aussteigen, um auf dem Bahnsteig kurz frische Luft zu schnappen«.

Am U-Bahn-Schacht ballt sich das Gedränge:»Die Treppe, die zum Bahnhof hinuntergeht, war von Menschen blockiert. Die hinauf wollten und die hinabdrängten, hatten sich ineinander festgekeilt. Man hätte sie wie Koks mit der Brechstange lockern müssen. Links und rechts, an den beiden Wänden, rann ein dünner Faden von Körpern hinab und herauf.«

Strecken sind unterbrochen, Züge werden weniger, alle Touren kosten die fünffache Zeit. Für alles Verlorengegangene, Obdach, Stelle, Versorger, gibt es eine Entschädigung bei Amte. Man muß hin, steht Schlange, hört, erzählt, alle haben eine Geschichte. Dem war die Wohnung durch Sprengbombe geplatzt, nichts gerettet, dem abgebrannt, das nackte Leben bewahrt!»Dieser erzählte von Rohrbrüchen und Überschwemmungen, jener von Verschüttungen und Verstümmelung. Und aus allen Berichten sprachen Krieg, Tod und Vernichtung.« Das allerschlimmste aber ist die Drängelei,»so daß schließlich der Krieg vergessen wurde und man zu schimpfen begann«. Der Abfertiger erklärt ausführlich, warum die Abfertigung so lange dauert, so dauert sie länger, zuletzt hat man einen Versorgungsausweis, auch ›Bombenpaß‹. Darauf gibt es anderswo Bezugsmarken, eine Station weiter, im Laden, ist nichts mehr zu beziehen, und man fährt zum Schwarzhändler.

Die Betriebsamkeit ist die Medizin des Dreimillionenkörpers gegen die Auszehrung. Zu oft Alarm, zuviel kaputt; zu sehr Bangen um die Kinder, die nächste Nacht, die heilen Glieder. Die Bombe ist eine Axt, die in die graue Elefantenhaut schneidet, bis sie aus zu vielen Wunden eitert. Andauernd saust die Axt, denn im Verhältnis zu dem Ungetüm ist sie eine kleine Waffe. Eine Metropole kippt nicht von einem Stoß, sie lehnt sich an die Breite ihrer Straßen, das Wassergeäder, das Grün. Sie hat Platz, Lunge und Luft.

Den Druck federt auch der berlinische Korpsgeist ab, der sich ungern außer Fasson bringen läßt. Das Pappschild vor der Behörde sagt dazu: »Der Betrieb geht ungestört weiter« und hat nichts mit Durchhaltewillen zu tun.

Der Flakbunker am Zoo faßt achtzehntausend Leute. Durch den meterdicken Stahlbeton drängt gedämpfter Angriffslärm, in der Wohnung des Bombenkriegs ist man für sich. »Wie in einer Kirche standen da die Bankreihen, auf denen die Menschen saßen, die unterwegs vom Alarm überrascht worden waren. Soldaten regelten den Verkehr, verteilten die Menschen auf die Stockwerke und in die vielen Räumlichkeiten, elektrische Beleuchtung ermöglichte das Lesen oder Handarbeiten.« Kudammflaneurs lümmeln an der Wand, die Unterhaltung ist lebhaft, wider Erwarten feuern die Flakgeschütze vom Dach, also doch kein Störangriff! »Da erfolgte plötzlich ein harter Aufschlag, das massive Gebäude wurde bis in die Grundfesten erschüttert. Irgendwo klingt es metallisch und laut, das Licht verlöscht wie mit einem Wimpernschlag. Die Gespräche hatten Flüsterton angenommen. Eine Frau wurde ohnmächtig, es wurde nach Wasser gerufen, dann war alles wieder ruhig. ›Bist du's oder bist du's nicht?‹ fragte eine Mädchenstimme und gleich meldeten sich drei, vier Männer. Gelächter.«

Der Heimweg vom Bunker führt durch Funkenregen: »Man

rief sich gegenseitig zu: ›Sie brennen, klopfen Sie aus!‹ Ich rannte weiter, klopfte mir die Funken von Mantel und Hut.« Das Gemäuer rechts und links arbeitet. Flammen fressen und Schub- und Zugkräfte ringen. »Oben begann sich ein turmartiger Vorbau ganz langsam zu lösen. Ich glaubte eine Zeitlupenaufnahme zu sehen. Und gleichzeitig sah ich unten die alten Leute, die eben ihre Koffer abstellten, um Atem zu holen.« Ehe der Schrei ankommt, tauchen die Alten heil aus der Staubwolke. Langsam fährt ein Feuerspritzenauto und verschafft sich Überblick. »Dahinterher rannte eine Frau und schrie rasend ›Kommen Sie zu mir, da kann man noch löschen, kommen Sie, bitte, bitte, bei mir können Sie noch löschen‹.« Die Feuerwehr läßt sich nicht am Arm nehmen. »Kein Mensch kehrte sich nach ihr um, sie schwenkte ihr Taschentuch. In diesem Augenblick begannen die Sirenen von neuem zu heulen.« Alles kehrt zurück in den Bauch des Zoobunkers.

Die Stadt verschleißt, man muß sich auskennen, die Straßenschilder sind von Brand und Luftdruck abmontiert. »Die ausgebrannten Häuserreihen sahen alle gleich aus.« Es gibt die flach eingebuchteten Fronten, wo Luftminen eingeschlagen sind, und die von Splittern durchsiebten. »Ich kam durch Straßen, in denen kein einziges Haus mehr eine Spur von Leben aufwies.« Unterwegs schluckt man Unmengen Staub, Rauch, Ruß, die Taschentücher sind abends rabenschwarz, der feine Schmutz geht nicht mehr aus dem Auge. In die Schuhsohlen schneiden Millionen Glassplitter, der Straßenbelag.

An den Trümmergrundstücken wird operiert wie im Feldlazarett. »Mit Horchgeräten peilte man Klopfzeichen. Mit Sauerstoffapparaten wurde versucht, den Eingeschlossenen Atemluft zuzuführen.« Berliner Wohnblöcke sind geschachtelt, bestehen aus Vorderhaus, Seitenflügel, Quergebäude, erster Hof, zweiter Hof mit Seitenflügel, Gartenhaus usw. »Wenn da ein Volltreffer landet, dann kann man sich vorstellen, welchen Schuttberg ein fünfstöckiges Haus bildet. Im Berg liegen die Leute; manche sind nie gefunden worden. Russische Kriegsgefangene räumen behutsam einen Stein nach dem anderen weg und kamen überhaupt nicht vorwärts. Unten im Keller klopften die Menschen, von denen kein einziger gerettet werden konnte.«

Anfang 1945 stauen sich bei Alarm Tausende vor dem Zoobunker. Furchtsame umkreisen ihn den ganzen Tag. Der Einlaß ist das Billett zum Weiterleben, so was läßt sich durch frühes Losgehen ergattern. »Drinnen in den schweren Betonbunkern ruft die Geborgenheit eine Art Alltagsstimmung hervor. Leises Geschwätz und Gesumm, die Madams sitzen herum und reden über die Essenspreise. Man merkt wenig von irgendeiner Trauer oder einem tragischen Gefühl über Berlins Schicksal. Der Ladentisch und die Werkstatt, der Eßtisch und das Bett zu Hause sind das große Thema, wenn das nur steht, so ist alles gut.«

Die Umwertung von großem und kleinem Thema dichtet seelische Schotten ab. Bett und Eßtisch sind zu retten, Berlin nicht. Die Aufwertung von Bett und Eßtisch, Werkstatt und Ladentheke leitete hinüber in den Nachkriegsstaat, der hauptsächlich daraus bestand. Daran ließ sich arbeiten. Das Wiederaufgebaute sah notgedrungen wie Eßtisch aus, gefiel aber. Das große Thema notierte weiter unter Wert, sonst wäre nicht alles so leicht, wie es ist.

Mit den Menschenverlusten nach den Februarangriffen 1945 ging Berlin-Neukölln staubtrocken um. Der dänische Korrespondent Jacob Kronika war davon Zeuge. Unter den Bunkerinsassen wuchsen Zweifel an den Abrechnungen des Krematoriums Baumschulenweg.

Erste Wortführerin: Man beschwindelt uns mit unseren Toten.

Zweite Wortführerin: In der Kapelle steht bei allen Beerdigungen derselbe Sarg. Im Sarg liegt aber keine Leiche.

Dritte Wortführerin: Die Toten werden en gros verbrannt und die Asche kommt vermengt in die Urnen. Wer will, kann eine mitnehmen.

Zweite Wortführerin: Wenn wir im Leben nichts zählen, warum die Toten?

Dritte Wortführerin: Es sterben viel zuviel Menschen. Wo soll man die Zeit hernehmen, sie ordentlich zu beerdigen?

Erste Wortführerin: Es muß etwas geschehen. Es gibt doch wohl Grenzen.

Es gibt sie. Doch geht Berlin auf sie zu, geht die Grenze mit. Ein Geschäftsmann rettet aus einem abgebrannten Anwesen zwei Koffer. Den Freund trifft beim Löschen der Herzschlag, den zweiten Freund ein brennender Balken. »Ich habe genug«, sagt der Abgebrannte dem Schweizer Warner zum Abschied. Er wolle, es hätte ihn auch getroffen. »Ich bin mürbe.« Das Ich steht mit einem Bein drüben und legt sich zum Schlafen ohne Aufhebens. Ruhe wäre gar nicht schlecht. Man kämpft oder läßt es sein, das Drama darum schwindet. Im Hotel Adlon spricht alles leise. Die Drehtüren rotieren ohne Unterlaß, »aber trotzdem ist es still, ganz still in der Halle«. Rußige Gesichter, jeder trägt einen Koffer, ein Paket, ein Bündel, wie in einem Flüchtlingslager. »Alle scheinen todmüde zu sein, alle haben das gleiche erlebt, es bedarf keiner Worte und Erklärungen. Wahrlich, hier geht eine Weltstadt gerade vor unseren Augen unter.«

In Berlin, von Munition weniger vollgepumpt als Magdeburg und Dresden, zieht eine fremde Leblosigkeit ein, es erstarrt und versteinert. »An einem dieser unbeschreiblichen Tage«, denen nach einer Angriffsnacht, »ging ich durch die Uhlandstraße. Die Menschen kauerten zwischen ihren geretteten Möbelstücken und Habseligkeiten in Schnee und Regen. Manche schliefen stehend, in dem sie sich irgendwo anlehnten. Sie waren erstarrt in stumpfer Trostlosigkeit und blickten teilnahmslos auf die Überreste ihrer Häuser, aus deren Keller die Flammen schlugen.« Der Kurfürstendamm wimmelt von Personen, »dunkle, umrißlose Gebilde, die vorsichtig die Hände ausstrecken, um ihren Weg zu finden. Du erschrickst, wenn jemand lacht.« Durch Berlin geht man wie auf dem Meeresboden. Überall Wracks und leblos treibende Körper. Auf dies Zwischenreich ist in der Nachkriegszeit der Begriff der ›Emotionslähmung‹ zugeschnitten worden. Der Strom der Empfindungen stockt, weil die Seele ihn nicht behaushalten kann. Sie verkrustet, und diese Partie wird taub. Der Betrieb geht weiter, der nächste Schritt wird getan, ein Bündel geschnürt, gut wäre dazu ein Tuch und ein Karren.

Schutz

»This civilian casualty total is far removed from the
generally anticipated total of several millions«
THE UNITED STATES STRATEGIC BOMBING SURVEY

*Der Vernichtungsraum ist eine zeitlich vorübergehende und örtlich
begrenzte Situation. Sie läßt sich bestehen in Schutzräumen, wenn
sie dicht und zahlreich sind, oder in abgelegenen Rückzugsgebieten,
die mittels Transport, Logis und Versorgung bezugsfähig gemacht
werden. Knapp die halbe Bevölkerung braucht bombensichere Unterkunft. Nur der Staat kann solche Räume bereitstellen, er ist der
Garant des Schutzes des Lebens. Er stellt auch Ersatz für die rapide schwindenden Verbrauchsgüter und Wohnungen. Bombenkrieg
fesselt an den Staat. Als Staat organisiert das NS-Regime das
Überleben, als Regime organisiert es den Terror gegen die Kapitulanten. So schützt es sich selbst, dem die Souveränität über sein Territorium schon halb entwunden ist. Zwischen Bombenterror und
Regimeterror besitzt die Bevölkerung keine Wahl, als ihre Haut
vor beidem zu retten. Der Lebensschutz erringt mit einem dreiviertel Prozent Verlust einen, gemessen an der Vernichtungsener-
gie, kolossalen Erfolg. Auch das Regime bleibt von innen unbesiegt.*

I m Krieg nimmt man Deckung. Die Stadt war einst ein befe-
stigter Platz, von einer Mauer umschlossen, die Kanonenkugeln standhielt. Als sie durchschlugen, festigte man die Umwal-
lung. Die Kunst des Festungsbaus bestand in der Verschachtelung
von Hindernissen gegen den Anmarsch eines Feindes, der aus der
Ebene kam und gegen ein Bollwerk prallte. Solange Gebäude
nach oben ragen und der Feind horizontal angreift, ist die Stadt
ein Schutz. Seitdem die Artillerie elliptisch in die Stadt hinein-
schoß, war sie im Nachteil gegen den Belagerer. Zwar besitzt sie
Geschütze und schießt zurück, ist aber vom Nachschub isoliert
und hoch verletzlich, der Zivilansammlung wegen. Der Bombe
aus der Luft widersteht besser eine Waagerechte, die Erdgleiche.
Der Schutzsuchende weicht in die Tiefe.

Als die Stadt Nürnberg im Herbst 1940 gemäß Führerbefehl
mit dem Bau bombensicherer Luftschutzbunker begann, entsann
sie sich des Katakombensystems, welches das Mittelalter in den
Sandsteinfelsen getrieben hatte, auf dem die Burg steht, die kaiserliche Festung. Die Gewölbe verfügten über Lüftungsschächte,
sie hatten zu Aufenthalt und Flucht gedient in Zeiten der Eroberung und Brandlegung. Sie wurden im April 1943 durch Querstollen vernetzt, feuchtigkeitsisoliert und mit Klinkern verkleidet.
Damit waren fünfzehntausend Schutzplätze gewonnen. Alles
mögliche unter der Erde Verschollene wurde geöffnet in Deutschland, verlassene Bergwerke, Geheimgänge, die entfernte Gebäude
verbanden, Minen, natürliche Höhlen, Steig- und Kriechschäch-
te, Lagergewölbe und der unermeßliche Reichtum früherer Bierkeller.

Neben den Labyrinthen, die bange Geschlechter in den Boden
gegraben hatten, belebte sich ein Lokal von minderem Prestige,
das Lager der Kartoffeln, Konserven und Kohlen, Fässer und Fla-

schen, der Keller. Die Moderwelt der Häuserkeller wurde zum Versteck der Person. Stube und Bett, Gastwirtschaft und Straße ließen bei der Penetranz der Abwurfmasse keine Ruhe mehr zu. Diese Umgebung konnte binnen einer Viertelstunde eine kochende, von Druckwellen, Funken und Stahlsplittern durchsetzte Todeszone sein. Das sagte nicht etwa die Einbildung, sondern gellte 1944 nahezu täglich die Luftsirene. Die Schlacht der Feldsoldaten war 1914 so weit industrialisiert, daß sie aufrecht nicht mehr vorankamen. Die Geschoßdichte ließ dazu keinen Platz, also verschwand das Heer im Graben, das Schlachtfeld war leer bis zur Ankunft des Panzers. Indem die Stadt zweite Front wurde, mußte auch der Zivilist in eine Panzerung oder nach unten. Die Bürger waren gehalten, möglichst angezogen im Bett zu ruhen und ein Schutzraumgepäck griffbereit zu stellen. Darin sollten Ausweis und Wertpapiere, Verträge, Familiendokumente, Juwelen, Wäsche, Handtuch und Bargeld enthalten sein. Außerdem Stahlhelm, Gasmaske und warme Kleider. Die Ohren waren geeicht auf einen sinusförmigen, zwischen 300 und 400 Hertz rasch wechselnden Heulton gleicher Stärke, der akustisch eindringlichste Laut. Es blieben dann noch zehn Minuten Zeit, sich in Sicherheit zu bringen.

Die Sirene war die verstellte Stimme des Staates im Krieg, der mit den Bürgern eine Reihe von Signalen verabredet hatte, welche die Luftlage darstellten. Sie beschallte einen Radius von fünfhundert Metern, eine Großstadt benötigte Hunderte und Tausende davon. Warnstellen schalteten den Alarm, von einer Warnzentrale informiert, die an die Radarstationen angeschlossen war. Radar und Warnstellen signalisierten den Zeitpunkt der Gefahr, den Inhalt der Nachricht übermittelte ein Code von Tönen, es war eine Staatsdurchsage. Die sich komplizierenden, zuletzt nur schwer verständlichen Signale besagten in etwa: Erstens: Ein Bombenangriff könnte bevorstehen, doch solle man weiter nichts tun, als auf der Hut sein. Zweitens: Ein Bombardement steht bevor, in zehn Minuten muß alles im Schutzraum sein! Drittens: Der Angriff könnte zu Ende sein, man soll jetzt herauskommen. Viertens: Die Gefahr ist vorüber.

Die Bomberstaffeln wählten Anflugrouten, die das Ziel schwer erkennen ließen, nahmen bizarre Umwege, brausten vorüber und kamen zurück. Wenn Bomber Command Hannover überquerte, ging in Berlin, wer konnte, in den Keller. Dazu Braunschweig, Magdeburg, Leipzig, wer von ihnen war gemeint? Vom Standpunkt des Angreifers ist der falsche Alarm der richtige, weil er das Objekt zermürbt. Es soll sich nicht entziehen, ständig blinde Warnungen hören und keine zur rechten Zeit.

Mit der Dauer des Luftkriegs lockerte sich das Reglement. Die ungeheure und ungehinderte Zahl von Bombenflugzeugen über dem Reich verwirrte alle Vorhersagen. Die Angriffsgefahr ist weit häufiger als der Angriff. Um Alltag und Arbeit nicht ständig zu unterbrechen, wird die Gefahr ertragen ohne Reaktion; sie gräbt sich inwendig ein. Dem Reflex zur Flucht kann man nicht stattgeben und lebt unter akuter Angst. Jahrelang reale Angst auszuhalten ist gewissermaßen der Schattenwurf der Vernichtung. Vernichtet wurden wenige, im Schatten aber standen sehr viele die meiste Zeit. Der im August 1942 eingeführte Sirenencode ›Öffentliche Luftwarnung‹, der die Eventualität der Bomben meldet, ohne daß Beschäftigte etwa die Schutzräume aufsuchen durften, hat aus der Angst einen öffentlichen Zustand gemacht. Sie ist keine private Hasenfüßigkeit; die Bomber sind unterwegs und unberechenbar.

Von 1943 an wurden die Bewegungen der unentwegt den Himmel passierenden Schwärme in ständiger Ansage vom ›Drahtfunk‹ gemeldet, ein über Telefon- und Stromkabel hergestelltes Funknetz. So begannen in gefährdeten Städten viele, die Nächte grundsätzlich im Schutzraum zu verbringen und gegen Ende auch den Tag. Sie lebten dort.

Im August 1939 verpflichtete die 9. Durchführungsverordnung zum Luftschutzgesetz alle Hausbesitzer, das Kellergeschoß luftschutzmäßig auszubauen. Es muß die Wucht des zusammenbrechenden Hauses auffangen können, es darf durch Fenster und Luken keine Splitter eindringen lassen, auch kein Gas. Ferner brauchen die Insassen einen zweiten Ausgang. Das ist viel verlangt von Häusern, deren Erbauer in der Gründerzeit oder zuvor keinen Begriff davon hatten, daß das Domizil der Mäuse einst die Festung sein sollte, in der die Bewohner den Einsturz des Gebäudes auszuhalten hofften. Das ältere Tonnengewölbe erwies sich als die tragfähigste aller Kellerdecken. So in Frankfurt am Main, wo mittelalterliche Fachwerkhäuser mehrgeschossige, vorzüglich gewölbte Keller besaßen. Diese waren mit einem rätselhaften Mörtel gemauert, härter als Zement. Niemand kannte seine Komposition, aber die Altstadtbewohner trauten dem und suchten keinen anderen Schutzraum auf.

Moderne Kellerdecken trugen gewöhnlich den Schutt des Hauses, wenn sie mit Eisen- oder Holzstempeln abgestützt waren. Räume sollten nicht größer sein, als fünfzig Menschen zu fassen, sonst gehörten dicke Zwischenwände eingezogen, die zugleich die Außenwände versteiften. Um die 30-Pfund-Brandbombe abzuwehren, dazu konstruiert, die Zwischendecken zu durchschlagen, riet sich eine zusätzliche Verschalung.

In Hamburg und Düsseldorf, dort bei neun Zehnteln der Häuser, ragten wegen des hohen Grundwasserspiegels die Umfassungsmauern weit über das Erdreich und boten dem Luftdruck und -sog zuviel Angriffsfläche. Deshalb drohten die Auflagen der Kellerdecken zu schaukeln. Dem wurde mit Anschüttung von Trümmermasse vorgebeugt, verklebt mit Sand, Lehm und Zement. Gegen die Erschütterung war der Keller gewappnet. Auch wenn die Erdbeben des Großangriffs alles Gemäuer schwanken ließen wie bei Seegang und Männer sich zu Dutzenden gegen die Stempel stemmten, damit sie aufrecht blieben, bewies der Keller, daß ihn die Mechanik des allgemeinen Einsturzes wenig anficht. Die stabilisierte Kellerdecke fügte sich in die Erdkruste, und die Erde fällt nicht um.

Die Gefahr lauerte woanders. Das Trauma des Kellers war die Verschüttung. Die Einsturztrümmer verschlossen die Ausstiege und machten das Refugium zur Gruft. Dann blieb als einzig möglicher Weg der vom Keller in den Keller nebenan und immer weiter, bis eine Stelle erreicht war, die ins Freie führte. Die Herstellung eines solch unterirdischen Gängebandes, das unübersehbar viele Häuser zueinander öffnete und verkettete, stieß auf Unbehagen. Man argwöhnte, daß Diebe kämen, darum wurden die Trennwände, die zumeist auch die Brandmauern waren, durchschlagen und locker zugemauert, das Loch mit roter Farbe markiert. In der Not zerbrachen wenige Hammerschläge nur die Füllung. So verlangte es das Gesetz, die Kosten trug in den Großstädten die Regierung.

Die Kellerdurchbrüche retteten viele, zumal wenn die Wege zu einem Gitter von Fluchtlinien gekreuzt waren, wie es der Magistrat von Frankfurt unter die Altstadt legte. Die 36 000 Frankfurter, die unter ihren Häusern Deckung nahmen, konnten zur Not zwölfhundert Meter vom Eschenheimer Tor bis zum Main flüchten. In Kassel existierten ebenso viele Kellerketten, endeten aber stets da, wo der Block endete. Im Kessel des Flächenbrandes ist solch ein Gang meist zu kurz, es gibt nur noch Ausstiege in die Flamme. Im Brandkrieg schützt die Erdhöhle nicht lange, weil er die Luft vergiftet. Doch das ist unberechenbar. Verbrennung erzeugt Hitze und Gas, die Hauptangriffsmittel auf den Leib. Das Feuer zündet ihn selten an, sondern setzt ihn unter Strahlungshitze oder Kohlenmonoxid. Von einem ungewissen Moment an hört der Schutz des Kellers auf, er muß verlassen werden, sonst erstickt der Insasse oder erliegt dem Hitzschlag. Der Keller bewahrt, wenn das Haus in Flammen steht, eine trügerische Kühle. Man wähnt sich dort am besten aufgehoben. Außerhalb detonieren Sprengstoffe, sprühen Funken, und kochendes Häusermagma jagt durch die Gegend. Dann, wenn alle Instinkte zu bleiben raten, muß das Fluchtloch aufgegeben werden. Das Gestein nimmt langsam die Strahlhitze auf, glüht durch und wird zum Ofen.

Die Faustregel besagte, den Keller zu verlassen, sobald das Haus brennt und wenn Rauch einzieht. Die Tiefe nimmt an der Luftzirkulation teil und ist gegen die Brandgase nicht abgedichtet. Sie sind geruchlos, die Rauchbildung warnt, aber nicht zuverlässig. Zahllose Kellerbesatzungen sind für immer eingeschlafen neben den Schwelbränden von Kohlevorräten. Die Gase strömten oft durch jene Mauerdurchlässe, die dem Entkommen dienten. In der Aufregung hackte man sie häufig offen, sobald die ersten Einschläge kamen. Dann war nötigenfalls der Weg schon frei; doch ebenso für das Oxid. Vorratskohle von irgend jemandem, irgendwo nicht entfernt, fing Wärme auf, begann zu schwelen und schickte Gase längst durch den Block. Die Brandchemie generiert

sie in reicher Form, nie existierte solch ein Herd: Schwelendes La-
gergut, das Haus darüber in hellen Flammen, der Sog reißender
Straßenwinde, die Unterdruck im Keller erzeugen, welcher seinerseits Gase aus oberen Brandstellen hinabzieht, der ›Injektoref-
fekt‹. Alles das leitet in die Kammern ein.

Das Feuer hat auf seinem Gipfel zwei unerträgliche Räume
hervorgebracht, den lodernden Außenraum und den gaserfüllten
Innenraum. In Kassel und Hamburg wurden siebzig bis achtzig
Prozent der Brandopfer im Keller vergast. Amerikanische Rechercheure berechneten die Todesursachen des Bombenkriegs mit insgesamt 5 bis 30 Prozent als Folge von Explosionen, Druck und
Trümmerschlag, mit 5 bis 15 Prozent als Wirkung von Heißluft
und mit 60 bis 70 Prozent als Kohlenoxidvergiftung.

Der Kasseler Polizeipräsident stellte zum Kohlenoxidgas fest:
»Dieses unbemerkt tödlich wirkende Gas kann sich bei allen
Bränden entwickeln und wird daher bei Großbränden stets auftreten, auch wenn keine Kohle zur Entzündung kommt.« Durch
Mauerdurchbrüche sei das Oxid in Keller gedrungen. Wer davor
in die Altstadtstraßen geflüchtet sei, konnte im Laufschritt dreißig Meter vorankommen, wenn danach ein Freigelände von hundert Quadratmetern Durchmesser kam, auf dem Atemluft vorhanden war. »In engen Straßen ist ohne weiteres damit zu
rechnen, daß Menschen spurlos verbrannt sind. Die Luft war so
heiß, daß man das Gefühl hatte, nicht mehr atmen zu können.«
Zudem »ergaben sich durch einstürzende Häuser, herabfallende,
brennende Balken und Mauerteile dauernd lebensgefährliche Si-
tuationen«. Die Menschen seien verleitet worden, »von Mauerdurchbruch zu Mauerdurchbruch zu wandern, um schließlich in
einem sicher erscheinenden Luftschutzraum zusammengedrängt
den Tod zu erwarten. Für viele Menschen hätte es die Rettung
vor dem Erstickungstode bedeutet, wenn von dem System der
Mauerdurchbrüche aus noch unterirdische Stollen aus dem Alt-
stadtgebiet heraus an die Fulda und Aueseite geführt hätten.«

Das war das Versäumnis des Polizeichefs als örtlicher Luft-
schutzleiter. Er hatte neuntausend Kellerdurchbrüche schaffen
lassen, die meist an der gleichen Stelle mündeten, im Feuer. Die
Geschehnisse der Nacht zum 23. Oktober 1943 sind eingelassen

in die Berichte von 120 Davongekommenen, die fünf Monate später die Vermißtensuchstelle Kassel protokolliert hat: »Ich war an dem Bombenabend mit meiner Frau zu Hause. Wir waren allein, denn unser Sohn steht als Soldat im Osten. Nach dem Abendessen hörte ich den Rundfunk, der aber gegen 7.40 Uhr aussetzte, und habe zum ersten Mal während des Krieges Koffer und meine sonstige Habe in den Keller des vierstöckigen Wohnhauses gebracht. Das Heruntertragen war mir sehr beschwerlich, weil ich beinamputiert bin.« Die Frau wehrt die Umstände ab. »Was du immer nur hörst!« Das Fabrikantenpaar tritt auf den Balkon und beobachtet den südwestlichen Himmel, er war dunkel und bewölkt. Auf dem Pflaster hallten Schritte letzter Passanten, später Abend, man geht nach Haus.

Das Verstummen des Rundfunks deutet auch die Hausfrau Dorothea Pleugert, geb. Herzog, als ein Zeichen. »Da haben wir uns angezogen und die Kinder angezogen. Wir machten noch Spaß, ich habe alles reine gemacht, heute kommt der Tommy.« So hießen die Briten. Die Glasermeisterin Ottilie König vom Pferdemarkt feierte ihren 50. Geburtstag und setzte sich an den gedeckten Tisch, »als die Sirene ertönte. Haben dann unsere bereitstehenden Koffer und die Garderobe, die im Schrank hing, mit in den Keller genommen.« Dieser lag mit der Sohle 3,60 Meter tief unter der Straße. Eine Luke führte in die Garage, verschlossen von einem Deckel. »Durch den Luftdruck flog der Deckel immer hoch und setzte sich wieder fest. Wir duckten uns immer und dachten, jetzt kommt's runter.«

Nach den Beobachtungen des Amputierten über die jüngsten Terrorangriffe auf andere Städte sind diese alle kurz nach der Dämmerung erfolgt. Propellergeräusche summen in der Luft, es können auch Überflüge sein. Die Sirene ruft vom Schulgebäude. Kein Flakscheinwerfer strahlt, »trotzdem wurde mir unheimlich. ›Komm, wir wollen in den Keller gehen, ich glaube, es stimmt nicht‹.« Die Eheleute sind die ersten im Keller. Soeben angelangt, »öffnen sich die Schleusen der Hölle, daß man glauben konnte, der Weltuntergang wäre gekommen. Die übrigen Hausbewohner kommen fluchtartig in den Keller gestürzt. Die meisten nur mit wenig Handgepäck und zum Teil auch unzureichend bekleidet.«

Die Soldatenfrau Elisabeth Schirk hatte den Alarm nicht gleich gehört.»Mein Mann war in Urlaub, es war etwas lebhaft bei uns.« Als beide in den Keller steigen, sitzen alle Hausbewohner schon da.»Wir hörten Einschlag auf Einschlag. Wir dachten, es stürzte alles über uns zusammen. Rauch kam nicht rein, auch kein Kalkgeruch, aber nach Dreck roch es schon. Und da sind wir durch den Durchbruch durch 7 durch und gleich nach 5. Und da haben wir 'ne Zeit gestanden und mal in die Ecke und mal in die Ecke gegangen.«

Gretel Simon, die junge Mutter Irmgards und Brigittes, sieht im Moment des Alarms den Volltreffer auf den Gasthof ›Sommer‹ im Graben.»Und da sage ich noch zu meiner Oma ›sieh mal, die Leute sehen alle so schwarz aus, die da durch einen Schacht rauskommen‹.« Dann eilt sie mit Großmutter und Kindern zum gut ausgebauten Keller im Gasthaus ›Zur Pinne‹.»Wenn ich bei uns geblieben wäre, dann wäre ja alles gut gewesen. Was in der Pinne los war, das kann ich gar nicht so gut erzählen, weil ich ohnmächtig wurde, und wenn ich wieder aufgewacht bin, dann hat meine Tochter geschrien, ›Mutti, ich ersticke‹.«

Der Luftschutzkeller des amputierten Fabrikanten»war nach menschlichem Ermessen gut vorgerichtet. Bei den ersten Bombenabwürfen gegen 20.25 Uhr flogen die Mauersteine des Durchbruchs wie Schuttbrocken herum. Nun erfolgte nach jedem nahen Einschlag ein Staub- und Luftwirbel durch die Kellerlöcher, daß man jeden Augenblick glauben mußte, das Haus stürzt in sich zusammen. Das Einkrachen der nahegelegenen Häuser drang schauerlich herein, das furchtbare Donnern von zwei umgefallenen Fabrikschornsteinen, die beide auf Nachbargrundstücken einschlugen. Ein Blick durch das Kellerloch gab nur einen kleinen Teil des Himmels frei, der glutrot erstrahlte.«

Nach einer dreiviertel Stunde wurde es stiller, zwei Mann stiegen empor,»sie kamen aber sofort zurück mit der Schreckensbotschaft: alle Häuser, die ganze Nachbarschaft brennt. Das eigene Haus aber brannte noch nicht.«

Dorothea Pleugert, die keinen eigenen Hauskeller hatte, war in die Wildemannstraße 30 gegangen, wo bereits die Bewohner von 32 saßen,»weil dort gleich alles brannte. Dann kam unser Hauswart und sagte, wir müßten raus, das ganze Haus brennt schon, aber macht nur keine Aufregung. Dann ist ein Mann durch den Durchbruch gegangen, einen Fluchtweg zu suchen. Da rief der Mann: ›Es ist unmöglich, hier steht alles in Flammen.‹ Dann wollten wir bei Frege raus auf die Straße, da ist der Phosphor die Treppe runtergelaufen. Da sind wir wieder zurückgelaufen.«

Ottilie König, die Glasermeisterin, wußte nicht, was tun, das Haus brannte im dritten Stock. »Die Männer unternahmen noch Löschversuche, als sie dann zum Fenster raus sahen, stellten sie fest, daß bereits die Altstadt ein Flammenmeer war. Sie kamen runter in den Keller und mahnten, wir sollten uns bereitmachen, den Keller zu verlassen, weil das Feuer immer tiefer kam.« Aus den Kellern vom Pferdemarkt kamen Leute und fragten, was zu tun wäre. Sie kamen durch die Kellerdurchbrüche und suchten nach einem Ausweg. »Wir sagten ihnen, daß bei uns die beste Möglichkeit wäre, weil man schräg über die Straße zur Kasernenstraße laufen konnte und dann zum Martinsplatz. Die meisten achteten nicht darauf und krochen weiter durch die Keller.«

Die Soldatenfrau Schirk und ihr Mann hatten kein Glück. »Die Männer haben dann versucht, ob wir nicht mal rauskonnten und wo dann das Licht ausging, da sagte mein Mann, ich sollte mich mit der Kleinen dahin setzen. Er ist immer noch da rumgelaufen und hat versucht, wie er uns retten könnte. Zuletzt, als er nicht mehr konnte, sagte er: ›Komm, wir legen uns da hin, es hat keinen Zweck.‹ Die Menschen in dem Raum waren ziemlich ruhig, nur die kleinen Kinder schrien furchtbar.« Die Eltern, ihr zwölfjähriger Knabe und das kleine Mädchen legten sich zum Schlaf.

Gretel Simon weckte das Rufen ihres Kindes aus der Ohnmacht. »Die lag unter lauter Toten da im Keller. Und ich hatte meine Jüngste auf dem Arm und das Kind hat noch bis sechs Uhr morgens gelebt ...« Gretel Simon wurde von den Gasen wieder ohnmächtig. »Weil die Große immer geschrien hat, darum bin ich immer wieder aufgewacht, das war wohl gut.« Da lag das Jüngste vor ihren Füßen. Weil kein Licht schien, konnte sie Irmgard, die Ältere, hören, nur nicht sehen. »Und ich wollte eine Nachbarin fragen, ob sie Streichhölzer hätte, da war die Frau schon tot und kalt.«

Der amputierte Fabrikant war anbetrachts der zunehmenden Brandhitze zum Ausbruch entschlossen. »Als ich diese Meinung im Keller bekanntgab, setzte eine allgemeine Unruhe ein. Auch meine Frau sagte ›wir müssen hier raus, die Brandmauer kommt auf uns zu‹.« Die Nachbarn legten sich lang auf die Erde, eine Frau hielt sich den Kopf mit beiden Händen und zog die Jacke über die Ohren. »Die kleine Marga rief immer ›gehen wir jetzt tot‹? Einer sagte, ›hier kommen wir nicht mehr raus, es brennt überall‹.« Die Ausbrecher tauchten Decken, Mäntel und Hüte in Wasser, jeder nahm vom Fabrikanten einen Schluck Cognac. »Es war französischer Hennessy. Den hatten wir aufgehoben.« Als man im Freien stand, prallte die Gruppe zurück. »Der erste Blick auf die Straße war ein Blick in die Hölle. Alle Häuser, fast jeder Pflasterstein brannte wie mit Sauerstoffgebläsen angetrieben.« Einige wollten zurück in den Keller. »Dann können wir auch auf der Straße sterben«, sagte der Amputierte, »wenn nur der Holzhaxen nicht anfängt zu brennen.« Er kam mit dem Bein nicht über die Schutthaufen.

Inzwischen hatten Dorothea Pleugert und die Leute aus der Wildemanngasse einen Ausstieg gefunden, waren eine halbe Stunde durch Feuer geirrt und mußten sich in einem Keller der Stadtreinigung bergen, es ging nicht weiter. »Da kam die Polizei und Feuerwehr: Wir sollten rauskommen, sonst werden wir verschmoren! Da sprachen viele: ›Wir wollen warten, bis ein Auto kommt.‹ ›Da könnt ihr lange warten.‹ Dann war da noch eine Frau in diesem Keller, die mußte entbinden. Und weil keiner da war, der ihr helfen konnte, war da ein Mann, der hat sich die Hände gewaschen und wollte ihr helfen. Mehr weiß ich nicht von dieser Frau.«

Die Glasermeisterin wurde gegen halb zehn von ihrer Tochter und deren Freundin zur Flucht angetrieben. »Nun macht los, wir wollen doch nicht ersticken.« Ottilie König gab ihr die Einkaufstasche mit, darin »unsere Bestecke mit Brot und Butter«. Sie sollten zum Martinsplatz laufen, wo sie genügend Luft fänden. »Und das war das letzte, was wir von ihnen gesehen haben.« Die Mutter nahm ihre Mutter bei der Hand, verlor sie bald. »Ich selber wurde vom Feuersturm in die Martinskirche getrieben, wo sich dreihundert Personen bargen, bis sie uns über dem Kopf abbrannte. Die

Orgel brannte, der Chor, das Dach, die große Glocke war heruntergestürzt.« Eine Wehrmachtseinheit brachte die Insassen heraus. »Jetzt bin ich mit meinem Mann allein, es war unsere einzige Tochter.«

Dorothea Pleugert die nun mit der Frau Pfarr und deren drei Kindern noch im Reinigungskeller wartete, traute sich nicht heraus, auch weil die Kinder beschwerlich waren. »Da kam einer und sagte, sie sollte gleich raus, er würde das andere Kind, das hinten im Keller stand, noch mitbringen. Sie aber hat sich geweigert und sagte ›ohne mein Kind gehe ich hier nicht weg‹.«

Der Amputierte war mit seiner Gruppe zufällig auf eine breite Straße geraten, »sonst hätten wir uns nicht retten können. So kamen wir auf den Unterstadtbahnhof, wo schon viele Menschen waren. Wir glaubten, jetzt erst mal Luft schnappen zu können. Luft, Luft, Luft. Um uns ein Bild des Entsetzens. Mütter mit ihren kleinen Kindern hockten auf der nackten Erde und sanken um vor Erschöpfung. Eine Frau rief nach ihren Mann: ›Habt Ihr nicht meinen Mann gesehen?‹ ›Liebe Frau, wie soll ich Ihren Mann kennen?‹ ›Ja so 'nen einzelnen Mann.‹ Eine andere Frau schrie immerzu: ›Ich habe alles verloren, ich habe alles verloren.‹ ›Ach machen Sie uns nicht auch noch verrückt, seien Sie still, wir haben auch alles verloren.‹ Wir hatten die Taschen voller Äpfel gesteckt. Ich hatte einen Apfel in der Hand und gab der kleinen Marga auch einen, da kam eine Frau, ›ach lassen Sie mich doch nur mal beißen‹. Da hat sie mir den Apfel fast weggerissen. Der Durst war unerträglich. Und dann war da Herr Lingens. Der legte sich lang auf die Erde und weinte. Wir fragten: ›Wo ist Ihre Tochter und Ihr Junge?‹ ›Ich weiß von nichts, ich weiß von nichts. Sie haben sich gerettet, aber mit schweren Verbrennungen.‹ Unsere Hoffnung war, wir hätten wenigstens die Sachen im Keller gerettet. Hier hatten wir alles runtergeschafft: Geschirr und Betten und Decken und Kleider und Hüte und Schuhe und Pelze und die ganze Buchhaltung, die Kasse. Das hat alles der Churchill geholt, der Sauhund.«

Dorothea Pleugert hatte es mit Freundin und drei Kindern zur Fuldabrücke geschafft. »Dann sind wir über die Schlagd. Als wir dann oben auf das Rondell kamen, stand da eine Frau mit einem

Kind auf den Armen. ›Das Kind hat mir einer in die Hand gedrückt, das gehört mir gar nicht.‹« Als Dorothea Pleugert auf der Suche nach ihrer Mutter am Morgen an der Pinne vorbei kam, trug man Lebendige und Tote auf Bahren heraus. »Die Kinder, die da aus der Pinne geborgen wurden, waren meist in Tücher eingewickelt, wir konnten sie deshalb nicht so erkennen. Auch die Gesichter waren meist entstellt.« Es waren Soldaten, die um halb acht in der Pinne auch die Gretel Simon ausgruben. »Ich wurde da wach. Ich rief ›lieber Mann, helfen Sie mir doch, das Kind rauszuziehen‹. Ich konnte mich gar nicht stellen, weil die Toten alle vor meinen Füßen lagen. Da kamen zwei Soldaten, dann haben die das große Kind rausgeholt und mich. Das kleine war schon eisekalt.«

Am Sonnabend früh erwachte die Soldatenfrau Elisabeth Schirk, die sich im Keller mit ihrer Familie zum Schlafen gelegt hatte, in der Jägerstraße auf dem Pflaster liegend und wurde in ein Rotkreuzlager transportiert. »Am anderen Morgen hatte ich so 'nen Jammer nach meinen Lieben und da habe ich versucht, ob ich laufen konnte. Nun bin ich vom Roten Kreuz bis zur Jägerstraße alleine gelaufen, halb ohnmächtig. Und da lag mein Mann tot auf der Straße. Und da hieß es, es wäre Fliegeralarm, da mußten wir weg. Da bin ich in den Bunker an der Schlagd gelaufen. Und wie der Alarm vorbei war, da bin ich noch mal dahin gegangen und wie ich an die Jägerstraße kam, da lag mein Junge als erster, den hatten sie in der Zwischenzeit erst rausgeholt. Da habe ich so geschrien, da haben sie mich weggeschickt. Eine Frau hat mir erzählt, sie hätte meinen Mann auf der Straße sterben sehen, warum sind die erst am Sonntag rausgeholt worden? Mein Mann war jung und stark, der hätte sicher noch gelebt.«

Weil der Keller Schutz- und Grabkammer in einem war, wurde viel um den Punkt des Übergangs debattiert. Es galt, den Keller rechtzeitig zu verlassen; wann diese Zeit gekommen war, hing von der Angriffswirkung ab. Was tat sich im Freien? Die Sicht war schlecht. Vor den Kellerfenstern hafteten Betonblenden gegen Splittereinschlag, vor den Türen explodierte Zeitzündermunition. Die Lage, die man unten nicht sehen konnte, war oben unübersichtlich, wandelte sich minütlich, richtig haben die Überlebenden gehandelt, falsch die Toten, anders war es nicht zu erkennen. Außerdem trübte sich das Verständnis, je länger man nachdachte. Der Sauerstoff nahm ab und dadurch die Einsicht. Eine bleierne Müdigkeit senkte sich auf das Hirn. Die es besser wußten, versuchten die mitzureißen, denen alles gleich war oder die Mühe zu groß, der Entschluß zu schwer, das Risiko zu hoch. Geratschlagt und gefleht wurde auf Leben und Tod. Ehegatten brachten Gattinnen nicht zum Ausbrechen, weder mit Bitten noch mit Gewalt. Größere Kinder verließen zaghafte Mütter, die einen rannten ins Verderben, die anderen erstickten, den Glücklichen half der Zufall, und dies war die Mehrzahl. Vom Pech der Verlierer haben die Bergungsmannschaften und die Anatomen berichtet.

Das Einatmen des Gases hat die Herztätigkeit beschleunigt, eine Beklommenheit trat ein, bevor das Bewußtsein ins Bodenlose absank. Anders das Schwinden des Sauerstoffes, der mühselig gesucht, geschlürft wird, zuletzt in der Bodenschicht, denn unten schwebt der Rest. Die Hamburger Anatomen Gräff und Baniecki haben die noch warmen Keller untersucht und exakte Beschreibungen der menschlichen Überreste angefertigt. »Vielfach saßen sie auf Stühlen oder auf Treppenstufen in Reihen oder einzeln auf Bänken; ja, ich konnte eine Leiche stehend an der Wand gelehnt auffinden, andere lagen in irgendwelcher Haltung auf dem Boden. Nicht selten waren sie mit Tüchern überdeckt, oder sie hatten irgendwelche Gegenstände, einen Stahlhelm oder wollenes Zeug auf dem Kopfe und im Gesicht gelegentlich auch eine Gasmaske angelegt.« Die Beschreibungen wiederholen die Bemerkung »wie schlafend«. Aus Darmstadt ist die Öffnung von Kellern überliefert, »in denen der Koks gebrannt hatte«. Bergungstruppen der Wehrmacht »waren nur noch unter Alkohol zu bewegen«. Die Geborgenen »saßen da wie Geister, vermummt, mit Decken und Tüchern vor dem Gesicht, mit denen sie Schutz vor dem Rauch gesucht hatten«.

Der Keller als Zuflucht des Leibes im Brandkrieg war unerläßlich, weil es genug davon gab. Wie stellt man eineinhalb Millionen Hamburgern plötzlich eine feuersichere Nebenunterkunft hin? Erst im Sommer 1943 dämmerte, daß eigentlich nichts anderes übrigblieb. Die Bomberschwärme würden durch Jägerkämpfe ebensowenig verschwinden wie durch Beschuß der Flak. Der Krieg aus der Luft wollte durchgestanden sein und ließ den meisten Deutschen keinen besseren Schutz als ihren Keller. Undurchschaubarerweise wechselten die vertrauten Gewölbe im Brandangriff über zum Feind und wurden feindlich. Auch ständige Aufrufe, die Kohlevorräte auszulagern, begegneten teils Folgsamkeit und teils der Frage, wohin? Man rechnete nicht damit, von seinen Briketts vergast zu werden. Aus Trägheit blieb der Punkt offen. Anders das in der Sache nicht lösbare Problem des Luftzugs. Häuserbewohner zieht der Instinkt in den Keller, wenn im Freien etwas explodiert, splittert und brennt. Die Kühle unter der Erdgleiche ist aber nur eine Zeitverschiebung. Der Keller ist ein erkalteter Ofen. Wie ein Heizstoff überträgt der brennende Block die Glut in das Kellergestein, das sie aufbewahrt. Bergungsmannschaften konnten Tage bis Wochen nach Flächenbränden verschüttete Keller nicht anfassen, weil zuviel Hitze in ihnen steckte. Die Brandleichen waren, wenn nicht von der Flamme berührt, mumifiziert, und in der Anatomie erst ließ sich prüfen, ob Gas, Sauerstoffverlust oder Hitze den Tod bewirkt hatte. Man wollte es wissen. Damit eine Kammer zum Ofen wird, muß Zugluft hineinkommen.

Die Luftschutzorgane Dresdens begannen nach den Erfahrungen von Kassel Ende 1943 damit, die Altstadtkeller durch unter die Straßendecke minierte und ausgemauerte Gänge zu vermaschen. Gänge und Keller fügten sich zu einem Maschennetz. Die in Kassel versperrte Flucht zur Fulda sollte in Dresden von jeder der Maschen nördlich zur Elbe und südlich zum Großen Garten führen können. An der Elbseite bestanden auf dem Neumarkt, dem Schloß- und dem Postplatz geräumige Ausstiegsschächte. Auf der Gegenseite, Richtung Hauptbahnhof, Ammon-, Wiener- und Lennéstraße existierten keine eigenen Ausgänge, sondern jede Haustür mochte dazu dienen.

Dresden fehlten die Bunker. Das Katakombennetz der Häuserkeller gab Deckung, die Elbwiesen und der Große Garten gaben Kühle und Luft. Dieses System versagte. Der Keller hielt die Insassen fest, und Tausende sind darin verkommen, bedingt durch die Zugluft.

Die Maschengänge unter der Altstadt dienten dem Einstieg und Ausstieg. Dem Plan zufolge stieg man mit Beginn des Bombenfalls ein, schützte sich vor Splitterbruch und Flammen und stieg aus, wenn die Bomber nach dreißig bis sechzig Minuten umkehrten. In der Zeit hielten die Keller die Kühle. Wenn der Stein allmählich Brandhitze aufnahm, wechselte man zu den natürlichen Frei- und Fluchtzonen. Das Konzept bedachte nicht die Ofeneigenschaft des Kellers und auch nicht das Verhalten von Menschen, die dessen gewahr werden.

Die Dresdner Altstadt hatte in den Kellersohlen ein Niveaugefälle bis zu eineinhalb Metern. Das Maschennetz bildete keine Ebene, es gab ein Oben und ein Unten. Brennt ferner ein gesamtes Stadtviertel, so dringt auch Feuer in die Tiefe, entzündet Vorräte, Vorratsregale, Lattenverschläge und Kohle; isolierte, leicht löschbare Vorkommnisse. Doch kam eines hinzu: Die Menge der Schutzsuchenden steigt nicht zugleich ein. Passanten kommen verspätet gerannt, finden eine Tür oder Luke, gerettet! Der höher gelegene Einlaß wird unordentlich verschlossen, Öffnungen klaffen, ein Kamineffekt tritt ein, die Kleinfeuer erhalten Zug aus mehreren Quellen, lodern empor. Heißluft will aufwärts. Das Element ermüdet nicht an Biegungen und Ecken, es fegt durch das Gitter der Gänge zu seinem Ziel. Dabei schleudert es Glut in alle an die höher gelegenen Gänge grenzenden Keller. Über hundert Belegschaften wurden hier von Heißluft gedämpft und geröstet.

Die Erregung der Insassen ließ sie binnen weniger Minuten fast alle Mauerdurchbrüche öffnen und den Sog multiplizieren. Hitze, Gase, Flammen, Rauch schlugen durch das ganze Labyrinth. Die Fluchtbewegung der Insassen quillt die Gänge hinauf. Die Gänge sind verstellt von Gepäck, Kinderwagen und Wartenden. Die ganze Altstadt läuft da herum und verengt den Querschnitt des schmalen Korridors. Er ist auf langsame Leerung berechnet. Eine panische Masse, die sich dort hindurchkämpft, haut, quetscht und trampelt tot, was quer steht. Das geschah. Mehrere Fälle sind berichtet wie von jenen fünfzig Personen, die dermaßen sich ineinander verkrallt hatten, daß sie wie ein Pfropf im Gang klemmten, gemeinsam starben und noch bei der Bergung gewaltsam voneinander gelöst werden mußten.

Der engmaschige Bau in der Erde erschuf Figuren des Irrsinns der Welt: Unter der Ecke Margarethen-, Marienstraße gegenüber dem Hotel ›Drei Raben‹ verband eine Hängetür zwei rechtwinklig aufeinanderstoßende Gänge. Zwei Kellerbelegschaften stürzten in nämlicher Sekunde aus entgegengesetzter Richtung auf die Tür, die nun zu keiner Seite mehr öffnete. Beide Gruppen sanken vor dem Hindernis zusammen, das sie selber waren, deshalb nicht ändern konnten, und der Hitzetod hat sie vereint.

Unter der Moritzstraße befand sich eine Tür aus Stahl, die nur 80 mal 60 Zentimeter maß. Sie verschloß einen Ausstiegsschacht. Dahin raste eine Gruppe, der Vordermann öffnete. Die hinter ihm rissen ihn zurück, denn sie wollten eher hinaus, dabei kam der vordere zu Tode. Hinter den nächsten preßten zweihundert Leute. Die Leiche des Vordersten ließ sich darum nicht beiseite räumen, vielmehr klemmte sie der allgemeine Druck in den Ausstiegsschacht. Nun versperrte sie den Durchlaß, und man hätte sie vor- oder zurückbewegen müssen. Der Bewegungsraum war jedoch nicht mehr vorhanden, des Schiebens aller hinteren wegen. Der Tote ließ sich nicht winden und nahm alle mit sich.

So machten denn Enge, Hitzespeicherung, Sauerstoffverlust, Brandgaszufuhr und Zugigkeit die Kellerzone, das nächste Fluchtziel, auch zu einem Krematorium. An dem Ort sind die meisten Bombenopfer gefallen. Weitaus mehr sind allerdings heil hervorgekommen, die außerhalb schwer überdauert hätten.

Die Deutschen versuchten, schnell etwas Besseres zu bauen. Gehäuse, die mächtiger waren als Explosionen und Feuersbrünste, unzerstörbar, unbrennbar, die stehenblieben, wenn alles einstürzte und abbrannte, Fäuste aus Stahlbeton, Manifeste des Durchhaltewillens.

Es gab eine Rangfolge der Schutzbauten: Dem Hauskeller ähnlich, doch besser bewehrt, war der ›Öffentliche Luftschutzraum‹, auch nur ein größerer Keller unter Verwaltungsgebäuden, Warenhäusern, Bahnhöfen, Museen, Schulen, Banken, kurz stattlicheren Gebäuden. An verkehrsreichen Stellen sollten Personen einschlüpfen, die der Alarm unterwegs überraschte. Einem jeden waren drei Quadratmeter Raum zugemessen, bei Aufnahme von maximal vierhundert Personen. Die Deckenverstärkung, Ventilatoren, Gasschleusen für Chemiekampfstoffe, drucksicheren Metalltüren, Notausgänge wurden geschätzt. Volltreffern war der Vorschrift nach bis zur Tausendkilogrammbombe standzuhalten, der Normgröße des Angreifers, der sich zuletzt auf Drei- bis Sechstausend-Kilogramm-Formate steigerte. Fatalerweise wirkten die druck- und sprengstoffesten Asyle hoch feueranziehend. Kaufhäuser waren die bestbrennenden Objekte überhaupt, Fakkeln, die rasch die weitere Umgebung anzündeten. Der Hitze eines durchglühten Kaufhauses wie Karstadt in Hamburg-Barmbek hält kein Keller stand. Die dreihundertsiebzig darin leblos und wie eingeschlafen Aufgefundenen sind allerdings durch Gas aus der Kokshalde vergiftet worden.

Vororte, Kleinstädte, Dörfer, Parks und Fremdarbeiterbarakken begnügten sich mit der schwächsten Schutzvorrichtung, dem Splittergraben, einer Rinne mit Betonblende. Sie maß zwei Meter in Höhe und Breite, Holz stützte die Flanken. Querabteile für etwa fünfzig Personen hinderten den Fortlauf der Längsdruckwelle. Diese Übernahme des Schützengrabens aus dem vergangenen Krieg bewahrte halbwegs vor Splittern und Luftdruckschäden. Ein Volltreffer allerdings brachte die Erddecke zum Einsturz und war nicht abzuwehren. In kleineren Ortschaften schützten sich Bewohner nichtunterkellerter Häuser in Gräben, die sie selbst anlegten und warteten. Darin bestand in Herford etwa, wo der Hälfte der Einwohner geeignete Keller fehlten, der gesamte Luftschutz. Zumindest konnte man im Graben nicht verschüttet werden, dies ständige Trauma des Kellerinsassen entfiel. Ein Treffer ließ nichts übrig. Zu neuem Ansehen kam der Splittergraben ab Herbst 1944; er bewährte sich leidlich, als Tiefflieger im Gelände ihre Jagd auf alles Bewegliche begannen.

Ein Erdverlies mittlerer Güte, die Röhre, wurde an Straßenkreuzungen, Verkehrshaltestellen und in menschenreichen Stadterweiterungsgebieten in zwei Meter Tiefe versenkt. Der mannshohe Betonschlauch, achtzehn bis achtzig Meter lang, bot kurzfristigen Aufenthalt. Es sammelte sich sonst zuviel Wasser am Boden, und der Moder bedrückte das Gemüt. Gewöhnlich saßen sich fünfzig Leute auf Sitzbänken gegenüber, hatten Belüftung, Elektroanschluß, Trockentoiletten und Nachbarn in der Nebenröhre. Man schob bis zu fünf Stück parallel und gelegentlich übereinander in den Boden, bei größeren Exemplaren konnten so über tausend Personen verpackt werden. Wenn noch Heizung und Klappbetten dazukamen, sprach man vom ›Röhrenbunker‹, das weckte falsche Hoffnungen. Die Röhren hielten Bombensplitter und Trümmerfall auf, mehr nicht. Hamburg besaß zur Zeit des Feuersturms davon 370 Exemplare und Platz für 60 000 Personen. Das Beste, was die Erde bot, war der zehn bis zwölf Meter hinab minierte Tiefstollen, übertroffen nur noch von dem Hangstollen. Im Schoß von Berg und Hügel bestand tatsächlich weitestgehende Sicherheit gegen Volltreffer jeglichen Kalibers, alle Brandwaffen, selbst gegen Feuerstürme. Die nach bergmännischen Regeln in Fels und Boden vorgetriebenen Höhlen, mit Beton ausgegossen oder mit Stahlbögen unterlegt, boten bis zu 1500 Personen Aufenthalt, bei höherer Belegung waren Aufenthaltsräume vorgeschrieben mit 0,33 Quadratmeter Bodenfläche und 0,75 Kubikmeter Luftraum pro Kopf.

Hangstollen, vorzuziehen wegen geringeren Bauaufwands und kürzerer Zeit, kannte auch das Flachland in Grubenbergen oder Hochofenschlackehalden. Die Anlagen waren entwässert, elektrifiziert, ventiliert und hygienisch dank der Fäkalienhebevorrichtung, der Bildung von Schwitzwasser wirkten poröse Bausteine entgegen. Als später die ›Erdbebenbomben‹ fielen, wurde bei brüchigem Gestein eine fünf Meter dicke Schutzdecke eingezogen und der Eingangsbereich fortifiziert. Das Ausschachten besorgte die Jugend, Sprengungen und Bohrungen überwachten ältere Grubenarbeiter. Städte mit Bergbautradition wie Essen verzeichneten eigengebaute Stollen für 58 000 Personen. 27 000 Personen waren in Zechenstollen untergebracht. Insgesamt stiegen 136 000 Personen in die Unterwelt der Schächte, und 80 000 zogen in Tunnels, Flaktürme und Bunker. Von der am Ort gebliebenen Bevölkerung verfügten vierzig bis fünfzig Prozent über ein sicheres Bombenasyl. Das benachbarte Dortmund grub bis Ende 1943 ein Tiefstollensystem vom Hauptbahnhof bis zum Westpark mit laufend erweiterten Seitenstollen und neunzehn Einstiegen, das 80 000 Plätze bot. An den Wänden reihten sich Bänke. Die Besucher saßen einander zugekehrt in dem Schlauch wie Bahnreisende durch die Bombennacht. Die Stadt Osnabrück hat den Stollenschutz auf fast jeden zweiten Einwohner erstreckt. Gegen Kriegsende maß das System 5,7 Kilometer in der Länge und faßte 45 600 Personen, allerdings gefüllt mit acht Personen alle Meter. Der immense Andrang unter dem Kalkhügel mit zwei Längs- und mehreren Querstollen stieg in der dichtbebauten Gegend nach Alarm auf zweitausend Besucher. Wehrmachtsangehörige hatten den Barbarastollen mit Eingängen in der Mozart- und der Johann-Sebastian-Bach-Straße errichtet. Im Gestein des Klushügels war ein Stollengitter ausgelegt mit 8000 Plätzen, und der geräumigste, der Krankenhausstollen am Wiener Wall, ließ 12 000 Personen ein. Hier fanden die Passanten und Bewohner der Innenstadt Zuflucht unter einer Felsdecke von fünfundzwanzig Metern. Auf dem Schinkelberg bohrten sich die Anwohner 266 Schutzgänge selbst.

Gewöhnlich spornte ein Hügelring die Einwohner dazu an, sich dem Schutz des Inneren anzuvertrauen. Den Talkessel von Stuttgart durchzogen Betonstollen sowie hundertfünfzehn u-förmige, mit Grubenholz abgeprießte Pionierstollen, die Häusergemeinschaften feierabends in die Hänge trieben. Mitarbeit berechtigte zum Aufenthalt, ausweislich einer Dauereintrittskarte. Die 20 000 Personen, die Platz darin fanden, hätten demnach auch die Pionierleistung vollbracht. Stuttgart bewohnten Anfang Januar 1943 481 000 Personen, im Januar 1945 282 000. In der Zwischenzeit, der Schwerangriffe, hatten 200 000 Personen die Stadt in ländliche Gebiete verlassen, die Daheimgebliebenen teilten sich 410 000 Schutzraumplätze, eine erstklassige Bilanz. Weit über die Hälfte davon bestand aus Heimkellern, 25 000 Personen erhielten Unterstand in öffentlichen Luftschutzräumen, 4500 in Splittergräben. 102 000 Stuttgarter fanden bombensicheren Schutz in Bunkern und Stollen; im gefährlichsten Zeitraum etwa jeder zweite. Die Rüstungsindustrie zog 53 Luftangriffe auf die Stadt, die von 27 000 Tonnen, etwa 20 000 Spreng- und 1,3 Millionen Brandbomben, getroffen wurde. Zu der Konstanz der Angriffe tritt die Intensität der Wirkung, jede dritte Wohnung erlitt Totalschaden. Die Ungunst der Talkessellage förderte die Brandentwicklung bis zu dem Feuersturm am 12. September 1944. Stuttgart verlor 4477 Menschen, gemessen an der Niedrigstzahl der dort Anwesenden 1,56 Prozent. Osnabrück bot seinen Bürgern zu hundert Prozent Schutzräume, davon die Hälfte bombensichere. Die rund neunzigtausend anwesenden Bürger kassierten zehntausend Bombentonnen, hundert Kilo pro Kopf, 1434 Personen fielen oder 1,59 Prozent. Stuttgart und Osnabrück berührten die Obergrenze des im deutschen Luftschutz des Zweiten Weltkriegs Möglichen. Achtundsechzigtausend Stuttgartern bot sich Zuflucht in Bunkern, knapp 10 000 in dem zweistöckigen, fünftorigen Wagenburgtunnel. Die titanischen Trutzburgen des Bombenkriegs versammelten das deutsche Volk, abzüglich der Front. Doch waren immer einige Dutzend Fronturlauber zugegen und sagten, wie gut es tue zurückzufahren. Der Keller war ein dramatischer Ort; er stand in Kontakt mit dem äußeren Vernichtungsgeschehen. Die Hausgemeinschaften schwiegen oder beteten, schrien, weinten, rangen, ob Flucht oder Abwarten rettete. Im Bunker stand dies außer Frage. Die Insassen gewärtigten den Untergang des Ganzen, Stadt, Eigentum, Staat, Nation, ausgenommen die nackte Haut. Das Sein war gerettet, das Dasein verkam. Der Bunker ist der Ort des ›wir‹. Mit nicht viel Worten, weil die Gestapo zuhörte, verständigte das ›wir‹ sich über die Lage.

Die Lage des Bunkers selbst besagt schon alles. Zwischen Wänden nach der ›Braunschweiger Bewehrung‹ – Stahlbügel, Eisenmatten und darauf Betonguß von drei Meter Dicke, Metall nach innen – können dreitausend Personen in einem mehrstöckigen Kubus sich am Leben halten. Außerhalb des Kubus ist das fraglich, er aber zieht die letzte Grenze der Vernichtung. Sie überwindet die Braunschweiger Bewehrung nicht. Diese umschließt einen fiktiven Ort, der am Weltuntergang nicht teilnimmt. Der Krefelder Baurat Jansen, in seiner Stadt für die Bunker zuständig, nennt sie die »Arche Noah«. Indem sie schwimmt, ist die Sintflut nicht definitiv, sondern es geht weiter.

Hitler als Architekt hat den Brand der Städte keineswegs bedauert. »Wir werden unsere Städte schöner aufbauen, als sie waren«, schwor er Albert Speer. »Dafür stehe ich ein. Mit monumentaleren Gebäuden, als es sie je gab.« Garant des ›danach‹ ist das erste der Monumente, der Bunker. Danach kommen die Insassen heraus, Deutschland ist fort, und sie bauen ein neues. Hat, außer im Fieber Hitlers, ein Begriff davon bestanden? Die Kellergenossen haben die Zerstörung des Daseins geteilt, wie es der stereotype Satz sagt: ›Ich habe alles verloren.‹ Der Bunkergenosse verliert auch alles, aber der Bunker sagt ihm, daß es darauf weniger ankommt. Solange der Bunker ihn bunkert, kann er Ersatz beantragen. So hat der Bunker die Vorstellung genährt, man könne Deutschland ersetzen. Man muß nur lebendig herauskommen. In Wirklichkeit waren Keller- und Bunkergenossen dieselben Leute; man verbarg sich hier wie dort. Das Sicherheitsgefälle bewegte später Völkerscharen vom Keller in die Bunker, die von 1943 an drei- bis vierfach belegt sind. Diese Bewegung hat die Menschenverluste mit einem Schnitt von 0,7 Prozent, berechnet auf die Gesamtbevölkerung, niedriggehalten. Die Wehrmacht hat fast das Zehnfache eingebüßt. Die rapide Zunahme der Menschenverluste folgt zwar der vervielfachten Abwurfmenge. Die Toten und die Tonnage wachsen an, aber nicht in demselben Grad.

Der Luftschutz vermag zweierlei hochwirksam zu konservieren, das Überleben des Volkes und das des Regimes. Angesichts einer Zerstörung der Städte zwischen fünfzig und neunzig Prozent sind die städtischen Menschenverluste, im Durchschnitt 1,5 Prozent, ein Erfolg. Die Schere der zwei Verluste strebt auseinander, und sie bedingen sich. Weil die Zerstörungsintensität steigt, geht Deutschland in die Bunker, und weil es da sitzt, macht ihm die Zerstörung nicht soviel aus. Das Fortleben ist verhältnismäßig stark gesichert, und so konnten Bomber Command und 8. US-Flotte die Stadtlandschaft nach und nach abtragen, ohne daß sie damit viel bewegten. Nach einem einst geflügelten Wort verlief der Luftkrieg zwischen britischen Bombern und deutschem Beton. Das Gegenteil ist ebenso richtig. Der Bomber-Betonkrieg war unwirksam bis auf einen Punkt, daß er nicht aufhörte, seitlich davon alles abzuwracken.

Göring setzte auf die aktive Luftabwehr, Jäger und Flak. Hitler wiederum mißfiel der ganze Schutzgedanke, weil Terror sowieso nur durch Terror zu brechen sei. Er pochte auf Angriff, das einzige, was fehlte, war eine Angriffswaffe. Um so erstaunlicher war das ›Führersofortprogramm‹ vom 10. Oktober 1940 zum Bau »bombensicherer Luftschutzräume« in 79 Städten. Demnach sollten bis zum kommenden Sommer schleunigst vier Millionen Kubikmeter Beton verbaut werden, um eine halbe Million Personen zu schützen. Die Liste nennt überwiegend Industriestandorte, auch kleinstädtische, selbst solche, die Bomber Command nie angeflogen hat: Wülfrath, Neunkirchen, Oberwesel. Das läßt die Empfindlichkeiten erkennen.

Die Deutschen befürchteten – zu einer Zeit, wo die Briten nur mühselig Essen fanden – einen systematischen Angriff auf die Schlüsselpunkte der Waffenfabrikation. Weil Fabriken nicht in Bunker gehen, schützte Hitlers Programm die Arbeiterfamilien, eine seit 1918 für moralisch labil gehaltene Gruppe. Sie benötigte als erste Halt. Bewaffnungsminister Fritz Todt, der Baubeauftragte, der schon die Autobahnen und den Westwall erstellt hatte, sah seine neue Betonschlacht in Nachfolge der Wälle, Gräben und Festungen früherer Tage. Jetzt wachse das Unauslöschliche, die »Abwehr für alle Zeit«. In der Praxis handelte es sich um vordringlichere Dinge wie den 4000-Personenbehälter für das schwefelsäureschaffende IG-Farben-Proletariat von Uerdingen bei Krefeld. Militärisch entbehrlicher waren die Anwohner der Kaiserdome von Worms und Speyer, welche nicht auf Hitlers Liste kamen. Das Bunkerbauprogramm antwortete schlicht auf das britische Vorhaben, den Arbeiteraufstand herbeizubombardieren.

Nach einem Jahr waren, etwas träger als vorgesehen, 3,4 Millionen Kubikmeter Beton verbaut, die nächste Million brauchte länger. Am 7. Mai 1943 – in der ersten Ruhrschlacht – stand man bei 5,1 Millionen Tonnen. Dazwischen, im September 1942, war der Entschluß zum Bau des Atlantikwalls gefallen. Nach deutscher Voraussicht mußte Churchills Bombenkrieg scheitern, eine Bodenoffensive an der französischen Nordwestküste nachfolgen und das Landungsgebiet befestigt werden. Die 10,4 Millionen Kubikmeter Beton dieser Anlage fehlten dem Bunkerbau, der sonst das dreifache Volumen aufgetürmt hätte.

Als der Atlantikwall im Mai 1944 rechtzeitig zu seinem Versagen stand, flossen die Bunkerkapazitäten in die Industrieverlagerung. Jetzt entstanden die unterirdischen Bunkerwelten in entlegenen Wäldern und retteten die Fabriken. Das Reich geizte mit Baustoffen, die es den Luftschutzdinge selbst verwaltenden Städten und Gemeinden zuteilte. Minder bedrohte Städte – sogenannte Luftschutzorte II. Ordnung – trugen ihren Aufwand ohnehin allein, und dem Luftschutzort I. Ordnung blieb von 1943 an auch nicht viel anderes übrig. Bürgermeister und Polizeipräsidenten gingen – wie ganz Deutschland – dazu über, das Lebensnotwendige zu organisieren. Wie die Schwarzmarktbutter wurde ein Frachtkahn Zement, ein Waggon Rundeisen verschoben, hochstrafbar, aber hilfreich.

Nach dem Rückzug der Zentralbehörden aus dem baulichen Schutz machen sich alle erdenklichen Organe an die Improvisation. Die NSDAP schaufelt im Spätsommer 1943 dreiundzwanzigtausend Splittergräben, die SS stellt Baubrigaden aus KZ-Häftlingen auf, Städte wie Mainz setzen uralte Festungsgewölbe in Betrieb. Baufirmen sprechen bei Kommunen vor und bieten alles, Maschine, Hände, Material. Im südlichen Westfalen gehen ab Dezember 1943 Häusergemeinschaften eilends an den Stollenbau. Der Luftschutz ist da, wo er funktioniert, ein Selbsthilfeprojekt, auch in seinem Spitzenprodukt, der Bunkerversorgung. Ihre Qualität wechselt von Ort zu Ort, die Durchschnittszahlen besagen nichts über die tatsächlichen Zustände. Ein gut gerüsteter Luftschutzort war einer, der sechs bis sechzehn Tote pro hundert Bombentonnen einbüßte, ein schlecht gerüsteter verlor dabei 1200 bis 1700 Tote.

Wie alle den Bombenkrieg berührenden Rechnungen und Sachverhalte sind die Pauschalzahlen ungewiß und strittig. Bei dem Reichsrechnungshof wurden zweitausend Bunker abgerechnet, aber glaubwürdige Amtsträger geben an, daß dreitausend gebaut wurden. Ein kleines Exemplar von 20 x 30 x 30 Meter Ausmaß verlangte maximal achttausend Tonnen Eisenbeton bei einem Gesamtvolumen von zwanzigtausend Tonnen Baustoffen. Solch eine Masse setzt dem Luftdruck des Blockbusters eine Trägheit entgegen, die ihn bei der kurzen Frist der Detonation ohne weiteres absorbiert. Die Würfelfestigkeit war mit dreihundert Kilogramm pro Quadratzentimeter vorgeschrieben.

Ein Volltreffer ruft einen sehr lauten, metallischen Klang an der Außenhaut hervor. Die oberen Stockwerke stauben und das Bunkerwerk schwankt, jedoch nicht in seiner Struktur, es schaukelt in seinem Sand- oder Lehmbett, wiewohl weite Abschirmungen die Fundamente umgaben, um schräg einschlagenden Bomben zu wehren. In Ausnahmefällen sind Bunker geborsten, so in Köln und am Hannoveraner Bahnhof, wo zweitausend Personen dabei zugrunde gingen, in Bonn und in Münster. Eine als Spezialkonstruktion angesehene Bombe durchdrang den Münsteraner Schützenhofbunker, detonierte, Betonmassen lösten sich und erschlugen 68 Insassen. Allerdings war die Decke mit 1,40 Meter für einen 1500-Personen-Bunker um die Hälfte zu dünn. Die Nachricht von dem neuen ›Bunkerknacker‹ ließ achttausend Personen, über sechs Prozent der anwesenden Bevölkerung, die Stadt fliehen, die Bunkerplätze, dicht belegt, für jeden Fünften bereitstellte. Dieser Bunkerbruch führte bei 102 Luftangriffen und 1400 Toten zu keinem ungewöhnlichen Schaden, doch beschädigte er das Vertrauen in den letzten Halt. Die Knackerbomben könnten irgendwann den Ewigkeitsbeton des Reiches spalten.

Daß seine Bunker in der Heimat hielten, entsprach Hitlers Haltebefehl für die Front. Sie waren in der verbrannten Stadt der ›letzte Mann‹ und dessen Domizil zugleich. Die Führung wußte davon. Bei abflachender Bautätigkeit hörte sie nicht auf, Wände und Decken ihrer Trutzburgen nachzurüsten. Die Deckenstärke wuchs in schutzwürdigen Bereichen bis zu viereinhalb Metern. Es blieb, wie der *United States Bombing Survey* 1946 schrieb, bei dem »undecided race between bomb-resistant structures and bombs that constantly increased in penetrating force«.

Der Bau eines Großbunkers währte neun Monate, kostete 700 000 Mark und war laut *US Bombing Survey* »Germany's great experiment. No shelter buildings exist in the United States or England similar to these so-called ›Bunkern‹.« Die Gegner beurteilten den baulichen Luftschutz positiver als spätere Stimmen in der Bundesrepublik, die der Aufwand zu spät und zuwenig dünkte. Der *US Bombing Survey* nennt das Unterfangen, die deutsche Stadtbevölkerung in einem gestuften Sicherheitskonzept in Kellern, Stollen, Bunkern, Gräben unterzubringen, Krankenhauspatienten, Kunstwerke, Akten, Bibliotheken, Archive zu bunkern, innerhalb von zehn Minuten jeden einen mehr oder minder geschützten, häufig gasdichten Unterstand erreichen zu lassen, »the most tremendous constructional program in civilian or passive defense for all time«.

Die zu Beginn des ersten Bauabschnitts favorisierten Erdbunker wurden bald aufgegeben zugunsten des kostengünstigeren Hochbunkers, dessen Mammutformat scheinbar die Größe seines Gründers verkündet, in Wahrheit aber nur die seiner Finanznot. Der NSDAP war nicht geheuer bei Menschenansammlungen von drei-, fünf-, ja bei den Flaktürmen auf dem Hamburger Heiligengeistfeld von bis zu dreißigtausend. Es war aber billiger, einen Mammut zu bauen als sechs Büffel für je fünfhundert Mann. Die Partei beargwöhnte die Volkszusammenkünfte des Bunkers, weil dies ihr ureigenes Metier war. Veranstalter war aber hier der Bombenkrieg. Er setzte mitten im Leben Tatsachen der Daseinsverwüstung, die mit Reden nicht auszugleichen waren, nur mit Gegentatsachen. Damit konnte die NSDAP nicht aufwarten, nur mit Worten, die man satt hatte, nachdem sie sich als hohl entpuppten. Die Bunkerversammlung interessierte sich zudem für Nachrichten, das zweite Parteimonopol.

Die Nachrichtenübermittlung im Bombenkrieg war das Gerücht und der Bunker sein Umschlagplatz. Was wirklich an den Wegmarken von Köln, Wuppertal, Hamburg sich zugetragen hatte, transportierte allein die Erzählung, das Hörensagen. Weder Goebbels noch der Londoner Rundfunk unterrichteten über die Realitäten eines Feuersturms, über die Anzahl der Toten und die Sterbeumstände. Das Gerücht, so ungenau, übertrieben und bizarr es naturgemäß war, lag näher bei den Geschehnissen als die Propagandisten. Der Bunkerinsasse, konstatierte die Partei, war begierig zuzuhören, glaubte alles und erzählte es rasch weiter. Deutschland war eine riesige Gerüchteküche geworden. Der Mangel an offiziösen Neuigkeiten und Fakten bestärkte die Hitlertreuen, daß alles einen guten Lauf nehme, und die Skeptiker, daß man vom Schlimmsten ausgehen müsse. Das Schlimmste zirkulierte als Gemunkel und als Witz.

Mit fortschreitender Wohnungszerstörung wurde der Bunker eine Bleibe. Mehrere breite Treppen und ein Aufzug führten zu den Fluren, daran Räume für sechs und mehr Personen grenzten. Das Interieur sollte ansprechen, die Schlafräume besaßen mehrstöckige Betten. Säle mit Sitzbänken kamen nach Bedarf hinzu. Je fünfundzwanzig Personen teilten sich eine Toilette und einen Waschraum. Ein Erste-Hilfe-Raum für dreihundert Personen war die Minimalausstattung, maximal stand eine komplette Krankenhausinstallation bereit. Das Ventilationssystem hatte enorme Aufgaben zu bewältigen: Es mußte das Kohlendioxid abpumpen, das so viele Personen auf so engem Raum absondern, ferner ihren Geruch. Filter gegen Brandgase waren vonnöten, sowie für den Fall, daß die Verbündeten Giftgas abwarfen. Pro Person und Minute waren drei Kubikmeter Luft vorgesehen, die Eckwerte der Temperatur betrugen 17 und 24 Grad, die der relativen Feuchtigkeit 25 und 75 Prozent. Der Antrieb für Ventilation und Heizung war dreifach ausgelegt: Stromnetz, Diesel und Hand; der Ölvorrat hatte mindestens acht Tage auszureichen.

Die Luftverhältnisse wurden bei Überbelegung prekär, für Ohnmachten lagen Sauerstoffmasken und Ammoniakkapseln bereit. Ein Raum in jedem Bunker ist reserviert für Mutter und Kind während der Spanne vom vierten Monat vor bis zum vierten Monat nach der Entbindung. Weil die Luftgefahr Geburten im Hause nicht zuläßt und die Krankenhäuser dafür keinen Platz mehr haben, sind Bunkerentbindungsräume eingerichtet. Zu den Sanitätsräumen schleppt die Bevölkerung ihre Kranken, der diensttuende Arzt leistet erste Hilfe.

Nach der Todesnot in wiederholt angegriffenen Städten weigern die Bewohner sich, bei Alarm in die Hauskeller und den Öffentlichen Schutzraum einzusteigen. Nur noch die Besitzwütigen bleiben bei der Wohnung und verteidigen ihre Habe, weil die Absperrungen gegen die Plünderer unzureichend sind. Ganze Straßenzüge ziehen in den Bunker. Der wagemutige Teil der Nachbarschaften schließt sich zum Stoßtrupp zusammen und patrouilliert die entvölkerten Quartiere. Zwischen 16.00 Uhr und 17.00 Uhr verdrießen in Berlin die mit Kinderwagen und Koffern verstopften U-Bahnen, die Berufstätigen passen nicht hinein und schlagen Krach. Es ist die Stunde der ›Bunkertanten‹, die rechtzeitig losgehen.

Die Arbeiterbevölkerung ärgert sich über die ›Müßiggänger‹, die in den späten Morgenstunden bereits die Bunker belagern. Im Laufe des Tages sammeln sich einige hundert Personen vor den zwei schmalen Eingängen des Bunkers am Hermannplatz in Berlin-Neukölln, viele Mütter mit Kindern. Das Warten wurmt. Manche Frauen, die Plätze besetzen, sind nicht aus der Gegend. Sie haben Zeit, Stunden zu warten und dann als erste hineinzuhuschen. Die ›Klappstuhlgeschwader‹ sind ständig in Marsch zum Bunker. Der Neuköllner öffnet erst fünf Minuten vor Vollalarm. Die Volksgenossen klappen ihr Stühlchen auf, sitzen auf den Gängen herum und versperren den Weg. So kann man den Bunker nicht zügig besetzen, und Normalankömmlinge finden keine Aufnahme mehr. Der Bunker in Berlin-Friedrichshain wird beinahe gestürmt, weil ein Abschnitt nicht geöffnet wird. Vor der Tür steht ein Polizist, um den man sich herumdrückt. Im Inneren postieren sich Ordner der Partei, manchmal der Ortsgruppenleiter. Die Ordner brüllen und geben konfuse Anweisungen. Leute kommen mit schwerem Gepäck und belegen die Sitzplätze, die anderen Volksgenossen fehlen. Bei Ermahnungen werden sie patzig. »Ersetzen Sie mir meine Sachen, wenn sie draufgehen?«

Die Belegung eines Großbunkers von zwanzigtausend Leuten verlangte fünfzehn Minuten Zeit, der Einlaß lief durch vier fünf Meter breite Türen. Dann wurde unwiderruflich geschlossen. Zehn Minuten verblieben durchschnittlich zwischen Alarm und dem Fall der Bomben, danach, hatte die Polizei eingeschärft, sollte niemand mehr auf der Straße stehen. Wenn in einer Sekunde sechs Personen mit Gepäck eine Fünfmetertüröffnung passieren sollen, ist militärische Disziplin vonnöten. Unter Angst und Gedränge, mit Kindern und Alten, die Bomber im Genick, ist es dabei regelmäßig zu infernalischen Begebenheiten gekommen.

Im Tiefabschnitt eines zum Bunker umgerüsteten U-Bahn-Tunnels in Berlin-Neukölln konnten sich dreitausend Personen bergen. Im August 1944 heulte einmal der Alarm zu spät. Als die Schutzsuchenden den Tunnel erreichten, jagten schon die Flak-Salven in den Himmel. Die Eingangstreppe war blockiert, ein Menschendreieck, das langsam durch die Tür sickerte, verkeilte sich durch den Druck der Hinzueilenden. Weil diese fürchten mußten, daß die Pforte vor ihren Augen schloß, preßten sie mit Gewalt, bis keinerlei Bewegung mehr möglich war. Die Eilenden, kofferbeladen, klemmten wie ein Kork im Treppenhals und gelangten nicht einwärts. Soldaten versuchten von oben, Personen herauszuziehen, um Durchlaß zu schaffen, bewirkten damit indes, daß Leute unten fielen und zu Tode getrampelt wurden. Nach zehn Minuten war der Eingang frei, zehn Frauen, Kinder und Alte lagen leblos auf dem Bahnsteig gereiht, es fiel in der Gegend keine Bombe.

Die gleiche Szene ist aus nahezu allen Großstädten überliefert. Bei dem Angriff auf Magdeburg am 16. Januar 1945 fielen um 21.30 Uhr die Bomben. Am Bunker an der Jakobikirche, drei Querstraßen von der Elbe, schlossen die Drucktüren aus doppelter Stahlplatte in der Gummidichtung. Nach dem Feuersturm ließen sie sich nicht wieder öffnen, wegen der Masse der davorliegenden Toten.

In Hannover steht in der Nacht zum 15. Juli 1944 ein Vater mit zwei Töchtern in einer Schlange vor dem Klagesmarkt-Bunker. Die Rotmarkierungen fallen vom Himmel, die Eisentür schließt, eines der Mädchen wird von den Ordnern in den halbleeren Bunker gezogen. »In ihrer panischen Angst drängen die Menschen noch stärker die Treppe herunter, sie wissen ja nicht, daß die Türen bereits geschlossen wurden. Dadurch werden vor allem alte Leute und Kinder erdrückt und zertreten. Vom Geländer aus springen einige Männer in das Gewühl hinein.« Das zweite der Mädchen, auf halber Treppe, trägt ihre Habe im Rucksack mit sich, »dadurch wird sie hochgeschoben, sie kann atmen und bleibt am Leben. Nach der Entwarnung lassen sich die Türen des Bunkers nicht mehr öffnen, so viele Tote und Verwundete liegen davor. Durch einen Notschacht steigen die Ordner aus und sorgen dafür, daß der Ausgang frei gemacht wird.«

Der Vorzug des Bunkers vor anderen Luftschutzräumen führt zu Überbelegungen bis zum Vier- bis Fünffachen. Der für 20 000 Personen angelegte Flakturm am Berliner Bahnhof Zoo wird von 30 000 besucht. Rechnerisch hat Berlin mit unter zwei Prozent Bunkerplätzen neben Dresden und Leipzig den schlechtesten Luftschutz überhaupt. Seiner Weitläufigkeit wegen bleibt die Todesverlustrate dennoch unter derjenigen der weit besser organisierten Ruhrstädte. Das mindert aber nicht das Hecheln nach den Plätzen. Über große Distanzen platzen U- und S-Bahnen von Suchenden. Dem Kampf um den Bunkerplatz geht gelegentlich der Kampf um den U-Bahnplatz zum Bunker voraus. Am Tag nach dem 2200-Tonnen-Angriff der US-Air Force am 3. Februar 1945 rennt die Bevölkerung kopflos in den Straßen umher, achtet nicht auf Blindgänger und Zeitzünder. Um 23.00 Uhr künden die Sirenen Fliegeralarm. Die letzte U-Bahn auf der Strecke Memeler Straße – Alexanderplatz erwarten hektische Menschenbündel. Auf jeder Station entsteht eine Schlägerei.»Die Menschen rissen sich buchstäblich die Kleider vom Körper«, schreibt ein Wehrmachtsbericht,»vergaßen sich in ihrer Angst völlig, schlugen aufeinander ein.« Den U-Bahn-Passagieren hätten die Tunnel als Deckung dienen können, so wie London die Herbstnächte 1940 in der Metro verbrachte. Nur verläuft die Berliner U-Bahn dicht unter dem Pflaster. Was ein Treffer dort anrichtet, erlebten während der ersten Berlinschlacht im Januar 1943 die im U-Bahnhof Nollendorfplatz Untergekommenen, eine tiefergelegene und für absolut sicher geltende Partie. Sie lag im Zielgebiet, eine schwere Bombe zerschlug die Hauptwasserleitung, die den Tunnel flutete und Panik auslöste, der mehr schadete als alles andere.

Das Unterirdische des modernen städtischen Zivillebens ist vom Standpunkt des Bombenkriegs Bruch. Was hielt, waren die Wände von Pasqualinis Renaissancezitadelle in Jülich. Um eine Viermillionenstadt aber zu nur einem Drittel sicher zu bunkern, wären 260 Mammutkästen erforderlich gewesen. Nirgends auf der Welt existiert dergleichen. Die Berliner ärgerten sich über etwas anderes.

Bunkerzutritt war grundsätzlich ein Privilegium, weil die Mehrheit der Städter darin keinen Platz fand. Das ärgerliche aber war weniger die Knappheit als der Verdacht der ungerechten Verteilung. Im Zoo-Bunker lagerte ein großer Bestand an Kunstgegenständen, die Menschen Raum stahlen und sich damit unbeliebt machten. Es hieß, das Volk könne ja vergehen, wenn nur die Kunst bleibe, was die Dinge auf den Kopf stellte. Bitterer noch waren

Bunkeraufschriften >Nur für Eisenbahner<. Das Ausforschen von Schutzplätzen, in Berlin ein deprimierendes, lebensbedrohliches Geschäft, stieß immer wieder auf Reservierungen. Räume für Kriegsbeschädigte und Gebrechliche, wie am U-Bahnhof Gesundbrunnen, wurden umgehend der Allgemeinheit zurückerstattet. Der Zutritt zu dem zwar öffentlichen, aber scharf bewachten Schutzraum der Reichsbank mit hochsoliden Gewölben mußte gestürmt werden. Der Bankeinbruch lohnte sich, weil nur zwei Soldaten und zwanzig Kriegsgefangene herumsaßen, wo dreihundert Leute hineinpaßten. Der Skandal ging durch die ganze Stadt. Im Mai 1944 hatte das Luftfahrtministerium angeregt, Bunkerkarten auszugeben. Der Zugang war ohnehin selektiv. In Hannover waren zeitweilig Männer zwischen 16 und 65 Jahren vom Besuch ausgeschlossen. Durchgängig wurden ansteckend Kranke abgewiesen, die Übertragungsangst lief um, die Bunker transportierten alles, so auch die Infekte. Sie galten als Brutherde.

Kriegsgefangenen und Fremdarbeitern, ob Gezwungene oder Freiwillige, war der Zutritt untersagt. Da sie einen großen Anteil der Stadtbewohner stellten, war die Trennung kompliziert und gab im Bunker Anlaß zu ständigen Reibereien. Ab Frühjahr 1943, nach dem Abfall Roms von der Achse, rechneten >Badoglio-Italiener< als Verräter, hatten den Bunkersitz verwirkt und gehörten nunmehr zu Russen und Polen in den Splittergraben. Östliches und westliches Arbeitspersonal fand nach der Rassenhierarchie ungleiche Behandlung, aber das Leben machte Ausnahmen, ob bestehend aus Pöbeleien gegen germanisierte Holländer oder aus der Anhänglichkeit der Gauleitergattin an ihre polnischen Dienstmädchen. Die Bunkergemeinde hat das Für und Wider des Zutritts bis zum Erbrechen gewogen, weil sie im Sippenrund der Dazugehörigen egalitär dachte. Ihr Mißtrauen gegen Privilegien von Bonzen und Beamten war abgrundtief. Darum scheiterte das Bunkerbillett im Entrüstungssturm.

Im Bunker überdauerte und trotzte Deutschland, eingepfercht, angstschweißbedeckt, taub vom Getöse der Blockknacker, welche die Marktplätze, Bibliotheken, Schlösser, Konzerthallen und Dome zermahlten. Was der Nation im Seelengrunde widerfuhr in den vier Bunkerjahren, ist zu ihrem Naturell geworden. Die Sozialanalytiker des *US Bombing Survey*, die diese Psyche als ihren Taterfolg umgehend empirisch und theoretisch aufgriffen, kamen in der *Moral Division Study* zu einem denkwürdigen Ergebnis. Mehr als die Niederlage habe die innere Wirkung des Bombardements einen Abschied veranlaßt, eine »Denazification of Germany«; aber nicht sogleich.

Unter gar keinen Umständen duldete die Bunkergemeinde Juden in ihrer Runde. Frankfurt hatte die Deportation von 9339 seiner Juden bis Anfang Oktober 1943 vollzogen, 76 Personen sollten noch folgen. Ausgenommen blieb eine Gruppe, welcher der alteingesessene Frankfurter Singer angehörte, Kriegsteilnehmer 1914–1918, Träger des Eisernen Kreuzes 2. Klasse, der Hessischen Tapferkeitsmedaille und des Verwundetenabzeichens, verheiratet in Mischehe. Als Ehemann von Deportation und Gastod verschont, als Frontkämpfer den ständigen Gestaposchikanen recht und schlecht ausweichend, leistete er Zwangsarbeit in einer Ziegelei und auf dem Friedhof Ost. Am Vormittag des 4. Oktober 1943 suchte er bei dem Bombenangriff Unterschlupf in einer kleinen Hütte, wo er zu essen pflegte, dabei erlitt er leichte Verletzungen, herbeigerufene Sanitäter verweigerten jedoch Hilfe. Also hob ihn Stolz, sein jüdischer Arbeitskamerad, auf eine Schubkarre, und die zwei durch Stern gekennzeichneten Männer zogen unter Verwünschungen der Passanten zu einem jüdischen Arzt.

Mit Kopfverband zu Hause angelangt, hörte Singer die Sirenen, sie kündeten den zweiten Teil der Bombardierung an. Weil dem Ehemann Schutz im Bunker und in öffentlichen Räumen nicht zustand und die Eheleute beisammen bleiben wollten, stiegen sie in den Hauskeller, da hockte die lustlose Nachbarschaft beisammen.

Die achtunddreißig Bunker in der Stadt schlossen über vierhunderttausend Personen von der Nutzung aus, so viele paßten nicht hinein. Die ausgeschlossene Kellergemeinde zählte das Vierfache der Bunkergemeinde und schloß ihrerseits die Juden von der Kellernutzung aus. Der Feind des Singer war der Luftschutzwart, der Obmann der Hausbewohnerschaft, ein Posten, den gern Angeber innehielten. Am 4. Oktober setzte der Luftschutzwart, der den Juden sonst »auf den Misthaufen« jagte, sich nicht durch. Die

Nachbarschaft beschloß, das Ehepaar Singer dürfe bleiben, gehen konnten alle miteinander nicht mehr, weil sie vom Feuer eingeschlossen waren. Der Jude, der Antisemit und noch eine Aussätzige, die mit ihrem Kind in einer Schattenecke klebte, die Frau eines Wehrmachtsdeserteurs, Ausländerin.

Singer nahm sich ihrer an; sie weinte und hatte keine Kraft mehr, der Mauerdurchbruch führte ins Flammenmeer, den Deserteur hatten seine Kameraden erschlagen, sie war in Norwegen daheim und saß verfemt mit dem Kind des Verfemten in einer Frankfurter Kellerecke, über der und neben der die Häuser loderten. Singer, der Schlimmeres kannte, griff das Kind, schob die Frau, es gab noch einen Fluchtweg zum Innenhof, den schon die Flammen säumten. Man kam durch auf die Straße, von da in einen weiteren Keller, einen großen, überfüllten, in dem die Gefahr für Singer nun wieder von den Insassen kam.

Aber zwei helfen immer, zwei freundliche Frauen, die Herrn Singer und einen Schicksalsgefährten in die dunkelste Kellerecke bugsieren, wo eine große Handluftpumpe stand, die beide Juden mit abgewandtem Gesicht zwei Stunden bedienten, damit der Keller nicht erstickte, wo keiner sie sehen durfte. Die beiden Ehefrauen schirmten ihre Männer mit dem Leibe vor den Blicken. Die Wut, die durch die Szene geistert, saust schließlich auf den Orenstein nieder, ein greiser Jude, von zwei Frauen hereingezogen, weil eine Wunde in seinem Schädel klaffte, die ihm zwei Landser auf der Straße zugefügt hatten in einer Bombenpause. Der Luftschutzwart untersagte die Versorgung. Singer kam mit dem Leben davon, Orenstein verstarb an der Verletzung.

Die Bunker fielen von innen. Als die Städte unbewohnbar waren, zogen die Ausgebombten um. In Bottrop nahmen sechzig Prozent der Bevölkerung ihren Wohnsitz im Bunker, in Kassel einundzwanzig Prozent, in Mönchengladbach zwanzig Prozent, in Essen sind es mehrere tausend, in Dortmund und Hannover hingegen ist der Umzug ungebräuchlich. Einige Städte verbieten ihn, andere erlauben ihn Müttern mit Kindern oder der Altbevölkerung, den nachweislich Hilf- und Obdachlosen. Der Bunker steht nun, bis auf den Luftangriff, offen. Im Nürnberger Bahnhofsbunker erwarten obdachlose Ehefrauen den Besuch ihrer auswärts tätigen Ehemänner. Im Februar 1945, eine Woche nach dem 2800-Tonnen-Angriff der US-Air Force, der die Energie- und Wasserversorgung abstellte, hatten die Fremdarbeiterinnen den Bunker übernommen, Monteurinnen des jüngst zerstörten Trafowerks von Siemens-Schuckert. Sie hatten sich mit einem Trupp Flaksoldaten angefreundet, die, wie Wehrmachtsdienste beobachten, »mit den Arbeiterinnen im gleichen Raum auf den gleichen Bänken schlafen«. Ein großer Teil der Firma weilte dort ausschließlich.

Durch vielfache Überbelegung in den Angriffszeiten kippt die Hygiene, die Ventilatoren bewältigen nicht mehr den Kohlensäure- und Feuchtigkeitsanstieg in der Luft. Der Sauerstoff, wie hieb- und stichfest durchgerechnet, reicht für alle Fälle aus, doch das Ausatmen der Insassen, die Ausdünstungen von Körpern und Kleidern, der Temperaturanstieg erzeugen Übelkeit und Erbrechen, die Kleinkinder erkranken. Man macht die Tür auf. Dazu werden Angriffspausen abgewartet oder deklariert. Die Menge schneidet sich die Luft ab, irgendwie muß man sie austauschen. Weil die Insassen gleichbleiben, kommen die Zustände nicht mehr ins Lot. Der ›Bunkerkoller‹ grassiert. Wenige dort zugebrachte Tage machen den da Wohnhaften stumpf, roh und gleichgültig. Nach anfänglicher Überreizung werden Männer brummig und einsilbig, vergreifen sich an fremden Gegenständen, achten nicht auf Frauen und Kinder. Jeder Ordnungs- und Reinlichkeitssinn schwindet. Früher gepflegte Menschen waschen, kämmen, rasieren sich tagelang nicht, die Kleidung verlumpt. Mütter vernachlässigen ihre Kinder, Männer kehren sich brachial gegen schutzsuchende Frauen. Niemand bereitet sich ein Essen zu, man läßt sich von der Volkswohlfahrt ernähren und klagt über den faden Geschmack. Siebzig Prozent der Bunkerinsassen leiden an der ›Bunkerkrankheit‹, der Krätze, weit und breit fehlen Entlausungseinrichtungen.

»Mich überkommt ein Grauen«, berichtet der Luftschutzsanitätsdienst Hamm Ende Januar 1945, »wenn ich sehe, wie scharlach- und diphtheriekranke Kinder, in Decken und Tücher gehüllt, immer wieder in den Bunkerräumen festgestellt werden. Hoffentlich bleibt uns diesmal Fleckfieber erspart. Es mag diese

Schilderung übertrieben vorkommen, aber ich kann Bunkerärzte nennen, die mit Schrecken das langsame Vertieren und Verrohen von sonst ordentlichen Menschen sehen, die plötzlich nach Zerstörung von Hab und Gut zu Höhlenbewohnern geworden sind.« Hamm war zu der Zeit in fünfundfünfzig Angriffen zu sechzig Prozent zerstört worden; der letzte Großangriff im Februar hatte nur vier Tote gekostet, es gab genügend Bunkerraum, doch rosteten seit September die zerbrochenen Wasseranlagen; die Stadt versorgte sich mühsam aus Brunnen- und Tankwagen. Wo städtische Versorgungsnetze nicht geflickt wurden, lag auch der Bunker lahm. Notstromaggregate fehlten, oder sie reichten nicht, in Gelsenkirchen praktizierten die Bunkerärzte bei Petroleumleuchten. Verwundete lagerten drei Tage zwecks Abtransport in die Krankenhäuser. Mangels Licht waren die Toiletten unauffindbar, die mangels Wasser nicht spülbar und verstopft waren. Die Bewohner verrichteten ihre Notdurft in finsteren Ecken; in der Außenumgebung aufgestellte Notaborte und Latrinen wurden nicht benutzt. Zur Krankheitsprävention räumten Hamm und Gelsenkirchen jeden Morgen den Bau und ließen ihn von der Feuerwehr reinigen und desinfizieren.

Die dank Bunker Davongekommenen waren, äußerlich heil, zu inneren Schadensfällen geworden und zerfielen. Bunker und Insassen verloren ihren Halt zusammen. Ebensowenig wie die Tiefe des Kellers konnte die Härte des Betons das Leben von dem Ruin seiner Lebenswelt ausnehmen. Als sie ruiniert war, hielten die Inhaber es nicht länger aus. Sie haben sich nicht nach dem Ende gedrängt wie 1918, sie waren zu Ende. Die Spieler hatten alles auf die Karte ihrer Unbeugsamkeit gesetzt. Solange sie lebten, das war Sache des Bunkers, würde man sie nicht unterkriegen. Der Einsatz im Wettstreit von Bomben gegen Beton waren die Städte, die Jahrhunderte ihnen zu treuen Händen gegeben hatten. Als die Städte verbrannt waren, kamen die Bewohner aus Keller und Bunker, um sich zu unterwerfen. Es ging nicht mehr anders.

Die Luftangriffsmittel waren dazu konstruiert, Menschen millionenfach zu töten; soweit aus den Akten erkennbar, fehlte es nicht an der Bereitschaft. Hitler wiederum war ein verhinderter Städtevernichter. Er liebte es, den Film über die Bombardierung Warschaus im September 1939 anzuschauen, und phantasierte davon, die Wolkenkratzer New Yorks zu kippen. Indem Krieg ihn das Naturgesetz dünkte, das Schwächere Stärkeren ausliefert, nachgiebige Rassen den zäheren, war er der geborene Bombenstratege, nur ohne Bomber. Deutschlands Kriegsziele lagen in den östlichen Landmassen, darum stellte es 1935 ein Erobererheer auf die Beine, dem die Motorwaffen, Panzer und Flugzeug, zu Geschwindigkeit verhalfen. Desungeachtet schätzte Hitler die Theorie des Strategic Bombing, wie Trenchard sie formulierte und, spektakulärer, der italienische Faschist Guilio Douhet, welcher der Schule den Namen gab, Douhetismus. Hitler war durch und durch Douhetist, doch passiver Douhetist. Er gelangte zu keiner entscheidungsfähigen Luftoffensive, mußte allerdings eine durchstehen.

Seine 1938 verfaßte Denkschrift zum Festungsbau enthält die Schlüsselidee, daß man sich keineswegs dazu befestige, um in Sicherheit zu sein. »Es ist nicht Zweck einer Festungsanlage, einer bestimmten Zahl von Kämpfern unter allen Umständen die Erhaltung ihres Lebens sicherzustellen, sondern die Erhaltung der Kampfkraft.« Auch Keller und Bunker dienen nicht dazu, dem Zivil heil durch den Krieg zu helfen. Der Unterschied zwischen Soldat und Zivilist gilt nicht mehr, jeder ist Krieger. Das hat der Philosoph der NSDAP Alfred Rosenberg dem Bombenkrieg 1934 nachdrücklich zugute gehalten. Er verbinde wieder Volk und Krieg. Der Bürger habe bisher den Soldaten für sich sterben lassen und solange in Friedensliebe gebadet. Doch dieselbe Militärtechnik, die das Zivilleben bisher mit einer militärischen Abwehr gegürtet habe, breche diese wieder entzwei. Der im Zeichen der Luftflotten ausgetragene Zukunftskrieg berufe das ganze Volk zum Daseinskampf ein.

Als er voll entbrannt war, fügte Hitler die Psychologie der Kampfkraftsteigerung hinzu: Die Kampfkraft sichert nicht der um Selbsterhaltung Bemühte. »Je weniger die Bevölkerung zu verlieren hat, um so fanatischer kämpft sie. Jetzt begreift auch der Dümmste, daß sein Haus nie wieder aufgebaut wird, wenn wir nicht siegen.« Im Verlauf des Bombenkriegs wurden Kampf und

Verlust eins. Zunächst aber mußte der Ideologe Rosenberg recht bekommen, daß im Luftkrieg das Zivil Kombattant wird. Es verteidigt das von ihm bewohnte Gelände.

Dem voraus ging die Machtübernahme einer Partei, die in Uniformen marschierte und militärisch grüßte, ›Sieg Heil‹. Der Staat wurde alsdann aufgeräumt nach dem militärischen Gesetz von Befehl und Gehorsam. Die Befehlskette eröffnete der Führer, jedoch im unsichtbaren. Das Leben funktionierte nach dem Prinzip des Unterführers, der gehorcht und befiehlt zugleich. Dazu benötigte er je einen eigenen Truppenverband. In Fabriken, Berufs- und Jugendverbänden, den Eliteeinheiten SA und SS existierten lauter Führungs- und Gefolgschaftsverhältnisse. In Friedenszeiten mochte das als ein autoritärer Mummenschanz erscheinen. Der Inhalt des militärischen Befehls ist aber nicht die Inszenierung von Autorität, sondern der Auftrag zum Kampf. Befohlen wird, was freiwillig nicht geschähe, weil es dem Selbsterhaltungsprinzip zuwiderläuft, der Einsatz von Gut, Leib und Leben. Eine Armee ist ein Verband, den diese Einsicht reguliert, auch das deutsche Volk sollte vom Luftangriff dazu erzogen werden. Der Befehl lautete, das zu verteidigen, was die Luftflotte zerstört, den materiellen Bestand der Städte, der Staatsgewalt, des Gesellschaftsprozesses.

Daß unter den Bomben das Volk in den Krieg gezogen sei, war vornehmlich eine Suggestion der NSDAP, die nicht zur Wirklichkeit paßte. Die Volkskrieger waren wehrlos, führten keine Waffen und waren höchst verwundert, daß die Luftwaffe gegen die Bomberschwärme nichts ausrichtete. Der Sinn dafür, in dem Gefechtsfeld der Moderne zu weilen und Angriffen mit nichts als der Wasserspritze zu begegnen, mußte langsam anerzogen werden. Luftwaffen- und Luftschutzexperten hingegen hatten mit hohen Anfangsverlusten gerechnet und geirrt. Dies widerfuhr den Londonern. Die Deutschen konnten ihre luftgeographische Lage durch die Eroberung Frankreichs und Hollands einstweilen verbessern, die Bodenfront des Bombenkriegs bemannen, jetzt blieben ihnen zwei Jahre Zeit, ehe das Soldatische daran offenbar wurde. Dann erst traten massenhaft Verluste ein. Nach bürgerlichem Verständnis handelte es sich um ohnmächtig Erschlagene. Der

Feind war ruchlos genug, es zu wagen, und die Regierung schwach genug, es zuzulassen. Das erste, was dieser neue Volkskrieg zu erklären hatte, war, in welcher Eigenschaft das Volk starb. Als Unschuldsopfer oder als Krieger? Goebbels ließ die Toten Gefallene nennen, die ihr Leben im Feld gegeben hatten. Sie wurden mit militärischen Ehren bestattet, die Partei inszenierte dies mit dumpfem Trommelwirbel. Der Führer selbst schickte einen Kranz, der Einfachheit halber eine Schleife, das Laub besorgte die Kommune, die Rechnung ging an die Adjutantur. Das Eiserne Kreuz dekorierte die Grabmäler der Luftkriegsgefallenen, Überlebende erhielten Kriegsverdienstkreuze, Verwundete Verwundetenabzeichen überreicht. Auf dem Leipziger Südfriedhof errichtete man einen >Ehrenhain für Luftkriegsopfer<. Ungewöhnlich war die >Bestattungsfeier für gefallene europäische Gastarbeiter< unter Teilnahme von polnischen, französischen, belgischen, tschechischen, litauischen und ukrainischen Abordnungen. Hans Fritzsche, der Generalbevollmächtigte des Rundfunks, rief auf einer Massenbeerdigung in Schweinfurt im Oktober 1944, daß die Toten gefallen seien, damit Deutschland leben könne. Im Funk wandte er sich im Juli 1943 an die »Millionen in den Bombardierungsgebieten, die wahren Helden dieses Krieges, die das unsichtbare Eichenlaub um die Stirn tragen, vor denen dereinst sich ganze Generationen in Europa verneigen werden«.

Die Heimatfront pries Goebbels als ein »Eisen, das von Schlägen nicht weich gemacht, sondern gehärtet wird«. In seiner ersten Proklamation an die Kämpfer der Ostfront, die inzwischen durch Berlin verlief, zitierte Hitler die Zivilverteidiger als soldatische Vorbilder: »Das Regiment oder die Division, die ihre Stellung verlassen, benehmen sich so schimpflich, daß sie sich vor Frauen und Kindern, die in unseren Städten dem Bombenterror standhalten, werden schämen müssen.«

Zur Schadensbekämpfung im Luftkrieg meldeten sich zwanzig Millionen Helfer, mehr als ein Viertel der Bevölkerung; bei Kriegsende stellten Frauen die Überzahl. Die Ursprungsidee des deutschen Luftschutzes besagte, daß Städte nur von ihren Einwohnern zu verteidigen seien. Zwar bestand eine Dachorganisation, das Luftfahrtministerium, das den Vollzug des Luftschutzes formal auf die Luftgaukommandos, praktisch auf die städtischen Polizeibehörden übertrug. Ihnen waren die Feuerwehren und technischen Instandsetzungsdienste unterstellt. Diese können aber nicht hunderttausend Häuser schützen. Dazu bedarf es einer Kompanie in jedem Gebäude, das sind die Mieter, eines Kompanieführers, das ist der Luftschutzwart, der im Ernstfall Polizeigewalt ausübt, und eines Drills. Die nächsthöhere Einheit ist ein Bataillon aus zehn bis fünfzehn Häusern bzw. einem Block, angeführt vom Blockwart. Sechs bis zehn Blöcke bilden eine Untergruppe, und fünfzehn- bis zwanzigtausend Leute eine Division, stellen ein Luftschutzrevier, das mit der untersten Polizeidienststelle, dem Polizeirevier, identisch ist. Diese Miliz des Luftkriegs hat den Auftrag, ihre jeweilige Stellung einzurichten.

Wie ein Haus schutzmäßig auszurüsten und ein Angriff abzuschütteln ist, vermittelt die Grundausbildung bei dem Reichsluftschutzbund, eine öffentliche Körperschaft, den Reichsverwaltungen gleichgestellt, doch faktisch ein Verein, den seine Mitglieder unterhalten. Der RLB hat im Krieg zwanzig Millionen Mitglieder, die sich privat für Luftschutzfragen interessieren, eine Mark Jahresbeitrag bezahlen und ein Abzeichen tragen, den achtzackigen Strahlenstern auf weißem Metall.

Die Hausgemeinde bildet eine Luftschutzgemeinschaft. Sie muß, wie jede Truppe, die sozialen Gegensätze einebnen, zudem die Generations- und die Mann-Frau-Konflikte; dafür bürgt die Feldwebelgestalt des Luftschutzwarts. Der Krieg handelt vordergründig von der Inbesitznahme des Geländes. Das Gelände des Bombenkriegs ist das Häusermeer, dem Bomber Command eindringliche Geländestudien widmete. Das Gelände ist erobert, wenn das Haus verbrennt, und dies passiert hauptsächlich durch eine nachteilige Beschaffenheit, nämlich die Dielen, das Balkengerüst des Daches und die darauf gereihten Ziegel. Ferner ist nur das Gelände angreifbar, welches man sieht. Einen Häuserkomplex verrät aus großer Höhe und im Dunkeln sein Licht. Dem Luftschutzwart und seiner Kompanie obliegt die Verdunkelung des Objekts und die Verteidigung des Dachstuhls.

Alles entbehrliche Holz und Gerümpel muß verschwinden, die

unerläßlichen Balken werden mit Brandschutzmitteln gestrichen: Stückkalk, Löschkalk, Brandkalk. In den Wohnungen sind Teppiche aufzurollen, Gardinen abzuhängen und alle Türen offenzulassen. Falls aus der Flut der abgeworfenen Stabbrandbomben die eine oder andere im Dachboden oder Obergeschoß einschlägt, ist der Schaden drei Minuten lang gering. Behälter mit Sand und Wasser stehen ausreichend bereit, den Entstehungsbrand zu ersticken. Bei Dachstuhlbrand hilft schnelles Zupacken oder gar nichts. Meistert ihn die Hausgemeinde mit Handspritze, Feuerpatsche und Schaufel, kommt auch kein Flächenbrand zustande. Das Wasser darf im Winter nicht einfrieren, darum wird ihm Viehsalz beigemischt; den Sand füllt die weniger robuste Luftschützerin in Tüten. Zwei, drei davon, richtig geworfen, vereiteln schon Churchills halbe Anstrengung. Die Elektron-Thermitstabbrandbombe war für sich eine recht harmlose Waffe; sogleich entdeckt, konnte sie gar am eisernen Fuß ergriffen und ins Freie geschleudert werden. Zu Hunderttausenden abgeworfen, gehörte sie zu den verderblichsten Kampfmitteln des Weltkriegs.

Je massiver der Stababwurf wurde, je mehr Tonnen Sprengstoff ihn begleiteten, desto riskanter wurde das Ringen mit dem Feuer von Angesicht zu Angesicht. Um die Entzündung wahrzunehmen, mußte man zumindest im Haus weilen und möglichst nicht im Keller. Die Aufenthalte dort verschönte das weibliche Element, »es war manchmal fast gemütlich dort«, erzählt ein damaliger Knabe aus Bonn, »weil sich fast die gesamte Nachbarschaft im Keller bei Bombenalarm einfand und sich um uns Kinder liebevoll kümmerte«. Gemütlichkeit ist auch aus Hannover bezeugt. »Manche Frauen brachten Kuchen mit oder Frikadellen, die Männer Bier. Es wurde Skat gespielt, und ich habe mich immer wohl gefühlt.« Die Damenmode tat ein übriges mit den zuvor durchaus unüblichen »neuen schicken Luftschutzhosen«.

Unterdes patrouillierte der Luftschutzwart das Gebäude. Der ganze Dachboden sollte mit zwanzig Zentimeter Sand überzogen sein, er wird an Sammelpunkten kostenfrei angefahren. Die Polstermöbel dürfen nicht am Fenster stehen, sondern gehören einwärts gerückt. Für eventuelle Gartenschläuche müssen die Anschlußstücke passen. Schlauch und Anschluß werden sich zu einer der größten technischen Herausforderungen des Luftkriegs auswachsen. Wasser gab es in Deutschland überall, aber Zapfstellen und Schläuche nur nach DIN-Norm, hier diese, dort jene.

Die Streife endet mit der Luftschutzbereitschaft des Hauses, der Anbauten, Ställe, Läger und wird für die Angriffsdauer öfter wiederholt. Die Gefechtsstelle des behelmten Wartes ist der Deckungsunterstand im Dachfirst mit Sehschlitz. Es ist ein Metall- oder Betonschirm, der kleinere Splitter abweist. Ein Sprengbombeneinschlag ginge tödlich aus, es kostet beträchtlichen Mut, hier einen schweren Angriff lang auszuharren. Am Dach Posten stehen war nicht jedermanns Sache. Nach dem Bericht des Dortmunder 4. Luftschutzreviers stellte sich vielmehr bei den Maiangriffen 1943 heraus, »daß sich viele Männer, darunter auch in Urlaub befindliche Wehrmachtsangehörige, wie Waschlappen benahmen. Anstatt in ihren Häusern als Brandwache zu bleiben, verkrochen sie sich wie Angsthasen in den Bunkern, nahmen Frauen und Kindern den Platz weg und mußten von Polizei und SA-Streifen herausgeholt und auf ihre Pflicht hingewiesen werden.«

Die Reflexe des Soldaten lassen ihn im Feuer Deckung nehmen. Fronturlauber fanden sich oft in die verkehrte Welt versetzt, wenn sie zu Haus der Bombenkrieg überraschte. Sie rieten, im Keller zu warten, anstatt auf die brennende Straße zu flüchten. Sich dermaßen blank in das gegnerische Material zu werfen, dünkte sie ein ganz unmilitärisches Heldentheater. »Ich will Soldat bleiben«, bekennt ein dem Kölner Luftschutzkeller Entronnener, »und schon morgen gehe ich wieder an die Front. Mein Gott, haben wir es draußen gut!«

Demgegenüber ist der Luftschutzwart als ein Hildebrand-Charakter gedacht, der sich an der Schwelle seines Herdes in Stücke hauen läßt. Er ist gewöhnlich ein älterer Bürger, der berufliche Verantwortung gekannt und sich zur Härte erzogen hat. »Ein beherzter Mann reißt andere mit«, ruft der Hamburger Polizeipräsident dem Haushüter zu, »unsere Wohnstätten vor Vernichtung zu bewahren.« Göring rüstet ihn mit Helm, Einreißhaken und Trillerpfeife aus; nach beendeter Gefahr teilt er die Gefolgschaft ein: Eimerketten bilden, bedrohtes Mobiliar bergen, höherenorts wird die Entsorgung von Blindgängern und Zeitzünderbomben nachgefragt, selten kommt einer, man muß es selbst versuchen. Kein Mann im Haus darf sich vom Angriffsgelände entfernen; jeder steht unter Befehl, Frauen wie Jugend, die Bombenwaffe stumpf zu machen.»Ich mußte es tun«, sagt eine Kölnerin dem Sanitäter, der ihre verkohlte Hand verbindet,»was hätte mein Mann von mir denken sollen, er steht in der Normandie, da kann ich doch nicht das Haus abbrennen lassen, zwanzig Jahre haben wir gespart.«

In eigentümlichem Gegensatz zu dem kilometerweit sichtbaren Flammenschein der angezündeten Städte steht die angeordnete Verdunkelung. Alles künstlich erzeugte Licht war abzuschalten und das zum Fortgang von Leben, Wirtschaft und Verkehr Unabdingliche zu dämpfen, zu färben, abzublenden mit engmaschigen Drahtnetzen, Siebplatten usw. Keine Lichtaustrittsöffnung an Fenstern, Türen, Oberlichtern, Glasdächern durfte einen Schein abgeben, der in klarer Nacht aus fünfhundert Meter Höhe wahrnehmbar wäre. Reklame in Schaufenstern, Kinos und Theatern wechselte auf Dunkelblaulicht.

Nach einer physikalisch unbegründeten Ansicht des Führers war das kurzwellige Blau schwerer sichtbar, darum sollten vorhandene Glühbirnen in eine von der Luftwaffe entwickelte, in Geschäften bereitgehaltene Farblösung eingetaucht werden. Hitler überwachte die Verdunkelung persönlich und ließ den Gauleitern mitteilen, daß die Volksgenossen bei Alarm die Nachttischlampen einzuschalten pflegten und sich durch diesen Leichtsinn selbst gefährdeten. Zuwiderhandlungen gegen die Verdunkelungsverordnung sollten mit acht Tagen Stromentzug geahndet werden, fahrlässigen Gemeinden drohten die Landräte mit einer Woche Stromsperre. Hitlers Gewährsmann vor Ort, der Luftschutzwart, achtete auf die Läßlichen, stellte sie zur Rede, veranlaßte Sanktionen, sonst haftete er selber. Dazu fuhren Lautsprecherwagen Streife und kommandierten vor hellen Fensterspalten»Licht aus!«

Bordsteine erhielten einen alle fünfzig Meter unterbrochenen phosphorisierenden Anstrich, Treppen einen Zickzackstrich, Häuservorsprünge, Masten, Pfeiler, Brückengeländer, Schranken, Ufer, Straßenbiegungen wurden mit Calcium markiert. Straßenleuchten erloschen um 22.00 Uhr, Personen bewegten sich mit Taschenlampen fort, farbig gefiltert. Schwach lumineszierende Streifen und Pfeile an den Häusersockeln wiesen Entfernung und Lage des nächsten Luftschutzraums. Gern wurden kleine fluoreszierende Plaketten getragen, damit man einander nicht umrannte. Auto- und Fahrradlampen trugen Aufsätze mit waagerechten Schlitzen, Fenster wurden mit dunklen Rollos behängt, die an der Wand verschraubte Bügel an die Tapete preßten, damit keine Lichtkanten übrigblieben. 1942 gelang eine schockierende technische Entdeckung. Alle mechanischen Schirme, Jalousien, Pappen nutzten nichts, wenn der Gegner die aus beleuchteten Innenräumen austretende infrarote Wärmestrahlung auffing. Die Deutschen hatten ihr bei der Kriegsmarine benutztes Übungsgerät ›Seehund‹, das abgestrahltes Infrarot in Licht umwandeln konnte, experimentell zu der Apparatur ›Spanner‹ umgebaut, welche alle Verdunkelei zunichte machte. Natürlich hatten gegen Kriegsende auch die Gegner infrarote Meßverfahren entwickelt. Inzwischen gaben die Deutschen ihren Verdunkelungsstoffen und Blenden allerdings spannersichere chemische Zusätze bei.

Zu echter Beeinträchtigung führte die Dunkelheit in der Industrie, die schon durch Glasdächer, die das Mondlicht spiegelten, Hochöfen und Kokereien mit glühenden Schlackefeldern einiges zur Wegweisung der Bomber beitrug. Dem halfen Lattenroste ab, zugedeckte Pfannen, die in der Dunkelheit das flüssige Eisen transportierten, Blenden für seinen Abstich und abschirmende Hauben zum Abfackeln von Gasen. Zur Neutralisierung des Fabriklichtes verfiel man auf die Eigenschaft der Komplementärfarben, welche die Lichtwellen bestimmter Farben, gefiltert durch solche anderer Farben, nicht durchdringen läßt. So konnte eine Industriebelegschaft in rot-gelbem Licht arbeiten, das eine blaugrüne Deckenfolie filterte. Doch sind die psychologischen Effekte negativ.

Eine Lichtwirkung geht ferner von weißen Türmen, hellen Betonstraßen, geschliffenen Graniten und Wellblechdächern im Mondlicht aus, sämtlichst Ansteuerungspunkte. Am Rhein liebte man die weißgestrichenen Häuser, die aus der Landschaft herausleuchteten. »Die Leute brauchen sich wirklich nicht zu wundern«, bemerkte die Parteidienststelle, »wenn die Engländer jedesmal tadellos dorthin finden und sie bepflastern.« So ersannen Architekten und Maler Ummantelungen und abwaschbare Tarnanstriche. Der Effekt all dessen ist unklar. In den zwei Anfangsjahren spielte die Sicht in mondklaren Nächten die Hauptrolle, wurde indes mit der Radarnavigation und den flächigen Bombenteppichen zweitrangig. Der Bombenschütze orientierte sich an den Flammenmarkierungen der Pathfinder; das Ziel brauchte nicht zu leuchten, es wurde ausgeleuchtet. Bei den schlecht lesbaren H2S-Bildschirmen hat die Sichtkontrolle freilich zur Identifikation beigetragen. Die Verdunkelung mag auch ein Beruhigungsmittel gewesen sein. Kinder halten die Hand vor Augen, damit sie unsichtbar sind. Das Vertauschen von Sehen und Gesehenwerden legt etwas in ihre Macht, was doch außerhalb steht. Das Lichtlöschen war eine normale militärische Tarnung. Indem sich ganz Deutschland höchst aufwendig in Grabesdunkel tauchte, sein helles Gesicht bemalte, nahm es in eigene Macht zurück, was ihm entglitten war: Ziel zu sein oder nicht. Mit der Allgegenwart am Himmel hatte der Feind freie Sicht erobert. Wie Gottes strafendes Auge sah er alles, hauptsächlich mit Blitzlicht und Kamera. Dies auszuhalten ist schwer, und vermutlich gab das gemeinsame Sinken in die Höhlenfinsternis die Illusion eines Fürsichseins zurück. Als die unerträglichste Empfindung ist übereinstimmend das Nichtstunkönnen genannt, Preisgegebensein, Hoffen, Bangen. Das Verbergen wäre denn mindestens eine Aktion.

Die Aktionen der Selbstschutzgemeinschaften waren im Frühjahr 1942 mit dem Tausendbomberangriff auf Köln an Grenzen gestoßen. Das Verdunkeln nutzte nichts, weil die Maschinen sich am silbernen Band des Rheins orientierten. Sie flogen von Norden und folgten dem Fluß im Mondlicht südwärts. Die erste Welle setzte ihre Leuchtmarkierungen, warf Brandmunition in das Geviert, die zweite und dritte Angriffswelle sah die Stadt bereits kilometerweit lodern. Das Flugwunder des terrassierten Bomberstroms, der in dichten Wellen zwanzig Minuten lang ein Gewitter von 1397 Spreng- und 153 413 Brandstücken abließ, setzte die germanische Sippenverteidigung in den Häusern matt.

Die jetzige Angriffsmethode erlaubte den Bomben, eine Zeitlang unbehindert zu wirken, und ließ durch die Masse der Einschläge die Wirkung kumulieren. In dieser Spanne war jeder Luftschutz in die Deckung gezwungen. Aus dem Bombardement sind die Pausen gezogen, jede Minute befinden sich zwölf Maschinen über dem Ziel. Staffel auf Staffel wirft konzentriert in den ausgeleuchteten Sektor und nicht, wie zuvor, verstreut über die Stadt. Den nun ganz auf Brandstiftung gerichteten Mix der Abwurfstoffe intensivierte die neue 30-Pfund-Flüssigkeitsbrandbombe. Sie trug einen Explosionszünder, der die Brennmasse in einem Radius von 250 Quadratmetern schleuderte. Jeder Phosphorfladen entfachte eine Flamme für sich, Wasser verdampfte nur und löschte nicht.

Als die Kölner nach der Entwarnung aus Keller und Bunker kletterten, standen sie auf einem neuen Schlachtfeld, dem des Brandkriegs. Den aus zwölftausend Feuerstellen fusionierenden siebzehnhundert Großfackeln war mit Handspritzen und Sandbeuteln nicht mehr beizukommen. Keine städtischen Löschkräfte wußten solch ein Fanal zu bändigen. Hier waren die 154 Feuerwehren gefordert, die auf den Ruf der Luftschutzbefehlszentrale aus Bonn, Düsseldorf, Duisburg, Essen, Bochum, Gelsenkirchen nach Köln rasten. Einen zu früh aus dem Deutzer Messegelände gestarteten Feuerwehrwagen stoppt ein Volltreffer auf der Brükke. Überdimensionale Rohre tauchen in den Rhein und saugen mit jedem Hub Hunderte Kubikmeter Wasser. Die kilometerweit sich in die Hausflure verzweigenden Schläuche sind unterwegs von sechsundsechzig Motorspritzen unterbrochen, die dem Wasser zu Druck verhelfen. Doch können selbst die Gunst des Rheins und enge Nachbarn die Zerstörung jeder zehnten Wohnung nicht aufhalten. Hunderte von Bäckereien, Metzgereien, Gaststätten fallen aus, 40 000 Zentner Kartoffeln, in Strohballen gehüllt, verbrennen in der Markthalle.

Köln war Aufmarschgebiet mit vollen Kasernen. Zu den Aufräumungsarbeiten marschierten 2500 Mann nebst 2000 Kriegsgefangenen und 1650 spezialisierten Hilfskräften. Von den Rhein-Ruhr-Städten rückte mit Werkstattwagen ›Oberleitungspersonal‹ heran zur Instandsetzung der Straßenbahn. Im Hafen mußten vier von Volltreffern niedergeschleuderte Kräne unter Wasser zerlegt und gehoben werden, da sie die Einfahrt versperrten. Handwerker und Facharbeiter, darunter zweitausend Glaser, machten sich zu Tausenden auf den Weg nach Köln, einem Gefilde zahlloser Reparaturaufträge und Dienstleistungen. Tankwagen voll Milch rollten herbei, von Transporten regnete es Wurstbrote herab, überquellende Lebensmittelvorräte, drei Millionen Kilogramm Reis und zweieinhalb Millionen Kilogramm Teigwaren, werden von außerhalb herangeschafft; die LKWs stehen an den Ausfahrtstraßen und warten auf Übernahme durch die Stadt. Deutschland gibt sich wie ein Warenlager für Köln. Die Menge der ausgelieferten Bekleidungsstücke, Bettücher und Möbel überfordert den örtlichen Einzelhandel, so daß Notverkaufsstellen eingerichtet werden, Waffengeschäfte handeln mit Strümpfen. Nächst der Nahrung ist Seife angefragt; Bombenkrieg verdreckt. 700 000 Stück Einheitsseife entfernen Brandruß und Staub.

In der Tausendbombernacht ereignet sich, wie zuvor in Wuppertal, der Zusammenbruch des Kellers. Im Blaubachviertel gerät ein großer Wohnblock in Flammen. Hundertfünfzig Personen schreien im Luftschutzraum nach Hilfe, weil die Ausgänge verschüttet sind. Die Insassen vermögen sich mit der Spitzhacke von Mauer zu Mauer zu arbeiten, bis das Loch ins Freie geschlagen ist. Nahe der Rheingasse ist allerdings der ganze Häuserblock eingestürzt; von innen heraus geht nichts mehr zu machen. Polizisten treiben einen Luftschacht in den Schutt, erweitern und stützen ihn ab, bis einundfünfzig schluchzende, verstörte Personen sich herauswinden können. Einer wirft erlöst die Arme hoch und fällt tot vornüber. Die Keller selbst sind stabil gemauert und ordentlich abgestützt. In Köln werden die Decken mit sehr effizienten T-Trägern verstrebt, eingegossen in Beton.

Gemessen an den 1460 abgeworfenen Tonnen, etwa das Fünffache des bisherigen Durchschnitts, ist der Menschenverlust mit 469 Personen nicht hoch. Ein Jahr später braucht es fünf Tage, die Stadt zu löschen und 3460 Tote aus der Innenstadt auszugraben. Sie liegen zur Identifizierung erst an der Fundstelle aufgereiht. Häufig stehen Eimer daneben wie der in der Weißbüttengasse, Aufschrift »Hausgemeinschaft, 36 Personen, 3. 7. 43«. Ein weiteres Jahr danach werden in Köln zum ersten Male Bagger eingesetzt, die behutsam, um die von Trümmern überlasteten Kellergewölbe nicht zum Einsturz zu bringen, zwölfhundert Personen lebendig ausbaggern.

Schweres Gerät, Gefahr, Anstrengung und Ekel der Tätigkeit lassen im Luftschutz einen berufsmäßigen, kasernierten Frontverband vorn und, für die weichen Aufgaben der Sozialbetreuung, eine die ganze Bevölkerung vereinnahmende Etappe entstehen. Der Polizei ist der ›Sicherheits- und Hilfsdienst‹ angeschlossen, später Luftschutzpolizei genannt. Er umfaßt den Brandschutz, ausgeübt von der Berufs- und freiwilligen Feuerwehr, den Instandsetzungsdienst, gebildet aus Personal der Versorgungsbetriebe und technischen Fachkräften, den Sanitätsdienst, den Entgiftungsdienst, bestehend aus dem Personal der Stadtreinigung sowie den Bergungstruppen, die größere Kontingente von Gefangenen und KZ-Häftlingen mitführen. Die Luftwaffe steuert motorisierte Einheiten bei, denen sich Wehrmachtsersatz mit technischer Ausrichtung wie Eisenbahn- und Festungspioniere anschließt. Zudem die Technische Truppe, ein Heeresspezialverband aus Betriebsingenieuren, Betriebsleitern und Offizieren älterer, nicht mehr kriegsverwendungsfähiger Jahrgänge. Diese vollbringen das Mirakel der unverzagten Ingangsetzung lebenswichtiger Anlagen und Dienste. Die motorisierten Truppen wiederum sind das Rückgrat der überörtlichen Hilfe.

Die Schäden eines Großangriffs kann die Reserve eines Ortes allein nicht mehr bewältigen, darum erfährt er sofortigen Beistand durch Kräfte der Nachbarorte, die über das Netz der Autobahnen rasch herbeigeführt sind. Eine wirksame Hilfe müßte binnen einer Stunde zugegen sein, die Spanne betrug zwischen einer und drei Stunden, schleuste aber bis zu sechstausend Kräfte in den Einsatz. Eine mittlere Großstadt von einer viertel bis halben Million Einwohner hatte etwa tausend Mann gewöhnlicher Polizei verfügbar, dreitausend Mann angegliederter Sicherheits- und Hilfsdienstkräfte, sechstausend auswärtige Hilfen sowie einige hundert Mann Wehrmachtshilfskommandos. Das Zentralangriffsgebiet des heutigen Nordrhein-Westfalen verteidigten 22 500 Feuerlösch-, Instandsetzungs- und Sanitätsbereitschaften.

Drei Viertel sind ausgerüstet, die Konstitution entspricht dem Durchschnittsalter von vierundfünfzig Jahren.

Das natürliche Gegenüber des Feuers, das Wasser, kann im Brandkrieg schlecht mithalten. Alle Elemente begünstigen den Lauf des Feuers. Der Lauf des Wassers muß von Menschen mit Fahrzeugen, Löschgerät und fragilen Röhren herangeführt werden. Das Leitungswassernetz ist primäres Bombenziel und wird in jedem Großangriff ausgeschaltet. Wo ein Haus einstürzt, brechen die Rohre, unter den Schuttkegeln fließt das Wasser in den Grund, damit stirbt jeglicher Wasserdruck. Der Luftkrieg braucht eine zweite Wasserzuleitung aus Kanälen, Flüssen, Seen, Teichen und künstlichen Auffangbecken. Das klügste ist, Kanäle in die Städte hineinzuziehen. Den Aufwand konnte das Reich sich nicht leisten und präparierte statt dessen Wassertürme, Springbrunnen, Regenwassersilos, Bottiche, Fässer, Badeanstalten. Ruinenkeller wurden mit Beton ausgegossen und gefüllt, die Bevölkerung sammelte Löschwasser in Badewannen und Mülltonnen. Heilbronn legte gar zweiunddreißig unterirdische Löschwasserbunker an. Zur Entnahme dienten Schläuche sowie Schnellkuppelungsrohre aus verzinktem Blech mit Formstücken zur Geländeanpassung. Kraftspritzen in großer Zahl preßten das Wasser über die langen Wegstrecken, weitere beförderten es schlußendlich in den Brand. Zuvor muß die Feuerstelle lokalisiert, das Fahrzeug angewiesen sein und ein Zufahrtsweg durch die von Kratern oder Trümmern blockierten Straßen erkundschaftet werden. Die Berufsfeuerwehr einer Großstadt von 380 000 Einwohnern wie Stettin gebot aber nur über 140 hauptamtliche Leute nebst 400 Angehörigen der Freiwilligen Feuerwehr. In den einundzwanzig meistbedrohten Städten des Rheinlands und Westfalens existierten zusammen 750 Kraftspritzen für den Eigenbedarf sowie die Nachbarnhilfe. Auf der Gegenseite wirkten die hundert- bis zweihunderttausend Brandbomben eines Schwerangriffs.

Vom Einschlag der Sprengminen und Aufkommen der Brände gibt der Turmbeobachter Nachricht. Am höchsten Punkt, auf Schulen, Kirchen, Rathäusern postiert, schwach geschützt gegen Flaksplitterschlag, folgt er dem Angriffsgeschehen. Wie der altertümliche Türmer mit dem Horn liefert der Luftschutzpolizist, später besetzen junge Frauen die Wacht, durch Ringleitung oder Zeichen der Befehlsstelle Bescheid. Qualm und Staubwolken rauben die Sicht, zudem sind im Flächenbrand Einzelangaben unnütz. Aber der verlorene Posten kämpft um den Überblick, sucht nach Einsatzmöglichkeiten irgendwo und hält den Platz. Dem Beobachter auf dem Neuen Rathausturm in München wird geraten, den Mund stets offenzuhalten, damit dem Trommelfell nichts geschieht. Bei dem Angriff auf Osnabrück im September 1944, der die Altstadt wüst legt, geht auch die Marienkirche mit ihrem Turm in Flammen auf. Die vier Türmerinnen, Ostholt, Telljohann, Lewonik und Meyer, geben die letzte Schadensmeldung durch, als sie schon selber eine wert waren. Sie schafften noch den Abstieg. Im Trümmerfeld sind Wege oft nur Erinnerungssache. Das eingeschlagene Gesicht der Fassaden macht die Straße unkenntlich, und Ortskenntnis ist der Abgleich der Stümpfe mit dem gestrigen Bild. Es fällt nicht nur schwer, verschüttete Strecken zu passieren, sie sind nicht ohne weiteres lokalisierbar. Die Feuerlöscher, die auswärtigen zumal, müssen zum Brand gelotst werden, sonst ist er inmitten der Brände nicht auffindbar. Gelegentlich stehen verirrte Feuerwehren still vor lodernden Häusern, vergebens flehen Bewohner um Hilfe, doch wartet der Zug nur auf Fahrthinweise zur befohlenen Stelle. Gelöscht wird nicht auf Zuruf.

Der gewöhnliche Engpaß der von außen herbeigerufenen Feuerwehren sind die Einfallstraßen in die Stadt. Da stehen die Löschzüge herum und warten auf Einsatzbefehle und -strecken. Der Befehlsbunker hat keine Vorstellung, wo Einzelaktion noch lohnt, besser wäre der Aufbau eines konzentrierten Sammelangriffs, nur hat niemand darin Übung. Die alte Feuerwehr ist ein Doktor, der zum Patienten kommt. Eine Brandepidemie und ihre Eindämmung hat noch keiner mitgemacht. An der Einfallstraße wird der auswärtige Löschzug vom Lotsen in Empfang genommen. Zumeist ist es der Hitlerjunge, die ständige Reserve des Regimes. Der kennt sein Revier auch nachts, hat Wegschäden und Umwege geprüft, kann lotsen und melden. Alle Fernkommunikation basiert auf Läufern, Krad- und Radfahrern.

Schadensmeldung, Einsatzbefehl, Lotse und Löschzug stoßen

auf eine Wirklichkeit, die mit dem Metier der Feuerabwehr selten zu tun hat. Es gilt noch etwas an den Fransen des Angriffs, wo kleine Löschgemeinschaften von acht Mann zehn Häuser ihrer Straße in Schutz nehmen, die Igelstellungen der anfänglichen Mietergemeinden. Was denen über den Kopf wächst, ist mit großen Rohren durchaus aufzuhalten. Das Flächenfeuer allerdings wurde von den Brandingenieuren der Gegenseite so konzipiert, daß es unauslöschlich ist. Das begriff die gleiche Branche im Reich mit einem Blick. Also verstand sie sich zu dem, was sie voraus hatte.

Erstens kannte sie die Stadtstruktur besser und zog, gewissermaßen als Befehlshaber des Rückzugs, die Verteidigungslinie an der Stelle, wo sie hält. Das Brandmeer wurde aufgegeben und an der technisch richtigen Stelle abgeriegelt. Nur eine starke Phalanx von Kräften kann eine Sperre legen, die der Raserei Einhalt gebietet, und das war oft der Fall. Zweitens befinden sich in dem Brandmeer Inseln, Plätze, Parks, Ufer, Brunnen, Bunker, freistehende Häuserblöcke, wohin sich alles geflüchtet hat, dem Geistesgegenwart und Zufall halfen. Die Leute suchte man mit Schneid herauszuholen, das gebräuchlichste Mittel war die Wassergasse. In das Flammenmehr ragt ein doppelreihiger Säulengang schräg emporschießender Wasserstrahlen von fünfzehn Meter Abstand. Dies ist der letzte Fluchtweg vor dem sicheren Ersticken, wenngleich es viele Eingeschlossene bezweifelten. Die jähe Gluthitze, welche sie bei Ausstieg aus Keller oder Bunker umfing, trübte jegliches Urteil. Ohne Gewaltanwendung hätten sie den Tod gewählt.

Im Jahre 1944 unternahm Bomber Command vier Versuche zur Zerstörung Braunschweigs. Das Stadtgebiet durchfließt von Süden her die Oker, die sich in seiner Mitte in zwei Arme teilt, bogenförmig auseinanderstrebend, um sich nach siebzehnhundert Metern wieder zu vereinen. So bildete sich ein Kreisraum, darin die historische Altstadt eingelassen war, gewachsen in mittelalterlicher und frühneuzeitlicher Fachwerkbauweise, reich verziert mit Schnitzereien. Den Zentrumskern umgeben Wohngebiete, darin drei Industriegelände, das Muster eines britischen Brandangriffsobjektes.

In der dritten Nachtstunde des 15. Oktober erschienen 233

421

Lancaster, um exakt auf die im Okerring gelegene Altstadt und die umgebenden Wohnviertel zwölftausend Spreng- und zwanzigtausend Brandbomben abzuladen. In der vierzigminütigen Angriffspause bemerkte der Offizier der Feuerschutzpolizei, Rudolf Prescher, die extreme Dichte der abgeworfenen Brandmunition. Im Fallen klingt sie wie flatterndes Blech, die Sprengbomben pfeifen. »Die mit weißer Flamme brennenden Stabbrandbomben unterschieden sich eindeutig von dem fauchenden und rußenden Ausblasen der Flammstrahlbomben. Es war schon während dieser Zeit unmöglich, die Straßen mit einem Fahrzeug zu passieren. Die Bereifung hätte sich sofort an den Brandbomben entzündet, die so dicht lagen, daß sie nicht einmal mit einem leichten Motorrad bei langsamer Fahrt umfahren werden konnten.«

In den in Gassen und Gäßchen verschachtelten Altstadtbauten raste die Flamme in der vorgesehenen Geschwindigkeit. Breite Straßenzüge, die den Brand in Abschnitte hätten teilen können, gab es nicht. So schloß er sich rasch zur Fläche. In dem Ring lebten etwa vierzigtausend Personen. Des hohen Grundwasserspiegels wegen fehlte vielen Häusern ein brauchbarer oder überhaupt ein Keller, darum waren sechs Großbunker und zwei öffentliche Luftschutzräume entstanden. In der fraglichen Nacht bargen sie 23 000 Personen. Der Flächenbrand hatte den gesamten Okerring überzogen, und ein starker Zuglufteffekt am Boden stülpte Menschen ihre Mäntel über den Kopf, trug Tische und Stühle fort, eine Gegenböe fuhr in den Brandschutt und jagte einen dichten Funkenregen durch die niederbrennenden Quartiere. »Was dazwischenkam«, schreibt Prescher, »wurde versengt, verschmort oder verbrannt. Die dreiundzwanzigtausend Bunkerinsassen waren jedoch dazwischen.«

Die Luftschutzpolizei hielt in der Gegend Wollmarkt, Lange Straße und Weberstraße einen Feuersturm mittlerer Intensität für gegeben. Zwar waren die Bunkerinsassen zwischen den massiven Betonwänden explosions- und feuersicher, doch beargwöhnten die Ingenieure die Überbelegung. Die vierundzwanzig Bunker der Stadt waren ausgelegt für 15 000 Personen. Nun aber saßen in sechs Bunkern 23 000 fest. »Die entsetzliche Brandhitze dürfte zu ihnen noch nicht durchgedrungen sein; aber wird die Luft gereicht haben, die überfüllten Luftschutzräume mit ausreichendem Sauerstoff zu versorgen?« Der Bunker versorgte sich mit seinen oben gelegenen Ansaugstutzen mit Außenluft. Was hier der Sauerstoffverzehr des Brandherdes und die hochsteigende Heißluft zum Atmen übrigließen, reichte schwerlich für lange. Dem Feuersturm aber boten die Fachwerkbalken noch Stunden Nahrung; die Insassen würden ersticken. Gegen fünf Uhr früh waren genügend auswärtige Feuerwehren und Gerätschaften eingetroffen, um die Wassergasse zu legen. Der Einbruch in die Feuerfläche sollte im Nordwesten der Innenstadt ansetzen. Eigentlich lagen Wasservorräte genug in der Nähe, doch innerhalb des Feuersturmgebietes; deshalb mußten lange Leitungen gelegt und Druck eingepumpt werden. Derweil änderte der Feuersturm durch Lokalwinde, die unberechenbar auf die Brandherde einwirkten, dauernd seine Richtung.»Hatten sich diese Menschen auf eine Richtung der einwirkenden Strahlungshitze eingestellt, so schlug sie um, und die veränderte Lage erforderte erneute Anpassung. Um vor der Glut zu schützen, mußten nämlich die Rohre unter einem ständigen Wasserschleier in den Ofen vorgeschoben werden. Die Reichweite der einzelnen Strahlrohre überschnitten sich, so daß eine geschlossene, künstliche Regenzone entstand.« Gegen sieben Uhr waren die Bunker erreicht.»Beim Öffnen der Bunkertüren schlug den Rettern ein verhaltenes Geräusch vieler sich gedämpft, aber etwas nervös unterhaltender Menschen entgegen. Sie lebten alle noch. Die meisten wußten nichts von der sie bedrohenden Gefahr. Die Herausführung der Menschenströme vollzog sich ohne Verluste. Kleinere panikartige Zustände konnten die Hilfsmannschaften steuern. Den Rettern war es gelungen, eine Katastrophe abzuwenden.«

Der Feuersturm von Braunschweig nahm 561 Menschenleben, davon 95 durch Oxidgas im Luftschutzraum Schöppenstedter Straße. Der Raum wies keine Schäden auf. Zur Kontrolle des Sauerstoffgehaltes waren die obligaten Kerzen aufgestellt, sie zeigten auch einströmendes Gas an. Die Insassen erkannten an der Blaufärbung der Flamme und nach ihrem Erlöschen, daß sie das Gift einatmeten. Sie konnten nur zwischen zwei Toden wählen, Ersticken oder Verbrennen. Daß im Feuersturmareal die Verlustquote beispiellose 0,28 Prozent ausmacht, verdankte sich dem Ineinandergreifen der zwei Schutzschilde, des Bunkers und der Wassergasse der Feuerwehr.

Die Schutzräume, die nicht standhielten, umschlossen Lebende oder Tote, meist beide. Die Überlebenden hatten den Angriff durchgestanden, waren jedoch durch Trümmer eingeschlossen. Sie hatten nicht viel Zeit. Die die Zeit verlassen hatten, brauchten ein ordentliches Grab. Das Vordringliche, die Freilegung der Lebendigen, kostete endlose Mühe. Der Verschüttete in Köln war per Handzettel auf den Fall vorbereitet worden: Auf keinen Fall das Nächstliegende tun,»Rufen und Schreien verbrauchen in verstärktem Maße den meist knappen Sauerstoff«. Zweckmäßiger sei,»mit einem Hammer oder mit einem anderen harten Gegenstand gegen die Wand oder gegen den Fußboden klopfen. Sogar das Kratzen mit einem Fingernagel ist im Horchgerät wahrzunehmen.« Das Horchgerät war eine Beigabe des Luftwaffenministeriums, es kam zum Einsatz, wenn die schweren Geräte, Zugmaschinen, Greifer, Bagger, Schürfbohrer, Kratzförderer, Preßlufthämmer schwiegen. Darauf solle der Verschüttete warten, so war er in München belehrt worden, und dann mit Kratzen und Schaben beginnen. Nicht bewährt hätten sich Trillerpfeifen, weil diese Frequenz vom Verstärkersummen des Horchgerätes zugedeckt werde.

Eigens zur Wahrnehmung von Klopf- und Kratztönen ausgebildete Mannschaften saßen abgeschirmt in einem Fahrzeug, dem über Kabel zugeleitet wurde, was die Membran am vermuteten Ort auffing. Wo ein Träger, eine Rohrleitung, irgendein Stück Eisen hinabführt, klopfen die Horcher ein SOS-Zeichen in das Metall. Dann warten sie auf Antwort. Wenn Eingeschlossene am Leben sind, müßten sie sich rühren. Anderenfalls sind sie nicht mehr dazu imstande, und der Horchtrupp zieht weiter, bis irgendwo ein Zeichen den Kopfhörer erreicht. Dann wird gegraben.

Tunlichst suchten die Mannschaften dort, wo Leute vermißt wurden, infolgedessen mußte jedermanns Aufenthalt bekannt sein. Darüber wachte der Luftschutzwart, jeder war meldepflichtig in Kommen und Gehen, für Truppen nichts Ungebührliches.

Manchmal wurden im Angriff Personen vom Erdboden verschluckt. Einen Anwohner der Aegidiistraße in Münster stoppten bei dem amerikanischen Oktoberangriff 1943 herabfallende Bomben auf dem Gang zum Luftschutzkeller in der Grünen Gasse. Der Luftdruck schleudert den Eilenden durch einen Hausflur, das war alles. Im Herauskommen vermißt er jedoch Frau, Tochter und Nachbarin, die ihn begleitet hatten. Die Instandsetzungsmannschaft durchsucht daraufhin sämtliche Gebäudetrümmer im Umkreis, doch vergebens. Der Mann beharrt indes auf seiner Aussage. Die von ihm angegebene Entfernung zu den danach spurlos Verschwundenen deckte sich mit einem Bombentrichter auf der Gasse, den man nun auszuschachten begann. Nach eineinhalb Metern fanden sich die Leiche der Nachbarin, drei Meter tiefer die Tochter und in sechs Meter Tiefe die Frau.

Die Bergungsoperationen in den schwankenden Ruinenfeldern stellten vielerlei Ansprüche an technisches Vermögen wie an Ausdauer und Gemüt. Wo Bergleute halfen, konnten, um zeitraubendes Schutträumen zu sparen, Stollen unter die Kellersohle geführt und die Eingeschlossenen hindurchgezogen werden. Angelegte Kriechgänge wachsen sechzig bis siebzig Zentimeter pro Stunde nach vorn. Wo das unfachmännisch vorgenommen wurde, sind die Gefangenen bis über den Hals eingerieselt. Durchgerüttelt, wie die Gebäude waren, sollte nicht Hand angelegt werden ohne Architekten, die, ohnedem schwach beschäftigt, bestimmten, welche Bauteile besser abzureißen waren, bevor sie über den Rettern einstürzten. So hat es Baumeister Schorn aus Münster aufgezeichnet, der erst mit fünfzehn, dann mit vier auswärtigen Instandsetzungsbereitschaften aus Osnabrück, Hamm, Gelsenkirchen vier Wochen lang im Schutt nach Menschen und menschlichen Überresten des 10. Oktober suchte.

Zwei der unglücklichsten Treffer hatten das Clemenshospital sowie das Ordenshaus der Clemensschwestern an ebenjenem Tag zerstört, da die Oberinnen den Besuch ihrer Angehörigen empfangen durften. Die Nonnen und ihre Gäste auszugraben, »war nur durch Eintreiben eines Stollens durch bzw. unter die Schuttmassen möglich. Trotz tagelanger Durchkämmung des ganzen Gebäudes konnten nicht alle, die vermißt wurden, gefunden werden.« Von zweiundfünfzig Schwestern, darunter die Generaloberin, wurden nur die sterblichen Reste eingesammelt. Als das aufwendigste erwies sich die Vermißtenbergung unter dem ausgebrannten Clemenshospital. »An dem Holz, den Betten usw. fand das Feuer reiche Nahrung. Bei den Räumungsarbeiten war es mitunter erforderlich, daß die Schuttmassen, die zum Teil nur aus Glutmasse bestanden, unter Wasser gesetzt werden mußten, um ein Arbeiten zu ermöglichen. Unter diesen Umständen war ein Einsatz von Baggern nicht möglich, da in diesem Falle dann keine Gewähr gegeben war, irgendwelche Anhaltspunkte für die Bergung von Vermißten zu finden. So mußten die ganzen Schuttmassen mit der Schaufel umgesetzt werden, um die Vermißten zu finden, wozu eine Zeit von vierzehn Tagen benötigt wurde.« Den Kranken hat es nicht mehr geholfen. »Was noch von den einzelnen Personen gefunden wurde, soll nicht näher erläutert werden.«

Wie viele mögen in verschütteten Kellern über Tage auf die Öffnung gewartet und langsam sich aufgegeben haben? Die Luftschutzpolizei hat abgewogen, wo Leben noch zu vermuten war und wo nicht. Dabei müssen Irrtümer entstanden sein, viele schon darum, weil die Trümmergrundstücke schier endlos waren. In Hamburg brannten 215 Kilometer Straßenfront. Der Postobersekretär Julius Zingst aus Kaiserslautern hat die Verschüttung nach einem Jagdbomberangriff am 27. Dezember 1944 durchlebt. Die 70 000-Einwohner-Stadt ist in diesem Monat achtmal bombardiert worden. Zingst spürte in der Küche seines Eigenheims auf dem Pfaffenberg die niedrig fliegende Maschine nahen, sprang mit seinen fünf Hausgenossen in den Keller, hörte das Rauschen der Sprengbomben über sich, gefolgt von einer heftigen Erschütterung, dann einer dumpfen Detonation. »Gleichzeitig sank mit schrecklichem Getöse ein Haus über mir zusammen, wobei ein Teil unseres Luftschutzkellers eingedrückt wurde.« Getroffen war das Nachbarhaus, der Luftdruck aber warf das eigene mit vom Sockel, so daß nichts außer dem eingedrückten Keller übrigblieb.

»Zu unserem Entsetzen merkten wir, daß wir von der Außenwelt vollständig abgeschlossen waren und auch die Zufuhr frischer Luft sich als unmöglich erwies. Da wir wußten, daß die Nachbarn uns im Keller vermuten mußten, hielten wir bei der immer knapper werdenden Luft, in völliges Dunkel gehüllt, mit Aufraffung aller Energien bei gegenseitiger Aufmunterung durch und gaben von Zeit zu Zeit Klopfsignale und Rufsignale.« Nach vier Stunden fingen zwei Nachbarn die Signale auf und taten das einzig Richtige, sie hieben unterirdisch in das Fundament ein Loch. Das holte die Halberstickten ins Leben zurück. Eine Stunde später waren sie draußen.»Während unserer Verschüttung ging, wie Nachbarn berichteten, die Technische Nothilfe vorbei. Angesichts des Trümmerhaufens gab sie alle Hoffnung auf mit der Bemerkung: ›Unter dem Schutthaufen lebt niemand mehr.‹«

Weil alle Rettung eine Frage der Zeit war, benutzte Bomber Command Zeitzünder, einstellbar auf 36, 72 oder 144 Stunden nach Abwurf. Damit waren die Hilfskräfte auf Abstand gehalten und die Vernichtungskräfte unbehindert. Der Feuerwerker kann solch eine Waffe nicht entschärfen wie einen Blindgänger. Mit Haushaltsmitteln wie Papier- oder Torfballen und Astbündeln wurde umständlich experimentiert, doch blieb nichts Besseres übrig, als das umgebende Gebiet abzuriegeln und Bergungsaktionen dort auszusetzen. Für die Demontage des Blindgängers riskierte der Feuerwerker sein Leben.»Oft mußten wir«, schreibt der damals sechsundzwanzigjährige Sprengmeister Karl Nakel aus München,»an den Füßen aufgehängt, mit dem Kopf nach unten, Bomben entschärfen. Dann gab es Lehmgebiete, da ging die Bombe vier Meter hinunter, da mußten wir im Finstern die Bombe entschärfen. Man war schon im Grab drin. Bei jeder Bombe machte man die Erkennungsmarke und den Ehering ab und ließ alles im Auto. Dann ging es an die Bombe, es war ein bewußtes Sterben.«

Man kann das Sterben aufteilen, die unerhört gefährliche Arbeit machten die zuständigen Wehrmachtsfeuerwerker nicht allein.»Wir hatten bei unserer Arbeit KZ-Häftlinge. Wenn ich in der Früh ins Konzentrationslager Dachau kam und sagte, daß ich zwölf Häftlinge brauche, sind hundert aus der Reihe getreten. Ich galt als Feuerwerker, dem nichts passiert.« Die Städte warben daneben Gefängnisinsassen als Freiwillige an,»durch tapfere Tat die Freiheit zu erwerben«. In Siegen kam man mit geringerer Prämie aus. Die Feuerwehr nahm zwanzig Zuchthäusler aus Werl, ließ sie unter Aufsicht eines Polizisten fünfunddreißig Tonnen Blindgän-

ger entschärfen. Zum Lohn dafür wohnten sie im Untersuchungs-
gefängnis. Dort hat die Feuerwehr sie morgens abgeholt und
abends eingeliefert.

Häftlinge, Fremd- und Zwangsarbeiter sind auch die Reserven
für den ekelbehafteten Teil der Leichenbergung. Zur Soforthilfe
in der Nachangriffsspanne rekrutierten die Luftschutzeinheiten
jeden Zivilisten von der Straße weg. Das erste war, Durchgang
schaffen, das zweite, Leute aus dem Schutt ziehen. Diese Reihenfolge war umstritten, aber konstant. Den Zugriff auf die frisch
Verschütteten erinnert der HJ-Meldeführer Paul Körner aus Saarbrücken wie folgt – es war der erste Großangriff auf die Stadt in
der Nacht zum 30. Juli 1942: »Wir versuchten, teils mit bloßen
Händen, Steinbrocken, Deckenbalken und Träger wegzuschaffen,
um nur schnell an die Verschütteten heranzukommen. Viele von
ihnen waren schon tot und teilweise ganz schrecklich zugerichtet.
Es war jedesmal ein Schock, wenn jemand dabei war, den ich gekannt hatte. Wir wohnten ja gleich nebenan, um die Ecke.«

Im Feuer zugrunde gegangene Häuser, Schutt in Flächen-
brandgebieten hielten wochenlang die Glut. So lange waren die
Trümmer zu heiß, um sie anzufassen, die Strahlhitze in den Kellern mußte auskühlen, ehe die Totenbergung begann. Den stoffli-
chen Zustand der Körper haben die Instandsetzungsdienste nicht
mehr ertragen und Russenkommandos gebildet für diesen Dienst.
Die Keller gaben Stadien der Dekomposition frei, die rasch mit
Chlorkalk überworfen wurden.

Dem Auge ist die Rückverwandlung des Leibes zur Materie ein
Graus, nur im Kriege geschieht dies im Licht. Dort ist die Räumung des Schlachtfelds eine Aufgabe für sich; dafür wird Vorsorge getroffen. Nach Innenministerverfügung vom 28. August 1934
hatten Wohlfahrtspolizei, Gesundheitsamt, Friedhofsamt und Sa-
nitätsdienste bei Luftangriffen das innerstädtische Leichenfeld zu
bereinigen. Im September 1934 besaß Leipzig seine siebenundzwanzig Totenbergungstrupps, bestehend aus dem leitenden Polizisten und vier Hilfskräften. 1936 waren in Kirchensälen Aufbah-
rungsplätze für 1034 Personen sowie Massengräber auf dem
Trinitatis-, dem Süd- und Westfriedhof ausgewiesen, im Kontrast
zur festen Annahme, daß Sachsen luftkriegssicher sei. Doch war

dies nur das Verwaltungsschema der Wirklichkeit. Sie nahm eine Gestalt an, die mit keiner staatlichen Ordnung mehr vereinbar scheint.

Die Höllenszenen, welche die Kelleröffnungen freilegten, bestreiten jegliche öffentliche Gewalt. Was ist der Staatszweck, wenn Dinge zugelassen werden wie in Darmstadt. In den verschütteten Kellern zerplatzten Heizungsrohre, und die Insassen wurden in den Ausflüssen zerkocht. Die in den Kellerfluchten unter den Häuserblöcken kreuz und quer hastenden Eingeschlossenen stauten sich jeweils an den Mauerdurchbrüchen; hier wurden ineinander verkrallte Menschenknäuel gefunden, die mit Werkzeugen voneinander gelöst werden mußten. Manche wiesen Stich- und Hiebverletzungen auf, die sie einander in Todesangst versetzt haben mußten. Von der Kellerräumung des Cafés Hauptpost in Darmstadt ist berichtet, daß Minendruck die Insassen getötet habe, darunter eine Frau bei der Entbindung.»Das waren Keller, in denen der Koks gebrannt hatte. Entweder waren die Menschen verkocht im Wasser, oder sie waren verkohlt. Oder sie saßen da wie die Geister, vermummt mit Decken und Tüchern vor dem Gesicht, mit denen sie Schutz vor dem Rauch gesucht hatten. So saßen die erstickten Menschen in den Kellern. Der Gestank war entsetzlich.« Den Darmstädter Gasgetöteten hat der Sauerstoffprüfer, die Kerze, ihr Ende angezeigt. Die Gestik des Körpers gegen das Ersticken hat die Todesstarre bewahrt. Die Russen, Ukrainer und Polen konnten nur mit Alkohol betäubt in diesen Hades eindringen und die Gemarterten einsammeln.»Für diese Menschen war das genauso entsetzlich. Sie erbrachen sich über den Rand des Wagens, hatten ständig verfärbte Gesichter und haben von Tag zu Tag schlechter ausgesehen. Vollgeladen rollten dann die Wagen mit ihrer traurigen Fracht.« In Stuttgart hieß es:»Für Pietät bleibt keine Zeit.« Der Ekel und die Vergiftungsangst bei der Berührung der Körperreste stumpften ab. Die aufgedeckten Sterbeszenen aber ließen die Bergungsmannschaften, die wenig Grund zum Mitleid hatten, wieder und wieder in helle Tränen ausbrechen.

Die Bergung ist Sache des Luftschutzes so sehr wie der Familie. Man vergewissert sich nach dem Angriff des eigenen Lebens, dann des der Angehörigen. Die von der Straße aufgelesenen Leichen werden auf die Bürgersteige und auf Freiflächen gebreitet, und durch das Spalier der Gefallenen ziehen gebückt die Lebendiggebliebenen in der Furcht vor einem bekannten Gesicht. Die Reihen werden ergänzt im Fortgang der Bergung. Nach dem Öffnen der Keller tragen die Mannschaften die obere, lockere Schuttschicht ab. Die Körper der Erschlagenen arbeiten sich selbst empor, das jedenfalls ist oftmals berichtet.

Sechs Tage nach dem Dresdenangriff im Februar 1945 kontrolliert der Geschäftsführer des interministeriellen Luftkriegsschädenausschusses Ellgering die Instandsetzungsschritte und sieht Körperteile, Köpfe, Arme aus den Trümmern ragen. Er schließt sich der Suche einer jungen Frau nach ihren Eltern an. Ein Bergungskommando hebt die Trümmer von den Kellerlöchern, und »man konnte förmlich spüren, wie die heiße Luft aus dem Keller entwich«.

Mit der Stablaterne, geleitet von den Markierungspfeilen, wird der Luftschutzraum betreten, wo die Hausgemeinschaft sitzt, »genauso wie man im Luftschutzkeller zu sitzen pflegte, einer neben dem anderen auf der Bank, das sogenannte Luftschutz-Gepäck neben sich. Etwa dreißig bis vierzig Menschen, vorwiegend alte Leute, Frauen und Kinder saßen tot auf den Bänken an der Wand. Nur einige wenige waren zu Boden gestürzt. Der Anblick war so erschütternd, daß die junge Frau unter diesem Eindruck fast zusammenbrach.« Die Eltern waren nicht dabei. Die Familie hatte sich in dem Gängegitter unter der Altstadt getrennt, weil der Tochter die Rauchentwicklung suspekt wurde. Der Vater litt am Herzen und wollte warten, bis der Rauch nachlasse, die Mutter wollte bei ihm bleiben. Beide bedrängten die Tochter, sich durch die Schwaden zum Großen Garten durchzukämpfen. In den hinteren Kellerräumen wurden sie später in einer Menge von 108 übereinander geballten Leichen gefunden. Diese Gruppe hatte vor dem Rauch in den nächsten Innenhof entfliehen wollen und sich dabei erdrückt.

Auf Dresdener Friedhöfen baggerten russische Arbeiter und Gefangene Gräben, die zehntausend Gefallene aufnahmen. Dann kam milde Vorfrühlingsluft auf und beschleunigte die Verwesung.

»Es blieb keine andere Wahl mehr«, schreibt Ellgering, »als die Genehmigung zur Verbrennung der Leichen zu geben, die auf dem Altmarkt stattfand, wo aus Eisenträgern riesige Roste gebaut wurden, auf denen jeweils etwa fünfhundert Leichen zu Scheiterhaufen aufeinandergerichtet, mit Benzin getränkt und verbrannt wurden. Diese Scheiterhaufen auf dem Altmarkt in Dresden stellen einen Schandfleck in der Geschichte unseres Jahrhunderts dar, für den es so leicht kein Beispiel geben wird. Wer Zeuge gewesen ist, wird ihren fürchterlichen Anblick in seinem Leben nie wieder vergessen.«

In Pforzheim hatte zur selben Zeit die Wehrmacht angeboten, die zwanzigtausend Leichen mit Flammenwerfern zu beseitigen. Die Stadt war zehnmal kleiner als Dresden, hatte aber die Hälfte der dortigen Verluste beizusetzen. Auf Handkarren, Vieh- und Heuwagen brachten die Einwohner selber ihre Toten zum Friedhof auf der Schanz. Als die Halle überfüllt war und Berge Verstümmelter und Verkohlter neben ihr wuchsen, wußte man keinen besseren Rat als den Flammenwerfer. Darauf sagte der Bürgermeister von Heilbronn einen Bagger zu. Mit demselben Gerät waren elf Wochen zuvor die sechstausend Heilbronner Opfer des 4. Dezember in die Erde gekommen. So konnten im östlichen Friedhofsteil drei fünfzig Meter lange Gruben ausgehoben werden. »In einer Grube«, schreibt Arthur Kühn, der anwesend war, »mußten wir etwa 3500 Tote legen, zehn bis vierzehn übereinander. Aus den Leichen haben wir uns Treppen gebaut, um das zu schaffen. Wir waren so gefühllos geworden. Unsere Arbeit, so grausig und schwer sie war, mußte getan werden.« Man muß auf die Zeit der Pest zurückgehen, um Städte wie Pforzheim, Darmstadt und Heilbronn zu finden, die in Monatsfrist jeden vierten, jeden zehnten, jeden elften ihrer Bewohner in ein Grab legen müssen.

Hitler hatte noch im Februar 1944 die Beisetzung der Bombenopfer in Massengräbern strikt untersagt; dies glich Ausrottungsschicksalen, die anderen zugedacht waren. Die Roste auf dem Dresdner Altmarkt, die fünf Wochen lang brannten, waren unter Teilnahme eines Kommandos Streibel errichtet worden. SS-Sturmbannführer Karl Streibel, Führer der aus Ukrainern, Letten und Litauern bestehenden Trawniki-Einheiten, die auch als Wachpersonal in Vernichtungslagern dienten, kannten das Einäscherungsverfahren aus Treblinka. Dort benutzte man sechs Eisenbahnschienen auf Betonsockeln. Die Leichenbergung entspricht der Tötungsprozedur. Der Ausgerottete erhält kein eigenes Grab, erhält keinen eigenen Tod, weil ihm kein Lebensrecht gehörte. Es wurde ihm ausgezogen wie eine Jacke. Die tausend unter zehnjährigen Kinder wurden nicht zur Strafe bombardiert. Bomber Harris unterstellte ihnen keinerlei Schuld. Churchill behauptete nur, daß sie ihm gegenüber keine Rechte geltend machen konnten. Im Ersten Weltkrieg hätten sie solche besessen, im Zweiten nun nicht mehr. Hitler, Churchill und Roosevelt haben sie ihnen abgenommen. Das Stadtvolk, das wegen Stadtvolkstums aus der Sonne muß, benötigt auch kein Soldatengrab, das ein einzelnes ist.

Der Soldat bleibt Rechtsperson, auch wenn er getötet werden kann. Dies darf nur so lange geschehen, wie er selber tötet. Legt er die Waffe nieder, genießt er Pardon. Das hat sich im deutsch-russischen Krieg oft anders verhalten, aber letztlich endete auch dieser Krieg in Gefangenenlagern. Die Heilbronner Kinder konnten die Waffe nicht niederlegen, weil sie keine in der Hand hielten, erhielten darum auch kein Pardon – und wie hätte man sie auch gefangennehmen sollen? Sie waren weder Rechtspersonen noch Personen, sondern eine Gruppe, definiert durch Wohnhaftigkeit am Zielgebiet. Die Rechte des Bomberpiloten regelte die Genfer Konvention. Sprang er mit Fallschirm ab, war er gefangenzunehmen.

Hitlers Massengrabverbot, das dem Volksgenossen als letzten Personenschutz das Personengrab sichern wollte, scheiterte schließlich an der Friedhofskapazität. Frankfurt am Main verordnet im Oktober 1943, daß bis zu tausend Tote in ganzen Särgen zu bestatten seien, zwischen zwei- und sechstausend in halben Särgen mit Papierauflage und ab sechstausend in Papiersäcken. »Das Papier und geeignete Stricke sind bereitgestellt.« Leipzig konnte die 1800 Gefallenen des 4. Dezember 1943 noch in Reihengräbern bestatten; damit waren zweihundertfünfzig Soldaten mit Extrarationen Cognac drei Wochen lang befaßt. Als der nächste Angriff am 20. Februar weitere 972 Personen tötet und der Johannisfriedhof in Leipzig schwer getroffen schließen muß, wächst unter den Leipzigern solch ein Erschrecken vor Massengräbern, daß die Behörden proklamieren:»Der Tod all dieser Männer, Frauen und Kinder ist Opfertod und Heldentod.« Jeder erhält einen Einzelsarg und ruht auf dem Südfriedhof, am Völkerschlachtdenkmal wird Totenehrung abgehalten. Auch die 368 Ausländer unter den Gefallenen erhalten einen Ort auf dem Ostfriedhof, eine Grube. In Würzburg bleibt Ende März 1945 keine Zeit und keine Kraft, die fünftausend Toten zu sondern. Neunzig Prozent der Bevölkerung sind evakuiert, auf je zwei Dagebliebene kommt eine Leiche. Soldaten und Fremdarbeiter schaffen dreitausend Körper rasch in Massengräber vor dem Hauptfriedhof. Achthundert davon sind namentlich bekannt.

Die Familien gaben sich alle Mühe, die Gebeine den Personen zuzuordnen, deren sie am Grab gedenken wollten. Zwei Witwen, deren Gatten ununterscheidbar zu Asche verglüht waren, teilten sich die Asche, um sie als sterblichen Rest beizusetzen. Die Darmstädter sammelten die Menschenreste in Kisten, Eimern und Waschbottichen, die sie zum Friedhof trugen. Die dort ein Familiengrab besaßen, verscharrten darin die Teile. Wer keines hatte, stellte die Behälter beschildert ab. Wo nichts als eine Anzahl verkohlter Knochen übrig war, stand »28 Personen aus dem Hause Kiesstraße« auf dem Zettel. Dies war zumindest eine Luftschutzgemeinschaft gewesen und als solche etwas Persönliches. In Pforzheim hafteten Etiketten an Leichen auf dem Pflaster »Bitte nicht ins Massengrab. Wird privat beerdigt«.

Die letzte wiederherstellbare Würde ist der Name, daran arbeiten die Identifizierungsdienste. Wer namentlich tot ist, wird nicht länger gesucht; es erlöst die Angehörigen von der Ungewißheit. Darüber hinaus existiert ein Unbehagen, anonyme Reste in die Erde zu geben. Wo keine leiblichen Merkmale mehr vorhanden sind, wird in Heilbronn eine ›Identifizierungstasche‹ angelegt, die Schmuck, Schlüssel, Haar- und Stoffreste enthält. »Besondere Schwierigkeiten«, heißt es im Bericht des Polizeipräsidenten zum Kasseler Feuersturm, »bietet die Identifizierung von Frauen, da sie wegen fehlender Kleidertaschen Ausweispapiere nicht unmittelbar

bei sich zu tragen pflegen. Bei Frauenleichen ist daher die Sicher-
stellung von Schmuckstücken besonders wichtig. Vorsorgliche
Ausrüstung der Identifizierungskommandos mit starken Beißzan-
gen zum Ablösen von Ringen und mit Scheren zum Abschneiden
von Kleiderstoffmustern ist zu empfehlen.« Die Identifikation war
Sache von Kriminalpolizisten, die zunächst bekannte von unbekannten Toten trennten, Kennkarten an den Unbekannten befestigten und sie unter Bewachung an der Fundstelle beließen, um
Hinweise der Anwohner einzutragen. Nürnberg errichtete ein solches Lager zu Füßen des Denkmals Martin Behaims. In Kassel
wurde beschlossen,»die unbekannten Gefallenen dort so lange lie-
genzulassen, als es der Verwesungsprozeß gestattet. Forderungen
der Pietät müssen hier hinter der wichtigeren Forderung der Identifizierung zurückstehen.«

Aus Pforzheim ist berichtet:»An die Häuserreste sind viele
Namen in Kreide geschrieben. Hinter den meisten steht ein
Kreuz. Manchmal steht auch eine Adresse dahinter. Einmal heißt
es im Pforzheimer Deutsch: ›Wo sind Ihr?‹ Dahinter in Block-
schrift: ›Alle tot‹. In der Luisenstraße lagen reihenweise Tote, die
Züge noch kenntlich. Viele Bekannte darunter. Fast alle tragen
Sonntagskleider, Pelzmäntel, Handtaschen. Die Luftschutzbrillen
über weitgeöffneten Augen passen schlecht dazu. Die Leichen auf
dem Reuchlinplatz sehen am scheußlichsten aus. Das blauschwar-
ze Fleisch kolossal angeschwollen, Beine dick, als wären es allesamt Ringkämpfer gewesen. Leiber aufgetrieben, Köpfe wie Kür-
bisse, Lippen wie Neger, Arme starr ausgestreckt. An einem
großen Rumpf betrachten zwei Frauen einen winzigen Stoffrest.
›Es könnt' doch die Emma sein‹, sagt die eine. ›Ja, in dem Kleid
isch se als im Keller g'sesse‹, die andere. Dann winken sie einem
Mann mit Amtsmütze: ›Schreibe se uff, des isch Frau Emma F.
g'wese‹.«

In Kassel arbeiteten Identifizierungskommandos noch auf den
Friedhöfen und nahmen Personalbeschreibungen auf. Über eine
Effektensammelstelle währte die Suche nach den Namen fort.
Hannover empfahl den Einwohnern,»ein Stück Konservenblech
bei sich zu tragen und Name und Wohnung darauf einzuritzen«.
Der Stadtmedizinalrat schlug im März 1943 dem Reichsgesund-

heitsführer vor, die Volksgenossen mit Erkennungsmarken auszurüsten, wie die Wehrmacht sie trug. Dies werde zwar die Bevölkerung beunruhigen, doch seien ihr die Auswirkungen von Großangriffen vollkommen klar. Die Lage sei nun eine andere als ein
Vierteljahr zuvor; eigentlich werde eine jede Maßnahme als »Mil-
derung« begrüßt.

Dem Hinterbliebenen eines Gefallenen zahlte das Reich ein Be-
stattungsgeld von 210 Mark, die Kommune weitere 40. Die Orts-
krankenkassen, die ihren Mitgliedern in natürlichen Sterbefällen
einen ähnlichen Beitrag gratifizierten, wollten diese zwei Summen
saldieren, stießen damit aber auf den Widerstand des Reichsversi-
cherungsamtes. Das Bombenopfergeld sei mit Ansprüchen aus anderen Quellen nicht verrechenbar. Dies wegen des Grundsatzes,
»daß die vom Reich zu gewährende Bestattungshilfe vor allem für-
sorgerischer Art ist. Die Kürzung einer fürsorgerischen Leistung
zugunsten oder wegen einer Versicherungsleistung würde aber
mit dem Wesen der Fürsorge nicht im Einklang stehen.«

Das Reich hatte drei Gesichter. Als politisches Organ führte es
Krieg und verantwortete den Austausch der Feindseligkeiten. Als
militärisches Organ versagte es in der nachhaltigsten, schwersten
Schlacht, der in der Luft. Als Fürsorgeorgan begegnete es den
Volksgenossen wie der Helfer in der Not. Sie wußten wohl, daß
der Helfer die Not selbst herbeigeführt hatte. Churchills Flugblätter beteuerten, die Not zu beenden, wenn die Helfer verjagt
würden, auch er der Retter von einem Übel, das er selber los-
schickte. Vor allen Wenns und Danns stand die Not. Der Bombenkrieg löst bei dem, der ihn erleidet, kein politisches Raisonne-
ment aus, sondern das Bedürfnis nach einer heißen Suppe.

Im Winter 1940/41, als das Reich sich auf einen längeren Bombenkrieg gefaßt machte, rechneten das Luftfahrt-, das Innenmini-
sterium sowie die NSDAP mit einem Massenauszug der Bevölkerung aus den bedrohten Städten. Um dies einzudämmen, wurden
Sperr- und Auffangposten an der Ortsperipherie angeordnet. Wie
sich später herausstellte, mußten Staat und Partei Überredungs-
kunst und Zwangsmittel anwenden, die Einwohner zum Verlassen
der Städte und einem Quartier auf dem Lande zu bewegen. Für-

sorgestaat und Notbedürftige setzten ihre Sozialbeziehungen enger fort, als sie je gewesen waren. Die Auffangsammelstellen am Stadtrand wurden eingerichtet, aber nicht als Polizeisperrkette. Nach Großangriffen entstanden erwartungsgemäß ziellose Bewegungen aus den Brandflächen ins Freie hinaus. Manchenorts ging das wohldiszipliniert vonstatten. Die Stuttgarter etwa wanderten geradewegs zu den Vorortbahnhöfen und lösten eine Fahrkarte nach Bad Cannstatt, Esslingen oder Vaihingen. Von den zweiundzwanzig Randleitstellen des Stadtrandes plazierten sich vier diskret in Bahnhofsnähe. Die Gauleitung Württemberg-Hohenzollern wies sie an: »Die seelische Betreuung der Volksgenossen ist Aufgabe der politischen Leiter. Die Volksgenossen sind möglichst in Sälen, Scheunen und dergleichen unterzubringen, wo sie Gelegenheit haben, sich hinzusetzen oder hinzulegen. Die vorläufige Versorgung Totalgeschädigter, die nur notdürftig gekleidet sind oder deren Kleider bei der Flucht erheblich beschädigt wurden, gehört zu den Aufgaben der Nationalsozialistischen Volkswohlfahrt. Den Obdachlosen muß klar gemacht werden, daß die in Stuttgart berufsgebundenen Volksgenossen in Stuttgart oder seiner näheren Umgebung zu bleiben haben und nur jene, die keine berufliche Bindung an Stuttgart haben, in entferntere Kreise verbracht werden können. Heil Hitler (gez.) Murr, Gauleiter.«

Um die in allen Städten etablierten Randstationen durchkämmte Wohlfahrtspersonal auf Fahrrädern das Gelände, sammelte Verstörte und Verzweifelte, sprach Trost und lud zu einem Trank, »denn Angst und Aufregung erzeugen im Menschen Durst«. Nach dem Durst wird die Verzweiflung gestillt und die Moral stabilisiert.

Die gleichen Verpflegungsposten verteilten sich auch im Schadensgebiet, Lautsprecher- und Mundpropaganda nannten den Ort. Sobald die Bomben fielen, begann man dort belegte Brote und Tee zu bereiten: »Der warme Trank und gute Butterbrote sind nach der aufregenden Nacht eine große Hilfe.« Im November 1944 verteilt Duisburg nach drei Großangriffen 220 000 Butterbrote täglich. In den zwei letzten Kriegsjahren wird mit fortschreitender Obdachlosigkeit in Köln ein Teil der Bewohner

Kostgänger der Stadtverwaltung. Die Verpflegungszentrale gibt im Sommer 1943 innerhalb von vierunddreißig Tagen 7,3 Millionen warme Mahlzeiten und mehrere Millionen Butterbrote aus; an Einzeltagen bis zu 300 000 Mahlzeiten. Zudem kreuzen nach Angriffen Tankwagen mit Trinkwasser durch die Städte, weil dort kein Zapfhahn mehr läuft. Die Wasseraufbereitungsapparate liefern fünf Liter die Stunde. Nach Filterung, Schönung und Entseuchung wird jedes nicht stark versalzene oder vergiftete Wasser ausgeschenkt. Den Fürsorgeteil des Luftschutzes organisiert die NSDAP. Im November 1943 ernennt Hitler einen Reichsinspektor für den zivilen Luftschutz, den Propagandaminister Goebbels. Die einzige Propaganda, die jetzt noch etwas zählt, ist die Tat. So wird für die Bombenopfer etwas getan. Die NS-Volkswohlfahrt, der Bund deutscher Mädel, die NS-Frauenschaft nehmen sich der Geschädigten an. Die Sozialämter überrollt eine Flut von Bedürftigkeiten, die ein Heer von Notdienstverpflichteten sämtlicher Behörden – Lehrerinnen, Bibliothekarinnen, ferner Laienhelferinnen des Roten Kreuzes, Schwesternschülerinnen – auffängt. Zwischen Sozialämtern und Partei wird in ›Einsatzmappen‹ vereinbart, wer wen behandelt. Die Partei zeigt in dem Solidarwerk Flagge; es wurde die ›zweite Machtergreifung‹ genannt. Die Macht über die Nöte kittet Volk und Regime erst recht aneinander.

Der umfangreichste Schaden des Bombenkriegs sind die Wohnungen. In Köln vernichtet je ein mittlerer Großangriff zehn bis zwölf Prozent des Wohnungsbestandes. Als 1944 die schlimmsten Bombardements beginnen, sind zweiundsechzig Prozent total oder schwerstbeschädigt; das letzte Kriegsjahr läßt 19,6 Prozent in lädiertem, halbwegs noch nutzbarem Zustand übrig. Der Wohnungslose hält sich an den, der ihm ein Dach über dem Kopf verschaffen kann. Das ist nach Lage der Dinge der NS-Staat.

Im Nebenzimmer von Gaststätten schlägt er Obdachlosensammelstellen auf. Übergangsweise vermitteln sie ein Sammelmassenquartier, gewöhnlich eine Schule, außen markiert mit gelb-blauem Transparent und Aufdruck ›N‹. Darin sind, für Mann und Frau getrennt, Schlaf- und Aufenthaltsräume eingerichtet für bis zu 3000 Personen. Solch einen Bedarf, aus sechs

Angriffen in der Ruhrschlacht von 1943, melden beispielsweise über 40 000 Obdachlose in Duisburg an (13. Mai); über 50 000 in Dortmund (24. Mai); 80 000 in Wuppertal (30. Mai); 140 000 in Düsseldorf (12. Juni); 72 000 in Krefeld (22. Juni); 30 000 in Mülheim (23. Juni). In den Notunterkünften walten bereits Amtsstellen, die den Geschädigten Bezugsscheine für Lebensmittel und Kleider ausstellen, Gutscheine zur Teilnahme an der Gemeinschaftsverpflegung, Bescheinigungen für Familienunterhalt, Geldvorschüsse und spätere Entschädigung für verlorene Garderobe, Wäsche, Gebrauchsartikel usw. Als begehrtestes und darum knappstes Gut erwies sich der Milchtopf. Neben den Alten waren Mütter mit Kleinkindern die meistvertretene Bevölkerungsgruppe in den Kriegsstädten. Die Schuljugend war ab 1943 größtenteils evakuiert.

Die Sonderabteilung Wohnungsfürsorge verschafft den Obdachlosen die nächste Bleibe, zuerst auf dem Wohnungsmarkt, später durch Beschlagnahme. In Soest fordert die Stadtverwaltung die ansässigen Juden auf, ihre Behausungen zu verlassen und den Luftkriegsgeschädigten zu übergeben. Der oft mangelhaft bedeckte Ausgebombte wird mit Notbekleidung ausgerüstet, die im Fliegergeschädigtenausweis vermerkt ist. Dieser enthält das genaue Profil der Schädigung: die Totalverluste, die Beschädigung von Fenstern, Türen, Vorhängen und Hausrat. Diese Dinge werden ersetzt oder entgolten; Leistungen, die der Betreuungsnachweis festhält, um keine Mißbräuche zu begünstigen. Gesundheitsschäden lassen sich über den Heilfürsorgeausweis beheben. Die ärztliche Betreuung soll nahtlos an den Angriff anschließen, der insbesondere Augenverletzungen hervorruft.

Das Auge ist im Bombenkrieg das meistgefährdete Organ. Phosphornebel, Ruß- und Gaspartikel, Rauch, Staub, vor allem aber Perforation des Augapfels durch kleinste Glassplitter lassen erblinden. Der Zustand ist behandelbar, der Betroffene weiß das nur nicht, seine Sicht ist fort, er hält sich für dauerhaft geblendet. Zumindest ist er für die Fortdauer des Angriffs, des Brandes, der Zeitbombengefahr unbeweglich. In Wohnungen, Kellern und Straßen harrt eine Vielzahl vorübergehend Blinder, die nicht aus noch ein wissen. Sie finden auch später nicht zu einer Betreuung.

Helferinnen streifen durch die Gebäude, um diese Gruppe aufzulesen.

Das Gesicht geht auch verloren durch Mauer-, Kalk-, Mörtel- und Erdpartikel, die hoher Explosionsdruck in den Kopf preßt, die ›Schmutztätowierung‹. Rasche Schwellung und Verkrustung der Gesichtshaut rufen ein Lidödem hervor, das den Blick verschließt. Eine Therapie am Ort ist nicht möglich. Die Rotkreuzlerinnen beruhigen den Verletzten, er darf mit der Hand nicht das Lid zu öffnen suchen, er soll es nicht kneifen, er soll in sitzender Stellung abtransportiert werden und die Augen leicht geschlossen halten. Die Glassplitter verwunden das Auge grundsätzlich schwer und sind eine Aufgabe für chirurgisch vorgebildete Krankenhausärzte. Allerdings litt das Krankenhauswesen schwerste Bombenschäden. Die größte Fürsorgelücke war das Fehlen genügender Ausweichanstalten.

Anfangs bestand der Glaube, durch Aufmalen von Rotkreuzzeichen die Krankenhäuser aus der Angriffszone zu halten. Später entstand der Eindruck, der Gegner zerstöre bevorzugt Dome und Hospitäler. Die Dome waren lediglich gute Orientierungen für das ringsum gebaute Altstadtquartier, und die Krankenhäuser fielen schneller, weil sie größer waren und Fabriken glichen. Man hatte ihre Keller umgerüstet zu Bett-, Operations- und Kreißsälen sowie zu Isolierräumen für ansteckend Kranke. Diese waren gas-, splitter- und trümmersicher; sie blieben bei ausgefallener Wasser- und Stromversorgung zwölf Stunden arbeitsfähig.

Sobald die Sirenen heulten, trug das Pflegepersonal die nicht gehfähigen Patienten hinab. Allerdings stand der Kellerraum in keinem rechten Verhältnis zu den umzuquartierenden Patienten. Der Chefarzt teilte ein. Wenn der Keller gefüllt war, wurde das Erdgeschoß voller gepackt, wenn das Erdgeschoß überfüllt war, der Korridor und wenn die Korridore voll waren, wurden die restlichen Betten vom Fenster weggerollt an die Wand. In seine Decken gekauert, sah der unbewegliche Patient die Stabbrandbomben vorüberrauschen, sah den Feuerschein am Horizont, roch durch die zersplitterten Scheiben das Verbrannte und klammerte sich an die Kraft des Gebets.

Mit einem erheblichen Ausweich- und Zusatzbedarf von Bettplätzen im Luftkrieg war nicht gerechnet worden. Im Juni 1939 kalkulierte man für Luftschutzorte I. Ordnung ein Bett auf tausend Einwohner. Als Hilfskrankenhäuser reichten Jugendherbergen und Internate. Ende 1940, kurz nach Erlaß des Bunkerbauprogramms, wurde die Lage schon realistischer betrachtet. Am 4. Dezember 1940 ordnete die Reichsgesundheitsführung an, »alle Krankenanstalten von bettlägerigen Schwerkranken zu räumen«. Berlin jedoch lehnte damals die Selektion chronisch Kranker ab. Als sich 1943 die Krankenhausausfälle auf die Schlußbilanz von 55 Prozent für Nürnberg, 57 Prozent für Augsburg, 81 Prozent für München und 82 Prozent für Stuttgart zubewegte, blieb nicht viel anderes übrig, als die Unheilbaren nach Hause zu entlassen und umgekehrt keine hoffnungslosen Fälle aufzunehmen, so der Erlaß des Innenministeriums, i.e. Himmler, vom 11. Februar 1944. Den Tod fand man überall.

Die Mühen um Transporte in entfernte Krankenhäuser waren nicht sehr aussichtsreich, denn es gab eine dringlichere Nachfrage, die Wehrmachtsverwundeten. Um die Ausweichmöglichkeiten in Siechen- und Altersheimen, die nötigen Betten, Decken und medizinischen Ausrüstungen rivalisierten nun die Front und die Heimatfront. Was ist aus den Vorbewohnern geworden? In Düsseldorf mußten Krankenhäuser nach Luftangriffen Verletzte wegen Überfüllung abweisen. Doch waren Geisteskranke aus ihren Asylen ausgelagert worden in Gaststätten im Neandertal, in siebenhundert Fällen wurden Betten der Heil- und Pflegeanstalt in Grafenberg mit Giftpräparaten frei gemacht.

»Als mit den zunehmenden Zerstörungen im Rheinland durch Luftangriffe«, heißt es in einem Tötungsurteil des Landgerichts Düsseldorf vom 24. November 1948, »stets wachsender Bedarf an geeigneten Räumlichkeiten für Lazarette und Krankenhäuser eintrat, wurde für diese Zwecke vor allem in den Heil- und Pflegeanstalten immer wieder Platz in Anspruch genommen. So sollte im Herbst 1942 das beschädigte Altersheim Riehler-Heilstätten von Köln nach Kloster Hoven verlegt werden. Um dort den dafür erforderlichen Raum zu schaffen, mußten dreihundertsiebzig Geisteskranke von dort weggeschafft werden. Da innerhalb der Anstalten der Rheinprovinz kein genügender Platz war, ließ sich der

Angeklagte Creutz vom Reichsinnenministerium anderswo freie Plätze nachweisen. Von dort wurde die Anstalt Hadamar namhaft gemacht ...« In dem verhandelten Fall waren insgesamt 946 Erwachsene und dreißig Kinder, meist Schizophrenieleidende, in Hadamar und Waldniel ermordet worden. Die Fürsorge des NS-Staats für die einen enthält den Terror gegen die anderen. Beides zählt gleich, den Zusammenhalt und Wehrwillen der Nation zu sichern. Die Unmasse der im Feuer zerstörten Haushalte muß materiell ersetzt werden. Die auf Kriegswirtschaft umgestellte, selbst schwer bombengeschädigte deutsche Produktion ist dazu außerstande; die nötigen Metalle, Spinnstoffe und Leute sind im Land nicht aufzutreiben. Im Januar 1944 ermuntert Hitlers Sekretär Bormann die Privatwirtschaft, im europäischen Besatzungsgebiet Textil- und Haushaltsgegenstände aufzukaufen, da wisse sie besser Bescheid. Der Markt aber bleibt angespannt, und längst schon arbeitet das besetzte Europa dem deutschen Rüstungsbedarf zu. Der Ersatz wird aus Vorhandenem genommen. Einer der Bestände ist das Raubgut der Judenvernichtung. Kein Besteck und kein Tischtuch aus dieser Quelle, das nicht der Wiederverwendung zugeführt wurde.

Gegenständliche Verluste werden den Bombengeschädigten großzügig entgolten, allerdings in Geld- und Bezugsscheinen. Es muß dafür etwas zu beziehen sein, das wurde schwierig, doch erst mit der Zeit. Anfangs wird mit Verve gratifiziert, dem Geschädigten bleibt kaum Zeit zum Notleiden. Sind Erwerbsmittel in seiner Hand, ist er beschäftigt. In Köln werden nach dem Maiangriff 1942 28 000 Baranweisungen für Kleider- und Bedarfsartikel, 55 000 Baranweisungen für Unterkunft und Verpflegung, 100 000 für Sachentschädigung und 300 000 für Mehraufwendungen erteilt.

Die Entschädigung für Wohnbereichsverluste wird in dem hier besonders maßstäblichen Stuttgart bei dem Oberbürgermeister geltend gemacht durch Antrag auf Feststellung. Die Feststellungsbehörde entsendet eine Schätzungskommission, die an Ort und Stelle eine Schadensaufnahme durchführt. Auf zu erwartende Leistungen gibt München wiederum vorab einen Tausendmarkvorschuß. Bei übertriebenen Forderungen gilt als Verwaltungsbrauch, sie eher anzuerkennen, als den Bittsteller zu provozieren. Schadensmeldungen an persönlichem Eigentum werden üblicherweise zu fünfzig Prozent bewilligt. Deshalb beantragt man grundsätzlich das Doppelte. In der Willkür des Lufterrors bewährt sich das ordnungsgemäße Verwaltungsverfahren. Das Bombardement ist deutschverwaltet, der Staat wird damit fertig. Im Anschluß an die schauerlichste Fremdgewalt im eigenen Domizil steht immer eine Amtsvorschrift.

Nach Großangriffen wird Weißbrot, Fleisch, Schnaps, Wein und Tabak ausgeteilt. Frontkämpfer sind empfänglich für Extrarationen. Die Deutschen sehen mit Genugtuung, daß der Staat funktioniert. Befragungen ermitteln zu achtundfünfzig Prozent Zufriedenheit mit der Fürsorge; es werde alles mögliche getan. Die Einquartierungen werden zu sechsundfünfzig Prozent als zufriedenstellend und zu vierundvierzig Prozent als unbefriedigend beurteilt, was die Behörden angesichts der Unerquicklichkeiten allzu großer Enge für eine höchst tolerante Haltung nehmen. Den höchsten Zuspruch erzielt mit sechs Siebentel Zufriedenheit die medizinische Versorgung.

Unbehagen verursacht, daß der Staat zu spendabel ist. Arbeitgeber klagen, die Entschädigten lehnten Arbeit ab, weil sie das Geld nicht benötigten. Indem der Staat in die Schäden der Bürger eintritt, münzt er den Bombenkrieg auf sich. Solange er die Zeche übernimmt, kann es weitergehen. Der Bombenkrieg erzeugt Bedürftigkeit, der NS-Staat erklärt sich dafür zuständig, das schweißt zusammen.

Das Regime mobilisiert letztendlich die Leute, sich gegenseitig zu stützen. Die Quartiergeber stehen den Quartiernehmern bei. Ungefähr zehn Millionen Kinder und Jugendliche zwischen zehn und achtzehn Jahren sind seit März 1939 in einem obligatorischen Jugenddienst erfaßt. Sie rackern sich für die angeschlagene Elterngeneration ab. Die Frauenschaft, das Kraftfahrerkorps, die SA-Stürme, die Volkswohlfahrt, die parteigebundene Beamtenschaft, die totale Gesellschaftsverfassung sind wie für den Bombenkrieg geschaffen. Das hatten die Douhetisten auch so proklamiert. Die totalitäre Gesellschaft ist die Zivilform des totalen Krieges; jetzt war sie bei sich angelangt.

Die Antragsteller nahmen den Schadensersatz beim Wort. Die Ämter ratschlagten, wie immaterielle Werte zu entgelten seien. Maler hatten den Verlust eigener Werke in Sammlerpreisen beziffert, die zukünftiger Ruhm erst erzielen mochte. Vorher hätte man sowieso nicht verkauft! Wer ein Biedermeiersofa verloren hatte, beantragte kein Sofa, sondern ein Stilmöbel. Der Antiquitätenmarkt wuchs, und die Preise wucherten. Widerstand gegen die beispiellose Eigentumsvernichtung hieß, sich alles wiederzubesorgen, das Sofa, das Aquarell. Es war nicht recht, daß einem alles genommen wurde.

Alle Neupreise waren fixiert und alle Bezüge rationiert. Darum konnte die Masse des verteilten Geldes, dem keine Warenzunahme gegenüberstand, nicht inflationieren. Also entstand ein anderes Ventil, der Schwarzmarkt. Artikel, die aus den Schaufenstern verschwanden, kehrten als Schieberware zurück und zu Marktpreisen. Im gleichen Zwielicht gedieh der Tauschhandel. Aus Stuttgart ist von einem in Cannstatt operierenden Schwarzmarkt berichtet, den die Fremdarbeiter aufzögen mit Brot gegen Zigaretten, Zigaretten gegen Schuhe, Schuhe gegen Hosen und Hosen gegen Brot. Den Tauschhandel bewegt die Klugheit des kleinen Mannes, der hortet. Jeder alles zu jeglicher Zeit. Man erwirbt, was gerade erhältlich ist, und legt es auf Vorrat. So wird der Handel erst richtig leergefegt, aber ich habe eine Währung, mit der sich operieren läßt!

Vergebens will die Polizei den Umlauf von Nahrungsmitteln und Kleidung kontrollieren. In Wetzlar, hieß es, zirkulierten so viele Tauschgüter, daß man je Einwohner einen Polizisten zur Kontrolle brauche und für jeden Polizisten einen zweiten. Die Obrigkeit selbst schließt sich dem Verschieben an. Im Oktober 1944 kommt ein Hauch von Rheinlandseparatismus auf. Das alliierte Invasionsheer steht nicht weit, und Stimmen werden laut, das Rheinland sei vom Reich schon abgeschrieben. Die Stadt Bonn, am 18. Oktober 1944 schwerstens heimgesucht, beschlagnahmt vom Rhein weg eine Kahnladung Salz, weil sie eilig ein Tauschgut benötigt zum Handel mit anderen Städten.

Der Schwarzmarkt wird, wie mancher Frevel, den Fremdarbeitern zugeschrieben. Tatsächlich gelangt über ihre Heimatkontakte seltene Ware an den Mann. Doch schiebt ganz Deutschland mit Artikeln, allen voran der Parteibonze. Oft werden fliegende Händler in den Kellerruinen gestellt, dem Basar des Schwarzen Marktes, die Großhändler stellt man nie. Das deutet an, wo sie stecken. In Dortmund gelten NSDAP-Funktionäre, Kaufleute und gutbezahlte Arbeiter als Hauptschieber.

Die Schiebung, vom Destruktions-Ersatzsystem des Bombenkriegs gefördert, ist gleichwohl ein Wirtschaftsverbrechen. Man nimmt daran teil, doch empfindet die Luftschutzgemeinschaft egalitär. Der Mangel ist eher auszuhalten als das Privileg. Preiskontrolle und Rationierung bewirtschaften genossenschaftlich den Mangel, der Schwarzmarkt hingegen teilt in solche, die mitbieten können, und solche, die passen müssen. Die gängigste Ware sind Lebensmittel wie die legendäre Schwarzmarktbutter. Aus Hamburg ist ein nahezu perfekter Schwarzmarkt berichtet mit Lieferung von Haus zu Haus. Wohlhabend ist, wer hier fünfhundert Mark monatlich verausgabt. Beifall jedoch findet die Beschlagnahme eines Zigarettendepots in Köln im Wert von eintausendsechshundert Mark, während das Publikum nichts zu rauchen hat. Andererseits gibt es nichts Vorteilhafteres als einen Zigarettenvorrat. Dermaßen widerstreitende Aspekte sind begrifflich so zusammengefaßt, daß Schwarzmarkt die typische Ausländerkriminalität ist.

Eine ähnliche Regelung übernimmt auch der Satz ›Der Deutsche plündert nicht‹, ein Imperativ, den die Justiz blutig widerlegte. Sie verurteilt von 1941 bis 1945 fünfzehntausend Reichsbürger zum Tode wegen Ordnungsdelikten an der Heimatfront: Plünderung, Wehrkraftzersetzung und Feindsenderhören. Die Inhaberin einer Uniformschneiderei in Hamburg-Wandsbek erleidet bei dem Großangriff am 27. Juli 1943 einen Totalschaden. Nachdem sie Ausweichquartier bei einer älteren Witwe bezogen hat, begibt sie sich auf fortgesetzten Plünderzug in bombengeschädigte Häuser. Sie erbeutet Garderobe, Nahrung und Gebrauchsgegenstände im Wert von einigen tausend Mark, wie das Sondergericht Hamburg feststellt. Es verurteilt sie am 18. Oktober 1943 zum Tode, so wie das ausgebombte Ehepaar, das in Trümmern nach dem Eigentum von Verwandten gräbt. Ungetrennt packt es fremde Habe hinzu und hat damit, wie der Polizeipräsident anmerkt, »aus Habgier die Katastrophenverhältnisse in unverantwortlicher Weise ausgenutzt«. Ähnlich der Büroangestellte Friedrich Bühler, der am 28. Juli, dem Tag nach der Feuersturmnacht, bei dem Durchwühlen geretteten Gutes beobachtet wird. Dabei eignet er sich einen großen Korb Wäsche, einen Radioapparat und mehrere Schachteln Zigaretten an. Einem Feuerwehrmann gibt er zwei Wintermäntel und zwei Anzüge ab. Eine Woche später wird er zum Tode verurteilt, ein deutscher Nachtrag zu den vierzigtausend Toten vom 27. Juli. Am 30. August klaubt sich der einundsiebzigjährige Rentner Schmidt zwei Paar Schuhe, fünf Krawatten und zwei silberne Damenuhren aus dem Schutt und büßt dies ebenso mit dem Tode wie der neununddreißigjährige Angestellte Maier, der am Morgen nach der Angriffsnacht aus einem Weinspeicher eine Kiste entwendet. Am Speicherausgang wird er von der Polizei gestellt.

Im menschenfreundlichen Ton der frühen Nachkriegszeit beschreibt der seinerzeitige Hamburger Staatsanwalt Dr. Schuberth, was sich im Bombenopfer kriminologisch zugetragen hat. »Luftangriffe von der Art wie im Juli 1943, die eine völlige Zerstörung großer Stadtviertel bewirken, verändern nicht nur die Stadtstruktur als Gesamtheit, sondern auch den individuellen Menschen, der solcher Katastrophe unterworfen ist. Eine solche Zerstörung sorgt nicht nur für reiche Gelegenheit, Strafhandlungen zu begehen, sondern lockert auch den Moralcode und verändert die soziale Stellung des Angriffsopfers. Jemand, der den Verlust von allem und jedem erfährt, wofür er gearbeitet und sich jahrelang geplagt hat, vielleicht sein Leben lang, der all seine Träume von Heim und Zukunft in Flammen aufgehen sieht, wird für Recht und Ordnung des Regierungshandelns völlig indifferent.«

Die Schuldfähigkeit ruinierter oder durstiger Plünderer in den Trümmerstädten hat zur Tatzeit niemanden gekümmert. Der Schutz des angesengten Krempels zählte, der sich vor den Trümmergrundstücken auf der Straße stapelte und das frühere Leben darstellte. Im Leben von heute kam es auf einen mehr oder weniger nicht an, wie der *Hamburger Anzeiger* vom 19. August 1943

445

androht: »Dem energischen Zupacken von Justiz und Polizei gelingt es in ununterbrochener Arbeit immer mehr, alle diejenigen
der gerechten Strafe zuzuführen, die eigennützig die Notlage unserer Volksgenossen ausgenutzt haben, indem sie plünderten. Wer
sich als Plünderer betätigt und sich dadurch in schwerster Weise
gegen die Gemeinschaft vergangen hat, wird ausgemerzt werden!
Noch einmal mag das eine Warnung für die Elemente sein, die
etwa gewillt sein sollten, in unserer hartgetroffenen Vaterstadt zu
stehlen, oder sich sonstige unberechtigte Vorteile auf Kosten der
Gemeinschaft zu beschaffen. Sie können rücksichtsloser Ausmer-
zung gewiß sein.«

Die ›Verordnung gegen Volksschädlinge‹ vom 5. September
1939 hatte den Tatbestand des ›Verbrechens bei Fliegergefahr‹ geschaffen, im wesentlichen Kleindiebstähle in abgedunkelten Städten, Verdunkelungsverbrechen genannt. Die lichtlosen Städte boten allnächtlich Gelegenheiten und schürten Unsicherheit. Die
Instandsetzungskommandos räumten nächst Toten und Verwundeten auch die Haushalte aus dem Schutt. Nach einer Bombennacht mag es nichts Dringlicheres auf der Welt geben als ein Paar
feste Kinderschuhe, und eine Matratze ist bei Mangellage ein
köstlicher Besitz, und zwar nicht allein für den Besitzer. Die Gegenstände warteten zwischen den Trümmerhaufen auf Abholung,
der Ausgebombte wartete im Notsammelquartier auf Unterkunft
und bangte in der Zwischenzeit um seine Habe. Der Staat gab darauf acht.

Zwecks ›Hausratssicherung‹ nahmen Arbeitskommandos die
Besitztümer auf Lager. Köln unterhielt einhundertfünfzig Läger
auf 32 000 Quadratmeter Fläche. Jeder Haushalt war getrennt gekennzeichnet. In den ersten acht Monaten 1943 wirkten 11 700
Mann in dieser Rettungsabteilung, die wenig rettete. Alle Läger
gingen in den folgenden Bombardements unter; kaum etwas überdauerte.

Bis der Transport erschien, blieben die Schadensgebiete abge-
sperrt, allerdings nicht für die Geschädigten. Sie gruben in den
Ziegeln nach vermißtem Gut und allem, was fehlte. Solange sie
gruben, tat es kein Unbefugter wie der Invalide Eggebrecht aus
Berlin, der aus einem noch brennenden Haus neun Paar Schuhe

an sich nahm und dafür mit dem Tode büßte, verhängt von dem Sondergericht in Berlin.

Die Räumkommandos, manchmal auf der Stelle gebildete Haufen, begegneten ebensoviel Dankbarkeit wie Mißtrauen, zumal wenn die Ausländer überwogen. Den aus freien Stücken achtzehnjährig zum Arbeiten nach Deutschland gekommenen Franzosen Marius Carpentier traf hier sein Schicksal, weil er sich im Bergungskommando einen Gürtel, ein Fernglas, ein paar Handschuhe, eine Dose Marmelade und ein Dominospiel aus den Trümmern geangelt hatte. Dies beweise, urteilte das Sondergericht Berlin, »ein derart hohes Maß an Verwerflichkeit, daß er sich hierdurch selbst aus der Gemeinschaft aller anständig und gerecht denkenden Menschen ausgestoßen hat. Er war daher zum Tode zu verurteilen.« Ausländertum werteten die Gerichte stets strafverschärfend, übten aber bei den Volksgenossen durchaus keine Milde.

Am 24. März 1944 bombardierte die US-Luftwaffe Weimar. Die Bomben fielen ins Nordviertel, setzten Häuser in Brand, so auch die Rießner Straße Nr. 11. Wenige Stunden zuvor trafen in der Gaststätte ›Gambrinus‹ der neununddreißigjährige Bürobote Georg Hopfe, der auf Urlaub weilende Gefreite Fritz Gerlach und der Arbeiter Fritz Nauland aufeinander. Nach angeregtem Gespräch und einigen Bieren wechselte man in die ›Scharfe Ecke‹ auf ein zweites Bier, dann zurück in den ›Gambrinus‹, das letzte Bier wurde im ›Kloster-Kaffee‹ gehoben, es war das siebente Glas, man schlug den Heimweg ein und geriet in die Bomben. Am Haus Rießner Straße 11 wartete die Luftschutzbereitschaft nebst einigen Offizieren und Soldaten auf die Feuerwehr. Die Bierrunde war nun tatendurstig. Nauland trat die Tür zur Wohnung der Frau Hopfgarten ein, Hopfe und die Soldaten folgten, man schaute sich um und beschloß, das Wohnzimmer zu retten. Hopfe und die Soldaten trugen die Möbel in das gegenüberliegende Haus, dann wandte man sich dem Schlafzimmer zu. Während die Soldaten Bett und Kleiderschrank hinausräumten, besah sich Hopfe die Garnitur Parfümflaschen der Bewohnerin und steckte als Dankeschön einen angebrochenen Flakon Kölnisch Wasser ein. Zur Wegzehrung kam eine 250-Gramm-Knackwurst aus der Waschkommode hinzu. Inzwischen war die Feuerwehr angerückt, und die drei hilfreichen Geister zogen guter Dinge weiter. Jeder hatte ein Andenken dabei, Nauland zwei Stück Toilettenseife, Gerlach ein paar Lederhandschuhe. Hopfes Wurst wurde in Gerlachs Wohnung verzehrt, und weil sie so salzig war, besuchte man darauf die Bahnhofsgaststätte und bestellte drei Bier. Unterdessen entdeckte die Frau Hopfgarten ihre Verluste und brachte sie zur Anzeige.

Hopfe und Gerlach, die unter die Judikatur des Sondergerichts fielen, wurden zum Tode verurteilt. Hopfe entschuldigte sich damit, daß er die Wurst nur genommen, weil er, seit 19.00 Uhr unterwegs, stundenlang nichts gegessen habe. Das Sondergericht Jena entgegnete am 11. April 1944: »Wäre das der Fall gewesen, dann hätte er sie sicher gleich verzehrt und nicht heimlich vor anderen in die Tasche gesteckt, das beweist gerade seine böse Absicht. Wer so handelt, ist nach dem Sinne des Gesetzes und nach gesundem Volksempfinden Plünderer und muß nach Paragraph 1 der Volksschädlingsverordnung bestraft werden.«

Die am 5. September 1939 erlassene Verordnung gegen Volksschädlinge gebot in der Tat die Todesstrafe gegen den, der »in freiwillig geräumten Gebäuden oder Räumen plündert«. Allerdings lag ganz im Ermessen des Landgerichtsrats Blankenburg, den Knackwurstverzehr nach gesundem Volksempfinden als Lohn für gute Dienste zu werten. Nach sieben Bieren konnte auch auf Unzurechnungsfähigkeit erkannt oder das eingeholte Sachverständigengutachten berücksichtigt werden, das einen Grenzfall zwischen leichtem Schwachsinn und landläufiger Dummheit konstatierte. Doch Blankenburg entschied, Hopfe habe den Tod »wegen der durch die Tat zum Ausdruck gebrachten abgrundschlechten und volksfeindlichen Gesinnung und der Gemeinheit seines Charakters verdient. Wer ein so verabscheuungswürdiges Verbrechen begeht, stellt sich selbst außerhalb der Volksgemeinschaft.«

Das Urteil kennzeichnet eine Terrorjustiz, die keine Tatschuld sühnt, sondern einen Typus ausmerzt. Den, der sich im Trümmerchaos selbständig macht. Im Irrsinn der Zerstörung beweist die Ordnung ihr Vorhandensein, indem sie hilft und indem sie tötet.

Wo ganze Wohnorte in einer halben Stunde in Flammen verschwinden, ist der Besitztitel auf ein Marmeladenglas nicht mehr so wichtig. Wichtiger ist, ob noch eine Staatsgewalt existiert, während alle Gewalt vom Feinde ausgeht. Worüber hat so ein Staat noch Gewalt? Darüber, an fünfzehntausend armen Teufeln ein Exempel zu statuieren.

Der NS-Staat fällt von 1933 bis 1941 tausend Todesurteile, eine blutige Zahl, gemessen etwa an Mussolinis Italien, das insgesamt einhundertdreißig Todesurteile verhängt. Die fünfzehntausend NS-Todesurteile der vier letzten Kriegsjahre urteilen indes nicht mehr über Taten, sondern rotten Zug um Zug Charaktere aus, die an der Verbindlichkeit der Ordnung zweifeln könnten. Das braucht nicht zu stimmen, es wirkt, indem es behauptet wird. Terror ist keine Strafe für die Betroffenen, sondern eine Lektion für die Umstehenden. Das NS-Regime, das an der Obdachlosensammelstelle eine Million Butterstullen verurteilt, ist dasselbe, das für die entwendete Halbpfundknackwurst köpft. Herr über Leben und Tod. Ebendies zieht das Luftbombardement so augenfällig in Zweifel. Rettung und Vernichtung sind Hitlerbeweise. So wie die Fürsorge nicht die seine ist, sondern Solidarität mobilisiert, ist auch der Terror mehr als der seine, indem er Destruktivität anstachelt:

Der sich auf eine Unzahl von Bagatellen stürzende Justizterror kann durch das Auge der Polizei nicht in Schwung gesetzt werden. Aber die Bevölkerung ist eingeladen, als Kriminalisten und Denunzianten auf den am Pflaster schmutzenden Besitzstand wie auf die ebenfalls poröse Staatsautorität achtzuhaben. Ein Teil der Bevölkerung wird zum Fänger. Zur Fahndung stehen Volksschädlinge und Wehrkraftzersetzer.

Nach Paragraph 5 der Kriegssonderstrafrechtsverordnung vom 17. August 1938 wurde mit dem Tode bestraft, wer öffentlich den Willen des deutschen Volkes zur wehrhaften Selbstbehauptung zu lähmen oder zu zersetzen suchte. Es handelt sich um jenen Wehrwillen, den Churchill aus der Luft durchlöchert, um ihn zu zersetzen, und dessen Zersetzung Hitler vom Fallbeil aus rächt, um ihn zu erhalten. Churchill stellte sich unter dem Zersetzungsakt einen Volksaufruhr nach Art des November 1918 vor, Hitler auch. Er wußte aber, daß es dann für ihn zu spät war. In dem Vermerk des Ministerialdirektors im Reichsjustizministerium Doktor Vollmer vom 26. Juni 1944 ist die moralische Verteidigungslinie des Regimes exakt gezogen:»Nicht mehr tragbar und grundsätzlich todeswürdig sind daher Äußerungen folgender Art: Der Krieg sei verloren; Deutschland oder der Führer hätten den Krieg sinnlos oder frivol vom Zaune gebrochen und müßten ihn verlieren; die NSDAP solle oder werde abtreten und nach italienischem Muster den Weg zum Verständigungsfrieden frei machen; eine Militärdiktatur müsse errichtet werden und werde Frieden schließen können; man müsse langsamer arbeiten, damit Schluß werde; ein Eindringen des Bolschewismus sei nicht so schlimm, wie es die Propaganda schildere, und werde nur den führenden Nationalsozialisten schaden; Engländer oder Amerikaner würden den Bolschewismus an den deutschen Grenzen zum Stehen bringen; Mundpropaganda und Feldpostbriefe mit der Aufforderung, die Gewehre wegzuwerfen oder umzudrehen; der Führer sei krank, unfähig, ein Menschenschlächter usw.« Vollmer sieht die Gefahr der Worte wachsen mit dem Prestige des Redners,»zum Beispiel Abteilungsleiter oder Prokuristen, Ärzte bei der Unterhaltung mit ihren Patienten, Geistliche bei der Gemeindearbeit, Angestellte der öffentlichen Verkehrsmittel.«

Eine solche Person war der dreiundfünfzigjährige Kustos des Berliner Zoologischen Museums, Professor Dr. Dr. Arndt, der am 4. September 1943 auf dem Bahnsteig von Landeshut in Schlesien zufällig seine Jugendfreundin Frau Mehlhausen und deren Mutter traf. Just in der Nacht hatten 316 Lancaster Berlin angeflogen, Zerstörungen in den Wohnvierteln von Charlottenburg, Moabit und Siemensstadt angerichtet und 422 Personen getötet, darunter 123 Fremdarbeiter. Arndt berichtete den zwei Frauen, es sei dies der bisher schwerste Berlinangriff gewesen, und es sei schlimm, daß alle darunter leiden müßten, was wenige eingebrockt hätten. Die Mehlhausen entgegnete:»Wir sind doch nicht am Kriege schuld«; darauf Arndt:»Natürlich sind wir am Kriege schuld«, jetzt würden die Schuldigen jedoch zur Rechenschaft gezogen. Die deutschen Armeen wichen an allen Fronten. Mussolini sei in drei Tagen erledigt worden, so werde es auch im Reich kommen.

»In vier Wochen ist es aus mit der Partei.« Zuvor, dachte die Mehlhausen, werde es aus sein mit dem Jugendfreund. Sie ging zur NSDAP-Kreisleitung und machte darauf dem Volksgerichtshof in Berlin Meldung.

»Ihr hat man in der Hauptverhandlung angesehen«, schrieb Gerichtspräsident Freisler in das Urteil, »wie schwer ihr ums Herz war, Arndt belasten zu müssen. Sie hat sicher nicht ein Wort mehr gesagt als der Wahrheit entsprach.« Weil er dem kämpfenden Volk in Gestalt der Mehlhausen mit entmutigenden Worten in den Rücken gefallen sei – »sie hat schwer unter diesen Ausführungen gelitten« –, wurde Arndt gehenkt.

Auf Anzeige eines im Lazarett der katholischen Schwester liegenden Offiziers wurde als Wehrkraftzersetzer der Karmeliterpater Gebhard Heyder hingerichtet, weil er in der Wallfahrtskirche zu Neumarkt gepredigt hatte: »Der Krieg ist ein Strafgericht Gottes für die Völker, Deutschland muß wieder zu Christus zurückkehren.« Der Rentner Wilhelm Lehmann wiederum hatte auf das Pissoir am Mariannenplatz in Berlin-Kreuzberg mit blauer Kreide die Worte geschrieben: »Hitler, du Massenmörder mußt ermordet werden, dann ist der Krieg zu Ende.« Der Arbeiter Max Willi Karl Reiche las den Satz, entfernte ihn, legte sich aber auf die Lauer in Erwartung, daß der Schreiber wiederkomme. Lehmann kam zurück, schrieb und war des Todes.

Nach Anzeige des Kranmaschinisten Fritz Hoffmann verurteilte der Volksgerichtshof Konrad Hoffmann zum Galgen, nicht ohne den Denunzianten zuvor zu belehren, er sei nicht verpflichtet, auszusagen gegen seinen Bruder. »Menschen wie der müssen ausgemerzt werden«, rief Fritz in den Saal. »Ein Jahr 1918 wollen wir nicht wieder erleben.« Der Schloßmacher Münter aus Wuppertal, der seinen Arbeitskollegen für den Satz »Die Bomben kommen durch das Dritte Reich« angezeigt hatte, rühmte sich des ergangenen Todesurteils im Betrieb: »Das habe ich besorgt!« Der Richter war sein Werkzeug, wie die Gestapo das Werkzeug des sechsundsechzigjährigen Kaufmanns Paasch, der Anfang März 1944 die »Jüdin Paasch« denunzierte, mit der er seit dreißig Jahren verheiratet war.

Amalie Paasch hatte im Zuge ehelicher Streitigkeiten gesagt, der Krieg sei nicht mehr zu gewinnen, die deutschen Soldaten seien Mörder und Hitler selbst sei der Mörder der in den Hamburger Luftangriffen getöteten Kinder. Der Tag der jüdischen Rache stehe bevor. Paasch und seine Schwester hinterbrachten dies dem Blockleiter der NSDAP, der witterte, daß eine reine Familienangelegenheit hier auf das politische Gleis verschoben werde. Nach Rücksprache mit dem Ortsgruppenleiter beschloß man, von seiten der Partei nichts gegen Amalie Paasch zu unternehmen. Als niemand reagierte, sprach Paasch an der Rothenbaumchaussee 38 vor, dem Sitz der Gestapo, und fragte, ob eine Anzeige vorliege gegen seine Ehefrau. Der Gestapobeamte verneinte und warnte den Paasch, daß falsche Anschuldigungen gegen Juden strafbar seien. Daraufhin legte dieser einen ausführlichen Schriftsatz an, reichte ihn formell bei der Gestapo ein, bekräftigte auf eindringliches Befragen den Inhalt, so daß Amalie Paasch in das Polizeigefängnis Fuhlsbüttel und von dort nach Auschwitz verbracht wurde.

Am 21. Juli 1942 erging ein Todesurteil des Volksgerichtshof gegen den Philosophen und Theologen Doktor Alfred Kaufmann sowie den Kunstmaler Will wegen eines Deliktes, das man halb Deutschland vorwerfen konnte, nämlich den Verstoß gegen die Verordnung über außerordentliche Rundfunkmaßnahmen vom 1. September 1939, welche unter Paragraph 1–2 bestimmt, daß das Abhören feindlicher Sender mit Zuchthaus bestraft werde. »Wer Nachrichten ausländischer Sender, die geeignet sind, die Widerstandskraft des deutschen Volkes zu gefährden, vorsätzlich verbreitet, wird in besonders schweren Fällen mit dem Tode bestraft.«

Kaufmann und Will unterhielten in Gießen das sogenannte Freitagskränzchen, dem noch eine Lehrerin, eine Studentin, eine Filialleiterin, eine Professorengattin angehörten sowie die Hausfrau Dagmar Irmgart, die aus Abenteuerlust und Geltungsdrang als Verbindungsperson der Gestapo arbeitete. Das Freitagskränzchen pflegte den Londoner Rundfunk zu hören, anschließend diskutierte man den Kriegsverlauf. Der Volksgerichtshof verurteilte Kaufmann und Will zum Tode, weil sie deutsche Frauen, ihre Mithörerinnen, defätistisch infiziert hätten: »Die Feindpropaganda stellt ein Mittel der Kriegführung dar, die Sendungen sind als Kriegshandlungen anzusehen. Wer im Inland andere anstiftet, durch seinen Empfang Nachrichten der Feindpropaganda mit ihm zu hören, nimmt selbst an diesen Kriegshandlungen teil und fördert sie.«

Volksschädlinge, Wehrkraftzersetzer und Rundfunkverbrecher wurden allesamt als Förderer und Nutznießer des Feindes niedergemacht, und zwar auf Veranlassung ihrer Nachbarn, Kollegen und Verwandten. Der Volksgerichtshof, das größte der Sondergerichte für die Kriegsstrafsachen, verurteilte zwischen 1942 und 1944 jeden zweiten Angeklagten zum Tode. Im Jahre 1942, dem Beginn des Luftbrandkrieges, verzehnfachen sich die Todesurteile. Diese jähe Tötungswut bleibt indes weit hinter jener der Denunzianten zurück. In den drei Jahren von 1942 bis 1944 verhandelt der Volksgerichtshof gegen 10 289 Angeklagte, nimmt allerdings 25 297 Anzeigen entgegen. Das Jahr des höchsten Denunziantenwachstums, 1944, mit einer Verdoppelung auf 13 986 Anzeigen, ist auch das Jahr der Preisgabe des Landes an das entfesselte Tag-Nacht-Bombardement.

Die Gestapo wirbt Spitzel an wie die Verkäuferin Marianne Koll aus Remscheid, die für ein monatliches Handgeld von achtzig, später sechzig Mark ihre Bekanntschaft ans Messer liefert, einschließlich ihres Verlobten. Kapitulanten behalten ihre zersetzte Moral allerdings häufig für sich, man lockert ihnen erst die Zunge. Der Agent provocateur Hans Wiehnhusen, bei der Gestapo Trier als ›7006‹ geführt, bestellte zwei Kriminalkommissare in die Kantine der Goeben-Kaserne, da könnten sie vom Nachbartisch hören, wie er seinen Chef, einen Getränkefabrikanten, zum Reden bringe.

›Ich bin überzeugt‹, beginnt 7006, ›daß wir den Krieg gewinnen.‹

Chef: ›Ich will Ihnen Ihren Glauben nicht rauben.‹

7006: ›Der Führer wird den Laden schon schmeißen.‹

Chef: ›Ihr seid alle so fanatisch, daß ihr die Propaganda von der Wirklichkeit nicht mehr unterscheiden könnt.‹

7006: ›Wir werden das Kind schon schaukeln.‹

Das Gespräch wird von der Kantinenpächterin unterbrochen,

die dem Nachbartisch mißtraut:»Die sind bestimmt von der Gestapo, die hören, was hier gesprochen wird.«

7006 und der Chef:»Ach, das ist doch Quatsch.«

Die Kantinenpächterin:»Da habe ich doch ein besseres Fingerspitzengefühl als ihr.«

Die Kommissare verschwinden, damit der Chef seinen Gedanken freien Lauf läßt. Drei Feldwebel gesellen sich hinzu, dem einen fehlt das linke Bein.»Ihr Arschlöcher«, sagt der Chef,»laßt euch draußen die Knochen wegschießen und wißt überhaupt nicht wofür.«

»Für Deutschland«, sagt der Einbeinige.

»Sie sind beinlos«, entgegnet der Chef,»nicht für Deutschland; für Adolf Hitler.«

»Ich werde schon davonkommen«, sagt der Feldwebel.

»Sie sind aber ein fröhlicher Optimist«, ruft der Chef.

Er war selbst einer, der nicht durchkam, denn sein Angestellter Wiehnhusen denunzierte ihn bei dem Volksgerichtshof. Freisler gefiel der Chef, und er versuchte, um das Todesurteil herumzukommen. Darum fragte er den Hauptbelastungszeugen Wiehnhusen, ob der Angeklagte seinerzeit betrunken gewesen sei, schließlich liege eine Rechnung vor von neunundsechzig Schnäpsen. Der Chef sei im Vollbesitz seiner Geisteskräfte gewesen, antwortete Wiehnhusen, und habe noch viel schlimmere Dinge gesagt.

Der Getränkefabrikant wurde hingerichtet, weil er sich auf ein Gespräch einließ. Zwar konnte die NSDAP schlecht alles Unmutsgerede in Deutschland unterbinden, aber ein Klima der Verlorenheit schaffen. Man lebte bitter und allein. Keinem war zu trauen, nur der Partei, wenn man sich ihr blind anheimgab. Den Stadtbewohnern hatte die NSDAP schon immer mißtraut. Städte züchteten Laster, Dekadenz, Intellektualität, das Politisieren und die Rebellion. In Zukunft mußte die Siedlungsform des deutschen Volkes eine gesündere werden. Schon der Bombenkrieg bewies, daß die Großstadt des 19. und 20. Jahrhunderts sich überholt hatte wie die Ritterburgen. Sie war nicht mehr zu verteidigen. Das Beieinander von Industrie- und Arbeiterquartieren, das Häusermeer, die Mietskasernen, das Altstadtgewirr verlockten nur zum

454

Brandkrieg. Seitdem die Luft ein Operationsgebiet darstellte, war die herkömmliche Stadt militärischer Wahnsinn.

Hitler, von Beruf Politiker, aus Neigung jedoch Architekt, hegte längst Pläne zur Heilung des Bruchs von Stadt und Land. Im Luftkrieg kam es im deutschen Siedlungsmuster, eher als vermutet, zu einem Nottransfer, dem Evakuierungsprogramm. Die Deutschen konnten in den Städten nicht überleben und das Regime auch nicht. Sie waren nicht bombenfest und würden es nie sein.

Nach dem Hamburger Feuersturm vom Juli 1943 verließ etwa eine Million Menschen die Stadt. »Nach den gemachten Erfahrungen«, schrieb der Polizeipräsident, »wandern die Menschen so weit, wie sie zu Fuß nur irgendwie gelangen können. Die Orte, in denen sie haltmachen, müssen sich auf die ihnen dann erwachsenden Betreuungsaufgaben einstellen.« Den Gemeinden erwachse die Pflicht, Quartier und Verpflegung zu stellen, »insbesondere ist ein planloses Hin- und Herschicken der Obdachlosen zu vermeiden«. Für den Abtransport in fernere Aufnahmegebiete werde gesorgt.

Langes Warten auf Verkehrsmittel ließ die Flüchtigen in die Wälder wandern, im Freien übernachten. In den Landgemeinden, die sie passierten, wirkte ihr Anblick erschütternd, manche im Trainingsanzug, einige barfuß in Hemd und Schlüpfer, und man verwunderte sich, wie diese Wanderer so ruhig und gefaßt ihre Lage hinnahmen. Soweit die Polizei es vermochte, lenkte sie den Strom auf die intakten Bahnhöfe der Peripherie, wo Sonderzüge bereitstanden. Fünfzigtausend Personen wechselten auf Elbschiffe. Alle Fahrzeuge der Polizei und Wehrmacht, jeder Autobus, jedes irgendwie erfaßbare Auto und Pferdefuhrwerk pendelten zu Schiffsanlegeplätzen und Eisenbahnhaltestellen. 625 Züge transportierten etwa 786 000 Personen.

Der den Hamburgern zugewiesene Aufnahmegau war Bayreuth. Es herrschte Festspielzeit, die NSDAP hatte verwundeten und ausgezeichneten Soldaten einen Opernbesuch gestiftet. Die Urlauber in der Ausgehuniform, mit Sonderzug aus Lazaretten oder von der Ostfront gekommen, empfängt am Bahnsteig Marschmusik. Auf dem Nebengleis treffen die zerlumpten, verstörten, schreckgesichtigen Hamburger ein. Eine größere Anzahl Gebrechlicher hatte den Bayreuthtransport nicht mitmachen können. Männer, die ihre Familien begleitet hatten, kehrten zur Arbeit nach Hamburg zurück, und nach der ungeregelten Flucht kamen viele heim »aus Treue zu der terrorisierten Stadt«, wie der Polizeipräsident glaubte. Sie siedelten in den unzerstörten Randbezirken.

Seit Anfang des Jahres machte die Reichsleitung sich auf einen größeren Menschenabschub aus den Städten gefaßt. Mehr als alles andere vernichtete Bomber Command Wohnraum in Massenquartieren. Die Ausweichdomizile für Obdachlose würden bald erschöpft sein, man brauchte Platz, die Platzhalter mußten räumen. Wer kriegswirtschaftlich entbehrlich war, verzog besser nach Thüringen und in den Allgäu, das entlastete auch den Luftschutz und nahm Druck aus der Stimmungslage. Eine Überschlagskalkulation im Juni 1943 ergab, daß von den sechsundzwanzig Millionen Bewohnern der Städte über hunderttausend Einwohner zumindest die über Fünfundsechzigjährigen und unter Fünfzehnjährigen keine rüstungsrelevanten Dienste taten; dies wäre ein Viertel der Leute, sechseinhalb Millionen Personen. Das beste sei, sie woanders hinzuschaffen. Eine unerhörte logistische und fürsorgerische Aufgabe, dies indes war nicht die Schwierigkeit.

Bis zum 3. Juli war das Reich aufgeteilt in Räumungs- und Aufnahmegebiete. Der Rechnung nach war etwa die Hälfte der Essener Bevölkerung in Württemberg, Tirol, der Niederdonau, der Steiermark, Kärnten und Schwaben unterzubringen. Die Partei kriegte das hin, nur wußte sie nicht, wie die Familien dazu breitschlagen. Das Regime preßte nun seit drei Jahren mit mäßigem Echo, die Städte auszudünnen. Im Oktober 1940 empfahl Hitler, die unter vierzehnjährigen Kinder Berlins und Hamburgs in Landheimen zu verwahren. Ab 1941 wurde begonnen, schulklassenweise zu evakuieren. Bis August 1943 waren dreihunderttausend Kinder aus den großen Stadtzentren entfernt und bis Jahresende die meisten Schulen im luftgefährdeten Bereich geschlossen. Allein, es lebten nur in Berlin und Hamburg schon 935 000 Kinder. Die Regierung schätzte, daß sie vielleicht ein

Sechstel der Kinder Berlins, 100 000, in Verwahr bekäme. Die Eltern versuchten, dem über Verwandtenhilfe zu entkommen, und baten Cousins und Tanten auf dem Land um Logis. Die >Kinderlandverschickung< war die unpopulärste Maßnahme des gesamten Dritten Reiches. Von dem Durchführungsorgan, der HJ, befürchteten die Eltern ihre Entmündigung. Der Familienschoß gab an die Staatsjugend ab, die kein Gebet mehr lernte, sondern Parolen. Dazu die moralische Verwahrlosung! Tief in den Alpentälern, in Schlesien, im Badischen blieb zwar der Schulunterricht bei dem regulären Lehrerpersonal, doch wurde das Lagerleben zur Experimentierbühne halbwüchsiger HJ-Führer. Die Kost schmeckte, kein Lancasterbomber würde das Landheim finden, doch könnten in den Bombennächten die Eltern umkommen und die Kinder allein auf der Welt lassen. An den überfüllten Verschickungszügen wurden herzzerreißende Abschiede genommen. Zehn Prozent der 40 450 aus München evakuierten Kinder kehren bis Oktober 1943 zurück, weil die Eltern die Trennung nicht ertrugen. Zu genau der Zeit begannen die Schwerangriffe auf München, die 435 Kinder töteten.

Die städtischen Schulgebäude sind inzwischen unerläßliche Nothospitäler und Obdachlosensammellager. Alle Gebäude heimähnlicher Natur – Altersheime, Siechenhäuser, Irrenhäuser, Waisenanstalten, Blindenanstalten – werden 1944 verlegt, weil sie der Luftschutz braucht. Für die Blindenanstalt in der Oranienstraße war das Berlin der 94 Angriffe in dem Jahr ohnehin keine Bleibe mehr. Die Blinden kamen in das Sudetenland zur Rüstungsfabrikation.

Die Zertrennung der Familien, an der Goebbels' Agitation versagt, bewirkt Bomber Commands Propaganda der Tat. Von März bis August 1943 haben Ruhrschlacht und Hamburgs >Gomorrha< etwa sechzigtausend Personen getötet. Die Stimmung schlägt Anfang August in helles Entsetzen um, als Goebbels allen Berliner Haushaltungen einen Brief zukommen läßt, der zur Evakuierung der Stadt rät. Offenbar rechnet die Spitze mit der Hamburgisierung der Hauptstadt! Folglich besitzt sie nichts, die Briten daran zu hindern.

Bis zum 25. September gelingt es, 720 000 Personen aus Berlin zu schaffen. Die Vorangegangenen mitgerechnet, ist Berlin damit um 1,1 Millionen Einwohner, fünfundzwanzig Prozent, ausgedünnt. Anfangs kommt es zu Bahnhofstumulten, viele zelten in den märkischen Wäldern. Nach dem Evakuierungsplan sind in Brandenburg, Ostpreußen und Posen nur 300 000 Plätze vorbereitet. Im Ruhrgebiet wird ebenfalls Hunderttausenden der Boden heiß, Rheinländer und Westfalen stürmen die Züge nach Mainfranken, Oberbayern, Baden, Sachsen und in die Sudeten. Neben den Unbill der Fremde schmerzt die Trennung. Eine Anzahl hält die Sorge um Haus und Angehörige in den Bombennächten nicht aus, fährt zurück und teilt das Los des Heimatortes. Die andere Gruppe verbringt die Zeit mit Hin- und Herfahren, die dritte führt als Evakuierungsbevölkerung ein sicheres Dasein. Für das Regime allerdings hat sich die Lage schon wieder gedreht.

Die Stadt ist auch für die Industrie ein ungeeigneter Aufenthalt, insbesondere nachdem ihr gemäß Casablanca-Direktive Briten und Amerikaner rund um die Uhr zusetzen. Klüger, als die Stadt zu evakuieren, damit die Industrie Platz findet, ist es, die Industrie zu evakuieren und die Leute irgendwo in ihrer Gegend zu behausen, wo mindere Gefahr ist. Als die transportablen Fertigungsindustrien mit ihren Belegschaften in das freie Gelände umsiedeln, treffen sie dort auf die Evakuierten. Sie sind nun zum zweiten Male lästig und nehmen der Rüstungsschlacht das Quartier fort.

Das Reichsinnenministerium beschließt, es mit weiteren Transfers genug sein zu lassen. Sie sind zögerlich angenommen worden, dann bedauert und unterlaufen, man kann das Volk noch anders gruppieren. Inzwischen sind die Bombardierungsmethoden standardisiert, und daraus ergeben sich gestaffelte Gefährdungszonen im Stadtraum sowie neue Perspektiven für das schon immer bevorzugte, ins offene Gelände hin aufgelockerte Siedlungsmodell. Wen das Allgäu befremdet, schleust der Gauleiter in das Naherholungsgebiet.

Spiegelbildlich zu Bomber Commands Bombardierungsschema mit der Innenstadt und der umgebenden Blockbebauung als Kern ist das Wohnschema anzulegen. Es verläuft zentrifugal. Vom Marktplatz aus führt ein System konzentrischer Kreise hinaus ins

Vorland: dem Kreisschema nach soll Zone 1, das Stadtinnengebiet mit enger Bebauung und einer Wohndichte von über zweihundert Personen pro Hektar, von Nichterwerbstätigen leer sein. Die Resttätigkeit dort dient zum Erhalt lebenswichtiger Einrichtungen, die Flächenbrandgefahr ist unausweichlich. Zone 2, das aufgelockerte Stadtaußengebiet mit zwanzig bis dreißig Personen pro Hektar, ist von allen Nichterwerbstätigen zu leeren und wird von den Erwerbstätigen der Zone 1 bewohnt. Zone 3, das Nahpendelgebiet mit Gärten und landwirtschaftlichen Flächen und sechzig Minuten Berufsweg, wird mit den Familienangehörigen der Zonen 1 und 2 aufgefüllt. Weitere Abschiebungen finden in die ›Wochenendpendelzone‹ Nr. 6 und die ›weitere Heimatzone‹ Nr. 7 mit vier Stunden Bahnweg statt. Dahin kommen alle Nichterwerbstätigen, die zu den Innenzonen keinerlei Verbindungen besitzen.

Dieser Zerstreuungsplan folgt und hilft dem Reichsumsiedlungsplan. Von einem anfangs geschätzten Evakuierungsvolumen von 11,77 Millionen Personen wird eine knappe Hälfte abgewickelt, die in die bombenfernen Landesteile und in das grüne Stadthinterland führt. Insbesondere für die Großballungsräume Berlin, Hamburg und Rhein-Ruhr stehen nicht genug aufgelockerte Wochenend- und Heimatareale bereit. Die Familien dort werden so zerlegt und verteilt, wie es paßt. Das nimmt zwiefach Angriffsfläche aus dem Luftkrieg. Das Vernichtungsziel schrumpft. Der ungeheuerlichen Abwurftonnage des letzten dreiviertel Jahres bieten die Städte weniger Menschen dar. Des weiteren entlastet die Verschiebung der Population das Regime. Das Stadtvolk ist nicht mehr handlungsfähiges Sozialorgan, sondern ein faseriger, amorpher Haufen: Familiensplitter, Garnisonstruppen, Gefangene, Fremdarbeiter, nichts, was den Gauleitern als Bürgerschaft gegenüberträte.

Was vorher etwa eine Familie war, mag 1944 wie folgt aussehen: Der Vater arbeitet in Dortmund, die Mutter mit einem Kleinkind lebt im Allgäu, die zwölfjährige Tochter weilt bei der Kinderlandverschickung in Thüringen, ihre vierzehnjährige Schwester in einem Ausbildungslager der Volkswohlfahrt in Franken, der neunzehnjährige Sohn belagert Leningrad. Alle denken

459

an nichts anderes als sich wiederzusehen, der Führer bezahlt Freifahrtscheine, und man ist dauernd unterwegs. In dem Zustand macht ein Volk keinen Aufruhr, sondern Reisepläne.

Im Prinzip besaß jedes Evakuierungsgebiet seinen Aufnahmegau wie seine ländliche Peripherie. Der Aufnahmegau rückt zusammen und schafft Platz. Die Partei richtet eine Wohlfahrtsfiliale ein, betreut Kleinkinder und bestellt eine Handvoll Uniformierter, die gehen auf Patrouille, nehmen Beschwerden entgegen, denn das Klima ist geladen und die Laune larmoyant. Die deutschen Stämme erleben einander hautnäher, als ihnen angenehm. Die Bad Tölzerin mault: »Auch wenn der Krieg verloren geht, die Preußen haben wir einmal gründlich kennengelernt. Und das ist auch schon was wert.« Die Hamburger schreiben den Hamburgern: »Kein Mensch hat hier Verständnis in der Ostmark. Ich wünschte, daß die einmal Bomben bekämen. Ihr alle macht euch keinen Begriff von dem Leid der Flüchtlinge. Lieber in Hamburg aushalten, gräßlicher ist der Aufenthalt dort auch nicht!« (19. August 1943)

München ärgert sich, daß die Hamburger ›nordgermanischen Kulturträger‹ tausend Kilometer nach Südbayern kutschiert werden, wo nun kein Münchener mehr Platz hat. Die Bayreuther wiederum, deren Gau an die Tore Nürnbergs grenzt, wollen um keinen Preis evakuierte Nürnberger haben, zumal ihnen fünfhunderttausend Hamburger auf den Nähten sitzen.

Die ländlichen Speisen dünken die Städter ›Schweinefraß‹. Im Alpendorf ist auch kein Kochgas und kein Kino. Die Evakuierten zücken in Ratibor ihre Bezugsscheine auf Bohnenkaffee. »Keiner da!« Stirnrunzeln. »Was für primitive, anspruchslose Leute!« In den Bayreuther Gaststätten fühlen die Hamburger sich geschnitten: »Das Geschmeiß frißt und säuft sich hier toll, während wir, die wir alles verloren haben, keinen Tropfen Wein mehr zu trinken bekommen.« (27. September 1943)

Auf dem Lande ist es langweilig. Wenn schon eine Filmveranstaltung geboten wird, dann ohne neue Filme. Die Evakuierten grüßen nicht mit ›Heil Hitler‹, sondern knurren ›'n' Abend‹ und ›Tach‹. Die Gastleute sind katholisch, und ihre Sprache ist unverständlich, »Nie wieder Bayern«. Die Bayern haben ebenfalls die

Nase voll. »Wenn das die Zukunft ist, dann lieber ein selbständiges Bayern!«

Die Flüchtlingsfrauen weigern sich, die Betten zu machen, und haben auch keine Bettwäsche dabei. Den Gastleuten gehen Handtücher und Bestecke aus. Die Bombengeschädigten nutzen sogleich die besseren Einkaufsmöglichkeiten in den Zufluchtgebieten. Dort werden Artikel wie Damenmäntel erstanden und auf die Schwarzmärkte des zertrümmerten Westens gelenkt. In Breslau, Danzig, Königsberg, Stettin und Weimar sind alsbald die Läger für Damenunterbekleidung geräumt. Es gibt auch keine Schuhe mehr, weil die Fußbekleidung der Stadtmenschen für die Ostgaue nichts taugt und man sich mit derberen Galoschen ausrüstet. Viel Verdruß bereiten die Sozialunterschiede. Bessergestellte Familien, bei denen die ärmeren Schichten aus der Kölner Altstadt unterkommen, entsetzt die Unsauberkeit dieser Menschen. Eine amtliche Entlausungsaktion im Haus erlebt man zum ersten Mal und wird davon nicht hilfsbereiter. Die Evakuierten hingegen sehen sich als Märtyrer an und wollen dementsprechend behandelt werden. Ihr Grundbefinden ist die Depression, und sie teilt sich als Beschwerde mit.

Evakuierte beklagen von früh bis spät die Unzulänglichkeit der ihnen zugeteilten Aufenthalte. Die NSDAP-Leitung weist ihre Ortsgruppen darauf hin, »daß diese Volksgenossen ständiger Fürsorge und Aufmerksamkeit bedürfen; 28. August 1943, unterzeichnet Bormann«. Gäste und Gastgeber bekommen kluge Verhaltensregeln in die Hand, welche Reibereien dämpfen. Goebbels rät, die Psychologie des Zusammenlebens Fremder auf engstem Raum delikat abzufedern. Zwang bringt gar nichts! Die Partei läßt Gesandte aus dem Evakuierungsgebiet auftreten, die tiefgerührt begrüßt werden. Die Heimat gibt uns nicht verloren. Als die Hamburger Staatsoper nach Bayreuth kommt, will der Jubel kein Ende nehmen.

Wer den Unverträglichkeiten der Stämme nicht ausgesetzt sein möchte, bemüht die ländliche Verwandtschaft. Privatquartiere in der Sippe, später selbst bei guten Freunden sind genehmigt und berechtigen auch zu Räumungsfamilienunterhalt, Freifahrscheinen, Ausgleich für Doppelmiete usw. Ungestützt bleiben nur die

461

wild Zugezogenen. Frauen, die auf eigene Faust, ohne Abreisebescheid, ohne Obdachlosigkeit drauflosreisen in luftkriegssichere Gegenden. Davon gibt es immer weniger. Ost- und Süddeutschland, zuletzt auch Kleinstädte und Dörfer geraten 1944/45 massiv unter Bomben. Allmählich gleitet die Organisation ins Chaos; Transporte werden abgewiesen, man sei nicht der zuständige Gau, man sei belegt.»Gehen Sie doch dorthin, wo Platz ist!«

Die Trecks ziehen von Ort zu Ort, werden fortgeschickt von Pontius zu Pilatus, die Leute verstehen nicht warum, verstopfen Schiene und Landstraße, sind häufig außerstande zur Weiterfahrt. Ströme von Essenern, Düsseldorfern, Kölnern durchstreifen das Weser-Ems-Gebiet, Süd-Hannover, das Moselland, Hessen-Nassau, Kurhessen und Mainfranken, finden allenfalls noch wilde Unterkünfte, wo die Versorgung nicht geregelt ist, viele bleiben lieber zu Hause.

Nach dem Kölnangriff im Mai 1944 mit 25 000 Obdachlosen sowie 664 Toten, darunter 411 Frauen und Kindern, meldet kaum jemand sich zur Evakuierung. Ehepaare möchten in der Not zusammenbleiben, man fürchtet, die Wohnung im Stich zu lassen, und hängt an seiner engeren Heimat. In Scharen kehren Evakuierte nach Dortmund zurück, um wieder ein normales Familienleben aufzunehmen. Die Trennung schaffte der Evakuierungsregie die meisten Schwierigkeiten. Die Verwachsenheit mit der untergehenden Stadt hat mehr Menschen zurückgeführt als die Kümmernisse des Evakuiertenloses.

Gemessen an der ihnen auferlegten Last haben die Landkreise und Kleinstädte die Großstädter mit Fassung außer Lebensgefahr gebracht. Die Nörgelei war ein Nebengeräusch. Nach Polizeierhebungen hat ein Drittel der Gastgeber die Evakuierten zwangsläufig toleriert oder nicht leiden mögen. Zwei Drittel ertrugen sie brüderlich bei Vorbehalten gegen Arroganz, Faulheit, regionale Überheblichkeit. Ernährung und Raum hätten geklemmt. Ein Neuntel nur hielt die Evakuierung für schlecht organisiert. Sie hat ein Viertel der 19,1 Millionen Einwohner der meistbedrohten Städte aus der Reichweite der Bomben entfernt. Das ist das Doppelte der dort vorhandenen Bunkerkapazität, bei äußerster Überbelegung.

462

Das Bunker- und Evakuierungsprogramm zusammengerechnet gewährte jedem dritten Bedrohten einen gequetschten, doch absoluten Schutz. Der begrenzte Kellerschutz reichte für 11,6 Millionen Personen. Die hohe Anerkennung, die der 1940 aus dem Stand gezimmerte Luftschutz bei den Luftgegnern bis heute genießt, scheint anbetrachts dessen nicht unverdient.

Die Evakuierten schlossen ganz Deutschland seelisch in den Bombenkrieg ein. Sie wußten zu berichten, und sie wußten alles. Vordringlich sollten die Gastleute erfahren, warum man ihnen zur Last fiel. Wie es wirklich in den Frontstädten aussah! Das übrige Reich hatte von den Kriegsverhältnissen dort keinerlei Ahnung. Daß man ohne Verkehrsmittel über Schutthalden und durch Staubwolken zur Arbeit ging, daß man weder kochte noch sich wusch, weil Wasser, Gas und Strom fehlten, daß keine Lebensmittel einzukaufen waren wegen der kaputten Läden, daß jeder gerettete Suppenteller und jeder Eßlöffel ein Kleinod darstellte, daß andauernd Zeitzünder hochgingen und Wände einstürzten. Ungefähr so war es. Bei der Wiedergabe der Bombennächte wurde farbiger aufgetragen.

Der Informant der Gestapo aus Mainfranken notierte verdrießlich, daß Hamburger Augenzeugen über eine halbe Million Tote berichteten. Die Regierung tue zur Sicherheit der Volksgenossen gar nichts. Keiner könne einen Angriff im Haus aushalten, ohne in Stücke gesprengt zu werden. Laufe man hingegen auf die Straße, regne es brennenden Phosphor. Die Luftschutzkeller böten längst keinen sicheren Feuerschutz gegen den Phosphor. Das Feuer breche nicht mehr im Dachstuhl aus, es beginne im Keller und fresse sich aufwärts. Gescheiter sei es, in den Wohnungen zu bleiben, als im Keller zu verbrennen. Menschen liefen als brennende Fackeln durch die Straßen, und Frauen ertränkten brennende Kinder. Wer unheilbare Wunden davontrage, werde von der SS erschossen.

Die Erzählungen der Evakuierten, summieren die Informanten, verursachten lähmendes Entsetzen. Sie werden begierig entgegengenommen und die haarsträubendsten Übertreibungen kritiklos als wahr unterstellt. Auch tragen die Evakuierten ihr Schicksal nicht in beinharter Gefaßtheit, wie die Zeitungen

463

schreiben. Frauen, die Kinder verloren haben, klagen zitternd den Führer an, der keinen Schutz errichte. In Frankfurt (Oder) wo im August 1943 ständig Berliner Frauen und Kinder eintreffen, geht das Gerücht um, daß in Berlin bereits Kalkgruben ausgehoben würden für die nächsten Terroropfer. Das löst eine Angstpsychose aus, fürchten die Spitzel.

Die Reportagen der Evakuierten dementierten alle Propaganda. Vom Bombenkrieg erwähne diese ausgiebig die Zerstörung bekannter Kulturdenkmäler. Der Verlust Tausender Zivilisten, die Ausradierung ganzer Städte werde nicht berichtet. Die Ankömmlinge sind dürftig gekleidet, man sieht ihnen an, daß Hamburg völlig dem Erdboden gleichgemacht ist und Seuchen dort ausgebrochen sind. Gegen Hamburg sei Köln ein Kinderspiel gewesen. Heute koste jeder Angriff fünfzehntausend Tote. Demnächst werde auch Schlesien dran sein. Allerorten herrscht »krankhafte Angst vor Luftangriffen«. Die Landstädte beruhigen sich keineswegs damit, weitab vom Schlachtfeld zu liegen. Sie beunruhigen sich, daß es sie auch erreiche. Man gewinnt den Eindruck, daß Deutschland kein Mittel gegen den Luftterror besitzt, schwört auf Vergeltung und ist enttäuscht, daß sie ausbleibt. Die Evakuierung halten die Spitzel für das moralische Depressivum schlechthin.

Wir

»Man meckert, aber man macht mit«

SICHERHEITSDIENST DER SS

Die Zivilgesellschaft weiß, daß sie Ziel ist und sich dem gegnerischen Willen beugen soll. Mit den britischen Städten steht sie im Wettbewerb der Leidensfähigkeit. Bombenkrieg prüft den nationalen Zusammenhalt. Das Durchhalten ist anfänglich ein Sport; gemeinsam werden die Schäden aufgeräumt, man läßt sich nicht mürbe kriegen. Zum allgemeinen Entsetzen stellt sich die völlige Durchlässigkeit der Luftverteidigung heraus. Sie durchlöchert den Bomberstrom, verhindert aber nicht den Abwurf der Tonnage. Die volle Waffenwirkung wird passiv erduldet, das ist das Kriegslos des Zivils und unerträglicher als die Verluste. Das ratlose Regime lanciert die Devise ›Vergeltung‹, die Aussicht, es den Briten heimzuzahlen. So würden sich die Züge eines Kampfes wiederherstellen anstatt des langsamen Zugrunderichtens. Die Vergeltung wird das Narkotikum der bombardierten Gemeinschaft. Doch tötet die nach der alliierten Invasion eingesetzte deutsche V-Waffe weniger Personen als der Angriff auf Pforzheim. Der Rest der Vergeltung besteht im gemeinsamen Lynchen abgesprungener Bomberpiloten.

Zur Zeit des Untergangs der 6. Armee im Stalingrad-Kessel berief Goebbels seine Pressegehilfen und teilte ihnen mit, daß man seit Kriegsbeginn den falschen Propagandakurs steuere. Die Devise sei gewesen:

1. Kriegsjahr: wir haben gesiegt
2. Kriegsjahr: wir werden siegen
3. Kriegsjahr: wir müssen siegen
4. Kriegsjahr: wir können nicht besiegt werden.

»Die deutsche Öffentlichkeit muß verstehen, daß wir nicht siegen wollen und müssen, sondern auch können.« Ihre defensive Grundhaltung sei die blanke Katastrophe.

Anfang 1943 bestand eine asymmetrische Lage: Die deutsche Öffentlichkeit konnte nicht siegen, doch im Bombenkrieg sehr wohl besiegt werden. Das Heer wiederum, das einzige siegesfähige Organ, konnte, so wie die Fronten verliefen, vorerst schwerlich besiegt werden. Dazu waren noch zweieinviertel Jahre erforderlich. In der Zeit hätte das Publikum im Land einigen Grund gehabt zusammenzubrechen. Es war das schwächste Glied der Kette. Ob sie an dem Punkt riß oder hielt, bestimmte über den Lauf des Weltkriegs. »Es ist in erster Linie ein psychologisches Problem, über diese Notzeit hinwegzukommen«, bemerkte Goebbels.

Es lag mitnichten an der Propaganda, ob Deutschland siegen konnte. Die Psychologie mochte allerdings unversehens eine Niederlage auslösen. »Man muß sich das auf sechs Monate übertragen denken«, notierte Goebbels Anfang März, nach Bekanntgabe von 468 Toten des letzten Berlinangriffs, in sein Tagebuch. »Dann stehen wir in vielen Städten vor einem Trümmerfeld, haben Tausende von Toten und eine doch etwas angeknackste Haltung unseres Volkes. Das können wir uns unter keinen Umständen leisten.«

Am folgenden Tage untersagte er im Propagandaministerium den Gebrauch des Wortes Stimmung. Man könne nicht von Stimmung reden, wenn die Häuser brennen und die Städte verwüstet würden. Danach schreie niemand hurra. Man solle vielmehr die gute Haltung hervorheben. Die Stimmung im Bombenkrieg ist notwendigerweise elend. Anders die Haltung, eine militärische Tugend, die sich erst in der Depression bewährt. Es existierte ein stummes Beharrungsvermögen, eine Hartleibigkeit der deutschen wie auch der späteren Adressaten von Bombenkrieg. Zivil ist stur.

Die Luftfront schob sich über das Reich gegenläufig zur Landfront. Im Mai/Juni 1940, das Heer eroberte zügig Holland, Belgien, Frankreich, erschien der Gegner am Himmel der Heimat. Keine Waffe hielt ihn an, wie ungläubig registriert wurde. Am 22. Mai gingen zweihundert Bomben im Raum Aachen nieder. Drei Stunden lang kurvten Flieger im Scheinwerferlicht, ohne daß ein Abschuß gelang. Man war festen Glaubens gewesen, daß solchen Attacken schnell und wirksam begegnet würde. Auch Köln, Koblenz, Dortmund, Düsseldorf und Darmstadt diskutierten heftig das Fehlen der Flakabwehr, kein Jäger ließ sich blicken, nicht einmal der Sirenenalarm klappte. Den Düsseldorfern war in der zweiten Märzwoche ein halber Tag lang unentwegt Warnung und Entwarnung signalisiert worden, bis jeder konfus war. In Hamburg und Bremen kam keinerlei Warnung, die Bomber flogen eine Stunde über dem Stadtgebiet, ehe ein Abwehrfeuer sich regte.

Da keine größeren Brände, Sach- oder Personenschäden entstanden, war man nicht beunruhigt, jedoch empört. Die Anflüge bei Nacht zeugten von Feigheit, und der Luftschutz war eine einzige Panne. Niemanden verwunderte es, daß kaum militärische, sondern fast nur Zivilziele getroffen wurden. Rechtzeitiges Warnen erleichterte, die Nachfrage nach der Volksgasmaske zog stark an, alles rechnete mit weiteren Angriffen. Abgeworfene Flugblätter versprachen Ende Mai: »Wir kommen von jetzt ab jede Nacht wieder, bis wir Euch kleingekriegt haben.« Weitere Flugblätter wurden in Eisenbahnen und Trams, Geschäften und Straßen emsig kolportiert, doch von der Polizei nirgends aufgefunden: Es stünden fünftausend britische Flieger zum Einsatz gegen das

Ruhrgebiet bereit, man sei aufgefordert, dieses binnen drei Tagen zu verlassen, habe erst den Anfang gespürt, demnächst fielen massenhaft Gasbomben.

Im Juni überfliegt Bomber Command regelmäßig den Westen, wirft geringfügig und planlos ab, erzielt kaum Schäden, kreist aber Nacht für Nacht ausgiebiger über den Städten. Die Warnzentralen halten weiterhin nicht Schritt, Industriewerke mit Nachtschicht alarmieren selbständig ihre Belegschaft, die Allgemeinheit findet jetzt erst recht keine Ruhe. Hausgemeinschaften teilen Weckdienste ein; mancher stellt sich den Wecker auf vierundzwanzig Uhr und steigt in den Keller, spätestens bei Einsetzen des Flakfeuers. In der ersten Junihälfte zirkulieren wilde Gerüchte über kolossale Menschen- und Sachverluste anderenorts. Die Zunahme bleibt indes mager. 1940 fallen im Monatsdurchschnitt 143 Personen.

Weil auch die Entwarnung schlecht funktioniert, verbringen die Kellerinsassen drunten ruhelose Nächte. Die Hälfte der Jülicher Fabrikmaschinen liegt wegen Übermüdung des Personals still; Frauen und Mädchen einer Aachener Nadelfabrik schlafen am Arbeitsplatz ein. Der Truppensieg im Westen versetzt Deutschland in Höchstlaune, der Krieg ist vorüber. Gewonnen! Düsseldorf hat nach der Nacht zum 19. Juni bei hundertdreißig Bomben zehn Tote zu beklagen, verschuldet auch durch die zu frühe Entwarnung. Den Zorn gegen den Luftschutz beschwichtigt nur, daß alles bald überstanden ist.

Mit Erstaunen wurden die Nachtangriffe vom 17. bis 19. Juni quittiert. Die Würfel waren gefallen, die Schlachtfelder des Westens erobert, wozu bombardieren? Im Laufe des Juni begriffen die Deutschen, daß die Waffen keineswegs schwiegen. Das Schlachtfeld ruhte nicht, es zog sich durch ihre Straßen und Wohnungen, das einzig noch übriggebliebene. Ende des Monats warfen die Briten über ganz Nord-, West- und Mitteldeutschland eine persiflierte »Amtliche Bekanntmachung« ab mit dem Hoheitszeichen der NSDAP: Luftangriffe seien durch Jäger und Flak nicht aufzuhalten. »In oder bei fast jeder Stadt befinden sich, wie jeder Volksgenosse weiß, Anlagen, die als militärische Objekte anzusprechen sind.« Unvermeidlicherweise würden »fast alle deutschen

Städte in Mitleidenschaft gezogen«. Daraus möge jeder »die ihm notwendig erscheinenden Schlüsse ziehen«. Man zog den Schluß, sich von »solchen Mätzchen« nicht einschüchtern zu lassen.

Die britische Propagandanotiz der ersten Augustwoche »Hamburg pulverisiert« erzielte in Hamburg größte Heiterkeit. Allerdings mißtraute man dort der Propaganda beider Seiten. Vermutlich sagten die deutschen Nachrichten nicht alles. Hamburg hatte am 4. Juli sechzehn Tote hingenommen, davon zwölf Kinder; Kiel zum selbigen Datum acht Tote. Zehn Tage später schnellt eine Angstpsychose hoch, als das Gerücht die Stadt durchläuft, innerhalb einer Stunde starte ein Großangriff. Dortmund fällt in Panik von der Kunde, ein Fallschirmspringer sei gelandet und bereite den Gasangriff vor. Bezweifelt wird, daß die Masken ausreichen. Außerdem streuten Flugzeuge Kartoffelkäfer und suchten die Ernte zu zerstören. Nach einem avantgardistischen Angriff auf Bad Lippspringe – zwanzig Flammenkugeln an Fallschirmen erleuchten den Kurort in der Nacht zum 15. Juli taghell, Zeitzünderbomben explodieren – reisen innerhalb von Stunden zwölfhundert Erholungsgäste betroffen ab. Die angegriffenen Orte debattieren nichts anderes als die Abwürfe. Frauen und Kinder peinigen Kopfschmerzen, Erkältungen, Übermüdungen, die Arbeitslust vergeht. Es ist August 1940, der Bombenkrieg währt zehn Wochen.

In Hamburg schlägt die Stimmung um. Worte könnten die britischen Flieger nicht vertreiben. Tausend Tote stünden bisher zu vermuten, Anlaß genug, zur Vergeltung zu schreiten. Verzettelte Aktionen wirken nicht, sondern der ganz große Schlag. Im Juli hatten die Blätter bereits die nahende Rache zitiert, ohne Zustimmung. Einerseits, andererseits! Nur kein Öl ins Feuer schütten!

Im August hub die Luftschlacht um England an, und vollmundige Flugblätter schwebten in Berlin herab. »Habt ihr's jetzt begriffen? Habt ihr unsere Luftwaffe vergessen, die in Deutschland herumfliegt, wie es ihr paßt, und im Juli siebenunddreißigtausend Bomben allein auf militärische Ziele an der Ruhr und im Rheinland abgeworfen hat? Wann und wie dieser Krieg aufhört, das bestimmen wir und mit uns die ganze Welt.«

Den in Hamburg gewünschten ganz großen Schlag wähnte Goebbels in nächster Reichweite. Nur sei politisch zu berücksichtigen, »daß die Vernichtung Londons wohl die größte Menschheitskatastrophe der Geschichte darstellen würde, so daß diese Maßnahme auch vor der Welt irgendwie gerechtfertigt erscheinen müsse«. Es fehle der zündende britische Angriff, der »mit einem Schrei der Empörung« zu erwidern sei. In Berlin gingen nur Bagatellen zu Bruch, wie Auslandskorrespondenten am Stadtmodell nachgewiesen wurde. Die groß gemeldeten Schäden spielten bei dem Umfang der Stadt überhaupt keine Rolle. Die Bombentoten erachtete das Regime für hinnehmbar, da sie im Rahmen der Verkehrsunfälle blieben. Am 11. September unterrichtet Goebbels die Presse, daß seit dem 10. Mai nicht 1500, sondern 617 Bombentote angefallen seien, die Zahl bleibe geheim, weil in London die gleiche Menge täglich umkomme. Die von den Briten Ende Oktober reklamierten 2871 Berliner Getöteten berichtigte das Propagandaministerium auf 89 und schlug die Publikation von Bilanzen des Tötungswettbewerbs in London und Berlin vor. Das wurde im Führerhauptquartier als zu frivol erachtet.

Beide Seiten verdrehten Zahlen und Ereignisse zur Stimulanz der Publikumsphantasie. Die Briten renommierten mit 43 000 deutschen Ziviltoten das Vierzigfache des unrühmlichen Resultats; die Deutschen erwarteten die Gemetzel, um sie vergelten zu können. Den Propagandaaufwand um die bombardierte Kinderpsychiatrie Bethel quittierte das parteinahe Milieu mit Schmunzeln, da wir »unser Herz für erblich Belastete entdeckt hätten«. Man solle um die paar Idioten nicht soviel Aufhebens machen. Der ›Kindermord von Bethel‹, dargereicht als »Futter für Amerika«, diene »zur Rechtfertigung unseres eigenen, rücksichtslosen Vorgehens in England vor der Welt«. Auch wurden damit die inneren Reihen geschlossen. Das christliche Milieu ließ seine Bedenken gegen die Londonangriffe fallen. Nach aller Konsens konnte »diese neue Schandtat nur durch rücksichtslose Vernichtung englischer Wohnviertel wettgemacht werden«. Die Bevölkerung der Bielefelder Gegend enttäuschte einzig die Grabrede, die Pastor von Bodelschwingh den elf getöteten Kindern hielt. Kein Wort von Vergeltung, von Sieg, nicht einmal von der Todesursache. Das Schlußgebet vereinte die angereisten Regierungsvertreter in der Bitte um baldigen Frieden.

Den Herbst hindurch wurden die Schlagzeilen vom pulverisierten London verschlungen. Zur Gewißheit wünschte man Nahaufnahmen der zerstörten Straßenzüge gedruckt und verglich mit Warschau und Rotterdam. Schlimmer als dort sei es eigentlich nicht ausgefallen. Die Photos der in U-Bahn-Schächten kampierenden Londoner zeigten, wie wenig die Deutschen bisher mitgenommen waren. Sie begannen, den Härtewettstreit sportlich zu sehen und lobten die Ausdauer der Briten. Würde man solchen Prüfungen ähnlich zäh standhalten? Die künstliche Entrüstung der deutschen Presse über britische Angriffe, die ausschließlich auf Krankenhäuser, Kinderheime und Laubenkolonien zielten, regte keinen mehr auf. »Es ist Krieg, und wir machen es genauso.« Der totale Krieg sei noch weit härter zu betreiben.

Der Volksgenosse verkennt die Ausmaße der britischen Hauptstadt, klagt die Partei, und er hegt Illusionen über die Wirkungsmacht der deutschen Luftwaffe. Doch merkt das Publikum ebenso schnell wie die Luftwaffe, daß etwas nicht funktioniert. Warum müssen Orte mehrfach bombardiert werden, die nach dem ersten Angriff bereits als ›tote Stadt‹ gemeldet sind? Wie schaffen die Londoner, sich mit Lebensmitteln zu versorgen, wenn sie angeblich vor lauter Bomben und Alarm nicht aus dem Keller kommen? Sind sie evakuiert und längst in Sicherheit, oder ignorieren sie schlechtweg den Alarm und gehen ihrer Wege?

Eine Brise des Entzückens empfängt die Coventry Operation. So sieht Vergeltung aus. Um so rätselhafter das wochenlang attackierte London, das noch immer nicht so »abgegrast« aussieht wie Coventry nach einer Nacht. Im Dezember erfreuen Nachrichten über Treffer im britischen Regierungsviertel; hoffentlich hat Churchill etwas abbekommen. Die Veröffentlichung der monatlich abgeworfenen Bombenmengen trifft auf breitestes Fachinteresse. Daraus ist mehr zu entnehmen als aus den ewigen Bränden, die entstanden seien, und der Januarnotiz, daß in London »kaum noch ein Haus heil geblieben ist«. Das wird nicht geglaubt, doch uneingeschränkte Bewunderung gilt dem britischen Durchhaltewillen. Was zählt daneben das Bombardement des Reiches. »Ver-

glichen mit dem, was von unseren Fliegern in England kleinge-
macht wird«, ist das »nicht der Rede wert«.

Der Westen, Aachen, Bielefeld, Braunschweig, Düsseldorf, Koblenz, hat sich an den Nachtalarm gewöhnt. Luftschutzräume werden selten aufgesucht. Die Gefahr, im Keller an Kälte und Feuchtigkeit zu erkranken, ist weit größer als die schwache Möglichkeit,
von einer Bombe getroffen zu werden. Wer dies Pech hat, ist beim
Reich versichert. Das Entschädigungs- und Luftschutzverord-
nungswesen rollt an, man richtet sich im Luftkrieg ein. Probleme
tauchen auf, die nicht bedacht waren. Wenn in Frankfurt bei Alarm
auch nur vierundvierzigtausend Hausgemeinschaften empfeh-
lungsgemäß in den Keller wechseln und Elektroheizer einschalten,
entstehen auf einen Ruck Belastungsspitzen von zwölftausend Ki-
lowatt, die das gesamte Netz erschüttern. In den Entschädigungs-
ämtern entsteht Streit, ob ein Radio lebensnötig und ersatzpflich-
tig ist. Schwerer noch fällt der Nachweis, daß es wahrhaft zerstört
ist. Die Beamten wissen nicht, wie mit Bombenschäden von zwei
Pfund Speck und fünf Pfund Mehl umgehen. Den Geschädigten
läßt sich der Verzicht auf derartige Anträge nicht einreden. Notdürftig umhüllt aus den Trümmern gezogene Ehepaare wiederum
laufen zur Kleiderbeschaffung von der Volkswohlfahrt zur Bezugs-
scheinstelle und zurück. Textilien sind nirgends zu haben.

Die Verwaltung arbeitet als erstes die Vorschriften aus; der Erlaß zur Genehmigung des Betretens von Straßen und Plätzen während des Fliegeralarms wird zehnmal geändert. Gewisse Berufs-
gruppen sind befugt, doch nur langsam erhellt sich, welche. Die
Vorschriftslage muß allen Landkreisämtern zugehen, Millionen
Anschreiben zirkulieren und schaffen unerhörte Konfusion. Zü-
giger half die Sammlung, die Bischof Clemens von Galen im
Münsterländischen zugunsten der Bombengeschädigten und des
versehrten Doms abhalten ließ. Die Landbevölkerung gab reichlich. Für die Brände in Münster machte sie die NSDAP verantwortlich: So rächte sich das Verbot der Feuerprozession, die bisher alljährlich zum Schutze vor dem destruktiven Element
gezogen war.

Die erste systematische Brandstiftung übersteigt die Lübecker
Verhältnisse. Dagegen kommen die alten Männer des Sicherheits-

und Hilfsdienstes nicht an, doch sind die Hamburger Kollegen gleich zur Stelle und bringen die Erfahrung von hundertsiebzehn Angriffen mit. Zum Glück weilen viele Wochenendurlauber der Wehrmacht im Ort, denn am Samstagabend sind die Hausbewohner unterwegs, haben argloserweise das Brandutensil – Schläuche, Wasser, Sand, Pickel, Spaten, Brecheisen – nicht parat, so daß nur der beherzte Zugriff der Soldaten das Feuer eindämmt. Hitlerjungen und Bundmädchen wirbeln in der Verletzten- und Obdachlosenbetreuung, die Lübecker sind inmitten ihres Desasters baff. »Noch nie ist das Gemeinschafts- und Zusammengehörigkeitsgefühl der Volksgenossen so unter Beweis gestellt worden wie gerade in jener Nacht.« Am Sonntag sperren die Händler trotzig ihre Läden auf. Ein Schaufensterschild meldet: »Hier wird Katastrophenbutter verkauft.« Ärger stiftet nur, daß der Wehrmachtsbericht von all der Prüfung und Tapferkeit nichts wissen will und von »einigen Verlusten« spricht.

Die Bevölkerung, die sich seit Jahren die Schrecken des Gaskrieges ausgemalt hat, sieht im Abwurf der phosphorversetzten Brandmunition den Beginn des »aero-chemischen Krieges«. Feuer, Gas und Bakterien werden derselben Kampfart zugerechnet. Nach dem Kölner Tausendbomberangriff im Mai läuft wie der Blitz die Warnung vor dem Trinkwasser um. Die Briten hätten es mit Typhus verseucht. Lautsprecherwagen der Polizei fuhren dem Gerücht hinterher und dementierten. Wieder war die Panik nicht ganz gegenstandslos. Brunnenvergiftung mit Cholera, Typhus und Ruhr war 1931 im mandschurischen Krieg eine japanische Waffe gewesen; die Gegner Deutschlands wählten jedoch nicht das Wasser, sondern die Post. Im Dezember 1942 fiel der Gestapo in einer Warschauer Vierzimmerwohnung ein biologisches Kampfstofflager mit Fleckfiebererregern in die Hand. 1943 versandte die polnische Untergrundbewegung siebenundsiebzig typhusverseuchte Päckchen und vergiftete damit binnen vier Monaten nach eigenen Angaben 426 Personen. Den aerochemischen Krieg beurteilten die Deutschen anders als die bisherigen Bombardements. Noch ehe er ausgebrochen war, existierte bereits »das allgemeine Gefühl einer Hilflosigkeit« und die »Überzeugung, dem schutzlos ausgeliefert zu sein«.

Im Jahr zwischen dem Lübeckschlag und der Ersten Ruhr-schlacht müht sich die Luftschutzgemeinde, die sportliche Haltung zu wahren. Die Augsburg-Mission von Bomber Group Nr. 5 verdient soldatischen Respekt. Das schneidige Anfliegen des Ziels, die Konzentration auf ein Rüstungswerk, der Sturz in den toten Winkel des Flakfeuers, die genau gezirkelten Abwürfe aus hundert Meter Höhe sind nach jedermanns Geschmack. Ein Beklemmen ruft die eigene Mannschaft hervor. Warum besitzt Augsburg, als Jägerhersteller weltbekannt, keinen Jagdschutz? Die Flak ist unbesetzt oder verschläft. Den Jagdschutz wünscht man sich als einen Schirm über die Stadt gespannt. Da er westwärts zur Kammhuberlinie verschoben ist, irritiert um so mehr, daß Bomber stundenlang über reichskontrolliertes Gebiet bis nach Augsburg durchkommen.

Die Front war für die Bürgerschaft einst ein Gelände hinter dem Horizont. Dort sorgte das Heer, daß sie hielt. Wenn sie durchbrach, war das Heer geschlagen und der Krieg bald zu Ende. Daß die Front über dem eigenen Kopf verläuft und nichts dazwischen ist, verschlug den Atem. Die zwei Grundtatsachen der Moderne werden 1940 bis 1942 immer aufs neue kopfschüttelnd vermerkt. Wie kommt der Gegner über unser Dach, und wieso kann er senkrecht durchfeuern, ungebüßt?

Als die Flak im Juli 1942 neunundzwanzig Bomber über Hamburg abschoß, wollte man es nicht glauben. Die Nachtjäger fehlten, die Stadt fühlte sich preisgegeben, verzeichnete 337 Tote und war bitter enttäuscht. Den Angriff hatte man längst erwartet und nicht gescheut; den würde die Abwehr regeln. Militärisch gelang ihr ein prächtiger Erfolg von 7,2 Prozent Gegnerverlusten. Doch wollte kein psychologischer Erfolg daraus werden. Tiefe Niedergeschlagenheit ging um, verschob aber nicht die Haltung. Die Flugblätter »Stürzt Hitler, dann habt ihr Frieden«, las man als »dummen und blöden Beeinflussungsversuch«.

Ganz Hamburg war mit sich solidarisch. Jeder zog jeden aus dem Schutt, räumte gefährdete Wohnungen leer, spritzte mit Wasser, warf mit Sand, riß Baracken und Zäune ein, die berüchtigten Feuerbrücken. Frauen und Mädchen taten sich hervor, trauten sich an alles heran, Arbeiterinnen verkochten ihr gesamtes

Kaffeepulver. Anschließend wurden für 250 Millionen Mark Entschädigungsanträge gestellt.

»Wir könnten recht gut von den Engländern lernen«, riet Goebbels, »die während der schweren Angriffe auf London die Haltung der englischen Bevölkerung heroisiert und aus London einen Mythos gemacht haben.« Die Wehrmachtsberichte müßten das Drama des Luftangriffs nur einmal farbig darstellen. Die dünne Präsenz der Luftwaffe entschuldigte er im August mit ihren Aufgaben im Rußlandfeldzug. Über den Krieg entschieden gegenwärtig die östlichen Schlachtfelder. »Wir schlagen England im Osten.« Die Parole hielt ein Vierteljahr, so lange biß der Westen die Zähne zusammen.

An der Saar und in der Pfalz existierte nur das Gesprächsthema, welche Stadt als nächste bombardiert wird. In Kenntnis der britischen Gewohnheit, Angriffe auf einen Platz in kurzer Serie zu wiederholen, verlassen ihn alsbald viele des Abends, bei Tagesanbruch sind sie retour. Selbst in Main-Franken verlagern Großstädter Wertbesitz vorsorglich in ländliche Depots, Würzburger Textilfirmen evakuieren die Lager. Unterdessen stößt das Rußlandheer in Richtung Don und erhält von daheim massenhaft Telegramme, daß der Feind die Vitrine ruiniert hat. Köln benötigt Nachschub für fünfunddreißigtausend kaputte Wohnzimmereinrichtungen, die in ganz Europa zusammengekratzt werden. Ende Juni 1942 weist Bormann in der Parteizentrale die Gau-, Kreis- und Ortsgruppenleiter an, die wachsende Flut der Privattelegramme an die kämpfende Truppe zu drosseln. Die Mitteilungen untergraben die Stimmung. Postämter sollen die Annahme nur bei nachweislicher Dringlichkeit tätigen. Soldatenangehörige können sich in der Not an die örtlichen Wehrkreiskommandos wenden. Mit Maulkörben bekommt man das Thema jedoch nicht in den Griff, wie Goebbels weiß. Millionen von Menschen beschäftigen sich täglich mit der prekären Luftlage im Westen und fragen sich, wie die Sache ausgeht und wann es einmal anders würde. Ist Hoffnung zu wecken oder besser der Ernst der Lage zu schildern? »Bisher haben wir den richtigen Ton zu dem Luftkrieg noch nicht gefunden.« Die deutsche Bevölkerung kann mit der Diskussion des Themas nicht sich selber überlassen werden. Doch die Bevölkerung erwartet im September 1942 etwas anderes als den richtigen Ton.

In den Rhein-Ruhr-Städten sammelt sich sachte die Wut auf Berlin. Die verschiedenen Behörden entsenden im September Studienkommissionen in die Bombenstädte, die reserviert empfangen werden. Die Bevölkerung möchte sich von den Bürokraten nicht ansprechen lassen. Sie stehlen die Zeit, künsteln Mitleid, doch außer Hilfe will keiner etwas entgegennehmen. Anfang Januar 1943 ist das Hauptgespräch in Krefeld die Bombardierung Berlins. Darüber herrscht ausnahmslos tiefe Befriedigung. Höchste Zeit, daß es die großmäuligen Berliner wieder erwischt hat. Dem Leid der Rheinländer steht man dort recht hartleibig gegenüber. Leichten Attacken auf Berlin folgen Vergeltungsschläge auf dem Fuß. Doch nicht ein Flugzeug von der Ostfront wird freigemacht, um die vergleichslosen Schäden in Köln, Düsseldorf und Duisburg zu strafen. Obendrein bezieht Berlin nach den Bombardements Extrarationen Kaffee. Schön wäre es nach Ansicht vieler, »wenn die Briten öfter nach Berlin flögen, so daß die Einwohner ein Gefühl dafür bekommen, was wir im Westen durchmachen. Wir im Westen werden als zweitklassiges Volk angesehen, und das gesamte Rheinland ist bereits abgeschrieben.«

Die Stimmung kippt in der Ersten Ruhrschlacht. Alle Aufmerksamkeit liegt im Frühjahr und Frühsommer 1943 auf den Weststädten. Weder die Panzerschlacht im Kursker Bogen noch selbst die alliierte Landung in Sizilien lenken von den Geschehnissen in Wuppertal und Remscheid ab. Reihenweise zertrümmerte Blocks, kilometerweite Flammenseen, rauchverhangene Bombentrichter von sechsundzwanzig Metern Durchmesser und acht Metern Tiefe beenden den Durchhaltesport. Das rüstige Anpakken läßt nach, es hat keinen Zweck. Der Schadensträger ist zerschlagen, froh, die Haut gerettet zu haben, und wartet nervös auf die Räumkräfte. Sind die nötigsten Überbleibsel aus dem Schutt geklaubt, legt man sich lang ins Gras und äußert Skepsis. »Der Führer hat uns nach Strich und Faden belogen.« Man solle Schluß machen, wenn man nichts anderes wisse als die faule Vergeltung. »Die wollen es mit Vergeltung kriegen, Churchill aber hält sich ans Bombardieren.« Den Elan bringen nur noch HJ, NSDAP und

SA in den Bergungsbetrieb. Alles ist gleichgültig, außer »wo sie letzte Nacht gewesen sind«. Soviel gibt der Wehrmachtsbericht durch, und was anderes braucht der Rundfunk nicht zu bringen. Die Ausstrahlung des Schlagers »Ich tanze mit dir in den Himmel hinein«, während Essen im zweiten Großangriff wie eine Fackel lodert, wird als blanker Hohn empfunden. Die Hörer drehen hektisch an der Skala, um Luftwarnungen aufzufangen, und geraten dabei in den Feindsender.

Das Jahr 1918 rumort in der Versenkung. Als damals die Amis eintraten, war alles vorüber. Wir sind »schließlich und endlich doch wieder eingekreist«. Eine dreifache Angriffsfront, Osten–Sizilien–Luft, ist nicht durchzuhalten. »Es war wieder alles umsonst.« Zum Lachen klingt das Gerede über die Unbezwinglichkeit der Feste Europa. Falls die Alliierten in Sizilien Fuß fassen, ist Italien geliefert. Den Kriegssommer 1943 bestreitet Deutschland zum ersten Male passiv. Stimmen wurden laut, übermittelt das Reichssicherheitshauptamt am 25. Juni der Parteikanzlei, »daß unsere Schwäche keine Offensive mehr zulasse. In einem nie für möglich gehaltenen Ausmaße hat sich an allen Fronten, zu Lande, zu Wasser und in der Luft eine absolut eindeutige Überlegenheit des Gegners gebildet.« Man wartet, und zwar mit quälender Unruhe. Der Wille zum Durchhalten sei ungebrochen, doch mangels großer Ereignisse wogten die Gerüchte. In seinem Pessimismus sei das Volk jeglicher Lancierung negativer Ansichten zugänglich. Das kehren Propaganda und Ansprachen der Führung nicht um. Dicht in das Kriegsgeschehen verwickelt, »wartet die Bevölkerung einerseits auf die in jeder kommenden Nacht möglicherweise sich vollziehende Katastrophe, andererseits auf die Vergeltung«.

Alle deutschen Luftschläge waren auf Direktive der Parteikanzlei als Vergeltungsmaßnahmen zu bezeichnen, nie als Terrorangriff. Der Begriff Terrorangriff spiegele das kriminelle Verhalten des Feindes. Seinem Naturell nach griff er mit Vorliebe Kulturdenkmäler und Zivilisten an. Das waren die Säulen der Luftkriegspropaganda. Weil die ›Kulturbarbarei‹ überwog, hatten die Geschädigten vom »Rummel um den Kölner Dom« rasch genug. Das Loch in der Fassade schmerzte die rheinischen Katholiken tief und wahrhaftig.»Der Herrgott würde so etwas nicht zulassen, wenn das Recht auf unserer Seite wäre.« Sein Segen hat sich von uns abgewandt.

Die stets und überall kolportierten Einzelheiten der Luftangriffe enthalten drastische Phantasien. Die Hälfte der Kölner sei nach dem Juliangriff obdachlos; die Familien nächtigten am Rheinufer. Fünfundzwanzigtausend Tote und Verschüttete seien dagelegen, Unruhen ausgebrochen, Geschäfte gestürmt, Truppen zum Schießen angewiesen worden. Die hätten ihre Gewehre fortgeworfen. SS-Leute schufen dann Ordnung. Dreißig bis fünfzig Jahre wird der Wiederaufbau der rheinisch-westfälischen Städte kosten.»Man kann sich ja nicht einmal vorstellen, wo der ganze Schutt hinkommt.«

Der dringlichsten Frage der Volksgenossen weicht der Staat aus:»Wo hat der Feind angegriffen, wie hoch sind die Verluste?« Zeitungen kleiden die Ruhrschlacht in Phrasen.»Standhaftigkeit gegen Mordbrenner.«»Härte und Entschlossenheit gegen den britischen Terror.« Das Informationsloch wird gefüllt vom Gerücht. Das Gerücht übertreibt, doch folgt die Wirklichkeit ihm nach. Es ist ihr ein Stück voraus. Anfang Juli sind ihm»neuartige Kampfmethoden der Feindmächte« bekannt. Die Brände greifen zu rasch um sich.»Die Zahl der Verbrannten unter den Toten überwiegt.« Nach der Bearbeitung der»Ruinenstädte des Ruhrgebiets« greift der Luftterror nach dem gesamten Reichsgelände. Berlin, München, Nürnberg werden»Stalingrad gleichgemacht«. Im Westen entsteht das Aufmarsch- und Kriegsgebiet, Tausende nicht identifizierbare Leichen gelangen in Massengräber. Der Phosphor läßt sie zu kleinen Mumien schrumpfen. Sie sind im Keller bei lebendigem Leibe verbrannt. Um ein Uhr nachts steht die Bevölkerung vor den Bunkern Schlange.

Im Hamburger Feuersturm zergeht die Siegeszuversicht. Das Sicherheitsgefühl ist»urplötzlich zusammengesackt«. Ein quälendes Gefühl sagt, daß ein Gegner, der solche Attacken führt, unbezwinglich ist.»Die werden uns fertigmachen.« Wir sollten aufhören,»um jeden annehmbaren Preis Schluß machen«, denn»die Opfer werden von Tag zu Tag größer«. Gegen Hamburg sei Köln ein Kinderspiel.»Man kann nicht dagegen anrennen.« Trotz aller angekündigten Gegenmaßnahmen »müssen wir tatenlos zusehen, wie eine Stadt nach der anderen zerstört wird«. Der Engländer kommt, wann er will. »Der fliegt regelrecht spazieren bei Tag und bei Nacht.« »Der Luftkrieg wird uns erledigen«, glauben die Frauen und sind »mit dem Leben fertig«. Bei zunehmender Stärke der Einflüge sinkt die Abwehr. Der Flak gelingen nur einzelne Abschüsse, obwohl die Nacht widerhallt von stundenlangem Motorengeräusch. Die Maschinen fliegen keineswegs zu hoch, sondern niedrig, daß fast die Dächer abgerissen sind. »Munitionsmangel war immer das deutsche Schicksal.« Die noch auf Sieg hoffen, gelten als blöde und unbelehrbare Optimisten. »Wie stellen Sie sich vor, daß wir den Krieg gewinnen?« Fronturlauber aus Rußland sind die einzig Positiven. Vielleicht erliegen die Bolschewisten ohne die okkupierte Ukraine einer Hungerkatastrophe. »Wenn wir solche Fressen ziehen würden wie ihr, dann wäre der Krieg längst verloren und ihr würdet schon am nächsten Baum faulen.« Bauern schütteln ungläubig den Kopf.

Nach allgemeiner Ansicht sind die Russen wirtschaftlich und an Kopfstärke überlegen, die Kriegsentscheidung jedoch bringt der Luftkrieg. Bis zur Ruhrschlacht setzte die Hoffnung auf Abwehr. Jäger und Flak schlagen die Bomberflotte in die Flucht. Im Herbst 1943 kommt die Jägerwaffe dem nahe, das Publikum sieht darin keine Chance mehr. »Es hilft ja doch nichts, wenn noch so viele abgeschossen werden. Sie bombardieren eine Stadt nach der anderen. Entweder haben wir die Waffen, England empfindlich zu treffen, oder die restlose Vernichtung des Reiches steht bevor.« Dann, sagen die Frauen, »müssen wir eben sterben«. Was können wir schon tun? »Wir werden uns erst wieder beruhigen, wenn die Vergeltung kommt.« Sie ist der Angelpunkt sämtlicher Gespräche, »unsererseits brennendst erwünscht«, und das einzige, was aufrechthält. »Unsere Trauer endet«, sagt eine Todesanzeige in der *Rhein-Mainischen Zeitung* »an dem Tag, wo der Tod unseres Kindes gesühnt wird.« Die Depressionen rühren aus dem Rätsel, »warum sich die deutsche Führung das so lange gefallen läßt«. Früher wurde immer gesagt, »die anderen reden, wir handeln«, nun ist es umgekehrt. »Trostreden« stimmen nur noch sauer.

»Man kann doch nicht zusehen, wie Tausende von Menschen fast täglich ums Leben kommen.« Zuerst habe man den Mund zu voll genommen, war angeblich auf alle Eventualitäten vorbereitet, und nun ist Gegenwehr unmöglich, weil unsere Ingenieure noch nicht fertig sind.

Das Gemunkel um eine Vergeltungswaffe lancierte Goebbels im Frühsommer 1943 zur Ablenkung vom Rußland-Fiasko. Es überbrückte ein Jahr bittersten Bombenkriegs. Im September wußte das Gerücht schon von einem raketengetriebenen Geschoß ungeheuerlichen Ausmaßes, das Strahlen zum Ziel lenkten. Mit einigen wenigen Raketen sei London total vernichtet. Das Problem sei die Zielgenauigkeit mit einer Toleranz von fünfundzwanzig Kilometern. England verfüge bereits über ein Gegenmittel, die Rakete in der Luft abzufangen und zur Explosion zu bringen. Die Produktionsstätte befinde sich auf der Insel Usedom und sei bereits durch Bombenangriff zerstört, darum wird sich die Vergeltung verzögern. Hinweise auf den vermeintlichen Stichtag sucht man der sich windenden Führung von den Lippen abzulesen. Die Vergeltung ist die Vertrauensfrage schlechthin. Goebbels laviert, sie komme langsam, aber sicher, und an dem ›sicher‹ kann man sich ein wenig festhalten.

Am 8. November 1943 hält Hitler seine letzte öffentliche Rede vor den ›Alten Kämpfern‹; sie wird auf Magnetophonband mitgeschnitten, um 20.15 Uhr sendet sie der Funk. Er spricht vorwiegend von der Kraft, die das Opfer verleiht. Wer seinen Besitz eingebüßt habe, könne den Rückgewinn nur vom Sieg erwarten. »So sind Hunderttausende von Ausgebombten die Avantgarde der Rache.« Die Industrieschäden seien belanglos, die zwei oder drei Millionen ruinierter Wohnungen in kürzester Zeit wieder aufgebaut, »mögen sie zerstören, soviel sie wollen«. Ihn schmerze die Pein der Frauen und Kinder, doch beuge er sich in Dankbarkeit vor dem Allmächtigen, daß er keine schwereren Prüfungen, den Kampf auf deutschem Boden, geschickt habe, »sondern daß er es fertigbringen ließ, gegen eine Welt der Übermacht diesen Kampf erfolgreich weit über die Grenzen des Reiches hinauszutragen«. Deutschland werde niemals den Fehler von 1918 wiederholen, eine Viertelstunde vor zwölf die Waffen niederzulegen. »Darauf kann man sich verlassen: derjenige, der die Waffen als allerletzter niederlegt, das wird Deutschland sein, und zwar fünf Minuten nach zwölf.«

Eher beiläufig streift Hitler, daß die gegnerischen Kriegsverbrecher zum Wiederaufbau herangezogen würden,»das ist das erste, das ich dazu sagen muß und das zweite: die Herren mögen es glauben oder nicht, aber die Stunde der Vergeltung wird kommen.« Im Vorjahr hätten die auf ›macht nichts‹ und ›nicht kleinkriegen lassen‹ gestimmten Worte dem Publikum aus der Seele gesprochen, jetzt hörte es heraus, was es interessierte. Wenn der Führer von der Vergeltung spricht, kommt sie auch. Andererseits ist sein Latein am Ende, sonst würde er nicht den Allbarmherzigen anrufen.»Die Not hat ihn beten gelehrt.« Wenigstens erwähnt er die Qual der Frauen und Kinder und nicht die Dome. Ganz gegen seine Art hat Hitler weniger anzukünden, was Deutschland auszuteilen, als was es einzustecken vermag. Die Vergleiche der Durchhaltemoral im letzten und im gegenwärtigen Krieg kommen übel an. Der *Völkische Beobachter* vom 14. November schrieb, daß binnen Stunden manchmal mehr Menschen in den Städten verbrennen, als sie damals in vier Jahren Soldaten hingaben. Für diese Art von Opferstolz fehlte jeglicher Sinn. Auch Hitler prahlte mit dem, was andere aushielten.»Können Sie sich vorstellen, meine Parteigenossen und Parteigenossinnen, daß wir im Weltkrieg auch nur einen Monat lang das hätten erdulden und ausstehen können, was wir jetzt seit Jahren ertragen?« Das sei ein Verdienst seiner Erziehung. Doch wollten die Deutschen nicht zum Verbrennen erzogen werden. Die Bombardements hatten in ihnen einen kochenden Rachehunger angestaut, der in der Führerrede gar keinen Stoff fand.

Die Haßgefühle rollen über das gesamte Volk.»Fast einstimmig wird von allen Volksgenossen gefordert, daß nunmehr das englische Volk ausgerottet werden muß. Die Rache kann für England gar nicht hart genug ausfallen.« Das Begehr macht auch vor der Christenpflicht nicht halt. Religionsanhänger stoßen alttestamentarische Flüche aus.»Die Brut gehört mit Stumpf und Stiel ausgerottet.« Die Gasfurcht kehrt sich ins Aktiv, Göring will den Fliegerterror mit Gas beantworten. Man ersehnt die Vergeltung oder fällt in Verzweiflung, ein Zwischending gibt es nicht, nur einen Übergang. »Wenn wir zurückschlagen könnten, hätten wir das schon lange getan, ehe der Kölner Dom kaputtging, aber wir können nicht.« Die geduckte Hinnahme der Angriffe zehrt das Vertrauen auf. Die »Zweckpropaganda« ärgert und »verfängt nicht mehr«. In Mitteldeutschland heißt es im Dezember: »Leipzig, Magdeburg und Halle, und der Krieg ist alle.« Wenn die Vergeltung warte, bis auch die sächsischen Industriezentren erledigt seien, könne man sie sich sparen. »Die Erbitterung gegen die sinnlosen Zerstörungen frißt sich immer tiefer ein.« Einzelheiten der imaginierten Wunderwaffe werden »mit Liebe« erörtert. Der Osten hofft, denn »sie kommen immer näher«. An der Nord- und Ostseeküste tummeln sich tagsüber geschlossene B17-Verbände der Amerikaner. Der Amerika-Nimbus von 1918 überdeckt das reale Desaster der 8. Flotte im Jahr 1943. Sie exerzieren im deutschen Luftraum »wie auf dem Reichsparteitag«. Die Flying Fortress, in Goebbels' Idiom ›Fliegende Särge‹, schießen die Jäger noch so zahlreich ab, davon werden es anscheinend nicht weniger. »Bevor die Vergeltung kommt, sind wir alle unter der Erde.«

Die weithin depressive Stimmung verändert nicht die Haltung. Nach den winterlichen Großangriffen fluten Hunderttausende Obdachlose und Geschädigte durch Berlin, schimpfen weniger als zu Normalzeiten und machen »einen ungeheuer disziplinierten Eindruck.« Hinter dem Eindruck steht eine Trance. Die schwungvollen Hilfeleistungen lassen nach, bei Möbelbergungen verdrückt man sich. Ungebrochen ist der Eifer der Hitlerjungen. Sie werfen sich in die Brandbekämpfung, halten vierundzwanzig Stunden durch, »waren schwarz wie die Neger, hatten weder geschlafen noch etwas Ordentliches gegessen«. Sie sind unübertreffliche Meldegänger, schleppen Karren von Hausrat in die Evakuierungszüge und büßen ihr Leben ein am Flakgeschütz. In Berlin leben noch hundertzwanzigtausend Kinder, für die keine Evakuierungsplätze vorhanden sind. Die Schulen sind geschlossen, Zehntausende Schüler lungern auf der Straße herum und bilden Banden.

Das Weihnachtsfest 1944 vergeht »mit unüberbietbar tiefer

Sehnsucht« nach baldiger Vergeltung. Die Bombengeschädigten »tragen sie ständig in ihren Gedanken mit sich herum«. Sie laufen von Geschäft zu Geschäft, um Schuhe aufzutreiben; Frauen- und Knabenschuhe sind nahezu unerhältlich. In Hamburg klemmen Engpässe in Ofenrohren, Waschschüsseln und Kinderbadewannen. Dienststellen und Läden erleben lautstarke Szenen, als Mitte November von vierhunderttausend Abgebrannten des Feuersturms gerade zwanzigtausend mit einem Kochtopf versorgt sind. Bratpfannen und Bügeleisen gelangen nur an Haushalte von mindestens vier Personen. Im Freihafen werden aus Frankreich und Holland eingeführte Bettstellen, Matratzen und Kissen aus Judenbesitz versteigert. Bei den alten, stark abgenutzten Möbeln hat sich nach Ansicht der SS der Aufwand an Zeit, Transport und Organisation nicht gelohnt.

Mit der Fortsetzung der Berlinschlacht 1944 wird die Haut dünner. »Wenn einer diese Schläge hinnimmt, dann kann mir ein Idiot erzählen, daß er den Krieg gewinnen wird.« Nach dem Frankfurtangriff vom 28. Januar wird dort nach dem Bakterienkrieg gerufen. Man kann nicht so lange warten, bis der Gegner auch diese Waffen gegen uns einsetzt. »Die von uns bisher an den Tag gelegte Humanitätsduselei muß ein für allemal ein Ende haben.« Die Führung begeht einen Fehler, »dem Hinmorden der Bevölkerung noch weiter zuzusehen«. In München und Nürnberg werden nach Luftangriffen die Fremdarbeiter angepöbelt: »Du bist auch verantwortlich.« Beurlaubte französische Kriegsgefangene, die freiwillig an Löscharbeiten teilnehmen, jagt man anschließend aus ihren Privatquartieren. Russische Zwangsarbeiter und Gefangene stürzen noch vor ihren Bewachungsmannschaften aus dem Splittergraben in die brennende Fabrikhalle und bekämpfen ohne Anweisung das Feuer. Die Firma verteilt Schnaps und Wurst. »Das tapfere Verhalten unserer Ostarbeiter muß unbedingt anerkannt werden. Sie zeigen beispiellosen Mut, es ist beobachtet worden, daß sich Ostarbeiter auf die Brandbomben schmissen, um mit ihrem Körper diese zu löschen.« Einer großen Zahl ist wiederum alles egal, sie scheren sich nicht um Flugzeuge, Bomben, Brände und Flak, sondern schauen am nächsten Tag den Vorarbeiter etwas distanzierter an.

Die holländischen Zwangsarbeiter »legen eine gewisse Schadenfreude an den Tag«. Die Deutschen könnten mit den Briten und Amerikanern nicht so umspringen, wie sie es mit Holland getan hätten. Wenn die Bomben weiter fielen, kämen die Arbeiter schneller nach Hause. Aus Sympathie zum Ereignis gingen aus einem heimatnahen Holländerlager in Wesermünde fünfundneunzig Prozent der Insassen nicht in den Luftschutzraum. In Berlin meint man, die Franzosen grinsen und feixen zu sehen, vom Rheinland kommt indes nur Lob. In Düsseldorf und Duisburg bieten Gefangene impulsiv ihre Dienste an. »Das ist kein Krieg mehr, das ist Mord.« Andere sagen, »unsere Freunde sind da«! Die Italiener sind ängstlich, »nur schwer aus den Kellern herauszuholen«, doch als Brandposten eingesetzt verläßliche »positive Kräfte«.

Als die loyalsten Helfer gelten Polen und Ukrainer. Die mit dem ›P‹ auf der Kleidung gekennzeichneten Polen zeigen eine Anhänglichkeit an ihre Bauerngehöfte und die Tiere, die sie pflegen. Nahe Köln »holten zwei Polen das Vieh trotz der Flammen aus den brennenden Ställen, wobei sie mit den Wasserschläuchen unter Schutz genommen werden mußten«. Für die Ostarbeiter lockerte sich im Bombardement die scharfe Aufsicht. Sie gingen ihrer Wege, denn die Deutschen waren mit sich selbst beschäftigt. Männer fanden Gelegenheit, mit anderen Volksgruppen Kontakte herzustellen, die Mädchen ebenfalls. »Jungens sind genug da«, schreibt eine Russin aus Köln nach Haus. »Franzosen, Holländer, Polen und Russen. Wir haben aber keine freien Abende, aber der Fliegeralarm, das ist die beste Zeit für die Zusammenkunft. Wenn stark geschossen wird, gehen wir in den Keller, und nach der Entwarnung sind wir dann noch dreißig Minuten zusammen.«

Die Deutschen betrachteten die Fremdarbeiter mit Argwohn. Vielleicht nutzten sie das Angriffschaos zur Flucht, die Holländer gaben angeblich den Fliegern Blinkzeichen, vielleicht gingen sie auf Raub aus. Man wußte sich, ein geknüppeltes Herrenvolk, auch seinerseits beobachtet, zumal von den wachen Franzosen. Die verstanden, was Untergang ist, und verglichen: Die Deutschen »lebten für den Moment«. Kurz nach dem Bombardement sackten sie in Weh und Verzagen, der Krieg soll aufhören um jeden Preis.

Nach einer Woche etwa kehrt die durchgängige Müdigkeit und Apathie zurück. Schuld daran sei der fehlende Schlaf und die lange Arbeit. Ständig wiederholten die Deutschen das Wort ›Arbeit‹. Sobald etwas kaputtfällt, hat man etwas zu arbeiten. Arbeit dient dem Land, und die Vergeltungswaffe dient dem Sieg. Alles klammert sich an dies Versprechen. Vor lauter Vergeltungswut gegen die ›Terroristen‹ blieb keine Wut gegen die Ohnmachtsregierung. Die Zerstörung anderer Städte als der eigenen habe die Deutschen kaltgelassen. Die Ruhrarbeiter amüsierten die Angriffe auf Berlin. In Berlin wiederum sei den Bewohnern von Tempelhof egal gewesen, was Charlottenburg zustoße und umgekehrt. Überhaupt sind die Zerstörungen halb so schlimm, denn jeder verspricht sich davon eine schönere Wohnung. Alle Familienmitglieder fühlten sich als Soldat und faßten auch ihr Leid als ein Soldatenopfer auf. Es werde in Deutschland nirgends Trauerkleidung angelegt. Die deutschen Frauen trügen wenige Tage eine schmale schwarze Binde. Unglaublich schnell würden in den Großstädten die Toten nach Schwerangriffen vergessen. In keinem romanischen Land ist dergleichen vorstellbar.

Im Mai 1944 sorgt sich die Partei um die Volksgenossen, die nur noch Sirenengeheul, Motorgebrumm, Flakschießen und Bombenkrachen im Ohr haben und die Geräusche nicht mehr loswerden. »Vor allem die Frauen machen sich gegenseitig verrückt.« Von morgens bis nachts sind die Radios eingeschaltet, um etwas über näherkommende Maschinen aufzufangen. Schon die Funksprecherinnen verhaspeln sich bei den Einflugmeldungen und stecken mit ihrer Erregung die Hörer an. Mehr und mehr Frauen verlieren bei den Durchsagen die Nerven, beginnen zu zittern, sind zur Arbeit unbrauchbar, die Augen tränen, die »Rennerei um das Leben« geht weiter. Landfrauen denken bei der Feldarbeit ausschließlich an ihre spielenden Kinder auf der Straße, die von Tieffliegern bestrichen wird. Die Evakuierten fühlen sich jetzt bei den Attacken auf Züge und Ausflügler so unsicher wie in der Stadt. »Wann wird diese schreckliche Plage endlich einmal ein Ende nehmen?« Der Luftkrieg muß zwanghaft beredet werden, er geht nicht von der Zunge. »Kommen wir heute nacht dran?«

Ein zweites Thema schiebt sich daneben, die Invasion. Seit Januar 1944 spätestens wird sie als feststehende Tatsache genommen. Gleich nach der Sizilienlandung im Juni 1943 wußten die Skeptiker, »jetzt werden sie auch bald zu uns kommen«. Mit der Invasion verbindet sich die Zusage der Vergeltungswaffe, sie startet mit dem Landungsversuch. Als er beginnt, löst sich eine unerträglich gewordene Spannung. Die Entscheidung fällt, »Invasion ist Trumpf«. Ein sofortiger Freudentaumel antwortet dem Wehrmachtsbericht vom 16. Juni, der Angriffe auf Südengland und London mit einem neuartigen Sprengkörper bekanntgibt. Möglicherweise steht »Wiedervergeltung« bevor. Der Gegner soll über ein Kampfmittel gebieten, das den Krieg in kürzester Zeit beendet. »Was kann das schon anderes sein als Gas.« Die Vermutung ist nicht falsch.

Anfang Juli flacht die Hochstimmung leicht ab. Die V1 braucht Zeit, um sich auszuwirken. Es gibt positive Anzeichen, das britische Lamento über die Völkerrechtswidrigkeit der Waffe, die Evakuierungen in London. Meldungen über Volltreffer im Zentrum lassen frohlocken. Alle Einzelheiten über die Wirkungsweise werden verschlungen, doch war nicht viel herauszubekommen. Selbstverständlich bestand ein »Schweigeschutz für die neuen Waffen«. Angeblich macht das Geschoß zwei Quadratkilometer dem Erdboden gleich, es existiert ein Vorrat von einer Million Stück, und fünfhundert werden täglich abgefeuert. Nichts von dem traf zu.

Die Rakete gibt Rätsel auf. Nach drei Wochen V1-Beschuß hatte sich nichts Greifbares verändert. Zwischen dem 11. und 19. Juli lud die US-Air Force allein über München mehr Tonnen ab, als die V1 über England in einem Vierteljahr. Bomber Command warf etwa die gleiche Menge in vier Angriffen auf Stuttgart und Braunschweig. Die Münchenangriffe werden gewertet als Antwort auf die V1, und sie ernüchtern. Wenn es um den Endspurt geht, möchte man dazu einen eigenen Beitrag leisten und den Rest jetzt aushalten. Allerdings sind die US-Tageseinflüge wohl eine unabänderliche Tatsache und die V-Waffe womöglich doch nicht kriegsentscheidend. Die wenigen Abschüsse über München erzielte die Flak. Von der Jagdabwehr braucht man nichts zu erwarten, der Gegner ist »haushoch überlegen«. Der blinde Optimismus läßt nach, »was hilft die Vergeltung, wenn der Luftkrieg weitergeht?« Die von der SS zitierte Hausfrau sagt es in einem Satz: »Davon habe ich mir mehr versprochen.« Im August fesseln die schnellen Bewegungen des Gegners und der Fall von Paris. Ein eigener Gram überkommt die Älteren bei der Einnahme der Schlachtfelder des Ersten Weltkriegs. Nach dem Verlust von Cherbourg, der letzten Bastion am Kanal, schwant, daß die Gegner auch zu Lande durchkommen. »Sie haben große Verluste, doch erreichen ihr Ziel.« Hier und dort befassen sich Leute mit der Frage, was sie tun, wenn die Invasion in Nordwestdeutschland eindringt. In Sizilien war sie im Vorjahr nicht unfreundlich empfangen worden, wie Deutschland verächtlich bemerkte. Die Partei gibt im Herbst die Parole aus: »Verbrannte Erde und Flucht.« Eine Minderheit nur glaubt noch an eine Wende durch neue Waffen. In den Rüstungsbetrieben halten die Arbeiter die Luftschläge für so destruktiv, daß im Oktober die Produktionsstätten zerstört und selbst die wundervollsten Erfindungen nutzlos seien. In Wuppertal hofft man im Oktober auf ein vorzeitiges Ende durch Kompromiß mit dem Feind. »Vom Volk ist zuviel verlangt worden; alles Menschenmögliche wurde getan.« Der Einsatz der V2 im November findet kaum noch Beachtung. England besitze eine ganz ähnliche Waffe. Die Gerüchte eilen der Realität wieder voraus, doch nur um vier Monate: die Kölner räumten schon die Stadt!

Zehn Tage vor Erstabschuß der V1 empfahl Goebbels den Deutschen eine Vergeltung auf eigene Faust. Im *Völkischen Beobachter* vom 28. März schrieb er, Tiefflieger, die Salven in harmlose Menschengruppen feuerten, »stellen sich mit einer solchen verbrecherischen Kampfesweise außerhalb aller international anerkannten Kriegsgesetze. Das hat nichts mehr mit Krieg zu tun, das ist nackter Mord.« Eltern erschossener Kinder hätten notgelandete und abgesprungene Piloten erschlagen. »Polizei und Wehrmacht könnten schwerlich gegen das deutsche Volk einschreiten, wenn es Kindesmörder so behandelt, wie sie es verdienen.« Die Parteikanzlei wies die Gauleiter an, die »Volksjustiz gegen anglo-amerikanische Mörder« gewähren zu lassen. Die Lizenz zum Lynchen umfaßte Tiefflieger und Bomberpiloten gleichermaßen. Für

Exzesse kann man keine Regeln aufstellen. »Abschuß eines amerikanischen Fliegers«, heißt es nicht lange danach im Tagebuch eines Mainzer Feuerwehrmanns. »Wird auf dem Marktplatz mit Holzlatten totgeschlagen. Auch Kinder haben sich daran beteiligt.« Ende August geleiteten drei Luftwaffensoldaten die nahe Hannover abgeschossene achtköpfige Besatzung einer Liberator durch Rüsselsheim. Die Bahngleise waren bombardiert und unbrauchbar, darum marschierte die Gruppe durch die Stadtmitte, um eine befahrbare Strecke zu erreichen. Bestimmungsort war das Fliegeraufnahmelager Oberursel. Die Kunde von dem Gefangenenmarsch lief quer durch den Ort, Männer und Frauen rotteten sich zusammen, mit Stöcken, Eisenstangen, Besenstielen, Schaufeln, Zaunlatten bewaffnet, und droschen auf die Gefangenen ein. Die Wachleute schauten dem gelassen zu. Als die Amerikaner bereits am Boden lagen, trat ein NSDAP-Führer mit dem Hammer hinzu, hieb auf sie ein und feuerte Schüsse ab. Die Leichen wurden auf einen Heuwagen verladen und zum Friedhof gekarrt. Währenddessen erscholl Luftalarm, und die Peiniger machten sich davon in den Bunker. Zwei der Gelynchten hatten noch Leben in sich, krochen von dem blutigen Karren und flohen zum Rhein. Ein Polizist griff sie auf und brachte sie zu dem ursprünglichen Ziel, dem Oberurseler Lager. Die sechs nicht Durchgekommenen wurden in Rüsselsheim verscharrt.

Weit über einhundert Piloten sind im letzten Kriegsjahr gelyncht worden, gelegentlich in Komplizenschaft mit Wehrmachtsorganen, manchmal entzogen Polizisten und Soldaten die Gefangenen der rasenden Rache. In Essen eskortierten zwei Luftwaffenangehörige drei Bomber-Command-Piloten durch eine Trümmerstraße zum Verhör. Bald umgab sie eine Horde erregter Zivilisten, die mit Gürteln die Briten peitschte, mit Steinen warf und knüppelte. Als der Zug eine Straßenbrücke überquerte, warf die Menge die Gefangenen in die Tiefe. Einer von ihnen brach sich das Genick, den noch Lebendigen sprangen die Leute nach und trampelten sie zu Tode.

In dem Wissen, daß alle Abwehr- und Vergeltungsmittel vergebens waren, die Jäger zerstört, die Flak unbemannt oder verlagert, die Raketen sowenig wirksam wie die Knüppel, gerieten die Deutschen in das Fanal des Luftkriegs der letzten acht Monate. In Duisburg setzte der Alarm nicht mehr aus. »Ich hatte die Lust verloren zu leben. Der Schmutz und der Dreck haben alles überzogen, und es war unmöglich, irgend etwas sauber zu halten. Das Leben war nicht mehr schön.« Zwischen Voralarm und Vollalarm blieb keine Zeit mehr, »meine Schwester und ich taten die Babys in die Wagen und rannten mit dem Vater in den Bunker. Viele Phosphorbomben fielen runter, und überall standen die Häuser in Flammen. Schließlich habe ich mein Baby aus dem Wagen genommen und bin mit ihm auf dem Arm weitergerannt. Als wir im Bunker ankamen, fielen Bomben von allen Seiten. Ich war völlig erschöpft und habe gesagt, ich steh' das nicht noch einmal durch. Den ganzen Tag rannten wir vom Haus zum Bunker und vom Bunker zum Haus.« Die Nerven erlauben nicht mehr, zur Arbeit zu gehen, der ›Bunkerkoller‹ treibt in die verwahrlosten Betonverliese. »Die Milch wurde im Bunker sauer, und mein Kind wurde oft krank.« Für achthundert Personen kalkulierte Bunker belegten nun viertausend. »Da waren wir so zusammengepfercht und heiß, daß einer nach dem anderen kotzte. Davon wurde die Luft noch schlechter. Wir haben einfach die Sachen ausgezogen, ohne uns zu genieren, wegen dieser unerträglichen Hitze. Die meiste Zeit habe ich diese öffentlichen Bunker sowieso nicht genommen.« Im Keller wakkeln Wände und Decken von den Sprengbomben, die Männer stemmen sich gegen die Stützbalken. »Die Leute haben geschrien und gebetet. Sie haben gesagt, daß wir das dem Führer zu verdanken hätten.« Ende März fürchtet man in Hamburg, daß eine Luftkatastrophe näher rücke, »da ja die westdeutschen Städte als Ziel schon ausfallen«. Die Okkupation hat ein Gutes, die Bombenattacken enden. In den Hafenkneipen fehlen Heizung, Licht, Strom und Gas; Bier ist vorrätig, doch mag es niemand in der Kälte trinken. »Der Engländer soll kommen und Schluß machen.« Am 11. März findet der 197. von 213 Angriffen statt. Zehntausend Bomben fallen und töten siebenundneunzig Personen. »Wenn sie doch nur träfe«, sagt eine mittelständische Hamburgerin in das pfeifende Fallgeräusch. »Was soll man noch auf dieser Welt. Kinder habe ich hergegeben, mein Mann ist gefallen, und nun noch all diese Opfer umsonst. Das ist das Schlimmste.«

Ich

»Man empfand die Furchtbarkeit des Erlebens nicht so.
Das war ausgeschaltet.«

SANITÄTER

Den physischen Druck des Bombardements absorbiert die Person einzeln. Nerven und Gefäße sind eingepegelt auf den Moment der Detonation. Der Knall ist vorweggenommen und dehnt sich zu einer unablässigen Präsenz. Im wirklichen Angriff wechseln die inneren Realitäten des Ich. Es fällt aus dem Zeitrahmen seiner inneren Uhr, rafft jetzt die Vorgänge zusammen und liegt mental hinter dem Angriffsablauf zurück. Die Ich-Zeit schrumpft, und man handelt unter irrtümlichen Annahmen. Ein seelischer Filter reduziert die Dauer und die Schocks, welche die Angriffsszenerie überträgt. Die Wahrnehmung des Brandkriegs wird betäubt, für den Moment und fortwirkend.

Von der Pest 1374 in Aachen ist überliefert, daß in Kirchen und Straßen Männlein wie Weiblein leidenschaftlich verzückt und unaufhörlich tanzten. Ähnliche Berichte gibt es auch aus dem Bombenkrieg. Nach dem Angriff erzählt jeder drauflos und haarklein. »Das Ganze war wie ein Rauschzustand.« Der Humor kommt durch, man macht angeregt einen Bummel und besieht sich die Schäden. »Ich machte dann in Gegenwart von Schwestern, auch der Oberin, Witze, die eigentlich nur für Männerohren bestimmt waren.«

Die Schwestern sind nicht kleinlich. Sie haben mit den Bergungskräften Verletzte und Tote aus den Kellern gezogen. Die einen kommen auf die Bahre in die Vorhalle vom Münchener Ostbahnhof, die anderen werden im Krankenhaus verbunden. »Ich lief später nach Hause, und wie ich ins Haus kam, sah ich, daß alles ein Scheiterhaufen war und lichterloh brannte. Ich war dann nervlich so kaputt, daß ich mich auf den Trümmerhaufen stellte und gottsjämmerlich gelacht habe.« Einem Arzt ist nach dem Angriff »wie nach einem gewonnenen Krieg«, und man hat das gut hingekriegt.

Nach der Zerstörung des Hauses »freuten wir uns ganz unbändig, daß wir dieses Weihnachtsunglück lebend überstanden hatten. Mein Mann war so ausgelassen, daß Frau Krüger scherzhaft meinte, ›Sie haben wohl einen Dachschaden?‹« In der allgemeinen Heiterkeit wird ordentlich Kaffee gebrüht, ein Wolfshunger meldet sich, »ich war hinterher richtig aufgekratzt, steckte mir vergnügt eine Zigarre an, mit deutlich gehobenem Selbstbewußtsein, jetzt auch mitreden zu können«. Die Möbel sind kaputt, doch fühlt man sich »losgelöst«, springt locker über die Blindgänger und fühlt sich »den ganzen Tag über, als ob ich neu geboren wäre«.

Auf einen Euphoriker kommen zwei Apathiker. »Ich hatte einen Druck auf der Brust. Es war irgendwie schwer zu sprechen. Ich war auch hinterher noch sehr aufgeregt und hatte noch gezittert.« Die Schwiegermutter hingegen war mehr »wurstig«. Es hat »alles keinen Zusammenhang«, und zu Hause angekommen, »hatte ich eigentlich noch mehr Angst als während des Angriffs. Es wurde mir richtig unheimlich. Ich mußte mich legen. Ich hatte das Gefühl, Mauern auf dem Körper zu haben.«

Das Regime konstatiert im Oktober 1944 besorgt, daß die Nerven der Frauen »aufs äußerste belastet sind«. Es gebe keine Nachtruhe mehr, viele kommen tagelang nicht aus den Kleidern, zu Hause fühlt sich niemand bei fünfzehn Alarmen täglich mehr sicher. »Die Menschen leben wie gehetztes Wild.« Das Bürgertum liest keine Zeitung mehr, Kinovorstellungen werden laufend von Alarm unterbrochen. Es lohnt sich nicht hinzugehen.

Die Erwartung des Alarms ist schlimmer als der Alarm selbst, weil man dann etwas zu tun hat und seine Sachen packt. »Ich schlief halb auf dem Rücken, damit das rechte Ohr vollkommen frei war. Ich habe auch im Schlaf immer ein Horchgefühl in mir gehabt.« Frauen wachen morgens mit Leibschmerzen auf. »Was wird heute nun wieder kommen?« Stets ist man in Erwartung, »schon bei Voralarm flog ich am ganzen Körper«.

Der Schlaf ist hin; die Nacht im Bett vergeht mit Lauschen auf Geräusche. »Nach diesem Angriff war ich empfindlicher gegen Luftgefahr. Ich war so ängstlich, daß mich meine Frau, die noch nichts Derartiges erlebt hatte, beinahe auslachte.« Im Keller ist es wie lebendig begraben. »Seit dem schweren Angriff bin ich nicht mehr in den Keller gegangen, sondern bei Alarm ins Freie gelaufen und habe mich in Deckungsgräben gelegt.« Das Aufjaulen ist das Unangenehme des Sirenentons, wie ein Angstschrei im Traum, klein angesetzt, gellend hochgezogen. »Das hat mich schließlich ausgesprochen in Wut versetzt, so daß ich gern etwas zerschlagen hätte.« Jedes anschwellende Geräusch, das Aufheulen eines Autos, das Pfeifen einer Lokomotive, der Anfangston von Kuhbrüllen weckt »im selben Moment Herzklopfen bis zum Halse herauf«. Vibration von Fenstern im Wind, Donnergrollen, Telefonschrillen, »das sind so bekannte Geräusche«. Schaurig sind

Worte wie ›Lok-Schuppen‹, ›Stellwerk‹, ›Güterabfertigung‹. Die Stimmung schlägt dabei um, »es war etwas, dem man nicht entrinnen konnte, was man nicht los wurde«. Alltag ist ein ständiges Zusammenzucken. »Zum Donnerwetter, reiß dich doch zusammen, die anderen können das doch auch.« Selbst wenn es nicht luftschutzmäßig ist, »bin ich am liebsten bei Alarm und Fliegergebrumm draußen im Freien. Im Keller laufe ich hin und her wie ein wildes Tier, damit ich auf diese Weise Luft bekomme.« Die Gefahr wird im Krieg Geräuschen entnommen. Wenn etwas zu sehen ist, läßt sich nichts mehr machen. Geschosse und Bomben sind nicht sichtbar, aber fühlbar. Der Mensch horcht in die Leere, was kommt. Wenn es da ist, schirmt das Gehör sich als erstes ab. »Wegen der Nerven muß man die Ohren zuhalten.« Die Akustik des Bombardements ist schrecklicher als sein Anblick. »Mein Vater, der sehr schwerhörig ist, blieb ausgesprochen gelassen und ruhig, eine Frau sagte, ›an dem geht das so runter, weil er nichts hört‹.«

Mit dem Rauschen des Abwurfs beginnt das Entsetzen. Der Angriff wirkt auf alle Sinne ein. Die Nase erfaßt Brand- und Geruchsgase, und die Haut spürt die Temperatur und den Luftstrom, den Anstieg der Glut, den Wind, der sie herbeiträgt. Die Gefäße schließlich nehmen die Druckwellen auf oder sie zerspringen, der Sog zerrt die Kleidung vom Leib.

Das Ich des herkömmlichen Krieges handelt. Es beweist Kraft, Geschick und Mut, doch übertragen auf den Verband. Das Korps ist kein Körper, es setzt sich auch nicht körperlich durch, sondern im Zusammenhalt. Wir operieren, unsere Panzer brechen durch, die Artillerie gibt uns Schutz. Der Adressat des Bombardements ist die einzelne Physis. Der Krieg wird nicht gekämpft, sondern absorbiert. Die Sinne halten ihn aus mit der je eigenen Konstitution. Bin ich taub, habe ich schon einen Vorteil, weil der Gehörsinn nicht angreifbar ist.

»Ich nahm Duckstellung ein, obwohl ich überzeugt war, nicht direkt in Gefahr zu sein. Auch andere standen wie ich: stehend gebeugt, die Hände auf die Knie gestützt mit etwas eingezogenem Kopf.« Der Duckimpuls verringert die Angriffsfläche des Körpers. »Man wird automatisch so langsam kleiner«, und der Kopf wird weggebogen.»Ich zog mir die Kapuze meines Schwesternmantels über den Kopf. In meiner Angst krallte ich mich an den Schultern des Sanitätsfeldwebels fest und vergrub meinen Kopf an dessen Schulter. Der Klammerinstinkt bewirkt nicht den mindesten Schutz, es ist die vergebliche Flucht zur Herde.»Dort standen wir zu einem dichten Menschenknäuel gedrängt, Taschentuch im Mund, alles fest umklammert.« Paare verklammern sich, Kinder und Eltern, Frauen und Männer, Nachbarschaften.»Wir hatten uns alle umschlungen und warteten gespannt, ob noch mehr Bomben fielen.«

Die Knäuel lassen einander wieder los, die Bomber ziehen ab, der Krieg ist der Sensorik eingeschliffen und zieht nicht wieder ab, für Kind und Kindeskind nicht.»Die größte Angst hat man eigentlich, ehe es richtig losgeht. Fallen erst die Bomben, ist man viel ruhiger.«

Der Angriff ist inwendig vorverlagert. Die Nervenbahnen bauen den verflossenen Druck ab und schärfen Reflexe ein, schon wenn das Telefon schrillt. Aus der Angst, der Urbegleiterin der Lebewesen, schält sich die Furcht. Die Furcht weiß, was droht, und zieht eine Membran über den Menschen. Sie ist gestimmt auf die Frequenzen der Gefahr und schwingt tags und nachts.

Die Physis absorbiert, ohne Dazwischenkunft der Person, den Angriff in Gliedern und Eingeweiden.»Nach der fünften Welle bekamen wir dann mehrere Treffer ins Haus. Ich meinte, mir bliebe die Luft weg. Und dann hatte ich das Gefühl, als ob mein Magen weh täte und als ob ich Durchfall bekäme, so wühlten die Därme. Ich konnte dann nicht mehr stehen, ich setzte mich unwillkürlich auf die Erde.«

Der Körper will von den Füßen herunter und Kontakt mit dem Boden finden auf größerer Fläche. Man bietet mehr Ziel, doch kostet der Stand zuviel Kraft; wenn es draußen beginnt, mag aller Halt schon verbraucht sein.»Die Knie versagten völlig, drohten zusammenzubrechen. Obwohl wir höchstens zwei Minuten vom Bunker entfernt waren, hätte ich keinen Schritt mehr gehen können.« Abgeworfen wird die Mühsal der Adoleszens.»Meine Beine fingen stark an zu zittern, als ob ein kleiner Junge richtig Angst hat. Ich habe dagegen gekämpft, das hat mir nichts genutzt.« Zu sehr drückt schließlich der Ballast der Worte. »Beim Sprechen merkte ich, daß die Lippen bebten.« »Sprechen ist eine Übersetzung; die Gewalt dieser Sinneseindrücke ist aber unübersetzbar, »und ich konnte die Worte nicht so herausbringen, wie ich es sonst gewohnt bin«. Um die Profanie des Redens abzustellen, stockt das Organ. »Meine Tante konnte nicht mehr sprechen. Sie hatte ihre Stimme verloren.«

Manche wollen das Geschehen mit sich abmachen, »ich zog mich bei einem Angriff lieber ganz allein in meine Ecke zurück, saß da ganz allein. Ich dachte nur immer ›jetzt kommt's. Jetzt ist es aus.‹«

Muskulatur und Zunge geben nach, um so mehr arbeiten Herz, Gefäße, Sekretion. »Ich bekam das Gefühl, als ob sehr viel Blut zum Herzen ströme und als ob das Herz aufgeblasen würde wie ein Luftballon.« Die Bombe, die nah zum Körper fällt und mich meint, läßt das Herz aussetzen, es schaltet um. »Das dauerte oft den Bruchteil einer Sekunde. Anschließend bekam ich starkes Herzklopfen bis in den Hals hinein schlagend. Dann begann ich wohl zu schwitzen, und zwar so, daß ich mir die Stirn wischte oder mir selbst ins Gesicht blies. Das warme Schwitzen schlug rasch um in kaltes, klebriges Schwitzen.« Die Gefäße ziehen sich jäh zusammen und dehnen sich jäh aus. »Jedenfalls hatte ich Spinnwebrieseln in den Wangen wie beim Erblassen.« Der Keller ist kalt, aber der Puls jagt und schickt den warmen Schweiß, der mit dem Schüttelfrost abwechselt. »Ich zitterte, hatte Gänsehaut am ganzen Körper«, wie wenn man nicht warm angezogen wäre, »es war mir wahnsinnig kalt«, ein Frösteln, als ob ich Fieber bekäme« und »ich klapperte mit den Zähnen«.

Die Zeit kriecht in den Pulsschlag. Dem Ich ist der äußere Zeitverlauf abhanden gekommen. Es steht gebannt im ›Jetzt‹, das Vorher und Nachher entfallen. »Irgendwelche Gedanken habe ich nicht gehabt, nur: Jetzt, jetzt trifft's uns.« Als vier Tage später wieder ein Angriff kam, »konnte ich mich nicht beherrschen und schrie, ›Hans, uns passiert jetzt was, wir sind jetzt dran!‹«

Das ›Jetzt‹ ist angstfrei. Angst herrscht vor dem Zukünftigen. »Das Angstgefühl war da weg. Es war wohl eine Art Resignation: ›Jetzt kriegst du einen und weg bist du.‹« Das ›Jetzt‹ ist der inten-

497

sivste Austausch zwischen Waffe und Adressat. Sie haben sich synchronisiert. Mit der Wahrnehmung des Rauschens »ist es grade, als wenn man die Luft anhält, die Hände an den Ohren, um den Schall abzudämpfen ›jetzt, jetzt, jetzt kommt's wieder!‹«. Die Auflösung meiner Zeit im ›Jetzt‹ des Einschlags hat ein schauriges Pendant, das Schwanken des Bodens. Sonst schreitet die Zeit voran, und der Boden steht fest. Nun bleibt die Zeit stehen, und der Boden kommt in Bewegung. Damit wird er endlich, es gibt keinen Grund mehr. »Der Boden schwankte deutlich, was mir sehr unangenehm war, und ich glaubte zu sehen, daß die Wände auseinanderbrachen, und ich dachte ›so schlimm ist es gar nicht draufzugehen‹. Die Sorge um meine Kinder hatte ich im Moment vergessen.«

Die Hingabe der Person an das, was Organismus und Bombe unter sich ausmachen, ist vielen Individuen zu eigen gewesen, anderen nicht. Auch geht es im Brandangriff selten darum, einen Bombentreffer zu kassieren. Das ist ein Teilgeschehen. Das Grundgeschehen ist eine kurze Bombardierung und daran anschließend ein stundenlanger Kampf von Verschütteten, im Feuer Gefangenen, von Wegesuchen aus dem Vernichtungssektor. Darin überwog der Drang, etwas zu machen, und das Entsetzen, wenn nichts mehr zu machen war. Dazwischen liegt der Schein eines Tuns. »Den Angriff habe ich mit flachen Händen an der Wand zugebracht. Ich maß die Zeit mit äußerster Konzentration. Ich bekam wieder ganz klar und nüchtern das Gefühl ›Schluß, jetzt ist es aus.‹ Ich hatte das Gefühl, daß die Zeit kürzer gewesen sei, als sie in Wirklichkeit war.« Das Festhalten der Wand und der Zeit gegen die geronnene Körperzeit des ›Jetzt‹ hat subjektive fünfzehn Minuten herausgeholt. Objektiv waren fünfundvierzig Minuten verstrichen.

Nur in der Realzeit kann ich reagieren. Die Instinkte zieht es in die Obhut der Orte, Bunker oder Keller. Der Bunker ist ein Verschluß vor der Gegenwart, in den Keller wirkt die Tempusordnung von draußen. Die Angriffsregie ist minutiös. Sie fußt auf dem Aufbau der Tempi. Die Frequenz der Abwürfe pro Minute, die Fusionsspanne der Feuer, die Bombenzündereinstellung auf Sekundenbruchteil. Dies Uhrwerk der Vernichtung kostet den

Gegner den Zeitsinn. Seine innere Uhr geht zu schnell. »Ich habe vielleicht das Gefühl gehabt, im ganzen zwei Stunden im Bunker gesessen zu sein. In Wirklichkeit war es aber bereits hell, als ich den Bunker verließ. Ich muß somit etwa zwölf Stunden im Bunker gewesen sein.« Ein Arzt beobachtete an sich in dem Tumult von krepierenden Bomben und fallenden Mauern einen Zustand – »ich möchte es als ›abgeschaltet‹ bezeichnen. Es war das Bewußtsein: ›mit jedem Moment bricht es ein‹ und eine Sachlichkeit, die man als Ergebenheit oder Fatalismus bezeichnen kann. Ich habe hier keine besondere Erinnerung an körperliche Mißempfindungen.« Die Raffung der Realzeit heißt, daß es immer später ist. Von den Zu-spät-Fällen existieren keine Berichte; anscheinend haben sich Menschen nur vertan. »Was soll man sagen, wie lange das gedauert hat? Ich könnt's nicht sagen. Das können zehn Minuten gewesen sein, auch eine Stunde. Ich weiß es nicht.«

Der Kontakt mit den Außenabläufen schirmt ab vor den inneren Abläufen. Verteidigung ist ein sinnvolles Tun, es muß zu nichts nützen. »Ich hörte die Verbände herankommen, und wir gingen beide rasch in den Keller, da ging das Höllenkonzert schon los. Ich wurde sehr ängstlich, hatte das Bestreben, die Decke abzustützen – es war ein schmaler Gang –, und stemmte die Hände nach oben. Gezittert habe ich nicht. Man sucht sich – auch durch unsinniges Handeln – selbst zu beruhigen. Hinterher hat man das Gefühl, der Alpdruck ist weg, und lacht dann gern.«

Als der Alarm kam, wollte Draeger in den Keller, Heckmann wollte weiterarbeiten. »Ich dachte daran, daß das Fenster auf mich fliegen könnte. Die Flak schoß und Draeger sagte ›die werfen schon‹. Ich kam bis zur Tür zum Flur, die sich wegen Luftdrucks schlecht öffnete. Ich stemmte mich dagegen, doch flog sie gleich wieder zu. Heckmann rief ›hinlegen‹ und drückte mich und Draeger zu Boden. Heckmann rief ›Mund auf!‹ Ich hatte einen undeutlichen Eindruck von Brausen, kann aber nicht sagen, daß ich eine Bombe gehört hätte. Heckmann war der Geistesgegenwärtige und rief ›auf und raus‹. Da gab es wieder einen ganz mächtigen Schlag, und die Scheiben klirrten. Ich blieb ganz perplex stehen und sah ratlos um mich. Unten im Keller sah ich dann die Kranken und Zivilisten herumlaufen und beten. Heckmann trieb sie in den Luftschutzkeller. Ich kam bis zum Eingang des Kellerraums. Herr Bender kam mir entgegen, umarmte mich und sagte ›jetzt ist es aus‹. In dem Moment hörte ich zwar nichts, sah aber Qualm und Staub im Keller, und es roch nach Schwefel. Heckmann sagte ›Ruhe, es ist nichts passiert‹, und lief wieder heraus.«

Der Heckmann ist der Mann der Stunde, der Unterführer, welcher der Lage gewachsen ist. Seine Wirksamkeit beruht auf der Weigerung, die Lage wahrzunehmen. Das würde jetzt nicht weiterbringen. Wer die Lage auf sich einwirken läßt, hat schon verspielt. Es gibt immer das Nächstliegende, wie den Mund öffnen bei Luftdruck. Man kann nicht das Nächstliegende beachten und, wie die zwanzigjährige Stenotypistin, die großen Zusammenhänge reflektieren.»Ich konnte den ganzen Sinn des Krieges nicht verstehen und daß man das alles erdulden und erleiden muß.« Als Folge davon »versagten mir die Beine den Dienst und ich blieb mitten auf der Straße liegen. Ich sagte, ich möchte auf der Stelle sterben. Es war mir ganz egal, was noch passieren konnte. Man zog mich dann einfach am Arm hundert Meter weiter. Zwei Feldwebel führten mich. Im Keller setzte ich mich auf die Erde und zitterte.« In gewissem Sinne eine Realistin.

Der Unterführer denkt, daß Realismus nicht weiterführt, wenn die Realität einen verschlingt.»Ich suchte Beruhigung zu verbreiten durch flache Redensarten.« Der gut abgestützte Keller war vollgestopft mit Müttern und Kindern.»Ich selbst hatte richtige Schuljungenangst, die man aber nach außen nicht zeigen durfte. Meine Galle reagierte schlagartig. Ich hatte den Mund voll Wasser und nahm heimlich Atropin. Plötzlich heftiger Luftdruck. Mein Stahlhelmriemen riß. Mir kam eine Stütze entgegengeflogen, ein furchtbares Geschrei. In der Sekunde habe ich weder meine Galle noch meinen Körper gefühlt. Nur ein Gedanke: Haltung haben und helfen. Ich hatte jetzt das Gefühl der eisernen Ruhe, der wahnsinnigste Druck war plötzlich abgefallen. Ich konnte ruhig und sachlich alles durchdenken.« Dabei kam nichts heraus, denn die Fassade lag eingestürzt auf dem Ausstieg, die Decke hatte sich eineinhalb Meter gesenkt, es gab Verletzte,»und so kamen wir zu der Überzeugung, eingeschlossen zu sein. Die Frauen wurden wieder furchtbar ängstlich.« Das Nächstliegende war, den Kindern Märchen zu erzählen, das beruhigte zugleich die Mütter. Nach drei Stunden Warten schlugen Helfer ein Stahlrohr durch, so konnte man sich verständigen. Um zehn in der Frühe waren alle ausgegraben,»in meiner Freude habe ich einen Cognac getrunken, der mir auch bekam«.

In der bitteren Lage der Verschüttung ist die Suggestion des Unwahrscheinlichen – die Außenwelt klopft ein Rohr durch den Schutt – das einzig Rationale. Wem nichts übrigbleibt als durchzuhalten, krallt sich in sein Glück. Der Bombenkrieg erzeugt eine eigene Vernunft und hat die Emotionsstürme nicht gezeitigt, die seinem Grauen entsprechen. Sie sind weggefiltert worden durch einen seelischen Immunschirm. Eine Einundsechzigjährige, die acht Tage von heißen Trümmern im Keller gefangengehalten war, litt an Durchfällen, weinte und döste fünf Monate in leeren Depressionen vor sich hin, so kam sie ins Lot. Es hat keine Psychiatriepatienten gegeben, denen das Gemüt zerfetzt wurde wie anderen die Gliedmaßen. Selbst Geisteskranke verhielten sich im Luftangriff diszipliniert und gefaßt. Das Lazarett in Köln, das von Ende 1939 bis Ende 1944 achttausend neurologische Aufnahmen verzeichnet, hat keinen Bombenkriegsfall darunter, nur Soldaten. »Ich erinnere mich nur an drei akute psychische Reaktionen auf Luftangriffe«, schreibt der dort tätige Professor Panse.»Ein Soldat war mit Frau und Kindern im Luftschutzkeller verschüttet worden und spürte durch Stunden hindurch seine erschlagene Frau unter sich allmählich erkalten. Auch seine Kinder waren tot. Er machte kurz nach seiner Befreiung einen Suizidversuch und blieb bei uns noch einige Wochen depressiv verstimmt.«

Neben der Gefaßtheit ist eine erhöhte Suggestibilität berichtet. »Ich hielt den Türrahmen für die sicherste Stelle, dann beobachtete ich dort die Gesichter der anderen, um zu sehen, ob die Gefahr wirklich so groß sei.« Ruhigere wissen, daß sie Ruhe übertragen. »Im Keller waren die Frauen sehr erregt, redeten laut und schrien. Ich ging jetzt langsamer, weil ich das Gefühl hatte, die Frauen nicht noch mehr beunruhigen zu dürfen, und ging dann langsam zu den beiden Schleusen.«

Nichts bewegte stärker als das Gebet, die Überantwortung

meines Geschicks an einen Höheren. Ein Bedürfnis entstand nach Gotteskindschaft. »Großen Einfluß hatte auf uns meine Großmutter, die sehr fromm ist und ruhig und ernst uns aufgefordert hat, mit ihr zu beten.« Das Gebetsmurmeln der Schwestern in der Stille flößte Patienten Frieden ein.

Alle Entschiedenheit steckte an. »Nachdem der eine angefangen hatte, rissen die anderen auch die Handfeuerlöscher von den Wänden. Es wurde dann wild herumgespritzt. Das war so wie ein elektrischer Funke, der auf alle übersprang. Jeder dachte, was der andere tut, wird schon richtig sein, und lief dann eben mit.« Mit dem Maß der Duldungskraft infiziert man einander, schaut es sich ab und gibt es sich vor. Ich verpflichte mich zu verkraften, was andere verkraften, und kann, was ich nicht konnte, aber doch geht. Den Bombenkrieg absorbiert jeder für sich, aber unglaublich elastisch. »Vom Keller aus hörten wir, daß Bekannte erschlagen seien. Obwohl ich sonst sehr schlecht Blut sehen kann und die Verschütteten – es waren siebzehn Personen – zum Teil sehr schwere Verletzungen hatten, machte mir das gar nichts aus. Ich konnte tatkräftig helfen und mit einer DRK-Schwester Verbände anlegen.«

Das Erforderliche vollbringe ich wie außerhalb meiner selbst. Die Empfindungshaut ist dagegen taub. »Auf einmal drehten die Jabos, die uns schon längst verfolgt hatten, zurück.« Der Sanitäter verspürte ein Zucken, warf sich nieder, die Waggontür des Lazarettzugs flog vom Luftdruck weit auf die Strecke. Die Verwundeten, die noch laufen konnten, stürzten aus den Wagen. »Die Amputierten schrien in ihren Betten. Ich stand schnell auf, ging zu den Amputierten hin, hob sie in aller Hast aus ihren Betten, es waren etwa zwölf, und legte sie auf den Boden des Wagens.« Während der Sanitäter noch die Amputierten schleppte, setzten die Jabos zum zweiten Anflug an, es wurden deren sechs. Einer der Verwundeten schrie »›grüßt mir mein Weib und meine Kinder‹. Kurze Zeit darauf sah ich, wie die Augen brachen. Er ist meines Erachtens vor Schreck gestorben.« Der Sanitäter blieb nun am Boden liegen. Die Amputierten klammerten sich an ihm fest und schrien: »›Sani, was machen wir?‹ Ich versuchte, sie zu beruhigen, wir müssen schon liegenbleiben.« In dem Moment blendeten die Sinne aus. »Mir war der Körper jetzt, als ob ich kein Gefühl darin hätte.« Die Glieder erstarrten, »und ich konnte die Worte nicht so herausbringen, wie ich es sonst gewohnt war«. Die Verpuppung isolierte von der Situation. Der Überdruck des Jammers öffnete eine Wahrnehmungspause. Der Sanitäter wurde abgeschaltet.

Nach dem Volltreffer in den Bunker versuchen die Soldaten im dritten Militärgeschoß ihre Kabinentür zu öffnen, was nur gegen Widerstand gelingt. Die Stille im Bau und der Luftzug aus der Dunkelheit sind schlechte Zeichen. Ein Ventilator kann den Wind nicht verursachen, weil kein Strom mehr fließt. »Der Bunker muß kaputt sein.« Mit Streichholz und Taschenlampe wird untersucht, was geschehen ist. Einzelne Stimmen sind hörbar, darunter eine Mädchenstimme, die in hohen Tönen ›la, la, la‹ vor sich hin leiert. »Wir stellten dann fest, daß der Gang voller Leichen lag, die übereinander lagen.« Schatten von Zivilisten huschen darüber weg zum ebenfalls leichenverstopften Ausgang. »Ein Kamerad äußert sich, wir müssen jetzt hier retten.« Das stößt auf Unbehagen. »Gegen das Retten hatte ich zunächst innere Hemmungen, weil ich mich scheute, die vielen Leichen anzufassen.« Man beginnt zögernd, »bis ich mir einen moralischen Stoß gab ›du mußt‹. Zwei Kameraden waren härter und rissen einfach an den Leichen. Ich konnte dieses Zerren nicht sehen, und wir versuchten, mit Ruhe und Überlegung die Körper zu sortieren. Dabei war mir auffällig, daß ich, obwohl ich sonst nicht der stärkste bin, ungewöhnlich große Körperkräfte hatte. Eine Kinderleiche habe ich mit Leichtigkeit mit einer Hand gehoben. Seelisch war ich unbeteiligt.« Es lagen hundertfünfzig Tote und zwölf Verletzte am Boden. »Ich sah, wie ein Kamerad anfing, Schmuck an sich zunehmen, konnte ihn aber durch einen kurzen Hinweis bewegen, das Teil – es war ein Kettchen – der Leiche wieder anzulegen.«

Im nachhinein protokollierte Berichte zeichnen das Ich des Bombenkriegs gelegentlich als zweites Ich. Es unterscheidet sich vom ersten Ich durch die Panzerung des Empfindens. Sie läßt Schock und Entsetzen nur gedämpft durchdringen. Das erste Ich würde die Flut der Schauderanblicke nicht meistern. »Vor dem Bahnhofsbunker waren mehrere Bomben explodiert. Da noch vie-

503

le Menschen vor dem Bunker standen, hatte es mehrere hundert Tote gegeben. Die Wand des Bunkers war ganz beklebt mit Leichenteilen. Im Zugangstunnel zu den Bahnsteigen innerhalb des Bahnhofs standen noch Gruppen von Menschen, die sich zusammengeklammert hatten. Eisenbahner, Zivilisten und Soldaten, so, als ob sie noch lebten. Sie waren aber tot. Das schrecklichste Bild war eine ältere Frau, die in einer Ecke stand, aufrecht mit ganz verquollenen Augen, an sich gepreßt einen Jungen, auch noch stehend, der einen mit Staub bedeckten Schaumbeutel vor dem Mund hatte. Es war mir so, als ob ich es nicht selbst wäre, der es sieht, sondern ein Fremder. Ich hatte gar keinen erlebenden Anteil daran.«

Wer hat den Bombenkrieg erlebt? Die Reduktion der Anteilnahme, verknüpft mit tüchtigem Zupacken, half ihn überstehen. Damit kam man später auch über die Erinnerung hinweg. Die Gefühlswelt hat Vollzüge wie das Auflesen der Körperreste von Angehörigen in Zinkeimern nicht mehr reflektiert. Dies ist in Gelassenheit geschehen und eine allgemeine Form der Bergung gewesen. Die Behälter waren beschriftet, sind zum Friedhof getragen oder auf Gehsteigen abgestellt worden. »Ich sah einen Mann, der einen Sack mit fünf, sechs Ausbeulungen schleppte, als habe er Krautköpfe darin. Es waren die Häupter seiner Angehörigen, einer ganzen Familie, die er im Keller entdeckt hatte.«

»Vormittags waren Herr L. und Frau F. aus der Pfauengasse zu mir in den Dom gekommen. Er hatte seine tote Frau, sie ihren toten Mann und wollten sie bestattet haben. Herr L. trägt den Leichenrest seiner Frau in einem Sack, Becken mit einem Stück Wirbelsäule und Ansätzen der Oberschenkel. Frau F. trug ihren Mann in einem Einwecktopf: das voll erhaltene Gesäß daran und ein Stück der Wirbelsäule. Die Hose um das Gesäß war in das Fleisch eingebacken. An der zwar ausgeglühten, aber gut erkennbaren Eisenbahneruhr, die in der Tasche steckte, hatte die Frau ihren Mann erkannt. Wir hoben zwei Löcher aus, ich sprach die Beerdigungsgebete, dann schlossen wir die Gräber.« Die Geistlichkeit in Würzburg wurde um diese Dienste gebeten, damit die Opfer des 16. März »nicht wie Tiere verscharrt werden müßten«.

Die Photos der Eimer sind in der Ikonographie des Zweiten

Weltkriegs nicht verzeichnet. Auch überliefert die Familie diesen Anblick nicht. Er ist aber aus dem Gedächtnis nicht zu streichen. Es quillt über von Szenen, die das Gedächtnis-Ich als unvergeßlich bewahrt. Das Erlebnis-Ich hat sie ertragen in einer örtlichen Betäubung. Folgt man den klinischen Befunden der Nachkriegspsychotherapie, hat die Emotionslähmung den Bombenkrieg abgewehrt. Die Zivilperson hielt einem für unmöglich erachteten Leidensdruck stand. Es hat nicht den Anschein, daß die Betäubung späterhin gewichen ist. Aus der Umgestaltung der Städte spricht eine Abkehr vor der Szenerie, in der die Schrecknisse sich zugetragen haben. Auf dies Medusenhaupt zurückzuschauen erfüllte keinen Sinn. Dazu ist es zu nahe. Eine Betäubung beseitigt nicht den Schmerz, sie blockiert nur seine Wahrnehmung. Er ist nichtsdestoweniger vorhanden. Die erinnerten Szenen überliefern eine Folter, die nicht auf immer unaussprechlich sein wird. Der Keller, der Bunker, die Strahlhitze, das Gas, der Luftdruck, die Verstümmelung sind überdies eine neuzeitliche Bedrängnis. Sie ist ebenso Erinnerung wie Menetekel. Der Ort, der noch schützt, der Druck, den das unbewehrte Ich absorbieren kann, die Schmelze der Physis sind akute Themen. Sie haben einen Anfang und darin zugleich einen unüberbotenen Furor.

Im Bunker »waren grauenhafte Zustände. Verwundete lagen auf den Bänken und schrien nach ärztlicher Hilfe und Wasser. Auf der Erde stand das Schwitzwasser zentimeterhoch.« Bei einem Volltreffer »schwankte der Bunker hin und her. Frauen kamen von oben runter und hatten die Köpfe verbunden. Beton war ihnen auf den Kopf gefallen. Wir waren unten in dem Bunker. Eine Frau schrie immer nach ihrem Kind, das in der Wohnung geblieben war. Sie wollte nur einkaufen!« Bei ständigem Fliegeralarm übersiedelt man in den Bunker. Er ist überfüllt, »auf dem Gang haben wir acht Tage verbracht. Die Windeln wusch ich auf dem Klo aus. Sie waren immer dunkel und schmutzig. In einer Pause zwischen den Alarmen ging ich in das nächstgelegene Haus und bat, mein Kind einmal waschen zu dürfen.«
Kühl und feucht ist der selbstgebohrte Stollen. Stollengemeinschaften bekommen ihn nicht trocken. Die Nässe rinnt von den

505

Wänden, am Boden sammelt sich glitschiger Morast. Es ist eng, man sitzt beiderseitig Knie an Knie. Die Säuglinge sind von der ›Bunkerkrankheit‹ geschlagen, eine schwere Darminfektion. Diphtherie, Scharlach und Tuberkulose brechen aus. Die Infektiösen werden des Stollens verwiesen, anders riskiert man eine Epidemie. Familien klammern sich an ihre Festplätze, doch möchte niemand an der Türe logieren. Alles drängt zur Stollenmitte. Das Stollenleben dämmert dahin, der Atem verbraucht den Sauerstoff, die Flammen von Karbidlampen und Kerzen verlöschen im Dunst. Wäre die Unruhe nicht, schliefe man ein, so wird gestrickt und geklagt, gesungen und gebetet. Die Kinder quengeln.

Der Aufprall schwerer Minen setzt den Bunker in Bewegung. Er schwankt und bebt, das Licht erlischt. »Die Menschen fingen an zu beten, zu heulen. Die Luft wurde immer schlechter. Eine völlig verstörte junge Frau drückte meiner Mutter einen Säugling in den Arm und verschwand in diesem Durcheinander.« Bei starken Erschütterungen wird es sehr staubig. Die Zerstörung des Unzerstörbaren kann nicht beherrschbare Schübe auslösen. »Es brach ganz plötzlich in dem vollgestopften Bunker eine Panik aus. Es wurde fast tierisch geschrien, wir drängten uns zu fünf Soldaten in einem Klumpen zusammen. Man hatte dann das Gefühl von etwas Sicherheit. Wenn die Erschütterungen stark waren, hatte ich das Gefühl, kurz zu schweben. Ich kenne das vom Chloroformrausch im Beginn einer Narkose her, man empfand die Furchtbarkeit des Erlebens nicht so. Das war ausgeschaltet.«

In den Schutzräumen zweiter Güte sind die Insassen »wie von Sinnen«. Selbst in einem tiefen, gewölbten Weinkeller »sind diese Geräusche nicht zu beschreiben. Wände wackelten, und eine Wand bewegte sich auf uns zu. Eine Luftmine war gefallen. Doch dann ging die Wand wieder zurück, weil auf der entgegengesetzten Seite wiederum eine Luftmine fiel und dieses Mal die Wand wieder aufrichtete. Wir hockten in der Mitte des Kellers und hielten uns umschlungen.«

Den Lehrmädchen der städtischen Sparkasse bleibt die Zeit nicht mehr bis hin zum Luftschutzkeller. Sie laufen in die tiefer liegende Garderobe. »Der Luftdruck riß uns hin und her. Viele beteten, viele schrien. Doch es ist niemand von uns ums Leben gekommen. Aber ein Lehrmädchen hat alle Angehörigen verloren.«

Die erste Bombe fällt in den Garten, und alle Fensterscheiben klirren auf einmal, die zweite trifft. Es ist ein harter Schlag, er spaltet das Haus auseinander; bis zum Keller neigt sich zu beiden Seiten eine Hälfte. »Genau über uns hatten die Stahlträger gehalten, und die Kellerdecke hing wie ein Zelt über uns. Wir drohten zu ersticken. Dann bekamen wir etwas Luft durch den Durchbruch, den ich am Tag vorher, einer Ahnung folgend, durchgestoßen hatte. Dann hörten wir Stimmen ›Lebt hier jemand?‹«

Der Kellereinsturz beginnt mit dem Stützpfeiler, der in der Mitte des Raums wegknickt. »Dann sah ich nur einen Blitz. Als ich aus der Bewußtlosigkeit aufwachte, konnte ich nur meinen Kopf ganz wenig seitlich bewegen. Es dauerte eine Zeit, bis ich begriff, daß ich komplett in den Schuttmassen eingeschlossen war.« In dem Kellergewölbe steigt ausströmendes Leitungswasser hoch bis zum Oberkörper, unter dem Kopf leuchtet Mutters roter Mantel. Vater holt Leute von den Instandsetzungstrupps. »Auf Rufen und Befragen habe ich diesen Leuten bestätigt, daß noch mehr Menschen überlebt haben müssen, daß sie sehr weit von mir entfernt sind …« Nebenan liegt das Nachbarskind Karin, ebenfalls eingeklemmt. Die Sache verzögert sich, weil eine Giebelwand wegen Einsturzgefahr abgestützt werden muß. »Ich habe diese Leute beschimpft, da ich ja nicht wußte, was der Zeitaufwand sollte.« Der Durchbruch in die Kellerräume wird seitlich erweitert und immer wieder abgestützt. »Karin ist mit ihrem Oberkörper schon in dem Durchbruch und ihre Beine waren durch die herabgefallenen Trümmer noch gefangen. Jetzt war der Durchbruch so weit offen, daß mein Kopf frei war. Ich stellte fest, daß meine Mutter unter mir lag und tot war.« Die Befreiung dauerte vierzehn Stunden, denn die Schuttmassen würden, wenn nicht immer wieder abgestützt, nachrutschen und die Eingeklemmten begraben. Karin überlebte als einzige der Familie. Im Krankenhaus wird sie gewaschen und mit Tee und Zwieback versorgt.

Aus Ziegelschutt kann man gelöst werden, aus geborstenem Beton nur mit Gerät, das nicht vorhanden ist. In der Erde war eine

U-förmige Betonröhre eingelassen, ein Stollenbunker mit Ausgangsschleuse. Als jemand die Schleusentür öffnete, schlug eine Luftmine ein. Der Druck fuhr in die Röhre, hob sie an und ließ sie zusammensacken und brechen. Die meterdicken Betonschalen waren unbeweglich, nicht zu hacken, nicht zu sägen. Die Eingeklemmten lebten und sprachen.« Es kamen nun Geistliche, die den Verschütteten den letzten geistlichen Beistand – Ölung, Absolution – erteilten. Viele brüllten fürchterlich vor Schmerz.« Ärzte injizierten Morphium.»Das war mein schlimmstes Kriegserlebnis.«

Ein Schutzraum mit zehn Meter Erdüberdeckung ist eine bombensichere Bleibe. Eine Verbindungstür führte in eine zweite Kammer mit dünnerer Decke, die zerbrach, Feuer und Rauch kommen von zwei nach eins. Jemand öffnet die Tür, der Rauch quillt hinaus. Panik entsteht an Türen. Einer, höchstens zwei passen hindurch, von hinten wird gepreßt.»Vielleicht vier bis fünf Meter vor der Türe spüre ich, wie mein Kind immer tiefer gedrückt wurde. Es war sowieso alles sehr laut, und von draußen konnte man das Prasseln der Flammen hören. Aber ich nahm meine ganze Kraft zusammen und schrie so laut ich konnte ›Hilfe, mein Kind‹.« Der Nebenmann erkennt die tödliche Situation und wirft sich mit aller Kraft nach hinten,»so daß ich ganz schnell mein Kind, das bereits bis zu meinem Bauch heruntergedrückt worden war, wieder hochziehen konnte. Das war der schrecklichste Augenblick meines Lebens. Draußen suchte ich meinen Kinderwagen in dem ja Milchpulver, Kindermehl und Windeln waren. Der Wagen war sehr zusammengedrückt und hatte nur noch drei Räder.«

Forsche Hilfe ist eine zweischneidige Sache, Berufshelfer halten sich in Zweifelsfällen heraus. Die Stahlträger im Luftschutzraum waren heruntergekommen, die Festsitzenden schrien um Hilfe, die Feuerwehr steht und betritt besser nicht das Haus, es fällt noch zuviel brennendes Trümmerwerk.»Ich kam vorbei. Ich bat die Feuerwehr, mich mit dem Schlauch fortwährend naßzuspritzen, und versuchte, die vorne im Eingang eingeklemmten Personen zu befreien. Einer der Eingeschlossenen schrie ›sie stehen auf meinem Gesicht‹. Wir haben die kleineren Trümmer weggeräumt, und dieser Mann konnte gerettet werden.« Ein glühendes Ankereisen saust einer Frau ins Gesicht. Mit dem Wasserstrahl auf der Hand kann das entfernt werden. Drei werden insgesamt herausgezogen. Unten rufen welche »helft uns«, denn sie ertrinken in dem Löschwasser, dagegen ist nun nichts zu machen. Das wird anderswo versucht, mit mehr Leuten.

Das Hauptwasserrohr war zerstört, und das Wasser im Keller stieg schnell. »Wir versuchten, eine Kette zu bilden, um das Wasser aus dem Keller zu bekommen«, doch müssen die Eimer durch ein schmales Kellerloch geschoben werden. »Wir konnten dem Wasser nicht beikommen, die Menschen ertranken noch in der Nacht. Ihre Schreie verfolgen mich noch heute, und ich werde sie wohl nie los.«

Die Erzähler, meist die mobilsten, behalten die Immobilen im Gedächtnis, die nach dem Knall zurückgeblieben sind. »Die Flammen schlugen uns entgegen. Dann hatte ich auf einem Arm das Kind. Mit der anderen Hand habe ich versucht, die Latten vom Kellerfenster abzureißen, um auf die Straße zu kommen, ich hatte ein Bettuch naßgemacht. Das nasse Bettuch schlug ich um mein wimmerndes Kind.« Es rennen nicht alle mit aufs Pflaster; sie bleiben, wo sie sind. »Ich konnte die Leute genau sehen, weil die Wände weg waren. Der kleine, ein Meter fünfzig große Herr Kieselstein, dessen Frau gelähmt war und der deswegen nicht in den Luftschutzkeller kam, rief gellend ›Feuerwehr‹. Seine seit dreizehn Jahren gelähmte Frau konnte ich nicht sehen. Dann hüllten die Flammen den kleinen Mann ganz ein, und er verbrannte mit seiner gelähmten Frau bei lebendigem Leibe. Ich höre ihn heute noch schreien.«

In letzter Sekunde taucht anderswo der drahtige Luftschutzmann aus der Nacht, springt über die Gartenmauer, tastet sich in das Trümmergestell, »sehen konnte ich nichts, aber ich hörte irgendwo im Dunkeln Wimmern und fand dann auch die alte Frau, die auf dem Boden lag. ›Vorwärts, Oma, über die Mauer!‹ Weil sie nicht gehen konnte, packte ich sie an den Schultern und schleppte sie hinaus. Sie jammerte unentwegt, drinnen liege noch ihre Handtasche mit den Brillanten.«

Schlechter erging es »meiner hochschwangeren Schwester, sie

erwartete ihr achtes Kind«, und dem Soldaten, der sie aus dem Dransdorfer Weg ziehen wollte. »Rennt raus«, sagte die Nachbarin zu ihren Kindern, »auf die Neumann-Wiese«. Dann schaut sie in der brennenden Baracke, wo die Hochschwangere sein muß. Sie liegt zwischen Küche und Schlafzimmer unter einem Schrank. »Da kam brennender Teer runter. Ein Soldat kam rein und rief ihr zu ›raus hier. Sie verbrennen mit‹.« Sie kam nicht ohne weiteres raus, der Soldat mußte ihr dabei helfen und verbrannte mit. Die Erzählung bricht ab – niemand hat den Vorgang gesehen – und fährt fort, indem der Nachbar sagt, »›der ganze Dransdorfer Weg ist weg und die Särge stehen schon auf der Straße‹. Zu diesem Zeitpunkt wußte ich noch nicht, was mit meiner Schwester geschehen war.« Die Nachbarin fällt ihrem Mann ins Wort. »›Halte deinen Mund, Du weißt doch, daß ihre Schwester dort mit ihrer Familie wohnt.‹ Ich war voller Unruhe und Angst.«

Den Wöchnerinnen in der Landesfrauenklinik ist, »als seien der Fußboden und die Wände aus Gummi. So dehnt sich alles und scheint zu wanken, wenn die dumpfen Einschläge das Haus erschüttern.« Mörtel und Mauerstücke fliegen durch den Raum, dicker Qualm dringt ein, und die Schwester »fleht uns an, ruhig zu bleiben«.

Patienten mit den gewöhnlichen Gebrechen sind längst entlassen. Die Krankenhäuser liegen voll von Bombenverletzten. »Dort bekam meine Mutter den Arm auf ein Brett montiert und konnte sich kaum bewegen.« Mann und Kind machen den täglichen Besuch, Fliegeralarm! »Die Krankenschwestern öffnen die Türen zu den einzelnen Zimmern und riefen: ›Alles in den Keller.‹« Ein Glück, daß der Gatte die Frau mit dem Brettarm hochbringt und ankleidet. »Sie hatte aus eigener Kraft nicht aus dem Zimmer raus gekonnt.« Wenig später stürzte dort die Decke ein. »Wir stellten uns im Souterrain in eine geschützte Ecke. Dort befand sich auch die Küche. Der Koch saß in der Küche und hatte gerade für Weihnachten Fleisch zubereitet. Die Kranken wälzten sich auf dem Boden und schrien. Durch umherfliegende Türen, Fenster und Küchengeräte wurden unsere Beine verletzt.« Im tiefen Keller beten die Nonnen, die Krankenschwester denkt an die Verdunkelungsverordnung und ruft: »Die Sicherungen sollen ausgeschaltet werden. Im ganzen Haus brennt Licht.« Soldaten schleppen von draußen Tote und Verletzte in das Krankenhaus.»Noch während des Angriffs begannen Prof. Steinhauer und Dr. Militor im Kohlenkeller zu operieren. Das Krankenhaus wurde teilweise zerstört.«

Die Frauenklinik und die Chirurgie lagen in einem zerstörungssicheren Luftschutzstollen verborgen, der H-förmig in den Berg getrieben worden war. Dort lagerte auch das Stadtarchiv. In den Krankenhausteil kamen Verletzte aus den Eisenbahnangriffen vom Dezember 1944 und von Tieffliegern zerschossene Bauern aus den umliegenden Dörfern. Der Bunker lag so tief im Fels, daß Sirenenalarm und Angriffslärm nicht hörbar waren. Wenn Lastwagen auf Lumpen und Stroh gebettete Verletzte anfuhren, wußte das Personal, was geschehen war.»Weil ich eine Ausbildung als Rot-Kreuz-Helferin hatte, konnte ich im Bunker bleiben. Operiert wurde im Schein von Petroleumlampen. Nachts gingen wir mit Kerzen von Kabine zu Kabine.« Wasser wurde aus einer Brunnenader gezapft, es war nur tagsüber verfügbar.»Die benutzten Bettpfannen standen übereinander in einem Raum. Man konnte sie nicht sofort auskippen und reinigen. Draußen war neben dem Transformator ein Kämmerchen, in welches die Leichen gelegt wurden. Das Wasser aus den Toten lief wie Regenwasser über den Bürgersteig in den Kanal.« Der Fuhrpark holte sie täglich ab, in Kisten übereinander gestapelt. Später gab es dazu Papiersäcke.»Viele schwerverwundete Kinder waren in dem Bunker. Ich konnte mal zwischendurch nach Hause gehen und stellte aus Zucker, Butter, Milch und Essig Bonbons her. Unsere Stationsschwester Helene hatte die Sachen mir gegeben.«

Der Bombenkrieg hat etwa 75 000 Kinder unter vierzehn Jahren getötet – 45 000 Knaben, 30 000 Mädchen – und 116 000 verletzt. Fünfzehn Prozent der gesamten Todesopfer sind Kinder.

»Ich habe mich an die Oma gekauert. Plötzlich verspürte ich einen gewaltigen Luftdruck. Dann stellte ich fest, daß ich mit dem Unterkörper eingeklemmt war. Ich steckte in den Gesteinsmassen drin. Im Hintergrund hörte ich meine Großmutter stöhnen. Gleichzeitig bemerkte ich, daß Wasser lief, und spürte, wie es höher lief. Ich war bis unter die Brust in den Schuttmassen, ein Arm war frei. Den Tod meiner Schwester Uschi hat man mir ein Jahr lang verschwiegen. Meine Mutter war mit dem Neugeborenen umgekommen. Man hat mir nach und nach beigebracht, daß meine ganze Familie umgekommen ist. Ich konnte es damals nicht aufnehmen.« Karin Melchers liegt mit gelähmten Beinen neben den Soldaten in der Klinik. Sie wird mit Krücken wieder laufen lernen. Die Kinder des Bombenkriegs haben ihn kindlich wahrgenommen; die Geschwister ohne Kopf, Passanten mit brennendem Haarschopf, verkohlte Tote, auf Maße von Dreijährigen geschrumpft. »Der Mann war mit Pappkarton bedeckt. Bei genauer Betrachtung stellte ich fest, daß der Kopf fehlte. Ungefähr zehn Meter entfernt lag der Kopf meines besten Freundes. Er hieß Paul Sauer und wohnte in der Kesselsgasse.« Mangels Scheu vor der Leiche beschauten die Kinder wach die Grimassen des Todes, hervorgerufen durch indirekte Wirkungen. »Da stand ein Soldat an deiner zerstörten Villa. Er stand an eine Mauer gelehnt und war tot. Ihm waren die Lungen geplatzt.« In die indirekte Wirkung gerät man hinein wie die Frau, die bei Bombenfall am Fenster stand. »Der Kopf ist dann weggeflogen.« Man konnte ihn nicht wiederfinden. Die Reste sind oft fort, wie versteckt. »Mein Vater und meine Brüder haben acht Tage lang meinen Onkel ausgegraben.«

Die zutage geförderten Organismen sind keine Toten, sondern Zustände. »Sie lagen nebeneinander und waren gedunsen.« Die Hitzetoten verwundern durch ihr Puppenmaß, »so unglaublich klein, daß man's kaum verstehen konnte«. Einer Farbmaske gleicht die blauviolette Haut von Frauen, das Kind im Arm. »Mama, warum is des Kind denn so schwarz?« Die Kinder laufen mit, auch bei der Identifikation in den Leichenreihen von Darmstadt. »Is des der Babba?« Die Söhne bergen. »Nur ruhig, Mutti, wir holen dich.«

»Aus dem Keller trat ein weinender Junge in Luftwaffenuniform, einen zugedeckten Emailleeimer in der Hand. Man fragte ihn, um ihn zu trösten. Es waren seine Eltern gewesen.« Kleinkinder kennen sich bei Verwaisung selbst nicht, darum hängen ihnen Schilder um, die Namen und Verwandte ausweisen.

Schwester Agnes aus dem Marienhospital: »Niemals werde ich

die zwei Kinder von vielleicht neun und zehn Jahren vergessen, die bei uns im Keller und in der Totenkammer ihren Papa suchten. ›Sonst sind wir schon überall gewesen.‹« »Am Tage sah ich auf der Straße in den glimmenden Ruinen einen blöden Knaben. Er taumelte unsicheren Schrittes vornüber und lachte grell auf. Das Spiel der Zerstörung schien ihn zu freuen.« Die Zerstörung ersinnt in dem Höllensturz des spätsommerlichen Darmstadt Spottgeburten der Entleibung. Hitze, Luftdruck und Trümmerfall durchtrennen nicht, wie die Kugel oder der Hieb, die Gefäße, sie verschrotten. Die Metaphorik dieser Tode rühmt die kosmische Gewalt der Strahlhitze und den unsichtbaren Zerschmetterer von Adern und Stein, die Druckwelle. Sie verwerfen die Hinfälligkeit des Gewebes, dessen Dekomposition es schon als Abfall ausweist. Der Eimer erkennt das an. »Es muß etwa vier Uhr gewesen sein. Verstörte, rußbeschmierte, totenbleiche Menschen, alle in unwirklichem stumpfem Schweigen. Schauerlichste Momente; da waren Hände und Beine, die aus den Schuttbergen der Ludwigstraße ragten, auch der Kopf eines bis an das Kinn verschütteten Mannes mit glasig starren, offenen Augen.« Sein Weg führt ihn in den Halbkreis von Bütten, Weckkesseln und Kisten am Friedhofsportal. »In alten Eimern brachten die Darmstädter den ganzen Tag über ihre Toten. In einer Waschbütte eine ganze Familie.«

Wie das Haus, das auf der Brust des Bewohners liegt, ist die Wirklichkeit herumgedreht. Tote stellen sich lebendig. Ein älterer Mann sitzt an einen Baum gelehnt, »ich wollte ins Gespräch kommen, aber er gab mir keine Antwort«. Zwei Hochschwangere entbinden im Moment des Verscheidens. Die Geburt des Kindes ist sein Tod. »Ich zählte in meinem Bekanntenkreis 192 Menschen, die umgekommen waren.« Es gibt aber nichts Bekanntes mehr, nur Identifizierungsmerkmale. »Ich gewahrte durch den Qualm eine verkohlte Leiche direkt vor dem Haus. Ich war überzeugt, daß es meine Frau sei, nahm sie in den Arm und hielt sie lange fest, ich streifte ihr vorsichtig den Ehering und ein Uhrenarmband ab und sah dabei plötzlich eine Goldplombe in den Vorderzähnen, die mir fremd erschien. Nun war mir klar, daß es nicht Martha war.«

Die Verbrennung zwingt dem Körper Ausdrucksgesten auf, die der Betrachter entschlüsseln möchte. »Eine junge Frau lag da wie eine ungut geratene Plastik. Die Beine mit verkohlten hohen Absatzstiefeln nach hinten in die Höhe gestreckt, die Arme wie zur Abwehr hocherhoben. Das Gesicht noch andeutungsweise erhalten, der Mund mit bräunlichen Zahnreihen weit geöffnet, so daß man nicht wußte, ob dieses Antlitz lachte oder schrie.« Das Lachen ist nicht lustig und der Schrei nicht schmerzlich. Dies Geschöpf drückt kein Empfinden aus, sondern seinen Schöpfer. Es ist die Skulptur des Brandkriegs.

Stein

»saxa loquuntur«

Die abgeworfene Munition wird eins mit der Materie der Stadt, Stein, Holz und Interieurs, dadurch wirkt sie verheerend als Waffe. Was mobil ist, Personen und Kunstgegenstände, kann sich ihr entziehen, darüber entscheidet der getroffene Aufwand. Die Gebäude kommen nicht fort, werden zu Trägern und Überträgern des Brandes. Sie gehen Deutschland verloren als äußerer und als innerer Besitz. Bewegliche Kunst, Archivalien und Bücher begeben sich auf die Flucht, zuerst hinter entlegene feste Mauern, zuletzt in tiefes Felsgestein. Anders wäre fast alle Kultur zerstört. Die Bibliotheken haben im Stein das meiste gerettet vor der im übrigen größten Bücherverbrennung in geschichtlicher Zeit.

Am 9. April 1943 befahl Hitler, Farbphotographien künstlerisch wertvoller Decken- und Wandfresken herzustellen. Man begann in den westlichen Regierungsbezirken Köln, Düsseldorf, Aachen und hielt zugleich Plastiken, Chorgestühle und Mobiliar fest. Eineinhalb Jahre später verfügte Hitler: »In Anbetracht der ständig wachsenden Verluste an unersetzlichem Kunst- und Kulturgut durch den Luftkrieg, halte ich es für dringend erwünscht, daß die wertvollen Baudenkmäler und sonstige nicht bewegliche Kunstwerke möglichst weitgehend, – das heißt, bis ins Detail – photographisch aufgenommen werden.« Im Dezember 1944 fertigten die Photographen auch Abbilder der Mittel- und Kleinstädte an. In Frankfurt hatte die *Frankfurter Zeitung* nach den Angriffen auf Lübeck und Köln im Frühjahr 1942 angeregt, die Bürgerhäuser des 19. Jahrhunderts aufzunehmen, »wer weiß, wie lange dieses Frankfurt noch steht«.

Die Altstadt stand bis zu den Märzangriffen 1944. Am 22. März, Goethes Todestag, ging ›Am großen Hirschgraben‹ Nr. 23 sein Geburtshaus unter. Zu dessen Schutz hielten Bürger dort Nachtwachen; der Keller war mit Durchbrüchen dem frankfurterischen Katakombensystem verbunden und diente als intakter Ausstieg bei Verschüttungen in der Nachbarschaft. Am 18. März fangen die Mansardendächer Feuer, doch kann es oberhalb des Geburtszimmers noch bewältigt werden. Vier Tage später ist nichts mehr zu machen, der Hirschgraben brennt von beiden Seiten und ist unpassierbar, ebenso die einmündenden Straßen. Die Einwohner haben im Orkan die Orientierung verloren und fragen, wo sie sich befinden. Zwischen dem 22. und 24. brennt der Bau, dessen Grundstein der Knabe Goethe bei der Erweiterung von 1755 gelegt hat, langsam bis zum Erdboden nieder. Das Gemäuer war feucht, deshalb dauerte es. Löschwasser setzte ihm ebenso zu wie die Flamme. Am Morgen des 23. verschwindet das Giebelzimmer, am Mittag stürzt das Treppenhaus ein. Am Folgetag existierten noch Keller und Kellertreppe, die Sandsteinpfosten der Tür, der Fenster und die Fensterbögen. Im September warf eine Luftmine die letzten Wände des Erdgeschosses um. Es ist eins der älteren Bürgerhäuser, von denen Frankfurt zweitausend erhalten hatte. Zehn blieben unbeschädigt und wenige andere retteten Teile ihres Parterres.

Die Märzangriffe machen mit zwei Millionen Stabbrandbomben den mittelalterlichen Häuserkranz um Römerberg und Domhügel zunichte, den gotischen Römer mit Kaisersaal, die Alte Münze, die Paulskirche und das Schopenhauerhaus. Sterbesofa und Schreibtischstuhl wurden aus dem Erdgeschoß rechtzeitig herausgezogen. Den Dom, seit 1356 Wahlort und seit 1562 Krönungskirche der deutschen Kaiser, traf Sprengmunition im südlichen Querschiff. Verloren ging das Steinerne Haus, das schönste der mittelalterlichen Bürgerhäuser mit Ecktürmen und Zinnen. Nach den Photographien wurde später die Kopie errichtet.

Das Steinerne Haus der Deutschen war von allen Zielen des Brandkriegs das anfälligste. Die Bewohner zeigten sich am zähesten, die Produktion reproduzierte sich selbst; Bücherarchive und Kunstwerke kamen dank ihrer Beweglichkeit zu vier Fünfteln durch. Dem härtesten Stoff, dem ältesten, dauerhaftesten, der die Zeiten überbrückt, fehlte jede Widerstandskraft. Der Stein war unbeweglich. Was ihm Jahrhunderte Festigkeit verlieh, die Verankerung im Boden, fesselte ihn. Er kam nicht von der Stelle. Man konnte im Oktober 1943 jeden fünften Frankfurter evakuieren; die Industrie fand in monströsen Bunkern von dreißig Metern Höhe, fünfhundert Metern Länge und zweihundert Metern Breite Unterkunft. Der Frankfurter Römer stand hingegen seit fünfhundert Jahren und war untransportabel. Weil der Brandkrieg einen Schadensraum stiftet, ist der Stein im Nachteil.

Der Bomber zirkuliert überall, aber die Bombe ist fixiert auf ein Bodensegment. Den allergrößten Teil des Landes erreicht sie gar nicht, also existiert ein Ausweichgebiet. Nur der Stein in seiner Schwere begegnet der Bombe in ihrer Fixierung auf deckungsgleicher Fläche. Die Zerstörungskraft und das Beharrungsvermögen stehen Auge in Auge. Vom Standpunkt des Bombardements ist ohne das steinerne Haus und sein Inventar nicht viel zu bestellen. Gegen eine Dorfbevölkerung richtet eine Luftoffensive wenig aus. Ihre Gewalt entfaltet sich nur im Einsturz des Festgefügten, in den Verschüttungen, Feuerbrücken und Luftzugsverhältnissen der Gebäude. Stein und Waffe verbinden sich. Bombenkrieg ist nicht die herabfallende Tonnage, sondern die lodernde Stadt. Die Behausungen der Generationen fallen nicht nur entzwei, sondern werden dabei Gesteinsmassen, die erschlagen, Glutöfen, die ersticken, Verliese, die vergasen. Ihr letztes Gesicht ist das der Furie. Der Stein ist zerbrochen und enteignet zugleich. Er war das zentrale Werkzeug des Feindes, sein verderblichstes Aggregat.

Die Einswerdung von Stein und Waffe, die achtundsechzigtausend Blockbuster und achtzig Millionen Thermitstäbe bewirkten, hat das Bild verleidet, das die Stadtlandschaft von der Historienlandschaft geliefert hat. Man wollte später aus mehreren Gründen die Vorkriegsgestalt nicht wieder herstellen. Die Fürsprache fiel schwach aus, die Einheit von Raum und Geschichte zu reparieren. Es kostete zuviel Geld und Überwindung. Diese Szene war durch die Schrecken des Brandes verrufen. Zudem mußten die Neubaustädte komfortabler, verkehrstüchtiger, grundertragsreicher und, hauptsächlich, bombenfester sein. Mehr Stein als die Bombe haben anschließend die Bewohner abgerissen. Sie wollten diese fatalen Gehäuse nicht mehr sehen.

Im Sommer 1942, die Lübeck- und Rostockangriffe hatten den Einsatz des Feuers soeben erprobt, beriet eine Konferenz von Kultur- und Luftschutzbeauftragten, wie dabei mit Baudenkmälern sowie dem Museums- und Bibliotheksgut zu verfahren sei. Die Gefahr eines Sprengbombenvolltreffers war gering. Doch erforderte ein Komplex wie das Berliner Stadtschloß mit seinem riesigen Dachgeschoß und den kaum zugänglichen Zwischenböden ein umfängliches Brandwachkontingent mit Lokalkenntnissen. Ein Schloß ist wie zum Abbrennen geschaffen, das zeigte bereits der Untergang des Kasseler Residenzschlosses. Wasserzufuhr und Löschmannschaften reichten entfernt nicht aus, die von dem benachbarten Kaufhaus herübergesprungene Flamme zu dämmen. Seidenbespannte Innenwände, vergoldete Schnitzereien an Türen und Simsen, Parkettfußböden und Rotsandstein boten ihr allzu reichen Stoff. Er verband sich mit den Schwärmen von Stabbrandbomben, niemand konnte die gegenseitige Anziehung unterbrechen. Das Renaissanceschloß Johannisburg in Aschaffenburg, eines der schönsten seiner Art, brannte aus in mehreren Angriffen zwischen November 1944 und April 1945. Schlösser haben unrettbare Dächer. Das Luftfahrtministerium empfahl, die Dachböden mit einer achtzig Zentimeter dicken Sandschicht zu überziehen. Der kleine Querschnitt des Vierpfünders verhalf ihm zu einer beträchtlichen Endgeschwindigkeit und Durchschlagskraft. Sand hätte sie auffangen können, wog jedoch in der vorgeschlagenen Stärke 1,6 Tonnen pro Quadratmeter und konnte den üblichen Decken nicht ohne weiteres zugemutet werden. Zwei Schichten Hartbrandziegel oder zwanzig Zentimeter Stahlbetonplatte hemmten gleichfalls den Aufprall, doch konnte man damit nicht die gesamte deutsche Baukunst ausrüsten.

Nach Experimenten der Bayerischen Schlösserverwaltung wurden die Dachböden imprägniert gegen Flugfeuer und vereinzelte Einschläge. Im Mai 1943, an der Schwelle der Feuerstürme, begannen Göring und Himmler die Immunisierung der Altstädte mit Weißkalk und Salzlösung. Tausende von Traditionsbauten einschließlich der Wartburg wurden gekalkt. Dies zersetzte die behandelten Holzteile, machte sie aber keineswegs feuerfest. Im Herbst kam eine Liste der zu hütenden Gebäude heraus, allein die Wächter standen den Bränden ratlos gegenüber. In Flächenbränden sind Reservate nur mit Glück zu behaupten.

Der Angriff auf Bonn im November 1944 begann um halb elf Uhr vormittags, nach dreißig Minuten war der Angreifer fort. Dr. Franz Rademacher hastete von seiner Arbeitsstelle im Rheinischen Landesmuseum in die Altstadt zu den Baudenkmälern. Vom Bahnübergang Poppelsdorfer Allee aus sah er bereits alles in Brand. Der Südtrakt der Universität stand bis zum Rhein herunter in Flammen, daran war nichts mehr zu ändern. Schinkels Akademisches Kunstmuseum hatte bisher nur an der Dachecke Feuer gefangen, die Professoren Delbrueck und Langlotz bildeten soeben eine Eimerkette, Rademacher schloß sich an. Inmitten des Löschens erscholl Luftalarm, die Helfer flüchteten in den Museumskeller, die Flammen machten weiter. Falscher Alarm, der Folgeangriff blieb aus. Rademacher überließ das Museum den Professoren und rannte die lodernden Häuserzeilen der Remigiusstraße entlang zum Markt. Hinter ihm schloß sich die Feuerwand, vorn am Alten Rathaus war weit und breit kein Mensch sichtbar, der sich um den schon ausgebrannten Bau aus kurfürstlicher Zeit scherte.»Mein nächstes Ziel war nun das Geburtshaus Beethovens. Ich traf gegen zwölf Uhr dort ein.« Das Haus war bis auf die geplatzten Fenster unversehrt. Die Gefahr drohte vom nördlichen Nachbarhaus, das vom Dach bis zur Diele brannte. Hasselbach, der Kastellan, öffnete auf lautes Rufen; einige Soldaten standen in den Fluren herum, wußten nichts von der Gedenkstätte, schleppten eine halbe Stunde Bilder in den Keller und verschwanden. Das Inventar des Beethovenhauses war längst ausgelagert.

Hasselbach und Rademacher beschlossen, an drei Punkten zu verteidigen, das morsche Dachgebälk durfte keine Funken fangen, die Fensteröffnungen mußten von Läden und Vorhängen entblößt und beobachtet werden, unberechenbar war der Keller. Im Nachbarkeller qualmte das Tabaklager der Firma Quantius. In der dikken Trennwand klaffte der übliche Durchbruch, das Feuer konnte jederzeit durchschlagen, laufend knallten nebenan leichte Explosionen. Hasselbach verschloß das Loch mit einer Eisenplatte. Aus gut gefüllten Wasserbottichen hielt man sie naß. Quantius brannte für sich ab, doch tobte nicht weit im Norden ein Flächenfeuer. »Man sah eine riesige, grelle Wand, von der eine ungeheure Hitze ausstrahlte.« Sie rückte vorwärts zu dem Möbel- und Einrichtungshaus Adam. Es enthielt Stapel von Matratzen und lag schräg gegenüber.

Rademacher drang bei Adam ein, warf Matratzen und Decken aus dem Fenster, dabei gewann er Zuschauer. Er rief ihnen zu, die Sachen in die Jesuitenkirche zu tragen, als Nachtlager für die Obdachlosen. »Leider fand sich nur ein halbwüchsiger Junge, der wirklich ernsthaft mit anpackte.« Hasselbach war herzkrank und nunmehr in erschöpftem Zustand. Das Feuer sprang auf das Möbellager, von dort auf das Lagergebäude, von dort auf die alten

Dachstühle von Bonngasse 21 und 23 vis-à-vis. Im Nordteil der Bonngasse überwölbte die Lohe aus den Fenstern bereits die Straße. Nur eine Motorspritze konnte das Beethovenhaus davor schützen. Bei dem nächsten Löschteich am Marktplatz findet Rademacher einen Feuerwehrtrupp mit verfügbarer Spritze, doch auf dem Transport bricht sie auseinander. In der Luftschutzzentrale sitzt Major Brandt und brüllt, daß kein Löschzug frei sei. »Ich erwiderte: ›Für die Rettung des Beethovenhauses muß in Bonn ein Löschzug freizumachen sein.‹« Ein Feuerwehrhauptmann mischt sich ein, ja, er mache einen verfügbar. »Wo ist denn das Beethovenhaus?« fragt Brandt. Der Hauptmann sagt, er wisse Bescheid und sei in einer Viertelstunde am Platz. Rademacher lief zurück und räumte die Möbel von der Straße. Um fünf Uhr traf der Löschzug ein, Leitungen wurden zum Marktteich verlegt. Als die Pumpen begannen, stürzte das Haus neben der Jesuitenkirche ein, begrub und zerriß die Schläuche. Sie wurden freigeschaufelt und geflickt, jetzt langte der Wasserdruck nicht, um die Dachstühle von Nr. 21 und 23 zu erreichen. »Die Schlauchleitungen wurden bis auf den zweiten Stock des Beethovenhauses hochgezogen und von dessen Fenster aus der Brand bekämpft.« Nach einer Stunde waren die Häuser gelöscht, von den glimmenden Stümpfen ihrer Deckenbalken aus wurde das Beethovenhaus kurz gefeuchtet, »und ich konnte nach sieben Stunden beruhigt nach Hause gehen, in dem Bewußtsein, daß in der stark zerstörten Altstadt von Bonn das Geburtshaus seines größten Sohnes gerettet werden konnte.« Der glückliche Zufall hieß Rademacher.

In Stuttgart verbrannte das Sterbehaus Eduard Mörikes, in Bayreuth die Gruft von Franz Liszt, in der Hannoveraner Hof- und Stadtkirche St. Johannis das Leibnizgrab, in Hamburg das Geburtshaus von Johannes Brahms und in Frankfurt (Oder) dasjenige Heinrich von Kleists, in Hanau das Geburtshaus der Gebrüder Grimm, in Eisenach das Lutherhaus.

Den Aufwand, die Baumonumente und -ensembles zu sichern, konnte das Regime anbetracht der spärlichen Mannschaften zum Schutz von Leib und Leben nicht erübrigen. Es beschränkte die Bewahrung des Steins auf Andenken. Portale, Figuren, Denkmäler, Rolande, Brunnen wurden verpackt und eingemauert. Den Bamberger Reiter umfängt zunächst ein mit Sandsäcken aufgefülltes Holzgerüst, das alsbald ein achteckiger Backsteinturm ersetzt, mit Putz beworfen und von einem kegelförmigen Eisenbetonblock abgedeckt. Zur Durchlüftung sind schräge, gebrochene Kanäle angelegt. Ähnlich ist das Sebaldusgrab in Nürnberg verschalt. An das Westportal der Nürnberger Lorenzkirche schließt eine vierzehn Meter hohe Stampfbetonwand.

Den Reliquien ist eine Ewigkeitsgarantie zugedacht, wie etwa die Stahlmatratzen vor den Tiepolofresken der Würzburger Residenz eine bieten. Nur konnten solche Ummantelungen schon Mitte 1942 nicht mehr geliefert werden. Für Sandsäcke wurde die Jute knapp, für die Abbindung von Betonblenden fehlte das Holz. Papiersäcke mit Magerbeton traten dafür ein. Eingepackt wurden die Portale der Dome von Köln, Freiburg, Xanten, Münster, Paderborn, Friedrichs Reiterstandbild >Unter den Linden< und der Schöne Brunnen in Nürnberg.

Fuhr eine Sprengbombe in solch eine Hülse, kehrte die Schonung sich um. Die Gesteinsbrocken schleuderten geschoßgleich in die Bildwerke hinein. Der Stein blieb zwiespältig. Zugemauerte Kirchenfenster wehrten dem Funkenflug, hinderten aber die Luftzirkulation, welche die Fresken brauchten, damit die Pilze sie nicht auflösten. Die Kirchenbemalung schwand grauenhaft dahin. Ohne Verpackungsmaterial war auch dem Skulpturen- und Reliefschmuck schwer zu helfen. Die verbesserten Sprengstoffe erforderten sicherere Umhüllungen, bewehrten Beton, Einwölbungen in den Konturen der Schutzobjekte. Davon konnte keine Rede sein. Auf ihrem letzten Treffen in Eger konnten die Luftwaffen- und Polizeivertreter den Denkmalpflegern die sprengsicheren Splitterwände nicht bieten. Jetzt, im Sommer 1944, traten die immobilen Kulturwerte nahezu unverteidigt in das anbrechende Bombenfanal. Sie waren aufgegeben. Der Photograph nahm die Totenmaske ab. So weiß man ungefähr, was Ulm gewesen ist.

Die Hirschstraße, die mit ihren steilgiebeligen schlanken Patrizierhäusern zum Münster führte, ging im Dezember 1944 als Totalschaden verloren, wie die Gildensitze aus dem 16. Jahrhundert, das Kornhaus, das Zeughaus. In dem Feuerangriff vom 17. Dezember, der zwei Drittel der Innenstadt austilgte, war auch das um 1400 gegründete Seelhaus nicht separat zu bewahren, ein frühes Zeugnis christlicher Selbsthingabe. Die Seelschwestern gründeten es als Asyl für ansteckend Kranke. Rathaus und Schwörhaus fielen. Das Münster wurde trotz fünfzig Einzelbränden im Dach von einem eigenen Münsterlöschtrupp gerettet, dank des 1880 eingesetzten Eisendachstuhls. Um das Laubwerk seiner Zugänge aus der Walfischgasse und Hirschstraße beraubt, ragt es wie ein kahler Stamm.

Potsdams historischer Baubestand, das Werk Schlüters, Schinkels und Knobelsdorffs, ging zu siebenundvierzig Prozent in den Abendstunden des 14. April 1945 verloren. Dazu benötigte Bomber Command fünfhundert Maschinen und 1700 Bombentonnen. Es war sein letzter Großangriff, mit einem imposanten Ziel und dem Ergebnis von fünftausend Toten, mehr als in den beiden Jahren 1940 und 1941 im ganzen Reich. Die Hof- und Garnisonkirche, Grablege Friedrichs II., verbrannte wie das Potsdamer Stadtschloß, Modell des preußischen Barocks.

In die strenge Vornehmheit ganzer Straßenzüge und Ensembles schlug der Bombenhammer, weil der Stein beseelt war. Die Baugestalt war ein Erzieher, der stumm belehrte über Schönheit und Form, Maß und Zweck. Auch die Bombe war Erzieher und richtete über Macht und Ohnmacht. Ohnmächtig ist ein Wehrloser ohne Berufungsinstanz. Unterliegt er, ist er Unterworfener. Der Unterwerfer kann nicht im Namen einer religiösen, rechtlichen, sittlichen Verbindlichkeit vorgeladen werden. Denn er ist die Religion, das Recht, die Sittlichkeit, iustus iudex ultionis. Er teilt seine Gewalt mit keiner Satzung, er ist der Gebieter des Gebotenen. Potsdam wurde zerstört, um den preußischen Militarismus geschichtlich zu annullieren.

England stand mit dem preußischen Militarismus oft und gern im Bunde, aber darauf kommt es hier nicht an. Es führte Krieg gegen den Ungeist. Der Ungeist ist ein äußerst schwieriges Ziel. Der Unmensch und seine Machtmittel besitzen Körperkonturen, Ungeist hingegen steckt in irgendeinem Gefäß. Wer es zerstört, hat ihn nicht unbedingt getroffen, er ist flexibel und kehrt woanders ein. Jedes Gefäß soll brechen, das dem Ungeist zu künftigem Aufenthalt taugt, damit kommt man ihm näher. Potsdams Ruin am 14. April ist ein Fall solcher Annäherung. Das mythische Gestein von Potsdam und Nürnberg wurde triumphal gekippt. Seine Einebnung sagte dem Angreifer etwas, der Gegner erbaute sich daran und nun nie mehr wieder.

Die Bombardierung von Gießen sagt dem Bombardierer gar nichts. Er feilt den 47 000-Einwohner-Ort in siebenundzwanzig Angriffen von September 1944 bis März 1945 nieder und stellt sich unter dieser hessischen Fachwerkstadt keinerlei Nazi-Schrein vor. Eine Kleinstadt im Bombenalltag, fortgekehrt, weil man Fortkehrer ist. Ein Drittel der zweihundertfünfzig Lancaster von Bomber Group Nr. 5 nimmt sich am 6. Dezember 1944 die Bahnanlagen vor, zwei Drittel bearbeiten die Altstadt, die kurze Zeit später verlorengeht.

Anders als das kunstvolle Antlitz Potsdams sind Fassadengesichter wie die Hirschapotheke mit dem skurrilen Eckerker, das altväterliche Professorenhaus, ein fensterreicher Kasten, der einst Pädagogium der Universität gewesen ist, ein Familienalbum. Nichts als diese Steine übermittelt die Trautheit der Ferne. Sie werden vorgefunden, umgemodelt, hinterlassen und setzen, neben die Lebensspanne, ein zweites Zeitmaß. Geschichte ist zweite Zeit. Der Stein gibt ihr Physis und Gliederung. Das aus dem 15. Jahrhundert stammende, auf kantige Säulen gestellte Rathaus mit verschieferten Renaissancegiebeln, das Alte Schloß am Brandplatz, die Burg der hessischen Landgrafen mit einem Bergfried aus dem 14. Jahrhundert, im 19. Jahrhundert Hofgericht, danach mit Renaissanceelementen umkleidet, das Burgmannenhaus von 1349, eines der ältesten Fachwerkhäuser Hessens, die klassizistische Alte Klinik von 1819, das Jugendstiltheater von 1907, sie kommunizieren Herkunft. Formen und Patina sind mitteilsam ohne alle Stilkunde. Sie erzeugen einen Klang. Diese Resonanz in den Steinen hat Bomber Command quer durch das Land beseitigt; sie fehlt.

Den beweglichen Kunstschätzen gaben abgelegene Baumonumente und Gesteinshöhlen Obdach. Ohne diese Evakuierungen hätte die in Papier, Holz und Leinwand gespeicherte Kulturgeschichte den Bombenkrieg nur in Resten überlebt. Was stationär und was transportabel war, ließ sich nicht ohne weiteres bestimmen. Die gotischen Plastiken an den Pfeilern im Hochchor des Kölner Doms waren dort nicht in der Vorstellung angebracht, vor dem Jüngsten Gericht den Platz zu wechseln. Diese zwanzig Zentner schweren, feinstmodellierten Figuren hielten sich nebst Baldachinen und Konsolen in alteingerosteten Verdübelungen, die ohne Bruch nicht zu lösen gingen. Die auf Holzstützen emporragenden Sandsackpackungen boten einen ebenso effektiven Splitterschutz wie eine effektive Brandgefahr. Die Bohlen durch entsprechend steile, massive Ummauerung zu ersetzen, ließ eine Überlastung des von Krypten und Gewölben unterhöhlten Bodens befürchten. Einen Dom kann man weder panzern noch abmontieren.

Die mächtigen Ausstattungsstücke des Barock, Orgelprospekte, haushohe Altaraufbauten, schwere Kanzeln und Gestühle, verweigern sich ebenfalls der Spedition. Was der Anbetung dient, ist fest wie das Firmament und sucht nicht Unterkunft. Die auf die Ewigkeit berechnete Verdübelung und Verzimmerung der Teile, die völlige Einrostung der im Mittelalter benutzten schweren Schmiedenägel in der Gerbsäure des alten Eichenholzes ließ meist nur den Ausbau einzelner Figuren und Flügelgemälde zu, während das Hauptgehäuse so unverrückbar blieb wie Säulen und Bögen. Ihre Standfestigkeit widersetzte sich auch dem Einmauern. Das Holz benötigt eine Luftzirkulation, doch rufen Luftlöcher in dem ummauerten Schutzraum eine Backofenwirkung hervor. Zudem fehlten Mannschaften und Fachleute, um kompliziertere Bergungen vorzunehmen. Die Einberufungen zur Waffe ließen einzelne, betagte Wächter an den Objekten zurück, nächtliche Lösch- und Transportaktionen in brennenden Kirchenflügeln lagen außerhalb des ihnen Möglichen. In Dortmund wiederum tauchte ein siebzigjähriger Kunsttischler bei der Petrikirche auf, der den flämischen Schnitzaltar trotz seiner hundert Zentner Gewicht abzubauen wußte. Bevor die Erste Ruhrschlacht ihn vernichten konnte, reiste er an eine entlegene Stelle im Wesertal, und das Glück wollte, daß die Zerstörung der Edertalsperre die Weser nicht überflutete. In der Petrikirche von 1353 hätte der Bombenvolltreffer, der die Nordwand des Chors und alle Gewölbe zerriß, das Werk zerstören müssen. Als die gefährdetsten Elemente galten die mittelalterlichen Kirchenglasmalereien. Sie zersprangen schon bei entferntem Bombeneinschlag. Am Kölner, Xantener und Altenberger Dom, wie in zahlreichen Stadt- und Dorfkirchen, trennten Glasmaler die alten Scheiben aus den Fassungen und verbrachten sie kistenverpackt in trockene Keller. Zuerst die mittelalterlichen, dann die der Renaissance. Für das Licht gemacht, liefen sie bei der geringsten Feuchtigkeit milchig an und zerfielen. Im gesamten Rheinland befand sich Mitte 1942 kaum noch ein altes Glas in seinem angestammten Rahmen.

Zur Auslagerung der Kunst waren zunächst entlegene Gegenden gesucht, freies Land, abseits von militärischen und kriegswirtschaftlichen Anlagen, weg von markanten Geländepunkten, möglichst nahe an Gebirgen und Waldkomplexen. Als Speicher eigneten sich einsame Burgen und Schlösser mit kräftigen Außenmauern und massiv gewölbten Räumen. Schlösser wurden mit der Wende zum Brandkrieg suspekt wegen ihrer enormen Dachmassen. Wasserburgen hingegen verfügten über fabelhafte Löschvorräte, doch schädigte die Feuchtigkeit der Tallage und der Luft die Deponate. Das Optimum, die Höhenburg auf Steilfelsen, läßt Bomben abgleiten und hat eine gute Luftzufuhr. Bedenklicher waren Sockelgeschosse größerer Heil- und Pflegeanstalten, weil heizungstemperierte Räume für Tafelbilder und Möbel, die zuvor in der Kälte existierten, unverträglich sind. Absolut ungeeignet sind Betonbunker wegen ihrer Schwitzwasserbildung.

Die Ausdehnung des Bombenkriegs in die ländlichen Quartiere zwang das Kulturgut weiter fort, in unterirdisches Gestein, in die Kasematten von Festungen, in Schächte und Stollen. Zur Not sind Menschen mit Nässe und stehender Luft zurechtgekommen; Teppiche, Gobelins, Malfarben, Papiere gewöhnen sich an kein solches Klima, sie verderben an Schimmel, Pilzen, Motten, Holzwurm, Fliegen. Gemälden, die jahrelang vom Tageslicht abgeschlossen sind, kommen Farben abhanden. Um Kunst in der Tiefe zu stapeln, braucht man kontrollierte Feuchtigkeit und Belüftung. Die Feste Ehrenbreitstein bei Koblenz war schon vor dem Krieg dazu hergerichtet, Archivgüter aufzunehmen, hinzu kamen Bestände der Berliner Museen. Ähnliche Dienste leisteten die unterirdischen Anlagen der Nürnberger Burg. Berlin beabsichtigte ursprünglich, eigene Tiefbunker für seinen unerschöpflichen Besitz anzulegen, folgte indes 1943 einem besseren Hinweis des Generaldirektors der Preußischen Staatsarchive. Als perfektes Reservat für bedrohte Kulturschätze bewährten sich stillgelegte Salz- und Kalibergwerke. Sie sind trocken, sauber, ziehen sich tief und kilometerweit. In Württemberg-Baden, in Österreich und im mitteldeutschen Kalidreieck zwischen Hannover und Magdeburg stand Fläche genug bereit.

Als erstes begann 1943 das Preußische Staatsarchiv, rechtzeitig zur Berlinschlacht, seine Papiere in das Salzbergwerk bei Staßfurth zu deponieren, gefolgt von den Berliner Museen. Die Stuttgarter Museen fanden unterirdische, ohne Abstützungen bombenfeste Riesensäle im Salz von Kochendorf. Nur die Einfuhrschächte und die Förderkörbe waren für Altarflügel nicht ausgelegt. Transportraum entsprechender Dimension besaßen in Bayern allein die Kulissenwagen der Bayerischen Staatstheater, das übliche Gefährt war der gutgefederte Möbelwagen. Speditionspersonal und Konservatoren räumten die Kulturlandschaft leer wie ein Abrißhaus, danach konnte der Bomber kommen. Bilder noch größeren Formats wurden vom Rahmen abgenommen, mit Seidenpapier verklebt und sorgsam auf große Holzrollen gewickelt.

Um etwaige Verluste zu begrenzen, werden die Sammlungen dezentralisiert. Keinesfalls dürfen alle Rubensgemälde miteinander unterkommen, ebensowenig zu viele Werke erster Qualität. Die wertvollsten Exemplare stehen immer am Ausgang. Ein zuverlässiger Wachbeamter wohnte möglichst Tür an Tür mit dem Fluchtgut, zählte es täglich durch, mischte die Stöße neu, damit Luft herankam, öffnete regelmäßig die Verpackungen, kontrollierte den Zustand und erstattete Bericht.

Sachverständige hatten die Kunst für zuwenig robust gehalten, den Wechsel an unzulängliche Lagerstätten zu überstehen. Auch die transportablen Teile waren ortsverbunden. In der Hast und Knappheit des Bombenkriegs gingen Tausende von Tonnen Kulturgut in Kähnen sowie pferde- und rinderbespannten Bauernfuhrwerken auf Fahrt, in Wolldecken gewickelt und lose zusammengeworfen. Verkehrsstockungen führten zu ganz unzuträglichen, zehrenden Aufenthalten. In fliehender Eile, notdürftig verhüllt, polternd auf unsicheren Wagen machte sich der mobile Kulturvorrat einer Nation auf den Weg in Einöde und Tiefe; die andere Wahl war Phosphor und Explosion. Diese Waffe unterteilt die Welt in Brennstoff und Nicht-Brennstoff. Menschen sind zum Brennen zu beweglich. Technik und Natur bieten zähe Widerstände. Eisenbahnen und Werkzeugmaschinen, Wälder und Ernten wollten nicht so wie Elektron-Thermitstab und Blockbuster. Die Kultur brennt besser als alles andere.

Die ältere Geschichte materialisierte sich in Stein und Papier, Holz, Glas, Textil, Leder, also Zunder. Stein ist ihr Schauplatz, Papier ihr Gedächtnis. In Frankfurt verbrannte ein Drittel des städtischen Archivgutes, nicht aber die Goldene Bulle von 1356, Deutschlands älteste geschriebene Reichsverfassung. Wäre sie verloren, ginge ihr Inhalt nicht verlustig. Dennoch ist die Urkunde sein Tresor und letzter Beweis. Bei der Überzahl der Urkunden weiß keiner, was sie enthalten. Familien hatten im Laufe der Generationen Bündel von Handschriften, Akten, Briefe, Bilder angehäuft. Das ihnen Wichtigste packten Leute oft in den Luftschutzkoffer. Die Kirchen, die Industrie, der Adel horteten Schriften und Verzeichnisse, die neben den staatlichen und örtlichen Archiven Aufschlüsse speicherten, die nie aufgeschlossen werden, doch mumifizierte Teile der Zeit sind. Der Kahlschlag des Brandkriegs in diese Zeugnisse ist unermeßlich.

Ihrem sicherbaren Teil, den öffentlichen und geheimen Archiven, war der Gedanke kriegsbedingter Räumung seit jeher geläufig. Akten sind Beute. Schon in der Hochsommerkrise 1938 hatten die linksrheinischen Institute die Verlagerung auserlesener Stücke beraten. Bei Herannahen feindlicher Streitkräfte würden politisch und historisch sensible Archivalien evakuiert. Gegen Gefahren aus der Luft war man durch Umlagerungen von den oberen Stockwerken gefeit. Gleich nach Kriegsbeginn kamen vorsorglich Kirchenbücher, Personenstandsregister und Behördenakten der jenseits des Westwalls gelegenen Gemeinden hinter die Linie. Nach dem Westsieg atmen die Ämter auf, dem Rheinland konnte nichts mehr passieren. Man bilanzierte die Erfahrungen der deutschen Archivare auf der Spur der großflächig verlagerten französischen Bestände. Die Schäden schreckten ab, das Gut soll den Hort nicht verlassen, der fachmännische Vorbehalt vor obhutloser Zerstreuung bestätigte sich einmal mehr. Gegen Bombengefahr half allein die Wappnung der Magazine.

Das moderne Archivgebäude bietet die meiste Sicherheit, das blieb auch nach dem Lübeckangriff die Devise: Fenster zumauern, Splitterschutzwände einziehen, Treppen umkleiden, Wachmänner aufstellen, Großräume mit Brandmauern aufteilen, feuersichere Türen einbauen und die rostartige, kaminbildende Aufgliederung der Fußböden beheben.

Der größere Reichsteil wußte sich von Einflügen unbehelligt, und nur die argwöhnischsten Köpfe klagten, daß man den heraufziehenden Zerstörungsgewalten nicht durch Improvisationen inmitten des Geschehens würde trotzen können. Man war nicht vorbereitet. Doch hätte keine bauliche Vorbereitung den Druck der Schock- und Brandwogen ausgehalten. Selbst Archivmagazine aus Stahl und Beton konnten nicht Papier vor Feuer schützen. In Panzerschränke geschlossen, wird es nur geröstet und verkohlt. Selbst die Tresore der Reichsbank in der Berliner Münze hielten keine Volltreffer aus, dazu waren sie nicht konstruiert, eingelagerte Museumsstücke wurden glatt zerschlagen. Der Kellertresor des Reichswirtschaftsministeriums wiederum hielt stand, obwohl das massive Gebäude vom Dach bis zum Keller abbrannte, eine meterhohe Aufschüttung vermochte den Katalog der Preußischen Staatsbibliothek zu konservieren. Ein Banktresor in der Gießener Innenstadt barg eine Kostbarkeit der Stadt, die ›Gießener Papyri‹ der Universitätsbibliothek, darunter ein Pergament mit einem Stück gotischer Bibelübersetzung, der ältesten in Deutschland. Durch einen nahen Bombeneinschlag erhielt der Tresor einen Riß, durch den Riß drang Grundwasser, das den Papyri schweren Schaden zufügte.

Am 3. September 1942 wurde die Landesbibliothek Karlsruhe getroffen und verlor bis auf fünftausend alle ihrer dreihundertsechzigtausend Bände. Die Zweifler sahen sich bestätigt, Bomben brachten Totalschäden zustande. Die durchweg in größeren Städten angesiedelten Archive schwebten in ungeheurer Gefahr, der vorderhand nur das Zertrennen des Guts vorbeugte. In Ausweichstellen im Sprengel verteilt, mochten die normalen Risiken, in Bodenkämpfe hineinzugeraten, dahinstehen. Das Problem kam erst 1945.

Nach der Nacht zum 9. März 1943, dem dritten Großangriff auf Nürnberg, resümierte das Bayerische Staatsarchiv, »nur Bergen kann unsere Bestände retten«. Am 15. März, noch waren keine schweren Verluste eingetreten, erließ der ›Kommissar für den Archivschutz‹, Generaldirektor Zipfel von dem federführenden Reichsarchiv Potsdam, den Aufruf zur behutsamen Räumung. Acht Monate später trat der erste massive Schaden im Staatsarchiv Hannover auf, das alte Kernbestände und sämtliche Findbücher verlor, die Schlüssel zu den Archivalien. Von nun an standen die Institute im Wettlauf mit dem nahenden Verhängnis.

Bis zum März 1943 hatte das Geheime Staatsarchiv in Berlin 8,5 Prozent seiner riesigen Bestände ausquartiert. Das sechste, oberste Magazingeschoß war leer. Mit dem Beginn der Großangriffe der Berlin-Schlacht war das fünfte Geschoß evakuiert. Verbissen und atemlos, in Erwartung des Feuers, räumten die Archivare nun Stockwerk drei und vier. Am 29. Dezember schlug die Bombe ein, fand aber nur einen verlassenen Magazinteil vor. Die Trümmerberge erschwerten nur noch den Abtransport. Sechzig herangezogene Schüler ließen keine Pausen aufkommen. Den befürchteten Volltreffer erlitt das mächtige Gebäude am 15. Februar 1944; seine oberen Trakte wurden hinweggesprengt. Archivalien waren darin nicht mehr enthalten. Achtundvierzig Prozent des Gesamtbestandes lagerten woanders. Als Asyle dienten abseits gelegene Schlösser, Klöster, Gutshäuser, Förstereien, Wassertürme, Kirchen, Pfarreien, Schulen, Felsenstollen, Weinkeller, Bergwerke, Festungsanlagen.

Der Kommissar für den Archivschutz verlagerte die staatlichen wie die städtischen Reservoire und beriet die kleinen, nicht-staatlichen Sammlungen. Das Heer und die Kirchen bargen ihre Überlieferungen in eigener Regie, letztere mit gutem Erfolg. Vom Frühjahr 1944 an lief ein Bergungsfieber um. Es erfaßte auch die Klein- und Mittelstädte und erzeugte groteske Engpässe an Kistenholz, Bindfäden, Säcken, dazu die alltägliche Drängelei um Transportraum und Treibstoff. Nach Stand 1. Juni 1944 hatten von sechsundneunzig vom Kommissar für den Archivschutz betreuten Archiven siebenundzwanzig ihre Gesamtbestände zu achtzig bis neunzig Prozent in Sicherheit gebracht und dreiundfünfzig zur Hälfte. Bis zum November 1944 waren zweieinviertel Millionen Urkunden, eine halbe Million Handschriften und Amtsbücher sowie eindreiviertel Millionen Aktenpakete ausgelagert. Zu der Zeit verfügten die Archive über durchschnittlich vier, fünf Angestellte. Als die Unterbringung in die abgeschiedenen Plätze halbwegs gelungen war, gab es keine Abgeschiedenheit mehr in Deutschland. Bei der Zerstörung des schwäbischen Löwenstein in den Löwensteiner Bergen etwa verbrannte das Stuttgarter Stadtarchiv. An der Schwelle der Bodenoffensive an zwei Fronten kam jedes Gelände als Kampfgebiet in Frage. Die Vorbehandlung in der Verkehrsoffensive erzwang die Umverlagerung unter die Erde, in Fels, Salz und Kali. Die von der Ostfront in das Staatsarchiv Marburg verbrachten Archivalien wurden weiterverladen in das Salzbergwerk Grasleben bei Helmstedt. In sieben Bahnwaggons kehrte dort auch das Staatsarchiv Königsberg ein mit den Papieren des Deutschen Ordens und der Herzöge von Preußen. Dem gesellte sich in fünf Waggons das Reichsarchiv Danzig hinzu, das zuvor in der Marienburg und auf dem Bismarckschen Gut Varzin untergekommen war. Im Februar 1945 rief das Geheime Staatsarchiv Berlin seinen Besitz aus dem frontnahen Lübben zurück, und transportierte es in einen Schacht bei Schönebeck an der Elbe. Die in Südostdeutschland beheimateten Archive wechselten von ihren Ausweichstellen tief im Burgenland und in der Steiermark in die Höhlen des Salzkammerguts. Westdeutsche Preußenarchive von Kiel bis Wiesbaden retteten sich in den letzten Monaten in die Salzstöcke Grasleben und Salzdetfurth, süddeutsche Bestände verbargen sich im Bergwerk von Kochendorf bei Heilbronn. Im Dezember 1944 begann der Auszug aus der größten Bergungsstelle, der Feste Ehrenbreitstein. Hier lagerten Handschriften, Kaiser-, Königs- und Papsturkunden, Kopiare, Weistümer, Urbare, die nun quer durch Eisenbahnsperren und auf Lastkähnen nach Salzdetfurth und Grasleben gelangten. In den Hainer Hüttenstollen bei Siegen, seit August 1944 beheizt, belüftet und feuchtigkeitsreguliert, lagerten die Gebeine Karls des Großen, die Domschätze aus Aachen, Essen und Trier; stellenweise war die Stollendecke erhöht worden, damit die Fahnen des Hohenzollernheeres aus dem Ehrenmal von Tannenberg Platz fanden. Wegen Luftgefahr konnte der Fahnentransport nicht mehr stattfinden.

Etwa die Hälfte der deutschen Archivalien war dem Brandkrieg entzogen, die andere Hälfte ihm ausgesetzt, davon sind vier Fünftel verbrannt. Zusammen mit dem deutschen Heer ging im April 1945 das Heeresarchiv in Potsdam unter, mit sämtlichen Akten zu den Kriegen von 1864, 1866, 1870/71 und den beiden Weltkriegen. Der Würzburgangriff im März 1945 löschte die im Schloß aufbewahrten Akten des Kurfürstentums Mainz und des Fürstbistums Würzburg aus. Im Darmstädter Feuersturm blieben die Unterlagen der hessischen Zentralbehörden des 19. und 20. Jahrhunderts. München verlor die Archivalien des Finanz-, Justiz- und Kulturministeriums zur bayerischen Geschichte sowie zwanzigtausend Aktenbündel zum bayerischen Heer, Hannover fast alle Bestände zur Geschichte des Königreichs Hannover im 19. Jahrhundert, die meisten Urkunden, darunter den letzten Papyrus der Welt, eine Papsturkunde von 1026 für das Hochstift Hildesheim. Im Preußischen Geheimen Staatsarchiv Berlin fehlt ein Großteil der Akten der brandenburgisch-preußischen Geschichte. Im Mittellandkanal versank ein Lastkahn mit Akten niederrheinischer Archive, die fünf Monate unter Wasser blieben. Der Augsburger Handelsverein blieb ebenso ohne seine Archive zurück wie das bischöfliche Archiv von Osnabrück. Dortmund büßte drei Viertel des Stadtarchivs ein. Schwere Verluste erlitt das Werksarchiv Friedrich Krupp; das evangelische Pfarrarchiv in Bochum-Langendreer verbrannte ebenso wie das katholische Pfarrarchiv in Dinslaken und so fort.

München Ruhm als Kunststadt begründete Albrecht V. (1550–1579). Er nahm Johann Jacob Fugger in seine Dienste, der mit zwei Bibliothekaren, einem Belgier und einem Italiener, nach München siedelte. Fuggers Büchersammlung bestand zum Großteil aus Handschriften und vor 1500 erschienenen Büchern, die später Inkunabeln hießen, Wiegendrucke. Vierzigtausend Titel sind überliefert, die wiedergeben, was das späte Mittelalter für lesens- und bedenkenswert hielt. Die Werke wurden in zweihundert Exemplaren aufgelegt, und es sind davon etwa eine halbe Million Exemplare erhalten.

Die Drucker wollten den Fortschritt der Buchkunst gar nicht dartun, sondern imitierten den Schriftcharakter und den Schmuck der gemalten Handschrift. Anfangs zeichnet ein Rubrikator den Druck mit Kapitel- und Seitenüberschriften oder Initialen aus. Holz- und Metallschnitte illustrieren den Text. Die verwendeten Lettern, besonders die gotischen, sind mannigfaltig und folgen dem Geschmack des Herstellers. Druckort, Jahr und Namen setzt er wie der Handschreiber gern in eine Schlußschrift ein, das Kolophon. Die Wiegendrucke wurden seit 1904 inventarisiert, seit 1925 erscheint der Gesamtkatalog der Wiegendrucke. Ein erstes Typenrepertorium ist zwischen 1905 und 1924 in fünf Bänden publiziert, so daß unfirmierte Wiegendrucke ihren Meisterwerkstätten zugeordnet werden konnten. Die Überzahl der Wiegendrucke verwahrten die öffentlichen Bibliotheken.

Johann Jacob Fugger legte in München den Grundstock der Hofbibliothek, die Kurfürst Maximilian I., ein Freund der Historiographie, von einer Sammlung in eine Quelle der Gelehrsamkeit verwandelte, einen Aufbewahrungsort für das Wissen der Zeit und der Zeiten. Dazu braucht es einen Gesamtkatalog. Maximilian befahl den Klöstern des Landes, den ältesten Studienstätten, eine Beschreibung ihrer Handschriften einzureichen, damit ein Generalindex aller seiner Bibliotheken entstünde. Ab 1663 galt, daß jedes in Bayern oder von einem bayerischen Autor gedruckte Buch mit einem Exemplar in der Hofbibliothek vertreten war. So besaß sie um 1800 etwa hunderttausend Bände. Drei Jahre später wurden die Klöster aufgehoben, ihr Buch- und Handschriftenbesitz fuhrwerkweise nach München geschafft, das alsbald auch die Bestände der zuvor reichsunmittelbaren, nun Bayern zugehörigen Städte an sich zog. So kam der größte Bücherhort deutscher Sprache zustande.

Im 18. Jahrhundert residierte die Hofbibliothek in vierundzwanzig Zimmern des Fuggerschen Palais. Als die Zugänge die

Millionengrenze überschritten, wurde der Typus der Saalbibliothek aufgegeben zugunsten der Magazinierung in einem neuen Monumentalbau an der Ludwigstraße. Die ersten neun Bombenangriffe auf München überstand er schadlos. In der Nacht zum Mittwoch, dem 10. März, warf Bomber Command siebzigtausend Brandbomben. Der Angriff begann gegen Mitternacht, die Wachmannschaften patrouillierten den Dachspeicher und entfernten geradezu exerziermäßig etwa dreißig Elektron-Thermitstäbe. Währenddessen kam die Nachricht, daß im Mittelbau ein Großfeuer ausgebrochen sei. Man mochte es nicht begreifen, denn Beobachter waren zwei Minuten zuvor entlanggegangen, seitdem hatte sich dort ein Feuerherd von fünfzehn Meter Breite entwikkelt. Kurz danach stand der ganze Trakt in Flammen. Die Hitzesäule sprengte das Glasdach in die Luft, ein Kamin tat sich auf, und eine fünfzig Meter hohe Stichflamme schoß in den Nachthimmel. Das war das Werk von Flüssigkeitsbrandbomben an der verwundbarsten Stelle, wo altmodische Holzstrukturen und das Glasdach einen Großbrand schlechterdings einluden.

Ein kräftiger Südwestwind bog die Flammen des Mittelbaus zum Nordostflügel. Das halbe Dutzend Verteidiger setzte nun alle Kraft daran, zwischen den zwei Flügeln des Baus eine Verbindungslinie offenzuhalten und den Nordosttrakt vom Feuer abzuriegeln. Dazu jedoch mußten der in der Achse des Gebäudes gelegene Theologiesaal und seine kostbare Bibelsammlung geopfert werden. Um ein Uhr nachts traf vom Nationaltheater der erste Löschzug ein. Das Personal wies den Feuerwerkern die Wege durch das Labyrinth der Treppen und Gänge und wandte sich nunmehr der Bücherbergung zu.

Von zwei Uhr nachts an sammelte sich eine wachsende Schar von Zivil und Militär bei der Staatsbibliothek, in den Morgenstunden waren es tausend Personen. Dank dieser Truppe gelang die Ausquartierung der Handschriften und Inkunabeln der Musiksammlung und des Katalogs. Bergungsort war die benachbarte Ludwigskirche. In den Frühstunden schien der Brand gesättigt. Das Licht dämmerte noch nicht. Den Innenhof durchzog ein Gewirr von Schläuchen, Pumpen, Leitungen, die ins Gebäude führten und die Stockwerke hinaufkrochen. Die Flamme wurde leben dig, bäumte sich auf, wandte sich gegen den Nordwestbau und vertilgte den gesamten ersten Stock. Der Mittelteil qualmte noch, schwarze Rauchschwaden jagten über den Hof, grell leuchtete die Fackel des Nordwestflügels. Von der Ludwigstraße aus streckte sich die lodernde Bibliothek gegen den dunklen Himmel. Der Südwind nahm zu, fegte die Breite hinunter, packte brennende und glimmende Bücherfetzen, ein Schneegestöber glühender Papierteile trieb durch die Luft. In der Tiefe der Straße, zwischen Bibliothek und St. Ludwig, huschten die Bücherträger, hatten die Arme voll und mußten achtgeben, daß die Kleider sich nicht entzündeten. Im dämmrigen Seitenschiff der Kirche, in Nischen und Altären, wuchs das Gebirge geretteter Bände. Gegen acht Uhr legte das Feuer sich ein zweites Mal, täuschte aber wieder die Löschkräfte. In einem Doppelboden hatte sich ein unbemerkter Herd eingenistet, flackerte am Nachmittag auf, packte jählings zwei Säle im zweiten Stock Nordwest und verschlang die für sicher gehaltenen Bestände über außereuropäische Geographie und die Nordamerikasammlung.

Die letzte Glut erlosch nach vier Wochen. Im Innenhof türmten sich fünfunddreißigtausend Kubikmeter Schutt bis zum ersten Stockwerk. Die Bayerische Staatsbibliothek verlor in der Nacht zum 10. März eine halbe Million Bücher, dreiundzwanzig Prozent des Gesamtbestandes. Betroffen waren die klassische Philologie, die Altertums- und Kunstwissenschaft, die Theologie, die außereuropäische Landeskunde. Unersetzlich war die vollständige Sammlung der Academica, die Publikationen der Akademien und gelehrten Gesellschaften. Der Gesamtverlust kommt dem des Brandes der Bibliothek von Alexandria im dritten Jahrhundert gleich. Vier Monate später bereits gingen in der Staats- und Universitätsbibliothek Hamburg 625 000 Bände zugrunde. Noch nie in der Menschheitsgeschichte hatten so viele Bücher gebrannt.

Am 28. August 1939 schon verbrachte die Universitätsbibliothek Heidelberg die Manessische Liederhandschrift ostwärts nach Erlangen im Inneren Frankens, einen für sehr sicher gehaltenen Ort. Das sollte sich ändern, und die Heidelberger Deponate flohen aus den Erlanger Kellern tiefer hinab in den gewachsenen Fels unter der Nürnberger Burg. Die Preußische Staatsbibliothek

Berlin vertraute ihre Schätze den Tresorgewölben des benachbarten Reichswirtschaftsministeriums an, hielt aber ihren Betrieb bis in das Jahr 1944 aufrecht. Danach erst begab sich der gesamte Bestand auf die Flucht. Eindreiviertel Millionen Bände barg ein Kalibergwerk an der Werra, weitere Teile nahmen das Stift Tepl in der Tschechei und der Salzschacht bei Schönebeck an der Elbe auf. Dreihundert Tonnen Bücher wurden, lose auf Spreekähne gepackt, in Richtung Süd- und Westdeutschland geschickt und dabei sechsmal umgeladen. Die bittersten Verluste trafen die Berliner Inkunabeln-Abteilung, sie büßte mit zweitausendeinhundertfünfzig Exemplaren den größten Teil ihres Bestandes ein, die Orientabteilung ging unter.

Von den vierzig Millionen Bänden in den wissenschaftlichen Bibliotheken Deutschlands befanden sich im Krieg dreißig Millionen auf der Flucht. Sie nahmen dieselben Wege wie die Archivalien. Handschriften und Inkunabeln bargen sich zunächst in Tiefgeschossen. Als am 9. September 1941 die Landesbibliothek Kassel mit dreihundertfünfzigtausend Bänden abbrannte, führte der Weg der Bücher in Felsenkeller von Brauereien, Rittergüter, Gebirgsschlösser oder zurück in die Klöster. Leipzig eröffnete ein Depot im Völkerschlachtdenkmal. Das Unglück traf die Universitätsbibliothek Heidelberg, die fünfzig Tonnen nach Schloß Mentzingen bei Bruchsal evakuiert hatte, das Jagdbomber in Brand schossen. Das Heidelberger Stammhaus blieb völlig unbeschädigt. Die Sächsische Landesbibliothek Dresden verlor am Bergungsort die mathematischen Handschriften Albrecht Dürers und die Partitur der Bachschen h-moll-Messe durch einen Wasserrohrbruch.

Zur letzten Station in die Erde fuhren Kohlen- und Obstkähne, Lastautos und – für die Preziosen – Personenwagen mit Handgepäck. Salinen und Kalibergwerke boten die günstigste Luft, Sandsteinhöhlen erwiesen sich als zu feucht. Der Deutschen Morgenländischen Gesellschaft in Halle verdarb dort die Hälfte ihres Besitzes. In den Salzstollen lagen Bücherkisten in vorgeschriebenen Maßen kilometerlang. Als sämtliches Kistenholz verbraucht war, wurde gestapelt bis in Reichhöhe, notdürftig bedeckt mit Leintüchern, Zeltplanen, Packpapier oder unbedeckt. Die Bücher benötigten aber Ölpapier, das den tückischen Salzstaub fernhielt.

Nach Rückholung ans Licht saugten die hygroskopischen Partikel Feuchtigkeit an und verschmierten. Erst eine aufwendige Restauration machte die Bücher wieder lesbar. Schon der Abtransport unverpackter Bestände zeitigte Schäden. Bei eiliger Verladung in Kähne fielen Bände ins Wasser, sie rutschten aus Bahnwaggons, von denen manche unterwegs komplett verschollen gingen. In feuchter Lagerung wucherte Schimmel, anderswo wütete der Mäusefraß.

Um das Risiko zu senken, verteilten die Institute ihren Bestand auf mehrere Unterkünfte, die Universitätsbibliothek Freiburg auf elf. Dreiundzwanzig Kisten mit Handschriften und Inkunabeln nahm das Amtsgefängnis Pfullendorf auf, achtzigtausend Bände verwahrte das Benediktinerkloster St. Trutpert im Münstertal. Der Hirzbergstollen am Ostrand der Stadt, ein weit in den Fels geschlagenes, geheiztes und betoniertes Verlies, nahm die Inkunabeln, als dem Amtsgefängnis mißtraut wurde. Der Stollen wiederum mußte an Militärdienststellen abgegeben werden, und die Inkunabeln suchten das Weite in den Hochschwarzwald. In der Malztenne der Staatsbrauerei Rothaus stand ein tief im Boden angelegter Keller bereit, der die Wiegendrucke wohl behütete. Die vor 1933 schon aufgegebene Synagoge in Sulzburg schützte dreißigtausend Bände, naturwissenschaftliche und medizinische Zeitschriften.

Freiburg erlitt als größten Schaden einen abreibbaren Schimmel auf den dreißigtausend Bänden der Abteilung Dogmatik und Pastoraltheologie in einer Malzfabrik bei Lahr. Bombenvolltreffer im Erzbischöflichen Ordinariat Freiburg und in der Löwenbrauerei mit ihrem acht Meter unter der Straße liegenden Keller warfen die Gestelle mit sechshundert theologischen Wiegendrukken sowie den Abteilungen Archäologie, Musik und Angloamerikanische Literatur zu Boden, verursachte jedoch nicht mehr als Unordnung.

Die an ihrem Ort verbliebenen Bücher sind größtenteils verbrannt. Die Deutsche Bücherei Leipzig, die 1,6 Millionen Bände auf zehn Plätzen im Erzgebirge und im Unstruttal verlagerte, behielt vierhunderttausend in ihren Kellergängen, wo sie am 4. Dezember 1943 verbrannten. Ganz auf ihr Glück vertrauend, verlor die Universitätsbibliothek in Gießen am 11. Dezember 1944 neun Zehntel ihres Bestandes, der fünfhundertzwanzigtausend Bände und dreihunderttausend Dissertationen umfaßte. Die Kataloge blieben erhalten. Münster, das zu spät evakuierte, büßte zwei Drittel des Universitätsbestandes ein, dreihundertsechzigtausend Titel. Ohne die Massenflucht der Bücher wären nicht viele davon in Deutschland erhalten geblieben. Selbst bei allen Mühen überstanden von den dreieinhalb Millionen Bänden der hessischen Bibliotheken zwei Millionen nicht den Anschlag. Die Zahl der verlorenen Bände aus öffentlichem Besitz liegt bei acht Millionen, die Privatverluste sind nicht beziffert. Der Brandkrieg hat sich des Papiers nicht so bemächtigt, wie seine Brennbarkeit nahelegt, auch wenn er mehr davon ausgetilgt hat als alle Zeit davor zusammen. Doch wird das Papier sich seiner bemächtigen, es hat längeren Atem als das Feuer.

Anhang

Editorial

Über den Bombenkrieg ist viel geschrieben worden, seit langem aber nichts über seine Leideform. Die Städte haben dazu in den vergangenen fünfzig Jahren Chroniken mit Zahlen und Zeugnissen veröffentlicht, die selten wissenschaftlichen Standards entsprechen. Der Verfasser hat sich der Aktenquellen und mit Vorsicht auch dieser Publikationen bedient. Es wäre ein öffentliches Projekt, den Bestand der Stadtarchive kritisch zu sichten und die Geschichte der Bombardierung der deutschen Städte zu rekonstruieren. Bisher besteht nicht einmal eine zuverlässige Schätzung der Opferzahl. Die vierstelligen Angaben zu Pforzheim und Swinemünde etwa reihen die Geschehnisse dort zu den großen Tragödien des Zweiten Weltkriegs, sind aber in der Historiographie schlechterdings nicht vorhanden. Eine Überprüfung der bisherigen Statistik ist ein zwingendes Desiderat. Auch zeigen die besten vorhandenen Aufzeichnungen von Zeitzeugnissen, diejenigen, die Anneliese Barbara Baum Mitte bis Ende der achtziger Jahre für die Bonner Luftangriffe hergestellt hat, wie viel im Gedächtnis der Erlebnisgeneration aufbewahrt liegt. Diese Kunde sollte umgehend festgehalten werden.

In Teilbereichen beruht unsere Kenntnis vom Bombenkrieg auf der Leistung von Historikern, die ein Forscherleben daran gesetzt haben, insbesondere seien Horst Boog und Olaf Groehler genannt. Der Verfasser weiß sich ihrem Werk verpflichtet. Als einen wissenschaftlichen Gipfel sieht er die große, 1988 vorgelegte Dokumentation von Hartwig Beseler und Niels Gutschow an, *Kriegsschicksale Deutscher Architektur*. Sie ist auf das Gebiet der damaligen Bundesrepublik beschränkt und wird ergänzt durch das Werk einer DDR-Autorengruppe *Schicksale Deutscher Baudenkmale im Zweiten Weltkrieg* aus dem Jahr 1980.

Der angloamerikanische Teil des Strategischen Luftkriegs ist vorzüglich dokumentiert in den offiziellen Geschichtswerken von Webster und Frankland, Craven und Cate, dem United States Strategic Bombing Survey und in einem ununterbrochenen Fluss solider Monographien.

Gedankt sei schließlich den Mitarbeitern, Förderern und Institutionen, welche die vorliegende Arbeit ermöglichten. Sie wurde lektoriert von Gisela Hidde, assistiert von Sylvia Rebbelmund und verlegerisch betreut von Christian Seeger. Die Großzügigkeit der Senatsbibliothek Berlin, der Bibliothek der Akademie der Bundeswehr in Strausberg, des Bundesarchivs Berlin, und des Militärarchivs Freiburg hat die Wege zur Quellenbasis geebnet.

Quellen

Waffe

13 *Die Pathfindergruppe:* Krüger, Die Geschichte der Bombenangriffe auf Wuppertal, S. 41 f.

15 *Waldschlößchen in der Hardt:* Folgende Zitate aus Pogt (Hrsg.), Vor fünfzig Jahren.

Den Keller erreichten: Ebd., S. 47.

16 *Krypta einer Kirche:* Ebd., S. 156 ff.

19 *Erstmals in meinem Leben:* Ebd., S. 89.

Es hieß: da sechs Tote: Ebd., S. 137.

20 *Gefallenenliste der Friedhofsverwaltung:* Ebd., S. 118.

21 *Als Brandingenieure aus Feuerwehrdiensten:* James K. McElroy, »The Work of the Fire Protection Engineers in Planning Fire Attacks«, in: Bond (Hrsg.), Fire and the Air War, S. 122–134.

22 *Mehr als 800 000 Stück:* MacBean/Hogben, Bombs Gone, S. 135.

68 000 Stück: Ebd., S. 135.

28 *2,7 Millionen Tonnen Bomben:* United States Strategic Bombing Survey, Bd. I, S. 2.

29 *1481 Nächten:* Middlebrook/Everitt, The Bomber Command War Diaries, S. 707.

35 *The Bombers' Baedeker:* Vogt/Brenne, Krefeld im Luftkrieg, S. 182 ff.

38 *Bei Krupp brannte einmal ein Feuer:* Middlebrook/Everitt, The Bomber Command War Diaries, S. 240–256.

44 *Anfang 1942:* Zahlenangaben vgl. ebd., S. 241, sowie The Strategic Air War Against Germany, Report of the British Bombing Survey Unit, London 1998, S. 40 ff.

45 *Wie Indianer um einen Treckwagen:* Middlebrook, The Schweinfurt-Regensburg Mission, S. 243.

Amerikaner fabrizierten zwischen 1942 und 1944: The Strategic Air War Against Germany, S. 36.

125 000 Mann fliegendes Personal: Middlebrook/Everitt, The Bomber Command War Diaries, S. 708.

46 *Achtung, Achtung!:* Price, Herrschaft über die Nacht, S. 219 f.

49 *Gegen einen Jägerangriff:* Crane, Bombs, Cities and Civilians, S. 57.

50 *Wie von einem Ziegelstein:* Middlebrook, The Schweinfurt-Regensburg Mission, S. 228.

51 *Einer Riesenhand:* Middlebrook, The Berlin Raids R.A.F. Bomber Command, S. 58.

52 *Dunklen Landweg:* Ebd., S. 80.

53 *Siebenmeilenstiefeln.* Cooper, Air Battle of the Ruhr, S. 108.

54 *Dein winziger Schutzraum:* Crane, Bombs, Cities and Civilians, S. 61.
   Das fürchterlichste Erlebnis: Middlebrook, The Berlin Raids R.A.F. Bomber Command, S. 26.
   Wing Commander Burnside: Cooper, Air Battle of the Ruhr, S. 44 f.

57 *Zu diesem Zeitpunkt:* Garrett, Ethics and Airpower in World War II, S. 81.

58 *Die Bombermannschaften hegten Untersuchungen nach:* Crane, Bombs, Cities and Civilians, S. 58.
   Wem gegenüber hätten wir Zweifel äußern: Garrett, Ethics and Airpower in World War II, S. 82.

Strategie

63 *Angaben variieren:* Hampe, Der zivile Luftschutz, S. 14; Groehler, Bombenkrieg, S. 316 ff.

64 *Die Sprengbombe ist die Wegbereiterin:* »Beobachtung von Bombenwirkung in Warschau«, BA-MA RL 4, 335, S. 188; Zitat S. 199 f.
   Die Schlacht von 1919: Churchill, Thoughts and Adventures.

64 *Zum ersten Mal bietet sich:* Ebd.

65 *Deutsche Zeppeline:* Terraine, The Right of the Line, S. 9 f.
   London wurde Sonnabendnacht: Colville, Downing Street Tagebücher, S. 168. Zahlenangabe Maschinen irrig.

66 *Er verlangte:* Irving, Churchill, S. 347, dort zitiert nach PRO, AIR 14/775.
   Das wahllose Bombardieren: Ebd.
   Feindliche Flugzeuge über Berlin: Fröhlich (Hrsg.), Die Tagebücher von Joseph Goebbels, Bd. 4, S. 296.

67 *Im Verlauf der Augustschlacht:* Liddell Hart, Geschichte des Zweiten Weltkriegs, S. 139.

68 *Streitkräfte anzugreifen:* Hays Parks, in: Boog (Hrsg.), Luftkriegführung im Zweiten Weltkrieg, S. 239.

69 *Ganz Berlin in Aufruhr:* Fröhlich (Hrsg.), Die Tagebücher von Joseph Goebbels, Bd. 4, S. 296.

Will ich, daß Sie sie hart treffen: Irving, Churchill, S. 348.

In der Zeit, da Berlin bombardiert wird: Fröhlich (Hrsg.), Die Tagebücher von Joseph Goebbels, Bd. 4, S. 301.

70 *Hitler im Sportpalast:* Domarus (Hrsg.), Hitler, Bd. 3, S. 1580.

71 *Der deutsche Militärattaché:* Groehler, Geschichte des Luftkriegs, S. 264, 271.

Goering vor Angriffsbeginn: Irving, Die Tragödie der deutschen Luftwaffe, S. 164.

Ob England kapituliere?: Fröhlich (Hrsg.), Die Tagebücher von Joseph Goebbels, Bd. 4, S. 318.

Hauptangriffsziel ist: Ebd., S. 320.

72 *Die Engländer machen Fehler:* Ebd., S. 320.

Nach und nach ein Karthagoschicksal: Ebd., S. 363.

Entsetzte Schreie: Ebd., S. 367.

Da ist eine Stadt: Ebd., S. 402.

Dieser Fall erregt in der ganzen Welt: Ebd., S. 402.

73 *Die lügen und wir auch:* Boberach (Hrsg.), Meldungen, Bd. V, S. 1647.

Die Volksgenossen sind erstaunt: Ebd., S. 1739.

74 *Unter diesen Umständen:* Saundby, Air Bombardement, S. 96. Zahlenangaben über eingesetzte Maschinen irrig.

74 *Captain Liddell Hart:* Liddell Hart, Geschichte des Zweiten Weltkriegs, Bd. I, S. 142.

In Amerika befürworteten 7,7 Prozent: Hillgruber, Hitlers Strategie, S. 96.

75 *Duchess of Richmond:* Clark, The Rise of the Boffins, S. 86 f.

Tizard ... in Belgisch-Kongo: Ebd., S. 66.

Ein gewaltiges Feuer: Colville, Downing Street Tagebücher, S. 145 f.

Im letzten Krieg: Ebd., S. 145.

76 *Die Moral eines Großteils:* Terraine, The Right of the Line, S. 261.

77 *Aber es gibt eine Sache:* Ebd., S. 259.

80 *Trenchard im Mai 1941 an ... Portal:* Ebd., S. 263 f.

81 *Die Moral der Zivilbevölkerung:* Webster/Frankland, Strategic Air Offensive, Bd. V, S. 135 ff.

82 *Knapp 70 Millionen Hunnen:* Garrett, Ethics and Airpower, S. 91.

Butt-Report: Webster/Frankland, The Strategic Air Offensive Against Germany, Bd. IV, S. 205 f.

83 *Auslöschung des Widerstandswillens der Deutschen:* Boog, Das deutsche Reich und der Zweite Weltkrieg, Bd. VI, S. 471.

85 *Es ist entschieden:* Webster/Frankland, The Strategic Air Offensive Against Germany, Bd. I, S. 324.

Erreicht werden durch Brand: Harris, Bomber Offensive.

86 *Mehr wie ein Feueranzünder:* Terraine, The Right of the Line, S. 476.

88 *Einer Feuerprobe unterworfen:* Dokumente deutscher Kriegsschäden, 2. Beiheft, S. 105.

89 *Vorankündigung dessen:* Ebd., S. 94.

90 *Nahezu jede Wohnung:* Gilbert, Second World War, S. 352.

   25 Millionen Deutsche: Terraine, The Right of the Line, S. 505 f.

91 *Mit einem Instrument:* zit. nach Rumpf, »Bomber Harris«.

92 *6800 auf 100 000 Zivilisten:* BA R19/34a, Bl. 4L 134; United States Strategic Bombing Survey, Bd. II, Civilian Defense Division, S. 3 f.

93 *Point-Blank-Direktive:* Verrier, Bomberoffensive, S. 324.

94 *Dänische Handels- und Schiffahrtszeitung:* Dokumente deutscher Kriegsschäden, 2. Beiheft, S. 153.

   125 Spreng- und 20 000 Brandbomben/einen Volltreffer: Krüger, »Die Luftangriffe auf Essen 1940–1945«, *Essener Beiträge,* S. 262, 275 f.

95 *Das ganze Duisburger Gebiet:* Cooper, Air Battle of the Ruhr, S. 55.

96 *Die Ziele des Bomberkommandos:* Hastings, Bomber Command, S. 202.

   Vizepremier Clement Attlee: Ebd., S. 202.

   14 000 Häusern Remscheids: Hasenclever, Die Zerstörung der Stadt Remscheid.

97 *Nachtbomber zerschmettern Krefeld:* Vogt/Brenne, Krefeld im Luftkrieg, S. 233.

   Immediate Assessment of Damage: Ebd., S. 228.

98 *Publikumsumfragen:* Garrett, Ethics and Airpower, S. 89 f.

99 *Oft im Leben:* Ebd., S. 99.

   Die Nazimörder: Ebd., S. 111.

   Ich verlange, daß die Regierung: Ebd., S. 113.

100 *Ich habe mich krank gefühlt:* Dyson, Weapons of Hope, S. VIII.

101 *Ein Kriegszustand ... regt den Wissenschaftler:* Garrett, Ethics of Airpower, S. 71. Vgl. auch Clark, The Rise of the Boffins, S. 84, 157, 219, 211 f., 226 ff.

   Jupiterkomplex: Garrett, Ethics and Airpower, S. 72.

104 *750 Personen:* Euler, Als Deutschlands Dämme brachen, S. 218 f.

105 *Mit Milzbrandsporen gefüllte 1,8-Kilogramm-Bombe:* Harris/ Paxman, Eine höhere Form des Tötens, S. 126 ff.

   Ein halbes Dutzend: Ebd., S. 127.

   Lassen Sie mich: Ebd., S. 128.

107 *Britische Tonnage:* PRO, London Air 20/341.

   Tödlichkeit der Waffe: Hampe, Der zivile Luftschutz im Zweiten Weltkrieg, S. 147.

   Januar und April 1945 mit 370 000 Bombentonnen: Groehler, Bombenkrieg, S. 393.

108 *Wir hatten dabei zerstörte Städte:* Rumpf, »Bomber Harris«, S. 115, 116.

109 *In Pforzheim 20 277:* Schmalacker-Wyrich, Pforzheim, S. 229. Wiedergabe der vom Statistischen Amt Pforzheim im April 1954 abschließend ermittelten Zahl. Sie korrigiert die von derselben Stelle 1948 veröffentlichte vorläufige Schätzung von 17 600, die in der Literatur von Brunswig, Middlebrook, bezugnehmend auf Brunswig, und Groehler wiedergegeben wird.
Sie tauchten Decken: Schmalacker-Wyrich, Pforzheim, S. 154.

110 *Mein Schwager:* Ebd., S. 151 f.
Wo waren noch Straßen?: Ebd., S. 127.
Der gewölbte Keller: Ebd., S. 150.

111 *Weil wir in der wahnsinnigen Hitze:* Ebd., S. 105 f.

113 *Der zweite Schlag:* Zentraler Luftschutz, Jahrgang 17, Heft 7–8, S. 197 ff.

114 *Sechs Stunden Feuersturm:* Brunswig, Feuersturm über Hamburg, S. 272 ff.
Meteorologische Lage: Ebd., S. 270 f.

115 *Verlustrate ... Hamburg ... Berlin:* Die Verluste von Hamburg betragen 41 000. Siehe Erörterung bei Groehler, Bombenkrieg, S. 119. Bei der Quote von 2,73 Prozent gehe ich von den ca. 1,5 Millionen zur Angriffszeit Anwesenden in Hamburg aus. Bei Zugrundelegung der Friedensbevölkerung von 1,7 Millionen beträgt die Quote 2,41 Prozent. Bei Berlin gehe ich von vier Millionen Anwesenden im Sommer 1943 aus.
Das Eineinviertelfache der Hiroshimatoten: The Committee, Hiroshima and Nagasaki, S. 364. Joint Japan-US Survey Report von 1951 nennt 64 602 Tote. Die Maximalschätzung des Japan Council against A- and H-Bombs von 1961 nennt 119 000 bis 133 000 Tote. Der Autor schließt sich der verbreiteten Schätzung von 80 000 Toten an.
Am 1. August sagte Speer zu Hitler: Irving, Die Tragödie der deutschen Luftwaffe, S. 300 f.

116 *Eine Atombombe:* Harris, Bomber Offensive.
Es herrschte ziemliche Betroffenheit: Bond (Hrsg.), Fire and the Air War, S. 128 f.

117 *Neunzehn Großangriffe:* Middlebrook, The Berlin Raids R.A.F. Bomber Command, S. 307, 321.

118 *Sechs Bereitschaften:* Groehler, Bombenkrieg, S. 141.

118 *10 000 Personen:* Dettmar nennt eine Zahl von 10 000 (Dettmar, Die Zerstörung Kassels, S. 141); die Stadt Kassel bekundet »über 8000«: Groehler nennt 6000, Hampe 13 000, Middlebrook um die 9000.

119 *Auf ihrem Tiefpunkt angelangt:* Verrier, Bomberoffensive gegen Deutschland, S. 189.
Die deutsche Industrie: Milward, Der Zweite Weltkrieg, S. 107.
Harris ... am 3. November an Churchill: Horst Boog in: Das Deutsche Reich und der zweite Weltkrieg, Bd. 7, S. 67 f.
Im Dezember: Ebd., S. 67 f.
120 *Big Week:* Ebd., S. 99.
121 *Die Fliegertruppe hatte seit Kriegsbeginn:* Galland, Die Ersten und die Letzten, S. 314; Angabe 1. 6. 1941–31.10.1944.
Es ist soweit: Ebd., S. 281.
122 *40 000 Todesopfer:* Vgl. Zuckermann, From Apes to Warlords; Rostow, Pre-Invasion Bombing Strategy, S. 527–530; Lytton, »Bombing Policy in the Rome and Pre-Normandy Invasion Aerial Campaigns of World War II«, S. 54; Schaffer, Wings of Judgement, S. 40–43.
Churchill ersuchte Präsident Roosevelt: Schaffer, Wings of Judgement, S. 40–43.
123 *Der Präsident antwortete:* Ebd.
Sehr kalte analytische, präzise Anwendung: Ebd., S. 40.
124 *Die Natur des Menschen:* Ebd., S. 44.
Viele tausend Franzosen: Ebd., S. 42.
126 *7704 Soldaten:* Gilbert, Second World War, S. 548.
Le Havre, der 2500 Zivilisten: Ebd., S. 587.
129 *Vertreter Australiens im Kriegskabinett:* Ebd., S. 440 f.
Unser Angriff auf die Rangierbahnhöfe: Schaffer, Wings of Judgement, S.56.
U-Bootbunker in Lorient: Ebd., S. 39 f.
130 *Vier jüdischen Insassen des Vernichtungslagers Auschwitz:* Gilbert, Second World War, S. 546.
Was kann man machen: Ebd.
131 *Von 8839 ... abgefeuerten V1:* Calder, The Peoples' War, S. 648.
131 *R.V. Jones mutmaßt im Kriegskabinett:* Gilbert, Second World War, S. 557.
132 *V1 und V2 töteten:* Zahlen nach Bode/Kaiser, Raketenspuren, S. 118.
Nach Rücksprache mit Roosevelt: Gilbert, Second World War, S. 557.
Verfluchten blöden Raketen: Hastings, Bomber Command, S. 343.
133 *Antwerpen:* Bode/Kaiser, Raketenspuren, S. 218.
am 13. Oktober ... im Schlachthaus zu Antwerpen: Gilbert, Second World War, S. 601, 613.
134 *Operationsbefehl M525:* Piekalkiewicz, Arnheim 1944, S. 9.
138 *Westphal:* Liddell Hart, Geschichte des Zweiten Weltkriegs, Bd. 2, S. 702.

550

Fast alle Wehrmachtskommandeure: Liddell Hart, The Other Side of the Hill, S. 429.

140 *Das ist das Schlimmste:* Ambrose, Citizen Soldiers, S. 151.

Wenn jede deutsche Stadt: Ebd., S. 154.

142 *6184 Mann Verluste:* MacDonald, The Battle of the Huertgen Forest, S. 120.

Es war der traurigste Anblick: Ebd., S. 113.

143 *Operation ›Corona‹:* eigentliches Bombardement unter Code ›Operation Queen‹. Rahier, Jülich und das Jülicher Land, S. 27–45; Thömmes, Tod am Eifelhimmel, S. 116 f.

146 *Ich weiß keine Antwort:* Groehler, S. 121.

149 *Tötete die Vereinigte Luftoffensive:* United States Strategic Bombing Survey, Civilian und defense division, S. 3 f.; Groehler, Bombenkrieg, S. 319.

Old baby killing plan: Crane, Bombs, Cities and Civilians, S. 111.

150 *Die US-Flotten laden im letzten Kriegsjahr:* British Bombing Survey, S. 56 ff.; Middlebrook/Everitt, The Bomber Command War Diaries, S. 641.

1945 bestritt Bomber Command: Ebd., S. 704.

Volkssturmmann: Seidler, Deutscher Volkssturm, S. 208.

152 *Don't tell anyone:* Gilbert, Second World War, S. 651.

154 *An einem sonnigen Vorfrühlingstag:* Richard, Der Untergang der Stadt Wesel, S. 107.

155 *Keine Tragbahren:* Ebd., S. 107.

158 *Das Ruhrgebiet:* Whiting, Die Schlacht um den Ruhrkessel, S. 40.

Mit nichts ist der Angriff am 11. März vergleichbar: Krüger, »Die Luftangriffe auf Essen«, S. 325.

159 *Guiseppe Barbero:* Sollbach, Dortmund, S. 52.

164 *Ich habe viele Schlachtfelder gesehen:* Whiting, Die Schlacht um den Ruhrkessel, S. 120.

Kapitulierten geschlossene Einheiten: Ebd., S. 167, 164.

165 *Waldhöhen des Rothaargebirges:* Schilderung im weiteren nach Huyskens, Der Kreis Meschede unter der Feuerwalze.

167 *Als wenn ein fürchterlicher Wirbelsturm:* Ebd., S. 26.

168 *Eier aus dem Keller:* Ebd., S. 60.

Insgesamt 130 000: Groehler, Bombenkrieg, S. 320.

Churchill beschloß Ende März: Saward, Bomber Harris, S. 290 f.

169 *Bis zu diesem Zeitpunkt:* Ebd., S. 290.

170 *Die Swine, der Strom:* Interessengemeinschaft Gedenkstätte Golm (Hrsg.), Das Inferno von Swinemünde, S. 48.

175 *›Jasmund‹, ›Hilde‹:* Brustat-Naval, Unternehmen Rettung, S. 146.

176 *United States Strategic Bombing Survey:* New York/London 1976, Bd. IV;
The Effects of Strategic Bombing on German Moral, Bd. I, S. 9.

Land

182 *Lübecks berühmter Sohn:* Zitiert nach Groehler, Bombenkrieg, S. 43.
Brief Thomas Manns vom 4. Mai 1942: Zitiert nach ebd., S. 43. Siehe
auch Mann, Zeit und Werke, S. 655.
Die eigentliche Altstadt: Zitiert nach Groehler, Bombenkrieg, S. 42.

183 *Gauleiter Hildebrandt schwor Rache:* Zitiert nach ebd., S. 59.

184 *Am 9. Oktober 1943 kam die 8. US-Flotte:* Vgl. ebd., S. 134 f., sowie
Eckardt, Schicksale deutscher Baudenkmale, S. 57 ff.

186 *Alte Schule:* Ebd., S. 85 f.

186 *6. Oktober 1944:* Groehler, Bombenkrieg, S. 374.

188 *Meister Schurich aus Radeberg:* Vgl. Gelinski, Stettin, S. 54.

192 *Flurverwüstung in Klausdorf:* Vgl. Voigt, Die Veränderung der Großstadt Kiel, S. 45.
Neunzig Angriffen: Ebd., S. 19 ff.
Einhundertzwölf dieser Attacken: Brunswig, Feuersturm über Hamburg, S. 450 ff.

193 *Doktor Baniecki, der Anatom, Leiche eines:* Dokumente deutscher
Kriegsschäden, 1. Beiheft, S. 137.

195 *18. und 19. Mai 1940:* Angaben nach Peters, Zwölf Jahre Bremen,
S. 194.

197 *Erlaß vom 10. April:* Ebd., S. 278, daraus auch die angeführte Chronik
der Bremer Angriffe.

201 *Dieselbe Größe wie der romanische Dom:* Huch, Im alten Reich. Der
Norden, S. 244 f.

204 *Diese Nacht:* Spratte, Im Anflug auf Osnabrück, S. 27.

208 *In der Nachbarstadt Herford:* Pape, Bis fünf nach zwölf, S. 199.

209 *In der Mönchstraße:* Ebd.
Bielefelds Schutt: Vgl. Sax-Demuth, Weiße Fahnen über Bielefeld,
S. 34.

210 *Kindermord von Bethel:* Ebd., S. 26.
Bielefeld verlor ... 1108 Personen: Hampe, Der zivile Luftschutz,
S. 166.

212 *Neben und unterhalb der Domfreiheit:* Huch, Im alten Reich. Der Norden, hier und im folgenden S. 141, 143, 152.

213 *Eine wildeste Aufwühlung:* Seeland, Zerstörung und Untergang Alt-
Hildesheims, S. 13; vgl. auch die weitere Ereignisgeschichte.

214 *Welch furchtbare Verwüstung:* Seeland, Zerstörung und Untergang Alt-Hildesheims, S. 35.
216 *Burg im Lande:* Vgl. Höhne, Der Orden unter dem Totenkopf, S. 143 f.
   Im Radius von sechshundert Metern: Vgl. Scheck, Denkmalpflege und Diktatur im Deutschen Reich, S. 103 ff.
222 *Ich war Gruppennavigator:* Stadtmuseum Münster (Hrsg.), Bomben auf Münster, S. 44.
225 *Bis wir im Bunker waren:* Ebd., S. 56.
226 *Was dann geschah:* Hawkins, Münster, 10. Oktober 1943, S. 94.
   Ich sehe noch deutlich: Stadtmuseum Münster (Hrsg.), Bomben auf Münster, S. 58.
228 *Das Antlitz der Stadt:* Tod und Leben Hannovers, S. 61.
   1983 schreibt der Oberbürgermeister: Grabert, Unter der Wolke des Todes leben, S. 7.
229 *Die Einsatzberichte vermerken:* Public Record Office AIR, 14/3766, zitiert nach ebd., S. 80.
   An die Zivilbevölkerung der Deutschen Industriegebiete: Faksimile, in: Dettmar, Die Zerstörung Kassels, S. 54.
230 *Ströme von Gestalten:* Roth, Spaziergänge mit Hindernissen.
   Das Ziel Hannover: Zitiert nach Grabert, Unter der Wolke des Todes leben, S. 60.
231 *Als die Luft hier zu heiß wurde:* Ebd., S. 793.
232 *In der Nacht zum 9. Oktober:* PRO AIR 14/3766, S.A. Frankland, Strategic AIR Offensiv, Bd. II, S. 161; zitiert nach Grabert, Unter der Wolke des Todes leben, S. 74, 77.
   Die Spritzenführer: Ebd., S. 76.
   Entgegen kam mir ein Strom: Tod und Leben Hannovers, S. 40–44.
233 *Abgesehen von dem bedeutenden Beitrag:* Grabert, Unter der Wolke des Todes leben, S. 80; siehe auch PRO AIR 14/3766.
234 *Seine Gebeine untersucht:* Vgl. Jordan, Heinrich der Löwe, S. 232 f.
235 *Der Nickelnulk:* Huch, Im alten Reich. Der Norden, S. 40.
236 *Es war ein freies Blickfeld:* Prescher, Der rote Hahn über Braunschweig, S. 95.
239 *Der Rhein ist ein römischer Strom:* Zitiert nach Febvre, Der Rhein und seine Geschichte, S. 95.
240 *An den Bürgermeister:* Zitiert nach Dittgen, Der Übergang, S. 46.
241 *Verbandstag:* Otto-Seidel-Bericht, zitiert nach ebd., S. 53 f.
242 *Um den Feind in Deutschland:* Zitiert nach Middlebrook/Everitt, The Bomber Command War Diaries, S. 601.
244 *Die R.A.F. Bomber:* Zitiert nach Vogt/Brenne, Krefeld im Luftkrieg 1939–1945, S. 295.

244 *Eine der schwersten Bombenladungen:* Ebd., S. 233.
Die Dichte hatte einen sehr hohen Standard: Ebd., S. 234.

245 *Die Krefelder Feuerwehrleutnants und -meister:* Ebd., S. 340–357.

250 *Ich bin geboren:* Heine, Werke und Briefe, Bd. VII, S. 185.

251 *Hab selber sein Leichenbegräbnis:* Heine, Deutschland ein Wintermärchen, in: Ebd. Bd. I, S. 557 f. (Caput VIII, Zeile 49–52, 65–67).

252 *Vielköpfige Ungeheuer:* Heine, Ideen – Das Buch Le Grand, in: Ebd., Bd. III, S. 153, 158 f.

254 *Bis zur Unkenntlichkeit:* Hüttenberger, Düsseldorf, S. 634.
Schmale, verriegelte Eisentür: Landeshauptstadt Düsseldorf (Hrsg.), Erlebtes und Erlittenes, S. 307.
In den finsteren Nächten: Hüttenberger, Düsseldorf, Bd. 3., S. 636.

255 *243 Luftangriffe:* Vgl. Weidenhaupt, Kleine Geschichte der Stadt Düsseldorf, S. 170 ff.

256 *Lucien Febvre/Ihnen gefiel:* Febvre, Der Rhein und seine Geschichte, S. 118.

259 *Anregungen aus Laienkreisen:* Zitiert nach Fischer, Köln ›39–45‹, S. 133.

262 *Da sah ich die Flugzeuge:* Zitiert nach Vogt, Bonn im Bombenkrieg, S. 224, im folgenden S. 217.
Die Bombardierung hatte: PRO AIR 25/79; zitiert nach ebd., S. 68.

264 *Bande einer wahren:* Grewe (Hrsg.), Fontes Historiae, S. 482 f.

265 *153 392:* Schnatz, Der Luftkrieg im Raum Koblenz, S. 283.
Operational Research Abteilung: Ebd.

266 *Die Besatzungen:* Ebd., S. 285.

267 *Katharinentag:* Darstellung nach Busch, Der Luftkrieg im Raum Mainz, Kap. 14.

268 *Das Ziel stand in Flammen:* Zitiert nach ebd., S. 200.

269 *Fürchterliches Bombardement:* »Die Belagerung von Mainz«, in: Goethes Werke, Bd. X, S. 363–400.

271 *Durch dieses Verkehrszentrum:* Zitiert nach Busch, Der Luftkrieg im Raum Mainz, S. 321.
Das ist strittig: Vgl. ebd., S. 321, 357 ff.

272 *Am 22. Februar suchten:* Vgl. Groehler, Bombenkrieg, S. 423.

274 *Wiesbaden wollen sie verschonen:* Siehe, wie auch weitere Angaben, Müller-Werth, Geschichte und Kommunalpolitik der Stadt Wiesbaden, S. 200–204.

275 *Daz Fiuwer:* Das Nibelungenlied, hrsg. v. Helmut Brackert, Frankfurt/M. 1970, Bd. 2, S. 208, Vers 2118. Übersetzung: Das Feuer fiel von allen Seiten im Saal auf sie herab. Da hielten sie es mit Hilfe ihrer Schilde von sich ab und lenkten es zu Boden. Der Rauch und die Hitze bereiteten ihnen große Qualen. Ich glaube, niemals wieder können

Helden in so jammervoller Lage sein. Da sagte Hagen von Tronje: »Stellt euch an die Wand des Saales und laßt die brennenden Scheite nicht auf Eure Helmriemen fallen! ...«

277 *Man muß diese Leute unbedingt:* L'Europe et la Révolution française, S. 84.

280 *Die Bomben haben erreicht:* Zitiert nach Walther, Schicksal einer deutschen Stadt, Bd. II, S. 275.

281 *Flieger-Escadrille C6:* Vgl. Kranich, Karlsruhe, S. 69 f.

286 *Geschichte ist ein Bild:* Huch, Im alten Reich. Die Mitte des Reiches, S. 30.

287 *Die dritte Schwadron der 8. US-Flotte:* Vgl. Thömmes, Tod am Eifelhimmel, S. 271 f., 278.

288 *Bürgerhospital St. Irminen:* Vgl. ebd., S. 71; Middlebrook/ Everitt, The Bomber Command War Diaries, S. 634.
Im Inneren verbindet sich: Huch, Im alten Reich. Die Mitte des Reiches, S. 32.

289 *Beseler und Gutschow:* Beseler/Gutschow, Kriegsschicksale deutscher Architektur, S. 997.

291 *Bis zum Bunker:* Zitiert nach Eckel, Saarbrücken im Luftkrieg, S. 161 f.
The whole town: Ebd., S. 168.

293 *Mittag des 17. Januar 1944:* Angaben nach Braun-Rühling, Eine Stadt im Feuerregen, S. 57.

294 *Kurz entschlossen:* Ebd., S. 79.

296 *Moses Abramovitz, ein Nationalökonom:* Brecht, Lerner und Abramovitz, wiedergegeben in: Borsdorf/Niethammer (Hrsg.), Zwischen Befreiung und Besatzung, S. 29, 47 f.

297 *Die Krupp-Werke:* Zahlen und folgende Zitate nach Krüger, »Die Luftangriffe auf Essen 1940–1945«, *Essener Beiträge*, S. 159–329.

299 *Ich hatte meine Frau umfaßt:* Ebd., S. 285.

299 *Alle Augenblicke:* Ebd., S. 287.

300 *Hier am Moltkeplatz:* Ebd., S. 306.
Unzählige Flugblätter: Ebd., S. 310.

300 *Der schlimmste Angriff:* Ebd., S. 325.
Veleda, die Seherin: Siehe Huyskens, Der Kreis Meschede unter der Feuerwalze, S. 19.

301 *Die 3300-Seelen-Gemeinde Fredeburg:* Ebd., S. 78 f.

303 *Die R.A.F. warf in der Nacht:* faksimiliert bei Dettmar, Die Zerstörung Kassels, S. 55.

304 *100 000 Menschen:* Siehe Sollbach (Hrsg.), Dortmund, S. 53.
Der Bunker vibrierte: Ebd., S. 53.

308 *Joseph Sauer:* Tagebuch Sauer, in: Vetter, Freiburg in Trümmern, S. 24 ff.

312 *Labour-Abgeordneter Purbrick:* Mainfränkisches Museum (Hrsg.), Katalog, S. 54.

314 *Die 467. Schwadron meinte:* PRO Air 27, 1931 in ebd., S. 74.

315 *Es war ein Quetschen:* Bauer, Würzburg im Feuerofen, S. 19 ff.

Domkaplan Fritz Bauer: Ebd.

316 *Im Süden des Bahnhofs:* PRO Air 24, 312, Mainfränkisches Museum (Hrsg.), Katalog, S. 74.

320 *Fasziniert beobachtete ich:* Middlebrook, Die Nacht, in der die Bomber starben, S. 126 f.

321 *Wir waren im Tucherbunker:* Nadler, Ich sah, wie Nürnberg unterging, S. 125.

322 *Die sich gegenwärtig:* Vgl. Pöhlmann, ›Es war gerade, als würde alles bersten …‹, S. 94 f. Daraus auch die weiteren Angaben.

323 *Unser Ziel: The Times,* 20. 4. 1942, zitiert nach ebd., S. 96.

325 *Die Zivilrussen:* Ebd., S. 86.

Diesmal liefen die Häftlinge: Ebd., S. 84.

326 *In diesen Wald:* Ebd., S. 84.

327 *Mit diesen Einrichtungen:* Webster/Frankland, Strategic Air Offensive, Bd. IV, S. 162.

327 *Auf einen Schlag:* Pöhlmann, ›Es war gerade, als würde alles bersten …‹, S. 101.

Der schwankte· Ebd.

Was würde passieren: Ebd., S. 102.

328 *Leute, die vielleicht noch ein paar Möbel:* Ebd., S. 103.

Plötzlich ging es ein zweites Mal los: Ebd., S. 102.

328 *Der zweite Angriff:* Ebd.

Das Löschwasser: Ebd., S. 105.

329 *Das Rathaus:* Ebd., S. 104.

Nach dem Angriff: Ebd.

Karl V. Station in München: Vgl. Bauer/Piper, München, S. 87 f.

330 *Die Schweden verlangten 450 000 Gulden:* Ebd., S. 112 ff.

331 *Die Gesichter schienen alt geworden:* Bauer, Fliegeralarm, S. 44.

Der Schutt aus der Zerstörung: Ebd., S. 67.

332 *Mit einer fatalen Durchgängigkeit:* Ebd., S. 80.

Durch einen absurden Traum: Ebd., S. 100.

333 *Der Zustand der Stadt:* Ebd., S. 131.

Angenommen, daß die Monumentalbauten: Ebd., S. 135.

336 *Wir mußten über die Toten:* Bardua, Stuttgart im Luftkrieg, S. 147.

Daß der Feind: Ebd., S. 270, Bericht Strölin.

Bei diesem Angriff: Ebd.

Dabei ist leider: Ebd., S. 273.

Die Kellerwände bebten: Zitate zum 12. 9. 44 in: Ebd., S. 144–156.

338 *Die schwäbischen Häftlinge:* Zelzer, Weg und Schicksal der Stuttgarter Juden, S. 237.

341 *Mein Mann war im Feld:* Steinhilber, Heilbronn, S. 99.

343 *Ces animaux:* »Diese Tiere haben etwas gelernt.«

344 *Anfangs glaubte ich:* Wincker-Wildberg (Hrsg.), Napoleon, S. 289.

345 *Bereits 1934 waren siebenundzwanzig Totenbergungstrupps:* Diese und andere Zahlenangaben aus Horn, Leipzig im Bombenhagel, S. 41 u. a.

346 *Zur vorübergehenden Niederlegung:* Ebd., S. 40.

347 *Die Wasserleitungen erneuert:* Groehler, Bombenkrieg, S. 208.

347 *Fünfzig Millionen Bücher:* Horn, Leipzig im Bombenhagel, S. 87.

Feuerwehroffizieren zufolge: Ebd., S. 78.

348 *Einwohner verhielten sich:* Groehler, Bombenkrieg, S. 208.

350 *Sechs Teilverbänden aus sechs Richtungen:* Siehe Wille, Der Himmel brennt über Magdeburg, S. 31.

Als die Sirenen heulten: Zusammenfassung verschiedener Augenzeugenberichte aus dem Jahr 1950 in: Ebd., S. 58–83.

353 *Von sechs Millionen Kubikmeter Trümmern:* Ebd., S. 45.

800 Quadratmeter Mauerwerk: Eckardt, Schicksale deutscher Baudenkmäler, S. 249 ff.

354 *Äußerst schwierig wäre:* Groehler, Bombenkrieg, S. 433.

Alle Männer zwischen 14 und 65: Hartmann, Die Zerstörung Halberstadts, S. 10.

6000 Tote: Groehler, Bombenkrieg, S. 432.

355 *Viele Eisenbahner:* Hartmann, Die Zerstörung Halberstadts, S. 17.

Halberstadt genoß den Ruhm: Eckardt, Schicksale deutscher Baudenkmäler, S. 226 ff.

357 *Blickte man in die Hölle:* Hartmann, Die Zerstörung Halberstadts, S. 39.

359 *In Darmstadt schwebt das Weißlicht:* Schmidt, Die Brandnacht, S. 5 f.

360 *Dresdens Masterbomber:* Groehler, Bombenkrieg, S. 406.

Masterbomber an Plate-rack: Bergander, Dresden im Luftkrieg, S. 127.

361 *Hallo Plate-rack-Verband:* Ebd.

363 *Der Himmel über Berlin:* Piekalkiewicz, Luftkrieg 1939–1945, S. 592 f.

364 *Die Arbeiter und Arbeiterinnen:* Ebd., S. 593.

Ich kann es kaum glauben: Ebd., S. 592.

Wo ist die Luftwaffe?: Schäfer, Berlin im Zweiten Weltkrieg, S. 267.

364 *US-Luftkriegsgeschichte:* Craven/Cate, The Army Air Forces in World War II.

365 *11 367 Bombentoten:* Groehler, Bombenkrieg, S. 319.

Ich hätte nie für möglich gehalten: Piekalkiewicz, Luftkrieg 1939–1945, S. 593.

365 *Die Menschen auf der Straße:* Schäfer, Berlin im Zweiten Weltkrieg, S. 112.

366 *Die Gesichter sind blaß:* Smith, Last Train from Berlin, hier zitiert nach ebd., S. 122.

Die Treppe, die zum Bahnhof hinuntergeht: Ebd.

Dieser erzählte von Rohrbrüchen: Warner, Schicksalswende Europas?, zit. in: Ebd., S. 155.

367 *Der Betrieb:* Ebd., S. 184.

Wie in einer Kirche: Warner, Schicksalswende Europas?, zit. in: Ebd., S. 144.

Da erfolgte plötzlich: Ebd., S. 145.

368 *Man rief sich gegenseitig zu:* Ebd., S. 148.

Die ausgebrannten Häuserreihen: Ebd., S. 158.

369 *Drinnen in den schweren Betonbunkern:* Findahl, Letzter Akt Berlin 1939–1945, zitiert nach ebd., S. 274.

Jacob Kronika: Ebd., S. 294.

370 *Im Hotel Adlon spricht alles leise:* Ebd., S. 168 f.

An einem dieser unbeschreiblichen Tage: Warner, Schicksalswende Europas?, zit. in: Ebd., S. 192.

Schutz

378 *Amerikanische Rechercheure:* United States Strategic Bombing Survey, Bd. V., S. 1, 50.

Der Kasseler Polizeipräsident: Dettmar, Die Zerstörung Kassels, S. 120 f.

379 *120 Davongekommenen:* Ebd., S. 218–224 (Namen geändert).

385 *Vielfach saßen sie auf Stühlen:* Dokumente deutscher Kriegsschäden, 1. Beiheft, S. 132 ff.

Aus Darmstadt: Schmidt, Die Brandnacht, S. 101.

386 *Altstadtkeller ... vermaschen:* Siehe Feydt, Betrachtung zur Frage der Rettungswege im baulichen Luftschutz, *Ziviler Luftschutz,* 1953, Heft 5, S. 139 ff.

390 *Bergbautradition wie Essen:* Dokumente deutscher Kriegsschäden, Bd. II, 1, S. 348.

Das benachbarte Dortmund: Sollbach, Dortmund, S. 20.

391 *Osnabrück hat den Stollenschutz:* Vgl. Spratte, Im Anflug auf Osnabrück.

Stuttgart bewohnten Anfang Januar 1943: Bardua, Stuttgart im Luftkrieg, S. 200.

Eine erstklassige Bilanz: Ebd., S. 97.

392 *Der Krefelder Baurat Jansen:* Vogt/Brenne, Krefeld im Luftkrieg,
S. 78–92.

Städte schöner aufbauen: Speer, Spandauer Tagebücher, S. 309.

396 *The United States Bombing Survey:* USSB, New York 1976, Bd. V.,
S. 50. Deutsch:».... das unentschiedene Rennen zwischen bomben-
festen Baukonstruktionen und Bomben mit stetig zunehmender
Durchschlagskraft«.

Germany's great experiment: Ebd., S. 157. Deutsch:»Deutschlands
großes Experiment. Weder in den USA noch in England existieren
Schutzbauten wie die sogenannten ›Bunker‹.«

397 *The most tremendous constructional program:* Ebd., S. 150.

399 *Berlin-Neukölln:* Friedrich Quapp in: Middlebrook, The Berlin Raids
R.A.F. Bomber Command, S. 208 f.

400 *In Hannover steht in der Nacht:* Grabert u.a. (Hrsg.), Unter der Wolke
des Todes leben. Schilderung der Lisa Bachmann, S. 153.

401 *Die Menschen rissen sich:* Wette/Bremer/Vogel, Das letzte halbe Jahr,
S. 203.

403 *Denazification of Germany:* United States Strategic Bombing Survey,
Vol. IV, S. 1.

Der alteingesessene Frankfurter Singer: Schmid, Frankfurt im Feuersturm, S. 55 f., Name geändert.

404 *Nürnberger Bahnhofsbunker:* Wette/Bremer/Vogel, Das letzte halbe
Jahr, S. 365 f.

405 *Luftschutzsanitätsdienst Hamm:* BA-MA, RL4/448, Bericht 21. 1.
1945. Zu Hamm s. auch RL4/445.

407 *Denkschrift zum Festungsbau:* Domarus, Hitler, Bd. I/2, S. 875.

Alfred Rosenberg: Rosenberg, Mythus des 20. Jahrhunderts, S. 557.

407 *Je weniger die Bevölkerung:* Speer, Spandauer Tagebücher, S. 309 f.

409 *Leipziger Südfriedhof:* Horn, Leipzig im Bombenhagel, S. 154.

Hans Fritzsche, der Generalbevollmächtigte: United States Strategic
Bombing Survey, Bd. IV, S. 74.

Eisen, das von Schlägen: »Die Seifenblase«, Das Reich, 12. Dezember
1943.

Das Regiment: Domarus, Hitler, Bd. IV, S. 22 f.

411 *Manchmal fast gemütlich dort:* Vogt, Bonn im Bombenkrieg, S. 121.

Manche Frauen: Grabert, Unter der Wolke des Todes leben, S. 118.

412 *Bericht des Dortmunder 4. Luftschutzreviers:* Sollbach, Dortmund,
S. 33 f.

Ich will Soldat bleiben: Fischer, Köln ›39–45‹, S. 139.

Ein beherzter Mann: Dokumente deutscher Kriegsschäden, Bd. II, 1, S. 311 ff.

413 *Ich mußte es tun:* Fischer, Köln ›39–45‹, S. 58.

415 *Die Leute brauchen sich wirklich nicht zu wundern:* BA NS 19/14.

420 *Die vier Türmerinnen:* Spratte, Im Anflug auf Osnabrück, S. 71 f.

421 *In der dritten Nachtstunde des 15. Oktober:* Prescher, Der rote Hahn über Braunschweig, S. 94 f.

424 *Rufen und schreien:* Fischer, Köln ›39–45‹, S. 128.

SOS-Zeichen: Krämer, Christbäume über Frankfurt, S. 115.

425 *Baumeister Schorn:* Stadtmuseum Münster (Hrsg.), Bomben auf Münster, S. 59.

426 *Postobersekretär Julius Zingst:* Braun-Rühling, Eine Stadt im Feuerregen, S. 83. Name geändert.

427 *Sprengmeister Karl Nakel:* Berthold/Materna, München im Bombenkrieg, S. 105.

428 *Paul Körner aus Saarbrücken:* Eckel, Saarbrücken im Luftkrieg, S. 41.

428 *Innenministerverfügung vom 28. August 1934:* Horn, Leipzig im Bombenhagel, S. 41.

429 *Café Hauptpost in Darmstadt:* Schmidt, Die Brandnacht, S. 101.

429 *Für diese Menschen:* Ebd., S. 80.

430 *Ellgering:* Dokumente deutscher Kriegsschäden, Bd. II, 1, S. 443.

431 *Arthur Kühn:* Schmalacker-Wyrich, Pforzheim, S. 103.

432 *Frankfurt am Main verordnet im Oktober 1943:* Schmid, Frankfurt im Feuersturm, S. 62.

Leipzig konnte die 1800 Gefallenen: Vgl. Horn, Leipzig im Bombenhagel, S. 155.

433 *Würzburg bleibt Ende März 1945:* Domarus, Der Untergang des alten Würzburg, S. 236.

28 Personen: Schmidt, Die Brandnacht, S. 26.

Bitte nicht ins Massengrab: Schmalacker-Wyrich, Pforzheim, S. 79.

Besondere Schwierigkeiten: Dettmar, Die Zerstörung Kassels, S. 130.

434 *Die unbekannten Gefallenen:* Ebd., S. 130.

An die Häuserreste: Bericht Wilhelm Riecker in: Schmalacker-Wyrich, Pforzheim, S. 156.

Ein Stück Konservenblech: Grabert, Unter der Wolke des Todes leben, S. 63.

435 *Vom Reich zu gewährende Bestattungshilfe: Völkischer Beobachter,* 30. 1. 1945, in: Dokumente deutscher Kriegsschäden, Bd. II, 1, S. 488.

436 *Die seelische Betreuung der Volksgenossen:* Dokumente deutscher Kriegsschäden, Bd. II, 1, 23. 8. 1943, S. 70 f.

436 *Angst und Aufregung:* Ebd., S. 106.

440 *Mit den zunehmenden Zerstörungen im Rheinland:* Rüter-Ehlermann/
Rüter (Hrsg.), Justiz und NS-Verbrechen, Bd. III, S. 465–529, Zitat
S. 486.

444 *Die Justiz ... verurteilt ... fünfzehntausend Reichsbürger:* Vieberg, Justiz
im nationalsozialistischen Deutschland, S. 54.

Sondergericht Hamburg: Dokumente deutscher Kriegsschäden, Bd. II,
1. S. 474.

445 *Aus Habgier:* Ebd., S. 475.

Dr. Schuberth: United States Strategic Bombing Survey, Bd. IV, Moral
Division, S. 91.

Hamburger Anzeiger vom 19. August 1943: Dokumente deutscher
Kriegsschäden, Bd. II, 1, S. 476.

447 *Sondergericht Berlin:* Friedrich, Die kalte Amnestie, S. 381.

24. März 1944: Ebd., S. 384.

Rießner Straße 11: Ebd. S. 383

448 *Sondergericht Jena entgegnete am 11. April 1944:* Ebd.

448 *Wegen der durch die Tat:* Ebd., S. 384.

450 *Vermerk des Ministerialdirektors ... Doktor Vollmer:* BA R22 Gr5/457.

Professor Dr. Dr. Arndt: Friedrich, Die kalte Amnestie, S. 391.

451 *Kranmaschinisten Fritz Hoffmann:* Friedrich, Freispruch für die Nazijustiz, S. 575.

Kaufmanns Paasch: Friedrich, Die kalte Amnestie, S. 149 f.

452 *Dr. Alfred Kaufmann:* Friedrich, Freispruch für die Nazijustiz,
S. 551 ff.

453 *Volksgerichtshof gegen 10 289 Angeklagte:* Wagner, Der Volksgerichtshof, S. 876 f.

Der Agent provocateur Hans Wiehnhusen: Friedrich, Die kalte Amnestie, S. 151.

455 *Nach den gemachten Erfahrungen:* Dokumente deutscher Kriegsschäden, Bd. II,1, S. 109.

460 *Die Bad Tölzerin:* Zitate aus Heinz Boberach, Meldungen.

462 *Ein Viertel der 19,1 Millionen Einwohner:* Groehler, Bombenkrieg,
S. 246.

463 *Erzählungen der Evakuierten:* BA NS6/823.

Wir

467 *1. Kriegsjahr:* Willi A. Boelcke, Wollt ihr den totalen Krieg?, S. 417 f.

Die deutsche Öffentlichkeit: Ebd., S. 413.

Man muß sich das: Ebd., S. 450.

468 *Gebrauch des Wortes Stimmung*: Ebd., S. 452.

469 *143 Personen*: Zahlen des Allgemeinen Wehrmachtsamtes zitiert nach Groehler, Bombenkrieg, S. 317.

 Amtliche Bekanntmachung: Heinz Boberach, Meldungen, Bd. 5, S. 1413 f. Weitere Zitate, wenn nicht weiter ausgewiesen, aus dieser Sammlung.

470 *Habt ihr's jetzt begriffen?*: Ebd., S. 1504.

471 *Die Vernichtung Londons*: Boelcke, Wollt Ihr den totalen Krieg?, S. 128 (7. 9. 1940).

 Am 11. September: Ebd., S. 133.

 Unser Herz: Boberach, Meldungen, Bd. 5, S. 1605 f.

 Neue Schandtat: Ebd., S. 1595.

474 *Noch nie*: Ebd., Bd. 10, S. 3597.

 Polnische Untergrundbewegung: Harris/Paxman, Eine höhere Form des Tötens, S. 114 f., 282.

 Überzeugung, dem schutzlos ausgeliefert zu sein: Boberach, Meldungen, Bd. 14, S. 5311.

475 *Beeinflussungsversuch*: Ebd., Bd. 11, S. 4019.

476 *Von den Engländern lernen*: Boelcke, Wollt Ihr den totalen Krieg?, S. 353.

 Millionen von Menschen: Ebd., S. 366.

477 *Hauptgespräch in Krefeld*: United States Strategic Bombing Survey, Bd. IV, S. 18.

 Briten öfter nach Berlin flögen: Ebd.

478 *25. Juni*: Boberach, Meldungen, Bd. 14, S. 5402 f.

479 *Der Herrgott*: Ebd., S. 5449.

 Zahl der Verbrannten: Ebd., S. 5355.

480 *Solche Fressen ziehen*: BA NS6/411, S. 62.

481 *Am 8. November ... Hitler*: Domarus, Hitler, Bd. 4, S. 2055 ff.

482 *Können Sie sich vorstellen*: Ebd., S. 2058.

 Die Brut: BA NS6/411, S. 56 f.

483 *Weihnachtsfest 1944*: Boberach, Meldungen, Bd. 16, S. 6205.

484 *Bakterienkrieg, Humanitätsduselei*: Ebd., S. 6299 f.

 Du bist auch verantwortlich: United States Strategic Bombing Survey, Bd. IV, 2, S.58.

 Russische Zwangsarbeiter: Verhalten ausländischer Arbeiter bei Fliegerangriffen siehe Boberach, Meldungen, Bd. 13, S. 5295–5301.

485 *Man wußte sich ... beobachtet*: United States Strategic Bombing Survey, Bd. IV, Appendix D, Pilot study on french escapees, S. 52–61.

488 *Vergeltung auf eigene Faust*: Vgl. Friedrich, Das Gesetz des Krieges, S. 310 ff.

489 *Abschuß eines amerikanischen Fliegers*: Busch, Der Luftkrieg im Raum Mainz, S. 104.

490 *Die Lust verloren*: United States Strategic Bombing Survey, Bd. IV, 2, S. 113–118.

Westdeutschen Städte: Wette/Bremer/Vogel, Das letzte halbe Jahr, S. 401.

Wenn sie doch nur träfe: Ebd., S. 390–404.

Ich

493 *Rauschzustand*: Zitate bis Seite 504, wenn nicht anders angegeben, entnommen aus Panse, Angst und Schreck.
Ich lief später nach Hause: Berthold/Materna, München im Bombenkrieg, S. 78.

497 *Meine Tante*: Vogt, Bonn im Bombenkrieg, S. 269.

501 *Drei akute psychische Reaktionen*: Panse, Angst und Schreck, S. 17.

504 *Ich sah einen Mann*: Schmidt, Die Brandnacht, S. 65.
Vormittags: Bauer, Würzburg im Feuerofen, S. 35.

505 *Waren grauenhafte Zustände*: Zitate hier und im weiteren, wenn nicht anders vermerkt, aus Vogt, Bonn im Bombenkrieg, Zeitzeugenberichte, S. 116–320.

510 *Wöchnerinnen*: Kiepke, Paderborn, S. 52.

511 *75 000 Kinder*: Berechnungen des Autors anhand der Angaben bei Hampe, Der zivile Luftschutz, S. 176, 142, und bezogen auf die in Kapitel II mit 500 000 geschätzten Verlustzahlen.

512 *So unglaublich klein*: Zitate bis zum Ende des Kapitels aus Schmidt, Die Brandnacht.

Stein

517 *In Anbetracht*: Groehler, Bombenkrieg, S. 313.
Wer weiß: Schmid, Frankfurt im Feuersturm, S. 25; Dolf Sternberger an Verlagsleiter Hecht, 12. 6. 1942.

520 *Göring und Himmler*: Groehler, Bombenkrieg, S. 312.

520 *Dr. Franz Rademacher*: Bericht Rademacher in Vogt, Bonn im Bombenkrieg, S. 100 ff.

524 *Werk Schlüters, Schinkels und Knobelsdorffs*: Eckardt, Schicksale deutscher Baudenkmäler, S. 147.

526 *Hochchor des Kölner Doms*: Dokumente deutscher Kriegsschäden II, 1, S. 383.

530 *Gießener Papyri:* Gießen 1248 bis 1948, S. 61.
531 *Bayerische Staatsarchiv:* Wilhelm Rohr, »Die zentrale Lenkung deutscher Archivschutzmaßnahmen«, *Der Archivar,* 3. Jahrgang, Nr. 3, S. 111.
532 *Zweieinviertel Millionen Urkunden:* Ebd., S. 116.
533 *Hainer Hüttenstollen:* Krieg und Elend im Siegerland, S. 144.
534 *Grundstock der Hofbibliothek:* Bosl, »Die Bibliothek in der Gesellschaft«, S. 7 f.
535 *Mittwoch, dem 10. März:* Halm, Die Schicksale der Bayerischen Staatsbibliothek, S. 3–8.
537 *Vierzig Millionen Bänden:* Hampe, Der zivile Luftschutz, S. 525.
538 *Universitätsbibliothek Freiburg:* Leyh, Die deutschen wissenschaftlichen Bibliotheken, S. 84 ff.

LITERATUR

Aders, Gebhard, *Die Geschichte der deutschen Nachtjagd 1917–1945*, Stuttgart 1977.

Allen, Hubert Raymond, *The Legacy of Lord Trenchard*, London 1972.

Ambrose, Stephen E., *Citizen Soldiers. The U.S. Army from the Normandy Beaches to the Bulge to the Surrender of Germany, June 7, 1944–May 7, 1945*, New York 21998.

Bardua, Heinz, *Stuttgart im Luftkrieg 1939–1945*, Stuttgart ²1985.

Bauer, Fritz, *Würzburg im Feuerofen. Tagebuchaufzeichnungen und Erinnerungen an die Zerstörung Würzburgs*, Würzburg 1985.

Bauer, Reinhard/Piper, Ernst, *München. Die Geschichte einer Stadt*, München 1993.

Bauer, Richard, *Fliegeralarm. Luftangriffe auf München 1940–1945*, München 1987.

Baumeister, Werner, *Castrop-Rauxel im Luftkrieg*, Castrop-Rauxel 1988.

Bekker, Cajus, *Angriffshöhe 4000. Ein Kriegstagebuch der deutschen Luftwaffe*, Oldenburg 1964.

Bergander, Götz, *Dresden im Luftkrieg*, Köln 1994.

Berthold, Eva/Materna, Norbert, *München im Bombenkrieg*, Düsseldorf 1985.

Beseler, Hartwig/Gutschow, Niels, *Kriegsschicksale deutscher Architektur*, Neumünster 1988.

Best, Geoffrey, *Humanity in Warfare. The Modern History of the International Law of Armed Conflicts*, London 1983.

Blumenstock, Friedrich, *Der Einmarsch der Amerikaner im nördlichen Württemberg im April 1945*, Stuttgart 1957.

Boberach, Heinz (Hrsg.), *Meldungen aus dem Reich. Die geheimen Lageberichte des Sicherheitsdienstes der SS 1938–1945*, Herrsching 1984.

Bode, Volkard, Kaiser, Gerhard, *Raketenspuren*, Berlin 1999.

Boelcke, Willi A., *Wollt Ihr den totalen Krieg? Die geheimen Goebbels-Konferenzen 1939 bis 1943*, München 1969.

– (Hrsg.), *Deutschlands Rüstung im Zweiten Weltkrieg. Hitlers Konferenzen mit Albert Speer 1942–1945*, Frankfurt/M. 1969.

Boog, Horst, »Der angloamerikanische strategische Luftkrieg über Europa und die deutsche Luftverteidigung«, in: Militärgeschichtliches Forschungsamt, *Das Deutsche Reich und der Zweite Weltkrieg*, Bd. 6, *Der globale Krieg*, Stuttgart 1990.

–, »Strategischer Luftkrieg in Europa und Reichsverteidigung 1943–1944«, in: Militärgeschichtliches Forschungsamt, *Das Deutsche Reich und der Zweite Weltkrieg*, Bd. 7, *Das Deutsche Reich in der Defensive*, Stuttgart 2001.

Bond, Horatio (Hrsg.), *Fire and the Air War*, Boston 1946.

Borsdorf, Ulrich, Niethammer. Lutz, (Hrsg.), *Zwischen Befreiung und Besatzung. Analysen des US-Geheimdienstes über Positionen und Strukturen deutscher Politik*, Wuppertal 1976.

Bosl, Karl, »Die Bibliothek in der Gesellschaft und Kultur Europas vom 6. bis zum 18. Jahrhundert«, in: Margarete Baur-Heinhold, *Schöne alte Bibliotheken*, München 1972.

Braun-Rühling, Max, *Eine Stadt im Feuerregen*, Kaiserslautern 1953.

Brunswig, Hans, *Feuersturm über Hamburg*, Stuttgart 1981.

Brustat-Naval, Fritz, *Unternehmen Rettung. Letztes Schiff nach Westen*, Berlin 1998.

Busch, Dieter, *Der Luftkrieg im Raum Mainz während des Zweiten Weltkriegs 1939–1945*, Mainz 1988.

Calder, Angus. *The Peoples' War 1939–1945*, London 1973.

Carter, Kit C./Mueller, Robert, *Combat Chronology 1941–1945 (The Army Air Forces in World War II)*, Washington 1973.

Churchill, Winston S., *Thoughts and Adventures*, London 1932.

–, *Der Zweite Weltkrieg*, Berlin 1985.

Clark, Ronald W., *The Rise of the Boffins*, London 1962.

Colville, John, *Downing Street Tagebücher 1939–1945*, Berlin 1988.

Cooper, Alan, *Air Battle of the Ruhr*, London 22000.

Crane, Conrad C./Bombs, Cities and Civilians, American Airpower Strategy in World War II*, Kansas 1993.

Craven, Wesley Frank/Cate, James Lea, *The Army Air Forces in World War II*, Chicago 1965.

Dettmar, Werner, *Die Zerstörung Kassels im Oktober 1943*, Kassel 1983.

Deus, Wolf-Herbert, *Soester Chronik : Zugleich Bericht der Stadtverwaltung Soest über die Zeit vom 1. April 1942 bis 31 März 1948*, Soest 1951.

Dittgen, Willi, *Der Übergang. Das Ende des Zweiten Weltkriegs in Dinslaken und Umgebung*, Dinslaken 1983.

Dokumente deutscher Kriegsschäden. Evakuierte, Kriegssachgeschädigte, Währungsgeschädigte. Die geschichtliche und rechtliche Entwicklung, hrsg. v.

Bundesminister für Vertriebene, Flüchtlinge und Kriegsgeschädigte, Bonn 1962.

Domarus, Max, *Der Untergang des alten Würzburg und seine Vorgeschichte*, Würzburg 1955.

– (Hrsg.), *Hitlers. Reden und Schriften*, München 1965.

Douhet, Giulio, *Luftherrschaft*, [deutsche Ausgabe], Berlin 1935.

Dreyer-Eimbke, Erika, *Alte Straßen im Herzen Europas*, Frankfurt/M. 1989.

Dyson, Freeman, *Weapons of Hope*, New York 1984.

Eckardt, Götz (Hrsg.), *Schicksale deutscher Baudenkmale im Zweiten Weltkrieg. Eine Dokumentation der Schäden und Totalverluste auf dem Gebiet der Deutschen Demokratischen Republik*, Berlin 1980.

Eckel, Werner, *Saarbrücken im Luftkrieg*, Saarbrücken 1985.

Eisenhower, Dwight D., *Kreuzzug in Europa*, Amsterdam 1948.

Euler, Helmut, *Als Deutschlands Dämme brachen*, Stuttgart 1975.

–, *Die Entscheidungsschlacht an Rhein und Ruhr 1945*, Stuttgart ²1981.

Febvre, Lucien, *Der Rhein und seine Geschichte*, Frankfurt/M. ²1994.

Feuchter, Georg W., *Geschichte des Luftkriegs*, Bonn 1954.

Feydt, Georg, »Betrachtung zur Frage der Rettungswege im baulichen Luftschutz«, *Ziviler Luftschutz*, 1953, Heft 5, S. 139 ff.

Findahl, Theo, *Letzter Akt Berlin 1939–1945*, Hamburg 1946.

Fischer, Josef, *Köln ›39–45‹. Der Leidensweg einer Stadt*, Köln 1970.

Friedrich, Jörg, *Die kalte Amnestie*, München 1995.

Friedrich, Jörg, *Freispruch für die Nazijustiz. Die Urteile gegen NS-Richter seit 1948*, Berlin 1998.

Friedrich, Jörg, *Das Gesetz des Krieges. Das deutsche Heer in Rußland 1941 bis 1945. Der Prozeß gegen das Oberkommando der Wehrmacht*, München ²1996.

Fröhlich, Elke (Hrsg.), *Die Tagebücher von Joseph Goebbels*, Teil 1, Bd. 4, München 1987.

Galland, Adolf, *Die Ersten und die Letzten*, München 1953.

Garrett, Stephen A., *Ethics and Airpower in World War II. The British Bombing of German Cities*, New York ²1997.

Gelinski, Heinz, *Stettin. Eine deutsche Großstadt in den 30er Jahren*, Leer 1984.

Gießen von 1248 bis 1948. Denkschrift zur Siebenhundertjahrfeier der Stadt Gießen, Gießen 1948.

Gilbert, Martin, *Second World War*, London 1989.

Girbig, Werner, *1000 Tage über Deutschland. Die 8. amerikanische Luftflotte im Zweiten Weltkrieg*, München 1964.

Goethes Werke, Hamburger Ausgabe (Hrsg. Erich Trunz), München 1981.

Golücke, Friedhelm, *Schweinfurt und der strategische Luftkrieg 1943*, Paderborn 1980.

Görlitz, Walter, *Model. Der Feldmarschall und sein Endkampf an der Ruhr*, Frankfurt/M.–Berlin 1992.

Grabert, Thomas, u.a. (Hrsg.), *Unter der Wolke des Todes leben. Hannover im Zweiten Weltkrieg*, Hannover 1983.

Grewe, Wilhelm G. (Hrsg.), *Fontes Historiae Juris Gentium*, Berlin 1984.

Groehler, Olaf, *Bombenkrieg gegen Deutschland*, Berlin 1990.

Groehler, Olaf, *Geschichte des Luftkriegs*, Berlin (DDR) 1975.

–, *Anhalt im Luftkrieg: 1940–1945. Anflug auf Ida-Emil*, Dessau 1993.

Halm, Hans, *Die Schicksale der Bayerischen Staatsbibliothek während des Zweiten Weltkriegs*, München 1949.

Hampe, Erich, *Der zivile Luftschutz im Zweiten Weltkrieg*, Frankfurt/M. 1963.

Harris, Arthur, *Bomber Offensive*, London 1947.

Harris, Robert/Paxman, Jeremy, *Eine höhere Form des Tötens. Die unbekannte Geschichte der B- und C-Waffen*, München 1985.

Hartmann, Werner, *Die Zerstörung Halberstadts am 8. April 1945*, Halberstadt 1980.

Hasenclever, G., *Die Zerstörung der Stadt Remscheid*, Remscheid 1984.

Hastings, Max, *Bomber Command*, London ²1981.

Hawkins, Ian, *Münster, 10. Oktober 1943*, Aschendorf 1983.

Heimatbund Niedersachsen (Hrsg.) in Zusammenarbeit mit dem Presseamt der Hauptstadt Hannover, *Tod und Leben Hannovers. 9. November*, bearbeitet von Heinz Lauenroth und Gustav Lauterbach, Hannover 1953.

Heine, Heinrich, *Werke und Briefe*, Berlin und Weimar 1980.

Herbert, Ulrich, *Fremdarbeiter. Politik und Praxis des Ausländereinsatzes in der Kriegswirtschaft des Dritten Reiches*, Bonn 1985.

Hillgruber, Andreas, *Hitlers Strategie, Politik und Kriegführung 1940–1941*, München 1965.

Hinchcliffe, Peter, *Luftkrieg über Nacht 1939–1945*, Stuttgart 1998.

Hiroshima und Nagasaki. The Physical, Medical and Social Effects of the Atomic Bombings, hrsg. von: the Committee for the Compilation of Materials on Damage Caused by the Atomic Bombs, New York 1981

Höhne, Heinz, *Der Orden unter dem Totenkopf. Die Geschichte der SS*, München 1967.

Horn, Birgit, *Leipzig im Bombenhagel – Angriffsziel ›Haddock‹*, Leipzig 1998.

Huch, Ricarda, *Im alten Reich. Lebensbilder deutscher Städte*, Bremen 1927.

Hüttenberger, Peter, *Düsseldorf. Geschichte von den Anfängen bis ins 20. Jahrhundert*, Düsseldorf 1989.

Huyskens, Albert, *Der Kreis Meschede unter der Feuerwalze des Zweiten Weltkriegs*, Bielefeld 1949.

Interessengemeinschaft Gedenkstätte Golm, e.V. Kaminke/Usedom (Hrsg.), *Das Inferno von Swinemünde. Überlebende berichten über die Bombardierung der Stadt am 12. März 1945*, Iserlohn 2001.

Irving, David, *Die Tragödie der deutschen Luftwaffe. Aus den Akten und Erinnerungen von Feldmarschall Erhard Milch*, Frankfurt/M. 1970.

–, *Der Untergang Dresdens*, München 1983.

–, *Und Deutschlands Städte starben nicht*, Augsburg 1989.

–, *Churchill. Kampf um die Macht*, München 1990.

Jacobsen, Hans-Adolf, »Der deutsche Luftangriff auf Rotterdam am 14. Mai 1940. Versuch einer Klärung«, *Wehrwissenschaftliche Rundschau* (1958), S. 257–284.

Janssen, Gregor, *Das Ministerium Speer. Deutschlands Rüstung im Krieg*, Berlin–Frankfurt/M.–Wien 1968.

Jordan, Karl, *Heinrich der Löwe*, München 1979.

Kiepke, Rudolf, *Werden, Untergang, Wiedererstehen*, Paderborn 1949.

Kluge, Alexander, »Der Luftangriff auf Halberstadt am 8. April 1945«, in: Ders., *Chronik der Gefühle*, Bd. 2, *Lebensläufe*, Frankfurt/M. 2000.

Koch, Horst-Adalbert, *Flak. Die Geschichte der deutschen Flakartillerie und der Einsatz der Luftwaffenhelfer*, Bad Nauheim ²1965.

Krämer, Karl, *Christbäume über Frankfurt*, Frankfurt/M. 1983.

Kranich, Kurt, *Karlsruhe. Schicksaltage einer Stadt*, Karlsruhe 1973.

Kraume, Hans-Georg, *Duisburg im Krieg. 1939–1945*, Düsseldorf 1982.

Krieg und Elend im Siegerland, Siegen 1981.

Krüger, Norbert, *Die Geschichte der Bombenangriffe auf Wuppertal im Zweiten Weltkrieg*, Examensarbeit, Köln, 12. Juli 1967, ungedrucktes Manuskript.

Krüger, Norbert, »Die Luftangriffe auf Essen 1940–1945«, *Essener Beiträge*, Bd. 113, 2001, Historischer Verein der Stadt und des Stiftes Essen, Essen 2002.

Landeshauptstadt Düsseldorf (Hrsg.), *Erlebtes und Erlittenes. Gerresheim unter dem Nationalsozialismus*, Düsseldorf 1993.

La Farge, Henry (Hrsg.), *Lost Treasures of Europe*, New York 1946.

Lauenroth, Heinz, Lauterbach, Gustav, *Tod und Leben, Hannovers 9. Oktober*, Hannover 1953.

Ledig, Gert, *Vergeltung*, Frankfurt/M. 1999.

L'Europe et la Révolution française, I. Partie. Les mœurs politiques 10e, Paris 1904.

Leyh, Georg, *Die deutschen wissenschaftlichen Bibliotheken nach dem Krieg*, Tübingen 1947.

Liddell Hart, Basil, *Geschichte des Zweiten Weltkriegs*, Düsseldorf–Wien 1972.

–, *The Other Side of the Hill*, London 1983.

Lindkvist, Sven, *A History of Bombing*, New York 2001

Longmate, Norman R., *The Bombers. The R.A.F. Offensive Against Germany 1939–1945*, London 1983.

Lytton, Henry D., »Bombing Policy in the Rome and Pre-Normandy Invasion Aerial Campaigns of World War II«, in: *Military Affairs*, 47, 4./1983.

MacBean, John A., Hogben, Arthur S., *Bombs Gone. The Development and Use of British Air-Dropped Weapons from 1912 to the Present Day*, Wellingborough 1990.

MacDonald, Charles B., *The Battle of the Huertgen Forest*, Philadelphia 1963.

Macksey, Kenneth, *From Triumph to Disaster. The Fatal Flaws of German Generalship from Moltke to Guderian*, London 1996.

Mainfränkisches Museum (Hrsg.), Katalog zur Sonderausstellung anläßlich des 40. Jahrestags, 10. 3.–5. 6. 1985, »*In stummer Klage, Zeugnisse der Zerstörung Würzburgs*«, Würzburg 1985, darin Heinrich Dunkhase, »Würzburg 16. 3. 1945, 21.20–21.42 Uhr, Hintergründe, Verlauf und Folgen des Luftangriffs der Nr. 5 Bomber Group«. Abdruck aus *Mainfränkisches Jahrbuch für Geschichte und Kunst*, Bd. XXXII, 1980.

Mann, Thomas, *Zeit und Werke. Tagebücher, Reden und Schriften zum Zeitgeschehen*, Berlin 1956.

Messenger, Charles, »*Bomber Harris« and the Strategic Bombing Offensive 1939–1945*, London 1984.

Meyer-Hartmann, Hermann, *Zielpunkt 52092 N 09571 O. Der Raum Hildesheim im Luftkrieg 1939–1945*, Hildesheim 1985.

Middlebrook, Martin, *Die Nacht, in der die Bomber starben. Der Angriff auf Nürnberg und seine Folgen für den Luftkrieg*, Berlin 1975.

Middlebrook, Martin, *Hamburg, Juli '43*, Berlin 1983.

–, *The Schweinfurt-Regensburg Mission. American Raids on 17 August 1943*, London 1985.

–, *The Berlin Raids R.A.F. Bomber Command Winter 1943/44*, London 21990.

570

–, Everitt, Chris, *The Bomber Command War Diaries. An Operational Reference Book 1939–1945*, Leicester 1996.

Milward, Alan S., *Der Zweite Weltkrieg. Krieg, Wirtschaft und Gesellschaft 1939–1945*, München 1977.

Mühlen, Bengt von zur, *Der Todeskampf der Reichshauptstadt*, Berlin 1994.

Müller-Werth, Herbert, *Geschichte und Kommunalpolitik der Stadt Wiesbaden*, Wiesbaden 1963.

Murray, Williamson/Millett, Allan R., *A War to be Won. Fighting the Second World War*, Cambridge, Mass.–London 2000.

Nadler, Fritz, *Ich sah, wie Nürnberg unterging*, Nürnberg 1955.

Neufeld, Michael J., *Die Rakete und das Reich*, Berlin 1997.

Nossak, Hans Erich, *Der Untergang. Hamburg 1943*, Frankfurt/M. 1948.

Overy, Richard, *Why the Allies Won*, New York 1996.

Panse, Friedrich, *Angst und Schreck in klinisch-psychologischer und sozialmedizinischer Sicht, dargestellt anhand von Erlebnisberichten aus dem Luftkrieg*, Stuttgart 1952.

Pape, Rainer, *Bis fünf nach zwölf. Herforder Kriegstagebuch*, Herford 1984.

Pape, Robert A., *Bombing to Win. Air Power and Coercion in War*, Ithaca, N.Y.,–London 1996.

Patton, George, *War As I Knew It*, New York 1947.

Peters, Fritz, *Zwölf Jahre Bremen 1933–1945*, Bremen 1951.

Piekalkiewicz, Janusz, *Luftkrieg 1939–1945*, München ²1978.

–, *Arnheim 1944. Die größte Luftlandeoperation*, Augsburg 1989.

Pieper, Hedwig, *Der westfälische Hellweg. Seine Landesnatur, Verkehrstellung und Kleinstädte*, Münster 1928.

Pogt, Herbert (Hrsg.), *Vor fünfzig Jahren. Bomben auf Wuppertal*, Wuppertal 1993.

Pöhlmann, Markus, *>Es war gerade, als würde alles bersten ...<. Die Stadt Augsburg im Bombenkrieg*, Augsburg 1994.

Poll, Bernhard (Hrsg.), *Aachen, Herbst 1944*, Aachen 1962.

Prescher, Rudolf, *Der rote Hahn über Braunschweig*, Braunschweig 1955.

Price, Alfred, *Herrschaft über die Nacht*, Gütersloh 1968.

–, *Luftschlacht über Deutschland*, Stuttgart 1996.

–, *Bomber im 2. Weltkrieg. Entwicklung, Einsatz, Taktik*, Stuttgart 1980.

Rahier, Josef, *Jülich und das Jülicher Land in den Schicksalsjahren 1944/45. Kriegsgeschichtliche Ereignisse der Stadt und des Kreises Jülich nach authentischen Berichten*, Jülich 1967.

571

Renz, Otto Wilhelm, *Deutsche Flugabwehr im 20. Jahrhundert. Flak-Entwicklung in Vergangenheit und Zukunft*, Berlin–Frankfurt/M. 1960.

Richard, Felix, *Der Untergang der Stadt Wesel im Jahre 1945*, Düsseldorf 1961.

Rosenberg, Alfred, *Mythus des 20. Jahrhunderts*, München 1934.

Rostow, Walt W., *Pre-Invasion Bombing Strategy. Eisenhower Decision of March 25, 1944*, Austin, Texas 1981.

Roth, Eugen, *Spaziergänge mit Hindernissen. Anekdoten*, München 1982.

Rumpf, Hans, *Der hochrote Hahn*, Darmstadt 1952.

–, *Das war der Bombenkrieg*, Oldenburg 1961.

–, »Bomber Harris«, in: *Ziviler Luftschutz*, 17. Jahrgang 1953, Heft 7–8.

Rust, Kenn C., *The 9th Air Force in World War II*, Fallbrook, Calif., 21970.

Rüter-Ehlermann, Adelheid L., Rüter, C. F. (Hrsg.), *Justiz und NS-Verbrechen. Sammlung deutscher Strafurteile wegen nationalsozialistischer Tötungsverbrechen 1945–1966*, Amsterdam 1969 ff.

Saundby, Sir Robert, *Air Bombardment, The Story of its Development*, New York 1961.

Saward, Dudley, *The Bomber's Eye*, London 1959.

–, »*Bomber Harris*«. *The Story of Marshal of the Royal Air Force Sir Arthur Harris*, London 1984.

Sax-Demuth, Waltraud, *Weiße Fahnen über Bielefeld*, Herford 1981.

Schäfer, Hans A., *Berlin im Zweiten Weltkrieg. Der Untergang der Reichshauptstadt in Augenzeugenberichten*, München 1985.

Schaffer, Ronald S., *Wings of Judgement. American Bombing in World War II*, New York ²1988.

Scheck, Thomas, *Denkmalpflege und Diktatur im Deutschen Reich zur Zeit des Nationalsozialismus*, Berlin 1995.

Schmalacker-Wyrich, Esther, *Pforzheim, 23. Februar 1945. Der Untergang einer Stadt*, Pforzheim 1980.

Schmid, Armin, *Frankfurt im Feuersturm*, Frankfurt/M. 1965

Schmidt, Klaus, *Die Brandnacht. Dokumente von der Zerstörung Darmstadts am 11. September 1944*, Darmstadt 1964.

Schnatz, Helmut, *Der Luftkrieg im Raum Koblenz 1944/5*, Boppard 1981.

Schramm, Georg Wolfgang, *Bomben auf Nürnberg. Luftangriffe 1940–1945*, München 1988.

Sebald, Winfried Georg, *Luftkrieg und Literatur*, München 1999.

Seeland, Hermann, *Zerstörung und Untergang Alt-Hildesheims*, Hildesheim 1947.

Seidler, Franz W., *Deutscher Volkssturm*, München 1989.

Siedler, Wolf Jobst/Niggemeyer, Elisabeth, *Die gemordete Stadt*, Berlin 1993

Smith, Howard K., *Last Train from Berlin. Ein amerikanischer Korrespondent erlebt Nazideutschland*, Berlin 1982.

Sollbach, Gerhard E. (Hrsg.), *Dortmund. Bombenkrieg und Nachkriegszeit 1939–1948*, Hagen 1996.

Speer, Albert, *Spandauer Tagebücher*, Berlin 1975.

Spetzler, Eberhard, *Luftkrieg und Menschlichkeit. Die völkerrechtliche Stellung der Zivilpersonen im Luftkrieg*, Göttingen 1956.

Spratte, Wido, *Im Anflug auf Osnabrück. Die Bombenangriffe 1940 bis 1945, Osnabrück 1985*.

Stadtmuseum Münster (Hrsg.), *Bomben auf Münster*, Münster 1983.

Steinhilber, Wilhelm, *Heilbronn Die schwersten Stunden der Stadt*, Heilbronn 1961.

Terraine, John, *The Right of the Line*, London ²1988.

The Strategic Air War Against Germany, Report of the British Bombing Survey Unit, London 1998.

The United States Strategic Bombing Survey, 10 Bde., mit einer Einführung von David MacIsaac, New York–London 1976.

Thömmes, Matthias, *Tod am Eifelhimmel. Luftkrieg über der Eifel 1939–1945*, Aachen 1999.

Verrier, Anthony, *Bomberoffensive gegen Deutschland 1935–1945*, Frankfurt/M. 1970.

Vetter, Walter, *Freiburg in Trümmern 1944–1952*, Freiburg 1982.

Vieberg, Gerhard, *Justiz im nationalsozialistischen Deutschland*, hrsg. vom Bundesministerium für Justiz, Bonn 1984.

Vogt, Hans/Brenne, Herbert, *Krefeld im Luftkrieg 1939–1945*, Bonn 1986.

Vogt, Helmut, *Bonn im Bombenkrieg. Zeitgenössische Aufzeichnungen und Erinnerungsberichte von Augenzeugen*, Bonn 1989.

Voigt, Hans, *Die Veränderung der Großstadt Kiel durch den Luftkrieg*, Kiel 1950.

Wagenführ, Rolf, *Die deutsche Industrie im Kriege 1939–1945*, Berlin 21963.

Walther, Friedrich, *Schicksal einer deutschen Stadt. Geschichte Mannheims 1907–1945*, Frankfurt/M. 1950.

Wagner, Walter, *Der Volksgerichtshof im nationalsozialistischen Staat*, Stuttgart 1984.

Warner, Konrad, *Schicksalswende Europas? Ich sprach mit dem deutschen Volk … Ein Tatsachenbericht*, Rheinfelden 1944.

Webster, Sir Charles/Frankland, Noble, *The Strategic Air Offensive Against Germany, 1939–1945*, 4 Bde., London 1961.

573

Weidenhaupt, Hugo, *Kleine Geschichte der Stadt Düsseldorf*, Düsseldorf 1983.

Werner, Wolf, *Luftangriffe auf die deutsche Industrie*, München 1985.

Westphal, Siegfried, *Heer in Fesseln*, Bonn 1950.

Wette, Wolfram/Bremer, Ricarda, Vogel, Detlef (Hrsg.), *Das letzte halbe Jahr. Stimmungsberichte der Wehrmachtspropaganda 1944–1945*, Berlin 2002.

Whitaker, Denis und Shelagh, *Endkampf am Rhein*. Berlin 1991.

Whiting, Charles, *Die Schlacht um den Ruhrkessel*, Wien 1978.

Wille, Manfred, *Der Himmel brennt über Magdeburg. Die Zerstörung der Stadt im Zweiten Weltkrieg*, Magdeburg o.J.

Wincker-Wildberg, Friedrich (Hrsg.), *Napoleon. Die Memoiren seines Lebens*, Bd. XIII, Wien o.J.

Zelzer, Maria, *Weg und Schicksal der Stuttgarter Juden. Ein Gedenkbuch*, hrsg. von der Stadt Nürnberg, Stuttgart o. J.

Zenz, Emil, *Rauch und Trümmer. Trier 1944/45*, Trier 1962.

Zuckerman, Solly, *From Apes to Warlords. The Autobiography, 1904–1946*, New York 1978.

ORTSREGISTER

578

583

PERSONENREGISTER